BATLAMYUS'UN KAPISI

BARTIMAEUS ÜÇLEMESİ

ÜÇÜNCÜ KİTAP

arkadaş YAYINEVİ
Mithatpaşa Cad. 28 / C Ankara
Tel: (0312) 434 46 24 (4 hat) Faks: (0312) 435 60 57
e-posta: info@arkadas.com.tr
www.arkadas.com.tr

Kitabın özgün adı ve yazarı:
Ptolemy's Gate, Jonathan Stroud

ISBN: 975-509-493-8

ANKARA, 2006

Çeviri	: Kıvanç Güney
Redaksiyon	: Özlem Dağ
Yayına Hazırlık	: Selen Y. Kölay, Zeynep Kapuzlu
Sayfa Düzeni	: Neslihan Atay
Kapak Tasarımı	: Tolga Ergin
Baskı	: Yorum Matbaacılık

JONATHAN STROUD

BATLAMYUS'UN KAPISI

BARTIMAEUS ÜÇLEMESİ
ÜÇÜNCÜ KİTAP

Çeviri
Kıvanç GÜNEY

Ana Karakterler

BÜYÜCÜLER

Rupert Devereaux	*Büyük Britanya ve İmparatorluk Başbakanı, Vekaleten Polis Şefi*
Carl Mortensen	*Savaş Bakanı*
Helen Malbindi	*Dışişleri Bakanı*
Jessica Whitwell	*Güvenlik Bakanı*
Bruce Collins	*İçişleri Bakanı*
John Mandrake	*Enformasyon Bakanı*
Jane Farrar	*Polis Şefi Yardımcısı*
Quentin Makepeace	*Oyun yazarı; Jüponlar ve Tüfekler gibi birçok oyun yazmıştır.*
Harold Button	*Büyücü, akademisyen ve kitap koleksiyoncusu*
Sholto Pinn	*İş adamı, Piccadilly'deki Pinn Teçhizatları'nın sahibi*
Clive Jenkins	*İkinci düzeyde büyücü, İçişleri Bakanlığı görevlisi*
Rebecca Piper	*Enformasyon Bakanı Sayın Mandrake'nin yardımcısı*

HALKTAN KİŞİLER

Kitty Jones	*Öğrenci ve barmeyd*
Clem Hopkins	*Gezgin akademisyen*
Nicholas Drew	*Siyasi muhalif*
George Fox	*Chiswick'deki Kurbağa Han'ın sahibi*
Rosanna Lutyens	*Özel öğretmen*

RUHSAL VARLIKLAR

Bartimaeus	*Bay Mandrake'nin hizmetkarı cin*
Ascobol Cormocodran Mwamba Hodge	*Bay Mandrake'nin hizmetindeki büyük cinler*
Purip Fritang	*Bay Mandrake'nin hizmetindeki küçük cinler*

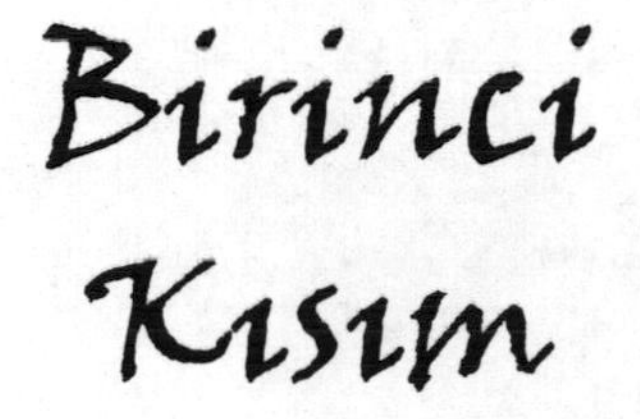
Birinci
Kısım

İskenderiye
M.Ö. 125

Saray arazisine geceyarısı giren suikastçiler; duvarın önünde dört kara ve seri gölge. Atlayış uzun, zemin sertti. Öyle ki çarpma anında en fazla birer yağmur damlası kadar ses çıkardılar. Üç saniye boyunca diz çökmüş ve kıpırtısız halde düştükleri yerde kaldılar. Sonra karanlık bahçelerden, ılgınların ve hurma ağaçlarının arasından geçerek çocuğun istirahat ettiği bölüme doğru harekete geçtiler. Zincire vurulmuş bir çita uykusunda kıpırdandı, uzaklardaki çölde çakallar uludu.

Uzun ve nemli çimlerde hiç iz bırakmadan, parmaklarının ucunda ilerlediler. Arkalarında uçuşan cübbeleri, gölgelerini bölük pörçük tutamlara ve püsküllere ayırıyordu. Ne görünüyordu? Esintiyle titreşen yapraklardan başka hiçbir şey. Bir şey duyuluyor muydu? Hurma yaprakları arasında iç geçiren rüzgardan başka hiçbir şey. Ne görüntü, ne bir ses. Kuyruğunu neredeyse sıyırıp geçtikleri halde kutsal havuzda nöbet tutan bir timsah cinin bile ruhu duymadı. İnsan oldukları düşünülürse pek de fena değillerdi.

Günün sıcaklığı artık anılara karışmıştı, hava serindi. Sarayın üzerinde parlayan yuvarlak ve soğuk bir ayışığı, damları ve avluları gümüş rengine boğuyordu.[1]

Duvarın arkasında, şehrin uzaklardan gelen mırıltısı: Kirli yollarda dönen tekerlekler, rıhtım boyunca uzanan zevküsefa mahallesinin belli belirsiz kahkahaları, rıhtımdaki kayalara çarpan dalgalar. Pencerelerde ışıldayan lambalar, damlardaki ocaklarda kor kömürler ve liman kapısındaki kulenin tepesinden denize mesajını yollayan fener ateşinin dalgalar üzerinde bir cin alevi gibi dans eden görüntüsü.

Nöbet yerlerinde şans oyunları oynayan nöbetçiler. Sütunlu büyük hollerde, çalı çırpıdan yapılmış yataklarında uyuyan hizmetkarlar. Saray kapıları, her biri bir insan bedeninden daha kalın üçer sürgüyle kilitlenmişti. Ölümün, dört çift sessiz ayak üstünde, bir akrep kadar sessiz geldiği batı bahçelerine çevrilmiş hiçbir göz yoktu.

Oğlanın penceresi, sarayın birinci katındaydı. Dört kara gölge pencerenin altına sindi. Liderleri işaret verdi. Teker teker taş duvara yapışıp parmak uçları ve koca ayak başparmaklarının tırnaklarına asılarak arka arkaya tırmanmaya başladılar.[2] Bu yön-

---

[1] Ait oldukları tarikatın tuhaflıklarından biri de buydu: Yalnızca dolunay zamanı harekete geçerlerdi. Böylece görevleri daha zor, başardıkları iş daha büyük oluyordu. Üstelik bir kez olsun başarısız olmamışlardı. Bunun dışında yalnızca siyah giyer; etten, şaraptan, kadınlardan ve nefesli sazlardan uzak durur, uzak çöllerdeki dağlarında kendi yetiştirdikleri keçilerin sütünden yaptıkları peynir haricinde peynir yemezlerdi her nedense. Her görev öncesi bir gün boyunca oruç tutar, gözlerini kırpmadan yere bakarak meditasyon yapar, sonra da gırtlakları sapsarı parıldayana kadar, hiç su içmeden, haşhaş ve kimyon tohumlu küçük kurabiyeler yerlerdi. Bu durumda adam öldürmeyi nasıl başardıkları tam bir muamma.

[2] İğrenç ve kıvrık tırnakları, bir kartalın pençeleri gibi törpülenmişti. Suikastçiler, işlerindeki öneminden dolayı ayaklarına çok iyi bakarlardı. Sık sık yıkar, sünger taşıyla ovalar ve kuştüyü yastık gibi yumuşayana kadar susam yağında bekletirlerdi onları.

temle mermer sütunlar geçmiş, Marsilya'dan Yemen'e kadar buz tutmuş şelaleler aşmışlardı. Pürtüklü taş duvarlar, artık çocuk oyuncağıydı. Mağara duvarındaki yarasalar gibi yükseldiler. Ay ışığı, ağızlarından sarkan parlak şeylerin üzerinde pırıldadı.

Suikastçilerin ilki pencere pervazına ulaştı. Kaplan gibi üzerine sıçrayıp içeriye göz attı.

Oda ayışığıyla dolmuştu. Şilte döşek gün gibi ortadaydı. Uyuyan çocuk, sanki çoktan ölmüş gibi kıpırtısız yatıyordu. Siyah saçları yastıkların üzerine dağılmış, soluk renkli kuzu boynu ipeklerin üstünde parlıyordu.

Suikastçi, dişlerinin arasında tuttuğu hançeri aldı. Soğukkanlılıkla ve dikkatle içeriye göz gezdirerek eşyaları ve tuzak olasılıklarını değerlendirdi. Geniş ve gölgelerle dolu, gösterişten uzak bir odaydı. Tavanı destekleyen üç sütun vardı. İleride demir sürgüyle içeriden kilitlenmiş tik ağacından bir kapı vardı. Giysilerle yarısına kadar dolu bir sandık, duvarın önünde açık duruyordu. Üstüne pelerin atılmış bir koltuk, yere atılmış sandaletler ve oniks taşından suyla dolu bir leğen gördü. Havada hafif bir parfüm kokusu vardı. Bu türden kokuları yozlaşmış ve berbat bulan suikastçi burnunu kırıştırdı.[3]

Gözlerini kıstı. Hançerini parlak, ışıldayan ucundan işaret ve başparmağı arasında tutarak bileğini büktü. Hançer bir kez titreşti, sonra bir kez daha. Atış menzilini kestirmeye çalışıyordu, şimdiye kadar hiçbir hedefi ıskalamamıştı. Carthadge'dan Colchis'e kadar attığı her bıçak hedefi bulmuştu.

Bileği oynadı, bıçak gümüşten bir kavis çizerek havayı ikiye böldü. Hafif bir ses çıkararak çocuğun boynundan birkaç

---

[3] Pratik nedenler yüzünden parfüm kullanmaktan kaçınan tarikat üyeleri, kendilerini göreve uygun kokularla kamufle etmeyi tercih ederlerdi: Bahçelerde çiçek tozu, tapınaklarda tütsü, çöllerde kum, şehirlerde gübre ve çöp gibi.

santim ötedeki kabzasına kadar yastığa saplandı.

Suikastçi, kuşku içinde, pencere eşiğinde çömelmiş halde kalakaldı. Ellerinin üstü, karanlık akademinin bir üstadı olduğunu gösteren çaprazlamasına kesik izleriyle doluydu. Bir üstat, asla hedefi ıskalamazdı. Atışı doğru, kusursuz ayarlanmış bir atıştı. Yine de ıskalamıştı. Acaba kurban, bir parça kıpırdanmış olabilir miydi? İmkansız, oğlan derin uykudaydı. Üzerinden ikinci bir hançer çıkardı.[4] Yeniden dikkatle nişan aldı. Arkasında ve altında duvara yapışmış bekleyen kardeşlerinin fazlasıyla farkındaydı, sabırsızlıklarının amansız ağırlığını omuzlarında hissediyordu. Bilek yeniden oynadı, havada anlık bir kavis görüldü.

İkinci hançer de yumuşak bir ses çıkararak prensin boynunun diğer tarafında, birkaç santim ötedeki yastığa saplanıverdi. Dudaklarının kenarında bir tebessümün hayaleti kıvrılan prens herhalde bir rüya görüyordu.

Suikastçi, yüzünü gizleyen siyah tül eşarbın altında, kaşlarını çattı. Tüniğinin içinden, sıkı sıkı bükülerek sicim haline getirilmiş bir kumaş şeridi çıkardı. Mürşidin ilk öldürme emrini verdiği yedi yıl öncesinden bu yana, boğma sicimi bir kez olsun kopmamış, elleri onu hiç aldatmamıştı.[5] Bir leopar kadar sinsi, pencere eşiğinden kayarak ayışığıyla kaplı odaya süzüldü.

---

[4] Hançeri *neresinden* çıkardığını söylemeyeyim. Fazlasıyla keskin olmanın yanında, hijyen koşulları açısından kötü bir durumda olduğunu söylemek yeterli olacaktır.

[5] Dağdaki Mürşit, müritlerine uygulamada basit ve şaşmaz sayısız cinayet yöntemi öğretirdi. Sicim, kılıç, bıçak, sopa, halat, zehir, disk, zincirli topuz, saçma taneleri ve ok gibi aletleri kusursuz kullanabildikleri gibi, kem göz konusunda da uzman sayılırlardı. Parmak uçlarıyla ve başparmağı bükerek öldürme teknikleri de öğretilirdi, ayrıca hain çimdik tekniğinde ustaydılar. Mide delme ve bağırsak solucanı teknikleri, ileri düzeydeki öğrenciler içindi. İşin en iyi tarafıysa bütün bunların suçluluk duygusundan arınmış olarak yapılmasıydı: Suikastçilere mensubu oldukları din tarafından başkalarının hayatının kutsal olmadığına dair kesin olarak teminat verilmiş ve hepsi önceden bağışlanmıştı.

Çocuk yatağında bir şeyler mırıldandı. Yorganın altında kıpırdandı. Suikastçi odanın ortasında siyah bir heykel gibi taş kesildi. Arkasında, ağır ağır tırmanarak eşiğe sinmiş olan iki yardımcısı pencerenin önünde olanları izleyerek bekliyorlardı.

Çocuk, hafifçe içini çekerek yeniden sessizleşti. Başının her iki yanında birer hançer kabzasıyla sırtüstü yatıyordu.

Yedi saniye geçti. Suikastçi tekrar harekete geçti. Sicimin uçlarını ellerinde tutarak yastıkların arkasından dolandı. Artık çocuğun tam tepesindeydi; hızla öne eğilerek sicimi uykudaki çocuğun boğazına geçirdi.

Oğlanın gözleri açıldı. Tek elini uzatarak suikastçiyi sol bileğinden yakaladı, hiçbir çaba göstermeden kafası üstü en yakın duvara fırlatarak boynunun bir kamış sapı gibi kırılmasına neden oldu. İpek çarşaflarından kurtulup sıçrayarak yüzü pencereye dönük halde ayağa kalktı.

Pencere pervazında, ayışığı önünde silüet halinde görünen iki suikastçi çöl yılanları gibi tısladılar. Yoldaşlarının ölümü ortak gururlarına karşı bir hakaret niteliğindeydi. Bir tanesi, cübbesinin içinden kemik bir boru çıkardı. Dişlerinin arasına yumurta kabuğu kalınlığında, zehirle dolu bir saçma tanesi aldı. Boruyu dudaklarına götürdü, bir kez üfledi. Çocuğun kalbine nişanlanmış saçma odada uçmaya başladı.

Oğlan yana sıçradı; saçma tanesi sütunlardan birine çarpıp parçalanarak sütunu boydan boya ıslattı. Havayı sis gibi yeşil bir duman kapladı.

İki suikastçi odaya dalarak aksi yönlere doğru ilerledi. Karanlık gözleriyle odayı tarayarak ellerindeki palaları karmaşık hareketlerle başlarının üzerinde sallıyorlardı.

Çocuk yoktu. Oda hareketsizdi. Yeşil zehir taşları, cızırdatarak sütunu kemiriyordu.

Bu suikastçiler yedi yıl boyunca, Antioch'dan Pergamum'a kadar, ellerinden tek bir kurban kaçırmamıştı.[6] Palalar durdu, hızlarını keserek dikkatle dinlemeye, havada korkunun kokusunu aramaya başladılar.

Odanın ortasındaki sütunun ardından, samandan yatağında ürküp kımıldanan bir farenin sesine benzeyen, çok hafif bir hışırtı duyuldu. Suikastçiler birbirine baktı. Palaları kaldırıp parmak uçlarında milim milim ilerlemeye başladılar. Biri, sağa giderek arkadaşının yere serilmiş cesedini geçti. Biri sol tarafa, kralların peleriniyle kaplı altın koltuğun yanına gitti. Duvarların dibinden iki hayalet gibi ilerleyerek her iki taraftaki sütunları çembere aldılar.

Sütunun ardında şüphe uyandıran bir kımıltı, gölgelere gizlenmiş bir çocuk bedeni vardı. İki suikastçi de çocuğu görerek palalarını kaldırıp hem sağdan hem soldan hızla daldı. İkisi de peygamber devesi hızıyla.

Gargara yapar gibi hırıldayan çifte çığlıklar. Sütunun çevresinden tökezleyerek devrilen bir kol ve bacak yığını. Birbirlerine sıkıca kenetlenmiş, kendi kılıcıyla bir diğerini şişlemiş iki suikastçi. Odanın merkezindeki ayışığından havuza serildiler; bedenleri hafifçe seğirdi ve hareketsiz yere uzandı.

Sessizlik. Pencere boşluğu, içeri sızan ayışığı dışında bomboştu. Parlak topun önünden geçen bir bulut yerdeki cesetleri sakladı. Liman kulesindeki işaret ateşi gökyüzünü hafif kızıla boyuyordu. Her yer kıpırtısızdı. Bulut denize doğru sürüklendi, ışık geri geldi. Yalın ayak, ses çıkarmadan sütunun arkasından çıkan çocuğun bedeni, odada bir gerilim hissetmiş

---

[6] Şimdi kaçırmaya da niyetleri yoktu. Mürşit, başarısızlıkla geri dönen müritlere değer vermemesiyle ünlüydü. Akademide bunların derileriyle kaplanmış bir duvar vardı; öğrencileri aylaklık yapmamaya zorladığı gibi, sıcak ve soğuğu da geçirmeyen ustaca düzenlenmiş bir sergi.

gibi kaskatı kesilmişti. Temkinli adımlarla pencereye yaklaştı. Ağır ağır, yavaş yavaş. Bol bitkiyle kaplı bahçeleri, ağaçları ve nöbetçi kulelerini gördü. Pencere eşiğinin dokusunu, ayışığının pervazı nasıl aydınlattığını fark etti. Daha da yaklaştı. Artık ellerini taşa dayamıştı. Duvarın dibindeki avluya bakmak için öne eğildi. İnce beyaz boynu aşağı doğru sarktı.

Bir şey yoktu. Avlu bomboştu. Ay ışığında belirginleşen taşlarıyla altında uzanan duvar dimdik ve dümdüzdü. Oğlan sessizliğe kulak kabarttı. Parmaklarıyla taşın üstünde trampet çaldı, omzunu silkip odaya döndü.

Sonra, pencerenin *üzerine* bir örümcek gibi asılmış duran, dördüncü suikastçi arkasından odaya atladı. Ayakları kara düşen bir tüy kadar ses çıkardı. Çocuk duymuştu; yana doğru kaçarak arkasına döndü. Parıldayan bir hançer hızla atıldı, çaresiz bir el tarafından savuşturuldu. Hançerin taşa çarpan keskin ucu çınladı. Çelikten parmaklar çocuğun boynuna yapıştı, bacaklarına gelen bir darbeyle ayakları yerden kesildi. Yere sert bir iniş yaptı. Suikastçi, tüm ağırlığıyla üzerindeydi. Elleri sabitlenmişti. Hareket edemedi.

Aşağı doğru inen bıçak, bu sefer hedefini buldu.

İşte olması gerektiği gibi bitmişti. Cesedin üzerinde kalan suikastçi bir nefes aldı; arkadaşlarının yaşamı sona erdikten sonra aldığı ilk nefesti bu. Güçlü kalçalarının üzerine oturdu, bıçağı ve çocuğun bileğini serbest bıraktı. Eller yere düştü. Yenilen kurbana duyulan saygıyı göstermek için gelenek olduğu üzere başını eğerek selam verdi.

İşte tam o anda çocuk atılıp göğsünün ortasındaki hançeri çekip çıkardı. Suikastçi dehşet içinde gözlerini kırpıştırdı.

"Gümüş değil, görüyorsun ya," dedi çocuk. "Büyük gaflet." Elini kaldırdı.

Odada bir patlama. Pencereden saçılan yeşil kıvılcımlar.

Çocuk ayağa kalkıp bıçağı yatağa doğru fırlattı. Eteğini düzeltip kolundaki bir parça külü üfledi. Sonra yüksek sesle öksürdü.

Çok hafif bir gıcırtı. Odanın diğer tarafındaki altın koltuk yerinden oynadı. Üzerindeki pelerin yana doğru açıldı. Bacakları arasından, saatlerce saklanmaktan yüzü kızarmış ve saçları arap saçına dönmüş, diğerinin aynısı bir çocuk daha çıktı.

Nefes nefese, suikastçilerin cesetlerinin tepesinde dikildi. Sonra gözlerini tavana dikti. Yukarıda kömüre dönmüş bir adamın silüeti seçiliyordu. Yüzünde şaşkın bir ifade vardı.

Çocuk başını indirip ayışığıyla aydınlanmış odanın karşı tarafından kayıtsızca kendine bakan eş ruhuna baktı. Alaycı bir selam verdi.

Batlamyus, gözünün önündeki siyah saçları yana atıp başını eğdi.

"Teşekkürler Rekhyt."

1

Zaman değişiyor.

Bir zamanlar, çok önceleri, kimse beni geçemezdi. Bir bulut kümesinin üstünde göklerde fır döner, geçtiğim yerlerde fırtınalar yaratırdım. Dağları deler, camdan sütunlar üstünde kaleler kurar, ormanları tek bir nefeste yerle bir ederdim. Yeryüzünün kayalıklarından tapınaklar oydum, binlerce ölünün üzerinden geçen ordular yönettim, bu yüzden onlarca ülkenin harpçıları adıma besteler yaptı ve tarihçiler onlarca yüzyıl boyunca benim kahramanlıklarımı çiziktirdi. Evet! Ben Bartimaeus'tum: Çita kadar hızlı, erkek bir fil kadar güçlü, çıngıraklı yılan kadar ölümcül.

Ama bütün bunlar o zamandı.

Ya şimdi... Eh, *şimdi* geceyarısı bir caddenin ortasında sırtüstü dümdüz yatmış, daha da düzleşmekle meşguldüm. Niçin? Çünkü üzerimde tersine dönmüş bir bina vardı. Ağırlığı eziciydi. Kaslar gerilmiş, tendonlar pörtlemiş. Ne kadar çabalasam da üstümden itip kurtulamıyordum.

Üzerinize bir bina düşmüşken yaşam için mücadele etmenin prensipte utanılacak bir yanı yoktur.[1] Ama bunun büyük ve görkemli bir yapı olması, işinizi biraz da olsa kolaylaştırır. Benim durumumdaysa temellerinden sökülüp müthiş bir yükseklikten üstüme fırlatılmış olan bu ürkünç şeyin ne büyük ne de öyle muhteşem bir bina olduğu söylenemezdi. Bir tapınak duvarı ya da granitten bir dikilitaş değildi. Bir imparatorluk sarayının mermer damı hiç değildi.

Yok Beni, bir koleksiyoncunun tablasındaki nadide kelebek gibi talihsizce yere çivileyen şey, yirminci yüzyıl tasarımı ve çok mahrem bir işleve sahip bir yapıydı.

Of, tamam, umumi tuvaletti işte. Oldukça büyük olduğunu da söyleyeyim; ama yine de yakınlardan bir harpçı ya da tarihçi geçmediğine şükrediyordum.

Hafifletici neden olarak söz konusu tuvaletin beton duvarları ve acımasız aurasıyla zaten güçten düşmüş eklemlerimi iyice zayıflatmaya yarayan kalın demirden bir çatısı olduğunu belirtmeliyim. Ayrıca içinde daha da ağırlaşmasını sağlayan bir sürü boru, su deposu ve ciddi ölçüde ağır musluklar falan da vardı kuşkusuz. Ama benim konumumdaki bir cin için onun tarafından ezilmek yine de içler acısı bir gösteriydi. Aslında, düştüğüm sefil ve aşağılık durum, üzerimdeki ezici ağırlıktan daha fazla rahatsız ediyordu beni.

---

[1] Bir seferinde (inşasının onbeşinci yılında aysız bir gecede) Khufu'nun Büyük Piramidi üzerime devrilmişti. Kendi grubumun çalıştığı bölgede nöbet tutarken kireçtaşından birkaç blok tepeden yuvarlanarak uzantılarımdan biri sayesinde beni acı içinde yere çivilemişti. Olayın tam olarak nasıl gerçekleştiği hiçbir zaman anlaşılamadı ama ben karşı taraf için rakip bir grupla çalışan eski dostum Faquarl'dan şüphelenmeden edemedim. Ağlayıp sızlanmadan özümün iyileşeceği zamanın geçmesini bekledim. Sonradan, Faquarl'ın yanında Nubia altınlarıyla batıdaki çöllerden döndüğü sırada, hafif bir kum fırtınası yaratarak hazineyi kaybetmesini ve firavunun gazabını üzerine çekmesini sağlayıverdim. Kumulları elekten geçirerek bütün altınları yeniden bulması birkaç yılına mâl olmuştu.

Parçalanan ve kırılan borulardan akan su, hüzün içinde her yanımdan süzülerek ızgaralara akıyordu. Yalnızca başım serbest kalmış, vücudum tamamen kapana kısılmış durumdaydı.[2]

Olumsuzluklardan fazla bahsettik. İşin iyi tarafıysa banliyö sokağı boyunca devam eden çarpışmaya katılamıyor olmamdı.

Özellikle birinci düzlemde oldukça düşük ölçekli bir çarpışmaydı. Görünürde fazla bir şey yoktu. Tüm evlerin ışıkları sönmüş, elektrikli sokak lambalarına düğümler atılmıştı. Kömür gibi kararan sokak katı bir karanlık katmanıydı. Birkaç yıldız tepede soğuk soğuk parıldıyordu. Arada sırada, uzaklarda denizaltı patlamaları oluyormuş gibi, belli belirsiz mavimsi yeşil ışıklar görünüp kayboluyordu.

İşlerin kızıştığı ikinci düzlemdeyse iki rakip kuş sürüsünün çark ederek birbiri üzerine çullandığı; kanatlarını, gagalarını, pençe ve kuyruklarını kullanarak vahşice dövüştükleri görülebiliyordu. Nezaketten böylesine uzak bir davranış şekli, martılar ya da indirime girmiş diğer kümes hayvanları arasında anlaşılabilir ancak kuşların kartal olduğu gerçeği manzarayı daha da sarsıcı kılıyordu.

Daha yüksek düzlemlerdeyse kuş görünümleri tamamen silinip savaşan cinlerin gerçek şekilleri ortaya çıkıyordu.[3] Bu bakış açısından bakıldığında, karanlık gökyüzü koşuşturan şekiller,

---

[2] En mantıklı çözüm, şekil değiştirmek olurdu. Mesela bir hortlağa ya da havada dönerek süzülen bir dumana dönüşmek ve sıyrılıp kurtulmak. Ama önümde iki sorun vardı. Birincisi: Şekil değiştirmekte artık fazlasıyla zorlanıyordum, en iyi zamanlarımda bile. İkincisi: Göz ardı edilemeyecek derecede ağır alçak—basınç, değişmek için yumuşattığım anda, özümü paramparça ederdi.

[3] Gerçek değilse de gerçeğe daha yakın şekilleri diyeyim. Temelde, süzülen şekilsizliğimizle hepimiz birbirimize benzeriz ama her varlığın da kendine uyan ve dünyadayken kendini temsil eden bir "ifadesi" vardır. Yüksek düzlemlerde özümüz bu bireysel şekillere bürünür, daha alçak düzlemlerdeyse duruma en uygun görünümleri seçeriz. Ama ben bütün bunları size daha önce de anlatmıştım galiba.

buruş kırış bedenler ve uğursuz bir etkinlikle yüklüydü.

Centilmenlik kuralları tamamıyla hiçe sayılıyordu. Çivili bir diz kapağının rakibin midesini çatırdarak içeri daldığını ve toparlanması için döne döne bir bacanın arkasına yolladığını gördüm. Şerefsiz! Ben yukarıda olsam böyle bir şeye izin vermezdim.[4]

Ama yukarıda değildim. Oyun dışı bırakılmıştım.

Yani, bana bunu yapan bir ifrit ya da merid olsaydı, bu gerçekle yaşayabilirdim. Ama değildi. İşin doğrusu, beni yenen varlık normalde sarıp cebime atacağım ve akşam yemeğinden sonra yakıp tüttüreceğim üçüncü düzeyden bir cindi. Yattığım yerden, domuz kafası ve paçalarında sımsıkı tuttuğu uzun tırmık sayesinde içine edilmiş olan o çevik kadınsı zerafetini hâlâ görebiliyordum. Bir posta kutusunun üstünde durmuş, öyle bir hevesle sağa sola devriliyordu ki sözde benim de bir parçası olduğum, devlet güçleri geri çekilip onu rahat bırakmıştı. Üzerindeki kimonoya bakılırsa Japonya'ya da el atmış korkunç bir alışveriş hastasıydı. Aslına bakarsanız, onun o köylü görüntüsüne aldanıp kalkanımı dikmeden rahat rahat yanına gitmiştim. Daha ne olduğunu anlayamadan, keskin bir domuz ciyaklaması ve *–pat!–* kurtulabilmek için fazlasıyla yorgun bir halde, beni yolun ortasına çivilemişti.

Yine de her nasılsa, bizimkiler avantajlı konuma geçiyordu. İşte! Bir elektrik direğini koparıp ince bir dal gibi elinde sallayarak hızla yürüyen Cormocodran ve öteki tarafta zehirli oklarla yaylım ateşi açan Hodge. Sayıca azalan düşman, daha kaderci kılıklara bürünüyordu. Vızıldayarak kaçışan birçok

[4] İlk önce ben diz atar, sonra da kanadımın ucunu gözüne sokup incik kemiğine iyice bir geçirirdim. Çok daha etkili bir yöntem. Bu genç cinlerin teknikleri o kadar yetersiz ki bana acı veriyor.

böcek, deliler gibi çırpınarak şekil değiştirmeye çalışan bir—iki varlık, dağlara doğru seğirten birkaç fare gördüm. Yalnızca dişi domuz inatla eski görünümünü koruyordu. Benimkiler ileri akın etti. Böceğin biri sarmal bir duman bulutunun içinde kayboldu. Dumanın bir bölümü çifte patlamayla imha edilmişti. Düşman kaçtı; domuz bile oyunun bittiğini anlamıştı. Zarif bir hareketle bir sundurmaya sıçradı, perende atarak terasa çıktı ve gözden kayboldu. Zafer kazanan cinler, hummalı bir takibe girişti.

Sokak sessizleşmişti. Kulaklarımın dibinden sular aktı. Tepeden tırnağa bütün özümü uzatmalı ve tek bir ağrı olarak hissediyordum. İçten bir 'ah' çektim.

"İşe bakın," diyen bir kıkırtı. "Küçük Hanım zor durumda."

Benim tarafımdaki insan bedenli–at başlı birçok santor ve devin tersine, o gece insan kılığında olduğumu söylemeyi unutmuşum. Uzun sıyah saçlı, yüzünde cesur bir ifade taşıyan, incecik bir genç kızdım. Tanıdığım özel birini model almamıştım, elbette.

Konuşan kişi, halka açık yüz numaranın köşesinden belirerek tek tırnağını pürtüklü bir boru parçasıyla törpülemek için durakladı. Yontulmamış bir görüntüsü vardı. Alışıldığı üzere tek gözlü bir dev kılığına bürünmüştü, yamru yumru kasları ve karmaşık bir desende, biraz da kız gibi örülmüş uzun sarı saçları vardı. Giydiği biçimsiz mavi–gri önlük, ortaçağdaki bir balıkçı kasabasında bile iğrenç bulunurdu.

"Kendini kurtaramayacak kadar narin, zavallı, tatlı bir küçük hanım." Tek gözlü dev, tırnaklarından birini özenle inceledi. Biraz uzun bulmuş olmalı ki küçük, keskin dişleriyle sinir içinde kemirip tuvaletin pürtüklü duvarında yeniden törpüledi.

"Yardım etmek istemez miydin?" diye sordum.

Cyclops, boş sokağın sağına ve soluna baktı. "Dikkatli olsan iyi olur hayatım," dedi, binanın üstüne şöyle bir yaslanıp üzerimdeki baskının artmasını sağlayarak. "Bu gece etrafta dolaşan tehlikeli tipler var. Cinler, folyotlar ve sana zarar verebilecek ahlaksız iblisler."

"Öyle mi Ascobol," diye bağırdım. "Ben olduğumu çok iyi biliyorsun."

Cyclopsun tek gözü, maskara katmanının altında duruma uygun bir şekilde kırpıştı. "*Bartimaeus?*" dedi hayretle. "Nasıl olabilir? Yüce Bartimaeus olsa, böyle kolay tuzağa düşmezdi elbette! Sen onun sesini taklit eden yüzsüz bir iblis ya da mouler olmalısın ve... Ama, yo, yanılmışım! Bu *sensin.*" Şok geçirmiş gibi tek kaşını havaya kaldırdı. "İnanılmaz! Asil Bartimaeus'un bu hale düştüğünü görmek! Efendimiz müthiş bir hayal kırıklığına uğrayacak."

Saygınlık rezervimden kalan son kırıntıları yardıma çağırdım. "Efendilerin hepsi geçicidir," diyerek yanıtladım. "Bütün aşağılanmalar da öyle. Ben zamanımı bekliyorum."

"Tabii, tabii." Ascobol, maymunsu kollarını sallayarak ufak bir balerin dönüşü yaptı. "Çok güzel dedin Bartimaeus! Düşünün, seni depresyona sokmasına izin vermiyorsun. Her ne kadar o debdebeli günlerin geçmişte kalmış, sen artık püsküllü bir alev kadar gereksiz olsan da![5] Yarınki görevin, büyük ihtimalle, efendimizin yatak odasında toz almak gibi, göklerde özgürce süzülmekle karşılaştırılamayacak denli görkemli bir görev ola-

---

[5] *Püsküllü alevler*: Zamana uyum sağlamaya çalışan küçük varlıklar. Birinci düzlemde titreşen alev olarak görünürler (diğerlerindeyse daha çok kıvranan kalamarlara benzerler), püsküllüler bir zamanlar büyücüler tarafından ıssız yollardan geçenleri kuyulara ya da bataklıklara çekmek için kullanılırdı. Şehirler bu durumu değiştirdi; kentli püsküllüler artık caddelerden yeraltına inen lağım deliklerinin başında nöbet tutmakla görevlendiriliyor ve fazla bir işe yaramıyorlar.

cak olsa da. Sen hepimize örnek olmaya devam ediyorsun."

Bcyaz dişlerimi göstererek gülümsedim. "Ascobol," dedim. "Düşen *ben* değil rakiplerimdir. Ben İspartalı Faquarl'la, Tollanlı Tlaloc'la, Kalahari'nin kurnaz Tchue'siyle savaştım. Çarpışmalarımız dünyayı yerinden sarstı, ırmakları yardı. Ben hep ayakta kaldım. Peki şimdiki düşmanım kim? Etek giymiş çarpık bacaklı bir cyclops. Buradan kurtulduğumda, aramızdaki bu yeni *anlaşmazlığın* fazla uzun süreceğini sanmıyorum."

Cyclops, arı sokmuş gibi irkilerek geri çekildi. "Ne zalimce tehditler! Kendinden utanmalısın. İkimiz aynı taraftan değil miyiz? Bu çiçek bahçesinin altında savaştan kaytarmak için iyi nedenlerin olduğundan kuşkum yok. Nezaket icabı, bu nedenleri sorgulamıyorum ama her zamanki kibarlığından eser kalmadığını da söylemeden geçemeyeceğim."

"İki yıl aralıksız hizmet hepsini alıp götürdü," dedim. "Gergin ve bitkin bırakıldım, özümde dokunamadığım dinmek bilmez bir kaşıntı var. Bütün bunlar beni tehlikeli yapıyor, senin de çok geçmeden öğreneceğin gibi. Şimdi son kez söylüyorum Ascobol, çek şunu üstümden."

Eh, bir-iki aksilenme nidası daha duyuldu ama diklenmem etkisini göstermişti. Tek gözlü dev kıllı omuzlarını bir kez silktikten sonra tuvaleti üzerimden kaldırıp tangır tungur kaldırımın karşı tarafına fırlattı. Hafiften eğri büğrü hale gelmiş bir kız, dengesini bulmaya çalışarak ayağa kalktı.

"Sonunda," dedim. "Son ana kadar tadını çıkarmayı ihmal etmedin."

Cyclops önlüğünden biraz kalıntı silkeledi. "Kusura bakma," dedi. "Ama savaş kazanmakla öyle meşguldüm ki sana daha önce yardım edemedim. Neyse, her şey yolunda. Efendimiz memnun kalacak... Benim çabalarım sayesinde tabii." Yan gözle bana baktı.

Artık dikey durumda olduğuma göre daha fazla çene çalmaya niyetim yoktu. Çevredeki evlere verilen hasarı inceledim. Fena sayılmazdı. Birkaç çökmüş çatı, kırık pencere. Saldırı başarıyla bastırılmıştı. "Fransızlar mıydı?" diye sordum.

Dev, boynunun olmaması göz önüne alınırsa büyük bir ustalıkla omzunu silkti. "Belki. Çek ya da İspanyol da olabilirler. Kim bilir? Bugünler de hepsi de başımıza bela oluyor. Neyse, zaman hızla geçiyor ve üstesinden gelmem gereken bir takip işi daha var. Ağrı sızılarınla baş etmek sana kalıyor Bartimaeus. Yaşlılara iyi gelen şifalı otlara, naneli çay veya papatyalı ayak banyosuyla başlamaya ne dersin? Adieu!"

Cyclops, eteklerini kaldırdı ve hantal bir sıçrayışla uçuşa geçti. Sırtında beliren geniş kanatlarla havayı yararak uzaklaştı. Bir dosya dolabının tüm zerafetini üzerinde taşıyordu ama en azından uçacak enerjisi vardı. Bende o da kalmamıştı. Hiç olmazsa bir soluklanana kadar.

Siyah saçlı kız, yakınındaki bir bahçeye düşmüş kare bacaya doğru sendeledi. Ağır ağır, bir sakatın kesik solumaları ve tedbirli hareketleriyle ilerleyerek küt diye yere oturdu, başını elleri arasına aldı. Gözlerini yumdu.

Yalnızca kısa bir mola. Beş dakika yeterdi.

Zaman geçti, şafak söktü. Gökyüzündeki soğuk yıldızlar soldu.

2

Büyük büyücü John Mandrake, son aylarda alışkanlık edindiği üzere, kahvaltısını salonunda, pencerenin yanında duran hasır koltuğunda yapıyordu. Öylesine açılmış ağır perdelerin ardında kurşuni bir gökyüzü vardı, meydandaki ağaçların arasından katmanlar halinde bir sis tabakası geçiyordu.

Önündeki küçük yuvarlak masa, Lübnan sedirinden oyulmuştu. Gün ışığıyla ısındığında etrafa hoş bir koku yayardı ama o sabah ahşap karanlık ve soğuktu. Mandrake fincanına kahve koydu, tabağının üstündeki gümüş kapağı kaldırdı ve körili yumurtalarla domuz pastırmasını büyük bir iştahla yemeye başladı. Kızarmış ekmek ve bektaşi üzümü reçelinin arkasında duran taşınabilir bir rafta daha yeni katlanmış bir gazeteyle kan kırmızısı mühürlü bir zarf vardı. Sol eliyle aldığı kahvesinden büyük bir yudum alan Mandrake, sağ eliyle gazeteyi açarak masaya yaydı. İlk sayfaya bir göz atıp 'bir şey yok' gibisinden homurdanarak zarfa uzandı. Raftaki kancaya asılı fildişinden zarf açacağını aldı, çatalını masaya fırlatıp alışkanlık haline gelmiş tek bir hareketle zarfı açtı ve içinden katlanmış bir parşömen çıkardı. Alnını kaşlarını çatacak şekilde kırıştırarak dikkatle okudu. Sonra tekrar katladı, zarfa geri koydu ve içini çekerek yemeğine döndü.

Kapı çaldı; Mandrake, ağzı pastırmayla yarı dolu halde boğuk bir emir verdi. Kapı sessizce açıldı ve elinde evrak çantasıyla ince yapılı, genç bir kadın çekinerek içeri girdi.

Duraksadı. "Özür dilerim efendim," diye söze başladı "Çok mu erken geldim?"

"Tam zamanında Piper, tam zamanında." Mandrake kadını yanına çağırarak masanın karşısındaki sandalyeyi işaret etti. "Kahvaltını ettin mi?"

"Evet efendim." Kadın oturdu. Koyu mavi bir döpiyesle yepyeni beyaz bir gömlek giymişti. Çantayı kucağına yerleştirdi.

Mandrake koca bir körili yumurta parçasını çatalladı. "Kusura bakma, benim bu arada yemem gerek," dedi. "Sabah üçe kadar en son karışıklıkla uğraştım. Bu sefer Kent'de meydana geldi."

Bayan Piper başını salladı. "Duydum efendim. Bakanlıkta bildiri dağıtılmıştı. Bastırıldı mı acaba?"

"Evet, küremin gösterdiğine göre, öyle olmalı. Bir de birkaç demon yolladım. Neyse, çok geçmeden anlarız. Bugün benim için nelerin var?"

Bayan Piper, çantayı açıp bazı kağıtlar çıkardı. "Yardımcı bakanlıklardan birkaç teklif efendim, merkezden uzak bölgelerdeki propaganda kampanyalarıyla ilgili. Onayınızı bekliyor. Birkaç yeni afiş tasarımı..."

"Bakalım." Mandrake kahvesinden çabucak bir yudum alıp elini uzattı. "Başka bir şey var mı?"

"Son meclis toplantısının tutanakları..."

"Onu sonra okurum. Önce afişler." En üstteki sayfayı gözden geçirdi. "*Orduya yazılarak ülkenize hizmet edin ve dünyayı görün*... Bu da nedir böyle? Ordu afişinden çok tatil broşürüne benziyor. Fazlasıyla yumuşak... Sen konuş Piper, dinliyorum."

"Amerika cephesinden gelen son raporlar elimizde efendim. Ben biraz düzenledim. Boston kuşatmasından yeni bir haber çıkartabiliriz."

"Dikkatleri sefil yenilgimize değil, kahramanca çarpışmaya çekerek umarım..." Kağıtları dizlerinin üzerinde tutarak kızarmış ekmeğine biraz üzüm reçeli sürdü. "Neyse, daha sonra bir şeyler yazmaya çalışırım. Şimdi bakalım, bu fena değil: *Ana vatanı savunun ve şerefinizi koruyun*... Güzel. Erkeksi görünümlü bir çiftçi çocuk tipi öneriyorlar, bu iyi, ama ailesini, mesela annesini, babasını, küçük kız kardeşini de arka plana koysak nasıl olur? Kırılgan ve hayran gözlerle delikanlıya bakıyorlar. Aileye oynayalım."

Bayan Piper hevesle başını salladı. "Karısını da gösterebiliriz efendim."

"Hayır. Biz bekarların peşindeyiz. Dönmedikleri zaman en çok sorun yaratan eşler oluyor." Kızarmış ekmeğini kıtırdattı. "Başka mesaj var mı?"

"Bay Makepeace'den bir tane var efendim. İblisle yollamış. Bu sabah uğrayıp onu görmek ister misiniz diye soruyor."

"Göremem. Çok meşgulüm. Daha sonraya atalım."

"İblis, ayrıca şu kağıdı da bıraktı." Bayan Piper üzgün bir yüzle leylak rengi bir kağıt gösterdi. "Oyununun bu haftaki galasını bildiriyor. Adı *Wapping'den Westminster'a*. Başbakanımızın görkemli yükselişinin hikayesi. Unutulmaz bir gece olacağa benziyor."

Mandrake inildeyen bir ses çıkardı. "Buna da o gece karar veririz. Kağıdı kutuya koy. Tiyatro konuşmaktan daha önemli işlerimiz var. Başka?"

"Bay Devereaux de bir bildiri yayınladı. 'Zor zamanlar' nedeniyle, efendim, ulusumuza ait en değerli hazineler Whitehall'un altında özel muhafızlarca korunacak, kendisinin vereceği ikinci bir emre kadar orada kalacakmış."

Mandrake o zaman başını kaldırdı, kaşları çatıldı. "Hazineler mi? Neler mesela?"

"Onu söylemiyor. Ben de acaba..."

"Asa, Tılsım ve diğer birinci sınıf eşyalar olmalı." Dişlerinin arasından kısa bir tıslama sesi çıkardı. "Bunu yapmamalıydı Piper. Onları *kullanmaya* ihtiyacımız var."

"Evet efendim. Bay Devereaux'den gelen bir de şu var." Çantadan ince bir paket çıkarttı.

Büyücü ters ters pakete baktı. "Bir toga daha yollamamıştır umarım."

"Bir maske efendim. Bu geceki parti için."

Mandrake, küçük bir çığlık atarak raftaki zarfı gösterdi. "Davetiyeyi aldım zaten. İnanılmaz bir şey: Savaş kötüye gidiyor, İmparatorluk düştü düşecek ve Başbakanımızın düşündüğü tek şey oyunlar ve partiler. Neyse. Onu da kağıtların arasına koy. Yanıma alacağım. Afişler fena değil." Kağıtları Bayan Piper'a geri verdi. "Belki biraz daha çarpıcı olabilirlerdi..." Biraz düşündü, başını salladı. "Kalemin var mı? *Özgürlüğünüz İçin Bir Britanyalı gibi Savaş* sloganını deneyelim. Pek bir anlamı yok ama kulağa hoş geliyor."

Bayan Piper da biraz düşündü. "Bence oldukça etkileyici efendim."

"Mükemmel. O zaman halk orduya üşüşür." Ayağa kalktı, ağzını sildiği peçeteyi tepsiye attı. "Şimdi demonların neler yaptığına baksak iyi olacak. Yo, yo Piper, lütfen, önce sen."

Patronuna olan ilgisi saygı dolu bir hayranlığı birazcık da olsa aşan Bayan Piper, seçkinler sınıfındaki kadınlar arasında yalnız sayılmazdı. John Mandrake çekici bir gençti ve çevresine gücün o bahar akşamlarındaki hanımeli kadar tatlı, sarhoş edici kokusunu yayıyordu. Orta boylu, ince yapılı bir erkekti, hareketleri seri ve güven doluydu. Doruğundaki bir gençliği – henüz yalnızca on yedi yaşındaydı– deneyim ve iktidarla birleştiren solgun, ince yüzü göz alıcı bir çelişki sergiliyordu. Koyu gözleri, canlı ve ciddiydi, alnı zamanından önce kırışmıştı.

Bir zamanlar diğer yeteneklerini geride bırakmış olan zekası konusundaki özgüveni, artık sosyal bir özgüvenle dengelenmişti. Aynı zamanda içine işlemiş bir hüzüne dalmış gibi hafif mesafeli olsa da kendisiyle eşit ve düşük mevkide olanlara her zaman için kibar ve dostça davranırdı. Bakan arkadaşlarının inceliksiz zevkleri ve garip alışkanlıkları yanında onun bu hafif geride duruşu yalnızca gizemini artırmaya yarıyordu.

Mandrake'nin siyah saçları –hâlâ savaşmakta olan erkek ve kadınları onurlandırmak için bilinçli bir seçimle– asker gibi kısacık kesilmişti. Yaptığı bu jest başarıya da ulaşmıştı: Casuslar, halk arasında en sevilen büyücü olarak ülkelerine onun ismini veriyorlardı. Saç kesimi bu nedenle birçokları tarafından taklit edilmiş, koyu renk takım elbiseleri de aynı şekilde kısa süreli bir moda çılgınlığı yaşatmıştı. Kravat takmayı bir süredir bırakmıştı. Gömleğinin tek düğmesini de rahat bir şekilde açık bırakıyordu.

Bay Mandrake'yi müthiş derecede, hatta tehlikeli şekilde, yetenekli bulan rakipleri –Enformasyon Bakanlığına getirilişini takiben– beklenen tepkiyi vermişlerdi. Ancak her suikast girişimi fazla bir çaba harcanmadan püskürtüldü: Cinler geri dönmedi, bubi tuzakları sahiplerine geri tepti, büyüler bozuldu ve etkisiz hale geldi. Sonunda, bu duruma canı sıkılan Mandrake, halk önünde bütün gizli düşmanlarının ortaya çıkmasını isteyerek hepsini büyülü düelloya davet etti. Davetine cevap veren olmayınca şöhreti iyice arttı.

Geniş ve hoş bir meydanda Georgian tarzı şık malikanelerle çevrili Georgian tarzı şık bir malikanede yaşıyordu. Evi Whitehall'dan yarım kilometre nehirdense, yazları ortaya çıkan nahoş kokusundan kaçmak için yeterli bir uzaklıktaydı. Meydan, ortasında yeşillik açık bir alan ve bol sayıda kayın ağacıyla gölgelik yürüyüş yolları barındırıyordu içinde. Sessiz ve tenha olsa da sürekli gözlem altında olan bir mahalleydi. Gündüzleri gri üniformalı polisler devriye gezer; hava karardıktan sonrada baykuş ve çobanaldatan görünümünde demonlar o ağaçtan bu ağaca sessizce uçuşurdu.

Bu güvenliğin nedeni mahalle sakinleriydi. Londra'daki birçok büyücünün yaşadığı bir mahalleydi. Güney tarafında İçişleri Bakanlığına yeni atanan Bay Collins, sahte sütunlar ve balık etinde kadın büstleriyle süslenmiş krem rengi bir evde oturuyordu. Kuzeybatıda, çatısında ışıldayan altından kubbesiyle, Savaş Bakanı Bay Mortensen'a ait görkemli yapı uzanıyordu.

John Mandrake'nin daha gösterişsiz konutu; yüksek pencereleri beyaz kepenkle kaplı, beyaz mermerden bir dizi merdivenle ulaşılan, düğünçiçeği sarısına boyalı, dört katlı, dar bir binaydı. Odalar, ince zevk ürünü desenlerle kaplı duvar kağıtları ve İran kilimleriyle sade bir şekilde döşenmişti. Konuk odalarında birkaç değerli eşya sergileyen ve ev işleri için yalnızca iki insan hizmetkar görevlendiren bakan, toplumsal konumunun altını çizmiyordu. Yatak odası, üçüncü kattaki kütüphaneye bitişik, beyaz badanalı, yalın bir odaydı. Kendisinden başka kimsenin giremediği özel alanıydı burası.

Alt katta, cilalı ahşap döşemeli, boş ve yankılı bir koridorla evin diğer odalarından ayrılan çalışma odası vardı. Gündelik işlerinin büyük bölümünü buradan yönetirdi.

Mandrake, dişinde kalan kızarmış ekmeği çiğneyerek koridor boyunca yürüdü. Bayan Piper arkasından seğirtti. Koridorun bitiminde, ortası dökme kalıptan eşsiz çirkinlik timsali bir yüzle bezenmiş, ağır pirinçten bir kapı vardı. Yüzündeki patlak kaşları, sanki gözlerinden aşağı akmış, çenesi ve burnu fındıkkıracağının sapları gibi ileri fırlamıştı. Büyücü, durarak derin bir hoşnutsuzlukla bu yüze baktı.

"Sana bunu yapmaktan vazgeçmeni söylemiştim sanırım," diye tısladı.

İnce dudaklar aralandı, fırlak çene ve burun içerlemiş gibi birbirine çarptı. "Ne yapmışım ki?"

"Böyle, iğrenç bir tip olmuşsun. Daha yeni kahvaltı ettim."

Kaşın bir bölümü havaya kalkıp göz yuvarının gıcırdayarak aşağı sarkmasını sağladı. Yüz, pek utanmış görünmüyordu. "Üzgünüm ahbap," dedi. "Benim işim bu."

"*Senin* işin çalışma odama izinsiz girenleri durdurmak. O kadar."

Kapı nöbetçisi söylenenleri düşündü. "Doğru. Ama ben, davetsiz misafirleri korkutarak girişi önceden engellemeye çalışıyorum. Bana sorarsan caydırıcı önlemler, estetik açıdan cezalandırmaktan daha tatmin edici."

Bay Mandrake öfkeyle hırıldadı. "Davetsiz misafirleri değil ama zavallı Bayan Piper'ı korkudan öldüreceksin."

Sağa sola sallanan yüzdeki burun tehlikeli biçimde titreşti. "Hiç de değil. O geldiği zaman görüntümü normalleştiriyorum. Ürküterek büyük bir dehşet yaşatmayı ahlaki yönden çöküntüye uğramış olanlara saklıyorum."

"Ama biraz önce bana yaşattın!"

"Yaşatmasa mıydım?"

Mandrake, derin bir nefes alıp tek elini gözlerinin önünden geçirdi ve bir işaret yaptı. Yüz, metalin içine gömülerek belli belirsiz bir çizgi haline geldi daha sonra kapı sonuna kadar açıldı. Ünlü büyücü kendini toparladı, Bayan Piper'ı önden iteleyerek çalışma odasına girdi.

Yüksek tavanı ve beyaz duvarlarıyla meydana bakan iki penceresi olan, aydınlık, havadar ve kullanışlı bir odaydı burası. İçinde fazladan hiçbir eşya yoktu. O sabah ağır bulutlar, güneşi engellediği için Mandrake girerken ışıkları yaktı. Tek duvar, boydan boya kitaplıklarla kaplıydı; karşısındaki duvarsa üzeri raptiyeli notlar ve çizelgelerle dolu bir not tahtası dışında bomboştu. Ahşap zemin düz ve koyu renkti. Zemin üstünde her biri kendine ait beş köşeli yıldızı, büyülü yazıları, mumları ve tütsülükleriyle beş daire çiziliydi. Dördü geleneksel boyutlarda, pencereye en yakın olan beşincisiyse içine yerleştirilmiş büyük çalışma masası, dosya dolabı ve birkaç sandalyeyle birlikte belirgin olarak en büyükleriydi. Bu ana daire, kusursuz çizgiler ve harf dizileriyle diğer dairelere bağlıydı. Mandrake ve Bayan Piper, en büyük çemberin içine girip masaya oturarak kağıtları önlerine yaydılar.

Mandrake boğazını temizledi. "Şimdi. İşe dönelim. Önce günlük raporlardan başlayacağız Bayan Piper. Bir zahmet, varlık göstergelerini aktive eder misiniz?"

Bayan Piper, birkaç kısa büyülü sözcük söyledi. Küçük dairelerden ikisinin çevresindeki mumlar, bir anda titreşerek alev aldı. Duman dalgaları tavana doğru yükseldi. Yanlarındaki kaplarda tütsüler canlanarak birbirine karıştı. Diğer iki dairede bir hareketlenme olmadı.

"Purip ve Fritang," dedi Bayan Piper.

Büyücü başıyla onayladı. "Önce Purip." Yüksek sesle emir verdi. En soldaki beş köşeli yıldızın mumları parladı; dairenin merkezinde mide bulandırıcı bir pırıltıyla birlikte bir varlık belirdi. Ağırbaşlı bir takım elbisenin içinde, koyu mavi kravat takmış saygın bir beyefendi görünümündeydi. Başıyla masadan tarafa kısa bir selam verip bekledi.

"Hatırlatın," dedi Mandrake.

Bayan Piper notlarına göz attı. "Purip, savaş kitapçıkları ve diğer propaganda malzemelerine gelen tepkileri gözlemleyecekti," dedi. "Halkın genel yaklaşımını araştıracaktı."

"Pekala. Purip, neler gördün? Anlat."

Demon hafifçe başını eğdi. "Rapor edilecek fazla bir gelişme yok. Halk, Ganj kıyılarında otlayan bir sığır sürüsü gibi yarı aç ancak halinden memnun, değişim ve bağımsız düşünceden bihaber. Yine de savaş, akıllarını oldukça meşgul ediyor ve sanırım hoşnutsuzluk gitgide yayılıyor. Kitapçıklarınızı alıyorlar, gazete alır gibi ama bunu yaparken içlerinde sevinç yok. Onlara doyum sağlamıyor." Büyücü kaşlarını çattı. "Bu hoşnutsuzluk, ne şekilde dışa vuruluyor?"

"Polisiniz yanlarına yaklaştığında yüzlerinde beliren o tedirgin ve boş ifadeden sezebiliyorum. Askerlik başvurusu yapılan kulübelerin yanından geçerken gözlerinde beliren sert bakışlarda görüyorum. Şehit ailelerinin kapısında yığılan çiçeklerle birlikte büyüyüşünü izliyorum. Çoğu bunu açıkça ifade etmez ama savaşa ve hükümete olan öfkeleri gün geçtikçe artıyor."

"Laf salatası," dedi Mandrake. "Bana elle tutulur hiçbir şey getiremedin."

Demon, omuzlarını silkerek gülümsedi. "Devrimin elle *tutulamayacağını* söylememe gerek yok. Halk, böyle bir kavramın varlığından bile habersiz ama uyurken devrim soluyor, içtiklerinde devrimin tadını alıyorlar."

"Bu kadar tekerleme yeter. İşine geri dön." Büyücü parmaklarını şaklattı; demon daireden sıçrayarak gözden kayboldu. Mandrake, başını iki yana salladı. "Hiçbir şey becerememiş. Neyse, bakalım Fritang neler anlatacak."

Yeni bir emirle birlikte ikinci daire canlandı. Bir tütsü dumanının içinden kırmızı suratı, ağlamaklı gözleriyle kısa boylu, toparlak bir beyefendi belirdi. Sahte ışıklar altında endişeyle gözlerini kırpıştırdı. "Sonunda!" diye haykırdı. "Korkunç haberlerim var! Bir saniye daha bekleyemez!"

Mandrake, Fritang'ı eskiden beri tanırdı. "Anladığım kadarıyla," dedi yavaşça, "rıhtımlarda devriye gezerek casus avına çıkmışsın. Haberlerin bununla bir ilgisi olabilir mi?"

Sessizlik. "Dolaylı olarak..."

Mandrake içini çekti. "Devam et bakalım."

"Emirlerinizi yerine getirirken," dedi demon, "şey, ah, nasıl da sarsıcı bir olay, kimliğim ortaya çıktı. Olanlar şöyle. Bir şarapçı dükkanına girip sorular sordum. Tam çıkarken bazılarının boyu, diz kapağımı biraz geçen bir sokak çocukları kabilesi tarafından kuşatılmış buldum kendimi. Uşak kılığına girmiş, sessiz sedasız işimi yapıyordum. Ne aşırı bir ses çıkardım ne de gereğinden fazla abartılı hareketler yaptım. Yine de fark edilerek yirmi yumurtayla darbe aldım, çoğu oldukça süratli atılmıştı."

"Görüntün nasıldı? Belki sırf bu yüzden onları kışkırttın?"

"Aynı bu gördüğünüz gibiydim. Kır saçlı, ölçülü ve ağırbaşlı; sıkıcı erdemlerin timsali biri şeklinde."

"Belli ki bu küçük ahmaklar, bu adamın yolunu kesip biraz korkutmak istemişler. Şansın yaver gitmemiş, hepsi bu."

Fritang'ın gözleri faltaşı gibi açıldı ve burun delikleri titreşti. "Yalnızca bu kadar değil! Benim ne olduğumu biliyorlardı!"

"Demon olduğunu mu?" Mandrake, kuşkuyla kolundaki bir toz parçasını fiskeledi. "Nereden biliyorsun?"

"Şüphemi uyandıran sürekli tekrarladıkları şu tekerleme oldu: 'Defol, defol, pis demon. Sarkık sarı ibiğin de sen de iğrençsin.'"

"Cidden? İlginç." Büyücü, lenslerinin ardından Fritang'ı iyice inceledi. "İyi de şu sarı ibik nerdeymiş? *Ben* göremiyorum."

Demon, başının üstünü işaret etti. "Altıncı ve yedinci düzlemleri göremiyorsunuz da ondan. O düzlemlerde ibiğim belirgin ve bir ayçiçeği kadar göz kamaştırıcıdır. Sarkık falan da değil, esaretim yüzünden biraz büzüştü, o kadar."

"Altıncı ve yedinci düzlemler... Görüntünü bir an için bile olsun yitirmediğine emin misin? Tamam, tamam..." Mandrake, demonun şiddetli başkaldırısını engellemek için hızla elini kaldırdı. "Haklı olduğuna eminim ve bu bilgi için sana teşekkür ederim. Yumurta travmasından kurtulmak için dinlenmek istersin şüphesiz. Git! Kovuldun!"

Fritang, bir sevinç çığlığıyla birlikte küvet deliğinden emilen su gibi dönerek yıldızın ortasında kayboldu. Mandrake ile Bayan Piper birbirlerine baktılar.

"*Yeni* bir vaka," dedi Bayan Piper. "Yine çocuklar."

"Hmm." Büyücü, arkasına yaslanıp ellerini ensesine koydu. "Siz dosyalara bakıp tam sayıyı öğrenseniz iyi olur. Benim Kent'deki demonları geri çağırmam gerek."

Dirseklerini masaya dayayıp dik oturarak alçak sesle çağırma sözcüklerini mırıldandı. Bayan Piper, ayağa kalkıp dairenin kenarındaki dosya dolabına gitti. En üstteki çekmeceyi açarak ambalaj kağıdından oldukça kalın bir dosya çıkardı. Hızla içindeki belgeleri taramaya başladı. Yasemin ve tatlı yabangülü kokuları arasında büyülü sözcükler bitti. Sağdaki beş köşeli yıldızda iri bir beden belirdi: Sarı örgü saçlarıyla tek gözlü bir dev. Bayan Piper, okumaya devam etti.

Dev iyice eğilerek karmaşık hareketlerden oluşan bir referans yaptı. "Efendimiz, sizi düşmanlarınızın kanıyla ve yas dolu haykırışlarıyla selamlarım! Zafer bizimdir!"

Mandrake, tek kaşını havaya kaldırdı. "Demek onları püskürttünüz."

Cyclops, başını salladı. "Aslanlardan kaçan fareler gibi dağıldılar. Bazı durumlarda gerçekten de öyleydi zaten."

"Öyledir. Bunu bekliyorduk zaten. Ama hiç esir var mı?"

"Çoğunu öldürdük. Ciyaklamalarını duymalıydınız. Kaçışan toynakları dünyayı yerinden oynattı."

"Doğrudur. Demek bir tane bile esir yok, öyle mi? Sana ve ötekilere açık ve net bir şekilde emretmiş olmama rağmen." Mandrake, parmaklarını masaya tıklattı. "Birkaç gün geçmez yeniden saldırırlar. Kim yollamıştı? Prag? Paris? Amerika? Elimizde esir olmadan bunu öğrenmemiz imkansız. Bir arpa boyu yol alamadık."

Tek gözlü dev çevik bir selam verdi. "Eh, ben işimi yaptım. Sizi sevindirdiğim için memnunum." Sustu. "Düşüncelere dalmış gibisiniz, ey efendim."

Büyücü başını salladı. "Karar vermeye çalışıyorum Ascobol, sana Kızgın İğneler mi yoksa Bahtsız Kucak mı uygulasam. Hangisini isterdin?"

"Bu kadar acımasız olamazsınız!" Cyclops, bir tutam saçı parmağında dolayarak telaşla öne arkaya sallandı. "Bartimaeus'un suçu, benim değil! Her zamanki gibi ilk saldırıda saf dışı olup çarpışmaya katılmadı. Ufak bir çakıltaşının altından kurtulmasına yardım edeyim diye öylesine yırtındı ki beni işimden alıkoydu. Hem bir kurbağa lavrası kadar zayıf hem de bunu sonuna kadar kullanıyor. Bana değil esas ona Kızgın İğneler uygulamalısınız, hem de hemen."

"Peki Bartimaeus şimdi nerede?"

Dev somurttu. "Bilmem. Herhalde bu arada yorgunluktan ölmüştür. Çarpışmaya kesinlikle bir katkısı olmadı."

Büyücü derin bir iç çekti. "Ascobol, git buradan." Bir kovma işareti yaptı. Devin vıcık vıcık, yağlı şükran çığlıkları aniden kesildi, bir alev damlası içinde gözden kayboldu. Mandrake yardımcısına döndü. "Gelişme var mı Piper?"

Bayan Piper başını salladı. "Bunlar, son altı ayın resmi olmayan demon görülme vakaları. Kırk iki, yo, toplam kırk *üç* tane. Belli bir demon cinsinin ağırlığı yok: İfritler, cinler, iblisler ve kurtçuklar, hepsi görülmüş. Ama halka baktığımızda..." Gözlerini açık duran dosyaya indirdi. "Çoğu çocuk yaşta ve oldukça küçük. Olayların otuzunda on sekiz yaşın altındalar.

Buysaa...? Yüzde yetmiş falan ediyor. Bu olayların yarısından fazlasındaysa tanıklar oniki yaşın altındalar." Gözlerini kaldırdı. "Doğuştan böyleler. Görme yetenekleri var."

"Ve kim bilir daha ne yetenekler." Mandrake, koltuğunu döndürüp çıplak ve gri ağaç dalları üzerinden meydana baktı. Hâlâ çevrelerinde dolaşan sis, meydanı gözlerden saklıyordu. "Peki," dedi. "Şimdilik bu kadar. Neredeyse dokuz oldu, yapmam gereken özel işler var. Yardımın için teşekkürler Piper. Daha sonra bakanlıkta görüşürüz. Şu kapı bekçisinin seninle uğraşmasına fırsat verme."

Yardımcısının ayrılmasından sonraki birkaç saniye, büyücü kıpırdamadan, parmak uçlarını öylesine birbirine vurdu. Sonunda eğilerek masanın yanındaki bir çekmeceyi açtı. Katlanmış bir kumaş parçası çıkarıp önüne koydu. Kumaşın katlarını açarak gözlerini yıllarca kullanılmaktan parlamış bronz bir diske dikti.

Bakışlarıyla sihirli aynayı canlandırdı. Aynanın derinliklerinde bir şey kıpırdandı.

"Git, Bartimaeus'u bul."

3

Şafakla birlikte ilk insanlar da küçük kasabaya döndü. Tedirgin, ürkmüş, sokak boyunca körler gibi el yordamıyla ilerleyerek evlerine, dükkanlarına ve bahçelerine verilmiş hasarı incelemeye başladılar. Tehlike çoktan sona ermiş olsa da yanlarında gelen birkaç Gece Polisi de bol sayıda İnferno çubuğu ve başka silahlarla bir gövde gösterisi yaptı.

Kolumu kaldıracak halim yoktu. Oturduğum iri baca parçasının çevresinde bir kalkan oluşturdum ve insanoğlunun gözlerinden saklandım. Huysuz bakışlarla yanımdan geçişlerini izledim.

Birkaç saatlik dinlencem fazla bir işe yaramamıştı. Nasıl yarasındı ki? Bu lanetli yeryüzünü terk etmem için verilen son iznin üstünden iki koca *sene* geçmişti; o güzelim beyinsiz insan kalabalığından son kaçışımdan bu yana tam iki sene. Bununla baş etmek için bir baca yığınının tepesinde yapılan kaçamak şekerlemeden fazlasına ihtiyacım vardı, söyleyeyim size. Eve gitmem lazımdı.

Ve eğer gitmezsem, ölecektim.

Bir varlığın, sınırsız sürelerle yeryüzünde kalması teknik olarak mümkündür. Varoluşumuzun bir döneminde, acımasız sahipler tarafından mühürlü kavanozlara, sandal ağacından kutulara ya da o anda seçilmiş başka mekanlara zorla hapsedilme lütfundan çoğumuz nasibini almışızdır.[1] Her ne kadar korkunç bir ceza gibi görünse de hiç olmazsa huzurlu ve güvende olmak gibi bir avantajı vardır bu hapislerin. Bir şey *yapmak* için çağrılmazsınız bu yüzden gitgide zayıflayan özünüz, acil bir tehdit altında değildir. En büyük tehlike, çıldırmanıza neden olabilecek, o aman vermez can sıkıntısıdır.[2]

O anda içinde bulunduğum çıkmaz bunun tam tersiydi. Rahat bir lambanın ya da muskanın içinde gizlenmek benim neyimeydi ki. Yo, ben gündüz gece, oraya buraya saldıran, riskler alıp kendini tehlikeye atması gereken bir cindim. Ve ayakta kalmak, her geçen gün biraz daha zorlaşıyordu.

Artık o eski tasasız Bartimaeus değildim. Özüm, dünyanın karmaşasından lime lime olmuş, zihnim acıdan uyuşmuştu. Güçsüz düşmüş, ağırlaşmış, görevlerimi yerine getiremez olmuştum. Şekil değiştirmekte zorlanıyordum. Savaşırken yaptığım ataklar kurusıkı ve etkisizdi. Patlamalarım, gazoz baloncuğu, sarsıntılarım meltemle titreşen jöle kıvamındaydı. Enerjim tükenmişti. Eskiden olsa, dün geceki kapışmada, o umumi tuvaleti yanında bir telefon kulübesi ve otobüs durağıyla birlikte dişi domuza iade ederdim ama şimdi kendimi savunmaktan bile acizdim. Bir kedi yavrusu kadar yardıma muhtaçtım. Yüzüm-

---

[1] Kadim Duhur büyüsünü yapmak için kışkırtıldıklarında büyücüler, genelde varlıkları ellerine geçen ilk eşyanın içine hapsederler. Bir seferinde sahiplerimden birini beş çayı sırasında o kadar arsızca köşeye sıkıştırmıştım ki daha ne olduğunu anlayamadan kendimi yarısına kadar dolu bir çilek reçeli kavanozunun içinde hapsedilmiş buldum. Eğer çırağı aynı akşam yanlışlıkla kavanozu açmamış olsaydı, büyük ihtimalle sonsuza kadar orada kalacaktım. O durumda bile, özüm asırlar boyu yapışkan küçük tohumların istilasına uğramıştı.

[2] İfrit Honorius, bu duruma iyi bir örnektir: Bir iskeletin içinde geçen yüzyıllık esaretten sonra keçileri kaçırmıştı. Resmen kendini rezil etmişti; ben, kendi kendimi oyalayabilen kişiliğim nedeniyle, akıl sağlığımı bundan *biraz* daha uzun süre koruyabileceğimi düşünmek istiyorum.

de patlayan bir–iki küçük binaya dayanabilirdim. Ama çoktan Ascobol gibi nereden geldiği belli olmayan ikinci sınıf dalkavukların insafına kalmıştım.[3] Özünde bir zerre güç kalmış bir düşmana rastladığımda işim bitmiş demekti.

Zayıf bir cin kötü bir köledir. Hem etkisiz hem de alay konusu olduğu için de iki katı berbattır. Böyle bir cini dünyada tutmak hiçbir büyücünün işine yaramaz. Geçici olarak Öteki Taraf'a dönmemize izin vermelerinin nedeni, özümüzün iyileşmesi ve eski gücümüze yeniden kavuşmamızdır. Kafası çalışan hiçbir sahip, cininin benim kadar kötüye gitmesine izin vermez.

Kafası çalışan hiçbir sahip... Eh, tabii, sorun da buydu zaten.

Daldığım karanlık düşüncelerden havadaki bir kıpırtıyla çıktım. Genç kız başını kaldırdı.

Yolun üstünde belli belirsiz bir pırıltı, pembe ve sarının hoş tonlarından oluşan zarif bir ürperti belirdi. Birinci düzlemde görünmez olduğundan sokakta ağır ağır ilerleyen insanlar tarafından görülmedi ama eğer gören çocuklar olduysa herhalde peri tozu olduğunu düşünmüşlerdir.

Dış görünüş ne kadar da aldatıcı olabiliyor.

Işıklar, kulak tırmalayıcı ani bir sesle dondu ve bir perde gibi ortadan ikiye ayrıldı. Aradan sivilceli surat, kel bir bebeğin

---

[3] Kulağa garip gelse de dünyaya çağrılmaktan duyduğumuz müthiş öfkeye rağmen ben ve benim gibi varlıklar, geçmişteki zaferlerimizle oldukça gururlanırız. Tabii o anda, verilen işi yapmamak için elimizden geleni ardımıza koymayız ama sonradan özgeçmişimize eklenen en zekice, en cesurca ya da en inanılmaz görevlerle hafiften hava atmadan edemeyiz. Filozoflar, bu durumu temel olarak dünyadaki deneyimlerimiz tarafından tanımlandığımız, Öteki Taraf'da bu denli kolay bireyselleşemediğimiz gerçeğiyle açıklayabilirler. Bu nedenle, uzun ve parlak bir kariyer geçmişine sahip olanlarımız (örneğin ben) dünyaya sonradan çağrılmış ve pek bir iş becerememiş olanlarımızı (örneğin Ascobol) hor görme eğilimindedir. Ascobol söz konusu olduğunda, on metrelik bir devden çıkan o soprano sesini de aşağılık özelliklerine eklemem gerek.

sırıtkan yüzü belirdi. Kızarmış ve şişkin gözleri, uzun saatler çalışan ve kötü alışkanlıkları olan bir sahibinin olduğuna işaretti. Birkaç saniye miyop gibi oraya buraya bakındılar. Bebek, bir küfür savurup kirli yumruklarıyla gözlerini ovuşturdu.

Kalkanımı fark etmesiyle korkunç bir tehdit savurması bir oldu.[4] İlgisini soğuk bir kayıtsızlıkla karşıladım.

"Hey Barti!" diye bağırdı bebek. "Oradaki sen misin? Toparlan! Aranıyorsun."

Umursamaz bir ifade ile sordum. "Kim arıyor?"

"Sen de çok iyi biliyorsun. Ayrıca başın belada abi! Bu sefer kesin Kıvrandıran Alev geliyor, söyleyeyim sana."

"Öyle mi?" Kırık bacanın üstünden bir yere kımıldamayan kız, ince uzun kollarını kavuşturdu. "Mandrake beni istiyorsa gelip kendi alsın."

Bebek pis pis sırıttı. "Güzel. Böyle diyeceğini umuyordum. Sorun değil Bartuş! İletirim. Ne yapacağını görmek için sabırsızlanıyorum."

İblisin kötülüğe batmış neşesi sinirime dokunmuştu.[5] Bir parça enerjim olsa üstüne atlayıp oracıkta mideye indirmiştim onu. Bacanın tepesini kopartıp tam hedefine fırlatmakla yetindim. Keskin bir donklama sesiyle bebeğin şişko kel kafasına çarptı.

"Tam düşündüğüm gibi," dedim. "İçi bomboş."

Nefret dolu sırıtış bir kaş çatışa dönüştü. "Seni denyo! Bekle de gör bakalım, alevler içinde yanışını seyrederken son gülen kim olacak."

---

4 Sanırım, birinin bağırsaklarını deşip çam ağacına çivilemekle ilgili Almanca bir deyimdi.

5 Sonuçta, her ikimizde, uzun zamandır Mandrake'nin elinde acı çeken kölelerdik. Birazcık halden anlaması, garip bir davranış sayılmazdı herhalde. Fakat uzun süren mahkumiyeti, kendisinden çok daha iyi durumdaki varlıkların bile kafasını karıştırırdı, ona mı yapmayacaktı.

Rafine bir kültürün göstergesi güzel sözcüklerle geriye doğru ateşlenerek ışıltılı perdenin içine girip sertçe çekti. Işıklar hafifçe parlayarak esintiyle birlikte dağıldı. İblis gitmişti.

Kız saçlarını tek kulağının arkasına attı, kollarını sert bir hareketle serbest bırakarak beklemeye koyuldu. Bu davranışımın bir takım sonuçları olacaktı ve bu da tam ihtiyacım olan şeydi. Doğru dürüst bir ikili görüşmenin zamanı gelmişti artık.

Nasıl başlasam, bundan yıllar önce sahibim ve ben iyi anlaşırdık. Dosttuk gibi bir şey söyleyerek kendimi gülünç duruma düşürecek değilim ama birbirimizi saygıya yakın bir duygu temelinde sinir ederdik. Lovelace komplosundan Golem vakasına kadar geçmişteki bir dizi olay boyunca Mandrake'nin hevesli, gözüpek, hatta (ucundan köşesinden) vicdanlı biri olduğuna, zorla da olsa, tanıklık etmişliğim vardı. Kuşkusuz vicdanını pek fazla dinlemezdi ama birkaç kez de olsa dinlediğini görmek, onun o evhamlılığının, inatçılığının, gururunun ve hırsının sindirilmesini biraz daha kolaylaştırıyordu. Bunun karşılığında, ben de hayran olunası kişilik özelliklerimi gözleri önüne sermekten çekinmezdim ve her neyse, parça parça olmuş paçasını kurtarmam için bana ihtiyaç duymadığı bir gün bile yoktu zaten. Tedbirli bir tahammül sınırı çerçevesinde geçinip giderdik işte.

Golem'in bozguna uğratılması ve İçişleri Bakanlığı'na getirilmesini takip eden bir yıl boyunca Mandrake benimle fazla uğraşmadı. Arada sırada, burada ayrıntılarına giremeyeceğim, küçük olaylarda yardımcı olmam için çağırsa da genelde beni rahat bıraktı.[6]

---

[6] Hafızam beni yanıltmıyorsa, bunlar İfrit olayı, Zarf ve Sefirin Karısı, Gereğinden Fazla Ağır Valiz vakası ve o kirli Anarşistle İstiridye işiydi. Mandrake bu serüvenlerin hepsinde de ölümün eşiğine kadar geldiyse de dediğim gibi, pek de ilginç işler değildi.

Beni her çağrışında neleri göze aldığını ikimiz de biliyorduk. Basit bir anlaşmamız vardı. Ben onun gerçek ismini biliyordum, o da benim bildiğimi biliyordu. Birine söylediğim takdirde başıma gelecek korkunç şeylerle ilgili tehditler savursa da bana özenli ve ayrıcalıklı davranırdı. Ben ismini kendime saklıyordum, o da beni en tehlikeli görevlerden yani Amerika'daki savaşa katılmaktan koruyordu. Orada ölen onlarca cin vardı –kayıplarının sağır edici yankısı Öteki Taraf'da sık sık duyuluyordu– ve içlerinden biri olmadığım için mutluydum.[7]

Zaman geçti Mandrake, her zamanki gayretiyle işini yapmaya devam etti. Önüne terfi için bir fırsat çıktığında hemen üstüne atladı. Artık imparatorluğun en büyük bakanlıklarından biri olan Enformasyon Bakanlığı'nın başına geçmişti.[8]

Resmi olarak propaganda işleriyle ilgileniyor, Britanya halkına savaşı satmanın zekice yöntemlerini buluyordu. Gayrı resmi olarak başbakanın emriyle, İçişleri Bakanlığı'ndaki örgütlenme işinin büyük bölümünü sürdürüyor, doğrudan kendisine rapor veren cin ve insan casuslardan oluşan bir ağı yönetiyordu. Zaten her zaman amansız olan iş yoğunluğu artık acımasız bir hal almıştı.

---

[7] İnsanlığın tarihine aşina olanlarımız için bu son savaşın nedeni çok tanıdıktı. Amerikalılar, Londra tarafından konulan vergileri ödemeyi yıllardır reddediyorlardı. İngilizler çok geçmeden en eski çelişkilerden birine düşerek koloniyi dize getirmek için bir ordu yolladı. Kolayca kazanılan ilk birkaç zaferden sonra, durgunluk dönemi başladı. İsyancılar, taburları balta girmemiş ormanlara doğru çekerek pusuya düşürecek cinler yolladılar. Britanya'nın önde gelen birçok büyücüsü öldürüldü, destek için Çin Denizi'ndeki altıncı ve yedinci filolar çağrıldı ama savaş sürüp gitti. Aylar geçti, imparatorluğun kaynakları Amerikan topraklarında çarçur edildi ve savaşın etkileri tüm dünyada hissedildi.

[8] Bu şansı savaş sayesinde elde etmişti. İsyancı gerillalar, Britanya ordusuna sorun çıkarıyordu. Bir yıl süren yıpratıcı çarpışmaların sonucunda, Dışişleri Bakanı Sayın Fry, bir ateşkes antlaşması ayarlamak amacıyla gizlice koloniyi ziyaret etti. Yolculuğu boyunca sekiz büyücü tarafından izlendi, yanında attığı her adımı izleyen çok sayıda horla vardı. Bakan yenilmezdi. Ya da öyle sandılar. Philadelphia'daki ilk gecesinde çöreğinin içine gizlenmiş bir iblis tarafından vahşice katledildi. Genel huzursuzluk artınca Başbakan bakanlıklarını yeniden düzenledi ve Mandrake de meclisin yetkili bakanları arasına katıldı.

Bunu efendimin kişiliğindeki derin ve kasvetli bir değişim izledi. Zaten yaşamın tadını çıkaran, keyfine düşkün biri olarak ün salmayan Mandrake, şirin bir cinle çene çalıp kafa dağıtmayı aklına bile getiremeyen ters, kaba ve asosyal biri haline geldi. Ne vahim bir çelişkidir ki beni, olur olmaz nedenlerle gün geçtikçe daha çok çağırmaya başlamıştı.

Bunu neden yapıyordu? Kuşkusuz daha çok başka büyücüler tarafından çağrılmam olasılığını en aza indirgemek istediği için. Düşmanlarından birine ismini açıklayarak onu saldırılara karşı savunmasız bırakacağıma dair köklü korkusu, kronik yorgunluk ve paranoya sayesinde iyice azmıştı. Eh, haksız da sayılmazdı, böyle bir ihtimal *her zaman* vardı. *Yapabilirdim.* Pek bilemiyorum. Ama geçmişte bensiz de çok iyi idare etmişti ve kılına bile zarar gelmemişti. Bu yüzden işin içinde başka bir iş olduğunu zannediyordum.

Mandrake, duygularını yeterince iyi maskeliyordu ama bütün hayatı işiydi; acımasız ve bitmek bilmeyen işi. Dahası, ona zarar vermek için can atan tehlikeli, gözü dönmüş bir manyaklar –yani diğer bakanlar– çetesi tarafından kuşatılmış durumdaydı artık. Bir süre için tek yakın arkadaşı, en az diğerleri kadar çıkarcı olan, fabrikasyon oyun yazarı Quentin Makepeace olmuştu. Mandrake, bu dostsuz dünyada ayakta kalabilmek için bütün iyi özelliklerini dalkavukluk ve züppelik tabakaları altına gizlemişti. Geçmişteki tüm yaşamı–Underwoods'larla geçen yıllar, Nathaniel olarak geçirdiği zor yıllar, bir zamanlar benimsemiş olduğu idealler– derinlere gömülmüştü. Benim dışımda, çocukluğuyla olan tüm bağları kopmuştu. Sanırım bu son bağı da koparmaya gönlü el vermiyordu.

Bu varsayımı, her zamanki yumuşaklığımla açıklamaya çalıştıysam da Mandrake'nin soktuğum lafları dinleyecek vakti yoktu. O meşgul bir adamdı.[9] Amerika savaşı çok pahalıya mal oluyordu, İngiltere'nin kaynakları tükenmek üzereydi. Büyücülerin dikkati başka yerdeyken imparatorluğun diğer bölgelerinde sorunlar ortaya çıkmıştı. Yabancı casuslar, İngiltere'yi kurtlu elma haline getirmişti. Halk dönekti. Mandrake, bütün bunlara göğüs germek için köle gibi çalışıyordu.

Şey, tam anlamıyla köle değil tabii. Kölelik *benim* işimdi. Hem de kadri kıymeti bilinmeyen bir iş. İçişlerindeyken aldığım görevlerden bazıları, neredeyse yeteneklerimi sonuna kadar kullanabildiğim görevlerdi. Düşman mesajlarını ele geçirip şifrelerini çözüyor, yanlış mesajlar yollayıp düşman cinlerini takip ediyor, içlerinden birkaçını pataklıyordum vs. Temiz, doyurucu işlerdi yani hepsinden bir zanaatçı zevki alıyordum. Bunlara ek olarak Golem olayındaki iki kaçağın aranmasında Mandrake ve polise yardımcı oluyordum. Kaçaklardan biri bizim gizemli paralı askerdi (belirgin özellikleri: uzun sakal, sert yüz hatları, cakalı siyah giysiler, inferno/patlama ve hemen her tür büyüye karşı genel bağışıklık). Son olarak uzaklardaki Prag'da görülmüştü ve tahmin edilebileceği gibi bir daha izine bile rastlayamadık. İkincisi, kimsenin görmediği daha da belirsiz bir kişiydi. Anlaşılan o ki Hopkins ismini kullanıyor ve bir akademisyen olduğunu söylüyordu. Genel olarak Golem olayını tezgahladığından şüpheleniliyordu, ayrıca Direnç'le ilgisi olduğu da kulağıma çalınanlar arasındaydı. Ama hakkında bulduklarımız göz önüne alındığında bir hayalet ya da gölge olması da kuvvetle muhtemeldi. Eski bir kütüphanenin giriş

---

[9] Burada biraz kelime oyunu yaptım, biliyorum. Şimdi, yirmili yaşlarına üç sene kalmışken, belki adamdan sayılabilirdi. Arkadan bakıldığında. Biraz uzaktan. Karanlık bir gecede.

defterinde ona ait olabilecek kargacık burgacık bir imza bulmuştuk. Hepsi buydu. Soruşturma, yapılacak bir şey kalmadığı için askıya alındı.

Sonra Mandrake, Enformasyon Bakanı oldu ve ben de çok geçmeden daha sıkıcı görevler almaya başladım. Saymak gerekirse: Londra'daki 1000 tabelaya reklam afişleri asmak, aynı yerdeki 25.000 eve broşür dağıtmak, milli bayramlardaki "eğlenceler"[10] için seçilmiş hayvanları ağıla almak, bunların yiyecek, içecek ve "hijyenlerinin" sağlanması, başkent üstünde oradan oraya uçup savaş yandaşı yürüyüşleri izlemek. Şimdi, isterseniz bana seçici deyin ama 5.000 yaşında, uygarlıkların felaketi, kralların sırdaşı olmuş bir cini düşündüğünüzde akla başka şeyler gelir: Askeri casusluk örneğin ya da savaş kahramanlığı, son anda tüyler ürperten kaçışlar ve her türden heyecanlı serüvenler. Bayram günlerinde dev tencerelerde Meksika usülü acılı et pişirmek ya da sokak köşelerinde afişler ve zamk fıçılarıyla boğuşmak kimsenin aklına gelmez.

Üstelik eve dönmesine izin verilmeden. Öteki Taraf'a aldığım molalar çok geçmeden o kadar kısaldı ki bir oraya bir buraya gitmekten resmen belim büküldü. Sonra, günün birinde, Mandrake beni kovmaktan tümüyle vazgeçti ve yeryüzünde takıldım kaldım.

★

Sonraki iki yıl boyunca sürekli güçten düştüm ve tam dibe vuracağım zaman, bir afiş fırçasını zar zor kaldırabiliyorken,

---

[10] Roma geleneğini takip eden büyücüler, büyük parkların tümünde bedava gösterilerin sergilendiği düzenli tatillere, halkı uyutmayı amaçlıyorlardı. Savaşta "yakalandığı" iddia edilen küçük iblisler ve perilerle birlikte, imparatorluğun çeşitli yerlerinden getirilmiş egzotik hayvanlar da buralarda sergileniyordu. İnsan esirlereyse geçit töreni yaptırılıyor veya avamların bakıp alay etmesi için St. James Parkı'ndaki özel cam bölmelerde seyre sunuluyorlardı.

hain çocuk beni yeniden tehlikeli görevlere yollamaya başladı. Artık Britanya'nın çok sayıda düşmanı tarafından kullanılan düşman cin gruplarına karşı savaşıyordum.

Geçmişte olsa Mandrake'yi bir kenara çekip konuşur, hoşnutsuzluğumu hiç lafı dolaştırmadan dile getirirdim. Ama bana tanıdığı ayrıcalık artık elimden alınmıştı. Birçok başka köleyle birlikte çağırıp toplu emirler vererek bizi bir köpek sürüsü gibi ortalığa salmaya başlamıştı. Bu türden toplu çağırmalar zor iştir ve büyücünün zihnini aşırı zorlamasını gerektirirler ama Mandrake bunları hiçbir çaba harcamadan, gündelik olarak, hatta biz çemberlerimizin içinde dikilip ter dökerken bir yandan yardımcısıyla çene çalıp bir yandan da gazetesine göz atarken yapabiliyordu.

Ona ulaşmak için elimden geleni yaptım. Köle arkadaşlarım gibi adi görünümler seçmek yerine (Örneğin Ascobol'un cyclopsu ve Cormocodran'ın yaban domuzu başlı su aygırı gibi) Mandrake'nin yıllar önce yapmadığını bırakmadığı Direnç'ten Kitty Jones kılığına girdim. Kızın ölü zannedilmesi hâlâ vicdanını sızlatıyordu. Biliyorum çünkü kızın yüzünü bende gördüğünde kendisininki kızarıyordu. Öfkeli ve çekingen, aynı zamanda ısrarcı ve mahçup oluyordu. Bana daha iyi davranmasını sağlamıyordu yani.

Her neyse, Mandrake beni sabrımın sonuna kadar getirmişti. Artık hesaplaşmanın zamanı gelmişti. İblisle gitmeyi reddederek büyücüyü beni resmi olarak çağırmaya zorlamıştım. Şüphesiz canım yanacaktı ama en azından beş dakikasını olsun bana ayırma olasılığı vardı.

İblis gideli saatler olmuştu. Eskiden olsa sahibimden anında tepki alırdım ama bu gecikme kafası karışmış yeni kişiliğinin tipik bir özelliğiydi. Kitty Jones'un uzun siyah saçlarını düzelterek küçük çiftçi kasabasına göz gezdirdim. Postahanenin çevresinde toplanan bir halk kalabalığı hummalı bir tartışmaya girişmişti, evlerine dönmelerini söyleyen bir polise karşı gelmekle meşguldüler. Halk arasında huzursuzluğun gittikçe arttığı su götürmez bir gerçekti.

Düşüncelerim yeniden Kitty Jones'a kaydı. Durum aksi gibi görünse de kız üç yıl önce golemle çarpışırken ölmemişti. Mandrake'nin beş para etmez postunu kurtarmak için az bulunur bir özveri ve cesaretle savaştıktan sonra sessizce kayıplara karışmıştı. Onunla karşılaşmamız kısa fakat inanç tazeleyici bir deneyim olmuştu. Haksızlığa ısrarla karşı koyuşu bana uzun zaman önce tanıdığım başka birini hatırlatmıştı.

Bir yanım Kitty'nin güvenli ve uzak bir yere dönüşü olmayan bir bilet alıp plaj falan gibi bir yerde mutlu mesut bir kafe işletiyor olmasını *umuyordu.* Ama içimden bir ses de onun hâlâ yakınlarda bir yerde, büyücülere karşı çalıştığını söylüyordu. Bunu bilmek hoşuma gidiyordu, cinlerden zerre kadar hoşlanmasa da.

Ne yapıyor olursa olsun, başını belaya sokmamasını diliyordum.

4

Hareket ettiği anda demon, Kitty'i gördü. Güdük ve dümdüz başında koca bir ağız açıldı ve üstten aşağı, çeneden yukarı doğru çift sıra dişler belirdi. Uyum içinde çalışan binlerce makas gibi bir ses çıkararak dişlerini tıkırdattı. Gri–yeşil etten kıvrımlar, kafatasının iki yanına doğru açılarak parıl parıl Kitty'e bakan altın rengi iki gözü ortaya çıkardı.

Kitty hatasını tekrarlamadı. Soluğunu tutup kılını kıpırdatmadan, burnunu çekip duran demonun başından altı metre uzakta durmayı başardı.

Demon, zeminde beş adet kalın pençe yarığı bırakarak tek ayağını yere basmayı denedi. Gırtlağının derinliklerinden garip bir şarkı mırıldandı. Onu tartıyordu, Kitty bundan emindi, gücünü anlamaya, saldırıp saldırmamak için karar vermeye çalışıyordu. Krizin son anlarında Kitty'nin beyni, demonun görüntüsüyle ilgili alakasız ayrıntılar kaydetti: Eklem yerlerindeki gri tüyden benekler, bedenindeki parlak metalden pullar, bir sürü parmağı ama çok az kemiği olan eller. Kendi eklemleri tir tir titriyordu, elleri kaçmasını söyler gibi seğirse de sessizce meydan okuyarak olduğu yerde kaldı.

Sonra bir ses duyuldu. Merakla soru soran tatlı bir kadın sesi. "Kaçmayacak mısın tatlım? Ben bu sopa gibi bacaklarla ancak sendelerim. Aman Tanrım, öyle yavaşım ki! Bir dene. Ne biliyorsun, belki de başarırsın." Ses o kadar nazikti ki Kitty bir an için o korkunç ağızdan çıktığını anlayamadı. Konuşan demondu. Duygularını belli etmeden başını iki yana salladı.

Demon, anlaşılmaz bir hareketle altı parmağını esnetti. "Öyleyse en azından bana doğru bir adım at," dedi tatlı ses. "Bu zavallı çöpten bacaklarla sana doğru topallama işkencesinden beni kurtarmış olursun. Aman Tanrım, öyle halsizim ki! Sizin bu zalim, acımasız dünyanızın çekiminden dolayı özüm acılar içinde kıvranıyor."

Kitty, bir kez daha başını iki yana salladı, bu kez daha yavaş. Demon içini çekip darılmış ve hayal kırıklığına uğramış gibi başını eğdi. "Hayatım, hiç de kibar değilsin. Seni yesem, özün buna karşı koyar mıydı acaba? Biraz hazımsızlık çekiyorum da..." Baş yükseldi, gözler kıvılcım saçtı, dişler binlerce makas gibi takırdadı. "Bu riski alıyorum." Bacak eklemleri duraksamaksızın bükülerek sıçradı, ağız kocaman açıldı, açıldı, açıldı ve parmaklar kıvrıldı. Kitty, bir çığlık atarak geriye kaçtı.

Kılıcın keskin kenarı inceliğinde gümüş cam kırıklarından bir duvar yerden yükselerek sıçrayan demona saplandı. Bir ışık patlaması, bir kıvılcım seliyle bedeni leylak rengi alevler halinde parçalandı. Kısa bir an havada kaldı, seğirdi, bir damla duman haline geldi ve yanmış bir kağıt kadar hafif yavaşça yere süzüldü. Üzgün, pişman, ince bir ses fısıldadı: "Aman Tanrım..." Artık bir kabuktan başka bir şey değildi, katlanarak kendi üzerine yığıldı ve hemen kül oldu.

Kitty'nin kasları, aşırı dehşetten kaskatı kesilmişti. Sızılı bir çabayla ağzını kapamayı ve gözlerini bir kez kırpmayı başardı, sonra bir kez daha. Titreyen elini saçlarının arasından geçirdi.

"Yüce Tanrım," dedi ustası odanın öbür ucundaki beş köşeli yıldızının içinde. "*Bunu* beklemiyordum. Ama bu yaratıkların aptallığı sınır tanımıyor. Şu pisliği süpür de tatlı Lizzie, uygulamayı tartışalım. Başarınla gurur duymalısın."

Kitty dilini yutmuş gibi sabit bakışlarla belli belirsiz de olsa başını sallamayı başardı. Tutulmuş bacaklarla daireden dışarı çıkıp süpürgeyi almaya gitti.

★

"Eh, zeki bir kızsın ve hata yapmadın." Ustası pencerenin yanındaki sandalyesinde oturmuş, çin porseleninden fincanıyla çayını içiyordu. "Ayrıca iyi çay demliyorsun, özellikle böyle bir günde bu büyük bir lütuf." Camlara vuran yağmur, gelişigüzel yola saçılıyordu. Rüzgar, evin koridorlarında ıslık çalıyordu. Kitty ayaklarını zeminde vınlayan cereyan akımından geriye çekip koyu, sert çayından büyük bir yudum aldı.

Yaşlı adam, arkasına yaslanıp elinin tersiyle ağzını sildi. "Evet, çok tatmin edici bir çağırmaydı. Hiç fena değil. Ve benim için çok ilginçti, erkeklerin başını döndüren bir succubusun gerçek şeklinin *bu* olduğunu kim tahmin ederdi? Müthiş! Fakat Lizzie, en sondaki sınırlayıcı heceyi biraz yanlış telaffuz ettin, farkında mısın? Güvenlik duvarını kırabilecek kadar değil ama bu, yaratığa cesaret verdi, şansını deneyebileceğini düşündü. Neyse ki geriye kalan her şeyi kusursuz yapmıştın."

Kitty hâlâ titriyordu. Evladiyelik divanın minderlerine gömüldü. "Eğer *başka* hatalar yapmış olsaydım, efendim," dedi tereddüt ederek, "o zaman neler...?"

"Ah, boş ver, ben olsam kafamı bunlarla yormazdım. Yapmadın, önemli olan da bu. Bir tane çikolata al." Aralarında duran tabağı gösterdi. "Mideyi yatıştırıyor bence."

Kitty, bir bisküvi alıp çayına batırdı. "Ama bana *neden* saldırdı?" dedi kaşlarını çatarak. "Yıldızın; savunmalarını tetikleyeceğini biliyordu mutlaka."

Ustası kıkırdadı. "Kim bilir? Belki sıçradığında senin çemberden kaçacağını düşündü. Böylece hücresi anında dağılacak, o da seni mideye indirebilecekti. Seni ikna edebilmek için çocukça iki numara denedi farkındaysan. Hım, hiç de görmüş geçirmiş bir cine benzemiyordu. Ama belki de esaretten bıkmıştı, belki yalnızca ölmek istiyordu." Hınzır bakışlarla fincanının dibindeki telveyi inceledi. "Kim bilebilir? Demonları ve onların kafalarının nasıl çalıştığını çok az anlayabiliyoruz. Tam olarak tanımak çok zor. Demlikte hiç çay kaldı mı?"

Kitty demliğe baktı. "Yok, biraz daha yapayım."

"İyi olur Lizzie, iyi olur." Dışarı çıkmadan da bana şu Trismegistus kitabını veriver. Succubuslar hakkında ilginç notları vardı, yanlış hatırlamıyorsam."

Mutfağa gitmek için koridora çıktığında soğuk hava yüzüne çarptı. Orada, çaydanlığın altında tıslayan mavi gaz alevine doğru eğilmişken sonunda kontrolü zayıfladı. Tüm vücudu, destek almak için tezgaha dayanmasına neden olan, sert dalgalar halinde sarsılarak titremeye başladı.

Gözlerini kapadı. Demonun açık ağzı karşısındaydı. Hemen açtı.

Lavabonun yanında meyve dolu bir kese kağıdı vardı. Mekanik hareketlerle bir elma alıp büyük ısırıklarla nefes bile almadan hemen mideye indirdi. Bir tane daha aldı, bu sefer daha yavaş, görmeyen gözlerle duvara bakarak bitirdi.

Titremesi geçti. Çaydanlık öttü. Jakob haklıydı, diye düşündü, bardağını buz gibi akan suda çalkalayarak. Ben bir aptalım. Bunu ancak bir aptal yapar. Ancak bir aptal.

Ama aptal birisi de şanslı olabilirdi. Ve şimdiye kadar üç koca yıl boyunca şansı yaver gitmişti.

Ölümümün resmi olarak kabul edildiği, yetkililerin ona ait dosyaları siyah mühür damlacıklarıyla kapattıkları günden beri Kitty bir kez olsun Londra'yı terk etmemişti. Bruges'deki akrabalarının yanında güven içinde kuyumculuk yapan yakın dostu Jakob Hyrnek, haftada bir yolladığı mektuplarda gidip onunla birlikte yaşaması için ne kadar yalvarıp yakarsa da, ailesi, arada sırada gerçekleşen gizli buluşmalarda şehrin tehlikelerinden uzaklaşıp yeni bir hayata başlaması için onu ne kadar sıkıştırsa da, mantığı tek başına işe yarar hiçbir şey beceremeyeceğini ne kadar haykırsa da Kitty azimliydi. Londra'dan ayrılmadı.

İnatçılığını yitirmemiş olsa da eski pervasızlığı yeni bir özellikle yumuşamıştı: tedbirlilik. Dış görüntüsünden gündelik rutinine kadar her şey, yetkililerin şüphesini üstüne çekmeyecek şekilde özenle düşünülmüştü. Kitty Jones için var olmak suçun ta kendisi olduğundan en temel gereksinimi buydu. Kendini tanıyan birkaç kişi tarafından fark edilmemek için kısacık kestirdiği siyah saçlarının üzerine sürekli kep takıyordu. Hareketlerini sıkıca dizginliyor, ne olursa olsun boş bakışlı, ifadesiz yüzlü, sürüden biri olarak kalmak için elinden geleni yapıyordu.

Fazla çalışma ve yetersiz beslenmeden yüzü, belki biraz incelmiş olsa da, gözlerinin çevresinde belki biraz daha fazla çizgi olsa da yaşam doluydu. Onu Direnç'e sokan ve geriye kalan tek kişi olmasını sağlayan o canlı enerjiyi hâlâ içinde taşıyordu. Şiddetle yapmak istediği bir projenin peşine düşmesi ve en az iki sahte kimlik edinmesi konusunda destek görmüştü.

Silah fabrikalarının yanındaki bir sokakta, yıkık dökük bir Batı Londra evinin üçüncü katında bir oda tutmuştu. Kendi odasının altında ve üstünde girişimci ev sahibi tarafından bina içine sıkıştırılmış birçok oda daha vardı. Kitty, zemin katta yaşayan ufak tefek bina yöneticisi dışında kiracılardan hiçbiriyle konuşmamıştı. Kimi zaman merdivende yanlarından geçiyordu. Hepsi de yalnız ve isimsiz hayatlar yaşayan yaşlı, genç, erkek ve kadınlar. Kitty'nin işine geliyordu. Evin kendisine sağladığı tek başınalık, hem hoşlandığı hem de ihtiyacı olan bir şeydi.

Odada çok az eşya vardı. Küçük beyaz bir ocak, bir buzdolabı, bir elbise dolabı ve bir köşede, sarsak bir perdenin arkasında, bir lavaboyla tuvalet. Duvarlar ve karşı binaların arkasındaki bakımsız bahçelerden oluşan karmaşaya bakan pencerenin altında karman çorman çarşaflar ve yastıklardan bir yığın vardı: Kitty'nin yatağı. Onun yanında özenle istif edilmiş dünyalıkları duruyordu: Giysiler, konserveler, gazeteler, son savaş kitapçıkları. En değerli eşyaları, döşeğin altına (gümüş bir disk), tuvaletin sifonuna (yeni kimlikleri için gerekli belgelerin durduğu su geçirmez plastik bir torba) ve kirli sepetinin dibine (deri ciltli kalın kitaplar) gizlenmişti.

Pratik bir kız olan Kitty, odasına karşı fazla bir şefkat beslemiyordu. Onun için uyumak ve birkaç şey daha yapmak için gidilecek bir yerdi. Orada çok zaman harcamıyordu. Yine de evi orasıydı ve üç yıldır orada yaşıyordu.

Ev sahibine kendini Clara Bell olarak tanıtmıştı. Yanında en sık taşıdığı belgelere ait isim buydu. Yakın geçmişinin haritasını çıkaran mühürlü kimlik belgesi, ikametgah, sağlık ve eğitim belgeleri. Jakob'ın babası Bay Hyrnek, bu belgeleri onun için büyük bir ustalıkla düzenlemiş ayrıca Lizzie Temple adı altında bir set daha yapmıştı. Gerçek kimliğine ait hiçbir belgesi yoktu. Yalnızca geceleri, perdeleri çekip odasındaki tek ışığı kapattıktan sonra yeniden Kitty Jones oluyordu. Karanlığa ve rüyalara gömülmüş bir kimlikti Kitty.

Jakob'ın gidişini takip eden birkaç ay boyunca Clara Bell az bir maaşla Hyrnek'lerin basımevinde çalışıp yeni ciltlenmiş kitapları yerine teslim etti. Bu durum uzun sürmedi. Fazla yakınlarında olup dostlarını tehlikeye atmak istemeyen Kitty, kendine nehir kenarındaki bir barda gece işi buldu. Ancak o zamana kadar yaptığı sıkıcı ayak işleri sayesinde karşısına hiç beklenmedik bir fırsat çıkmıştı bile.

Bir sabah Bay Hyrnek'in ofisine çağırılan Kitty'e teslimat için bir paket verilmişti. Ağır, zamk ve deri kokan, her zamanki yöntemle sicimle bağlanmış bir paketti. Üzerine: BAY H. BUTTON, BÜYÜCÜ yazılmıştı.

Kitty adresi inceledi. "Earls Court," dedi. "Orada fazla büyücü yaşamaz."

Bay Hyrnek, kararmış bir çakı ve bir kumaş parçasıyla piposunu temizlemekle meşguldü. "Sevgili yöneticilerimiz arasında," dedi, yanık bir katran parçasına fiske atarak "bu Button iflah olmaz bir eksantrik olarak tanınır. Her yönden oldukça yetenekli olsa da siyasi arenada yükselmekle hiç ilgilenmemiştir. Bir kaza geçirene kadar Londra Kütüphanesi'nde çalışırdı.

Tek bacağını kaybetti. Şimdi yalnızca okur, yapabildiği kadar kitap biriktirir, biraz yazar. Bir seferinde bana bilgiyle bilgi olduğu için ilgilendiğini söylemişti. Bu yüzden parasız. Bu yüzden Earls Court'da. Paketi götür, tamam?"

Kitty denileni yaptı ve koca sütunlar üstünde görkemli sundurmaların yükseldiği, gri–sarı renkte yüksek villaların bulunduğu bir bölgede Bay Button'ın evini buldu. Bir zamanlar zenginlerin ikamet yeri olmuş mahalle artık yoksulluk ve çürümeye terk edilmişlikle dolu melankolik bir aura taşıyordu. Bay Button, iki yanı ağaçlarla kaplı bir çıkmaz sokağın sonunda, koyu defnelerle örtülmüş bir villada oturuyordu. Kitty zili çalıp pis ve lekeli basamakta bekledi. Cevap veren olmadı, sonra kapının hafif aralık olduğunu fark etti.

İçeri göz attı: Duvarların dibine yığılı kitaplar yüzünden daralmış bakımsız bir koridor. Kararsızca öksürdü. "Merhaba?"

"Evet, evet, içeri girin!" Boğuk bir ses hafifçe yankılanmıştı. "Mümkünse acele edin. Biraz zor durumdayım da."

Kitty hızla ilerledi ve tozla kaplı perdeler yüzünden pek bir şey görünmeyen yandaki bir odada, devrilmiş kitaplardan muazzam bir yığının altından çıkmış kıpırdanan bir bot buldu. Keşfine devam ederek kurtulmak için boşuna debelenen, yaşlı bir beyin, başı ve boynuyla karşılaştı. Girizgah yapmadan acil bir kazıya başladı. Birkaç dakika sonra Bay Button, biraz iki büklüm olmuş, nefesi oldukça kesilmiş halde hemen yanlarındaki bir sandalyeye yerleşmişti.

"Sağol hayatım. Sopamı verebilir misin? Onunla bir kitabı almaya çalışıyordum, korkarım her şey bu yüzden oldu."

Kitty, yıkıntıların arasından dişbudak bir sopa bulup büyücüye verdi. Ufak tefek ve ince bir adamdı, gözleri canlı, ince yüzlü, taranmamış karmakarışık kır saçları alnından aşağı düşmüştü. Kravatsız ekose bir gömlek; yamalı, yeşil bir hırka; paçası aşınmış ve lekeli, gri bir pantolon giymişti. Pantolonun tek paçası yoktu, katlanarak kalçanın tam altından dikilmişti.

Görüntüsündeki bir şey Kitty'nin canını sıkmıştı... Daha önce bu kadar sıradan giyinmiş bir büyücü görmediğini bir an kavrayamadı.

"Bir dizi kitabın en altında gördüğüm," diyordu Bay Button, "Gibbon cildine ulaşmaya çalışıyordum yalnızca. Dikkatsiz davrandım ve dengemi kaybettim. *Müthiş* bir toprak kayması yaşandı! Burada bir şey bulmanın ne kadar külfetli bir iş olduğunu hayal edemezsin."

Kitty etrafa bakındı. Oda boyunca sayısız kitap yığını Nuh Nebi'den kalma halının üzerinde dikitler gibi yükseliyordu. Çoğu kendisiyle aynı boydaydı, diğerleri birbirlerine doğru yarı alabora olmuş, tozla kaplı, düştü düşecek kavisler oluşturmuşlardı. Bir masanın üzerine de alabileceği kadar yığılmış, tahmin etmesi güç sayıdaki kitaplar, bir dolabın raflarını da doldurarak, açık bir kapıdan geçip yandaki bir odanın derinliklerine kadar uzanıyordu. Açık kalan az sayıdaki dar geçit, şöminenin önüne sıkıştırılmış iki divanı pencerelerle ve koridor çıkışıyla birleştiriyordu.

"Sanırım anlayabiliyorum," dedi. "Neyse, sorununuzu daha da güçleştirecek bir şey getirmiştim." Paketi uzattı. "Hyrnek'lerden."

Yaşlı adamın gözleri parladı. "Güzel! Güzel! Buzağı derisiyle yeni ciltlenmiş, Batlamyus'un *Apocrypha* kopyası olmalı. Karel Hyrnek mucizeler yaratıyor. Tatlım, bugün beni iki kez sevindirdin! Çaya kalman için *ısrar* ediyorum."

Yarım saat içinde üç şey öğrenmişti Kitty: İhtiyar adamın çenebaz ve canayakın biri olduğu, kaliteli çay ve lezzetli keklerin evinden eksik olmadığı ve acil olarak bir yardımcıya ihtiyaç duyduğu.

"Son yardımcım beni iki hafta önce terk etti," demişti adam derin bir iç çekerek. "Britanya için savaşacakmış. Onu vazgeçirmeye çalıştım elbette ama kafasına koymuş bir kere. Söylenen her şeye inanmış: Zafer, iyi bir gelecek, terfi, bilmem ne. Çok geçmeden ölür, sanırım. Evet, son dilimi de sen al canım. Beslenmen lazım. Ölümüne susadıysa *kendi* bilir ama korkarım bu arada benim çalışmalarım ciddi şekilde yavaşlamış oldu."

"Ne tür çalışmalar efendim?" diye sordu Kitty.

"Araştırmalar hayatım. Büyü tarihi ve bu gibi şeyler. Heyecan verici bir konu, ne yazık ki ihmal ediliyor. Bu kadar çok sayıda kütüphanenin kapanıyor oluşu çok üzücü ve utanç verici, büyücüler bir kez daha korkuya yeniliyor. Neyse, ben bu konuda oldukça çok sayıda kitap biriktirdim, kataloglarını çıkartıp düzenlemek istiyorum. Yapmayı en çok istediğim şeyse var olan cinlerin eksiksiz bir listesini çıkarmak, elimizdeki listeler fazlasıyla baştan savma ve birbirini tutmuyor... Ancak gördüğün gibi kendi koleksiyonuma ulaşmayı bile beceremiyorum, bacağım sağ olsun." Yumruğuyla kopuk bacağına vurdu.

"Şeyy, bu nasıl oldu efendim?" diye sormaya cüret etti Kitty. "Sormamın sakıncası yoksa."

"Bacağım mı?" İhtiyar kaşlarını düşürdü, bir sağa bir sola, sonra Kitty'e baktı. Uğursuz bir sesle fısıldadı. "Bir merid."

"Merid mi? Ama onlar en...?"

"Çağırılan demonlar arasında onlar en güçlü olanlardır. Doğru." Bay Button'ın gülüşünde hafif bir kibir vardı. "Ben sıradan bir büyücü değilim canım." *Meslektaşlarımın* hiçbiri –bu sözcüğü yoğun bir nefretle söylemişti– bunu kabul etmese de canları cehenneme. Rupert Devereaux ve Carl Mortensen'ın da orada yandıklarını görmek isterdim." Burnunu çekip divana geri yaslandı. "İronik olan şu ki yalnızca birkaç soru sormak istemiştim. Hizmetime girmesini istemeye niyetim yoktu. Her neyse, üçüncül prangayı eklemeyi unutmuşum, yaratık yıldızdan çıkıp otomatik kovma devreye girmeden önce bacağımı koparıverdi." Başını iki yana salladı. "İşte merakımın bedeli tatlım. Eh, bir şekilde devam ederim. Amerikalılar bütün delikanlılarımızı öldürmezse yeni bir yardımcı bulurum nasılsa."

Kekinden sert bir ısırık aldı. O daha lokmasını yutmadan Kitty kararını vermişti. "Ben size yardım ederim efendim."

İhtiyar büyücü gözlerini kırpıştırdı. "Sen mi?"

"Evet efendim. Yardımcınız olacağım."

"Kusura bakma canım ama ben senin Hyrnek'ler için çalıştığını sanmıştım."

"Ah, öyle efendim ama yalnızca geçici olarak. Başka bir iş arıyorum. Kitaplar ve büyü çok ilgimi çekiyor efendim. Gerçekten. Hep öğrenmek istemişimdir."

"Öyle mi? İbranice bilir misin?"

"Hayır efendim."

"Çekce? Fransızca? Arapça?"

"Hayır, hiçbirini bilmiyorum efendim."

"Hımm..." Bay Button'ın yüzü bir an için canayakınlığını ve nezaketini yitirdi. Yarı kısık gözlerle yan yan Kitty'e baktı. "Ve elbette ki sadece halktan gelen bir kızsın."

Kitty hevesle başını salladı. "Evet efendim. Ama ben her zaman doğuştan gelen şanssızlıkların yeteneklerin ortaya çıkmasını engellememesi gerektiğini düşünmüşümdür. Çok enerjik ve hızlıyımdır, seri hareket ederim." Tozlu yığınlardan oluşmuş labirenti gösterdi. "İstediğiniz her kitabı, daha ağzınızdan çıkmadan bulup getiririm. En uzaktaki yığının en altından." Sırıttı, bir yudum çay içti.

Yaşlı adam kendi kendine mırıldanarak bodur, tombul parmaklarıyla çenesini kaşıdı. "Halktan bir çocuk... Eğitimsiz... Hiç de alışıldık bir durum değil. Aslında, yetkililer bunu açık olarak yasaklıyor. Ama, eh, sonuçta... Neden olmasın?" Kendi kendine kıkırdadı. "Neden yapmayacak mışım? Onlar *beni* bunca yıldır yok saymaktan gocunmadılar. İlginç bir deney olurdu... Ayrıca asla öğrenemezler, canları cehenneme." Kısık gözlerle bir kez daha Kitty'e baktı. "Sana ödeme yapamayacağımı biliyorsun."

"Sorun değil efendim. Ben, şey, bilgiyle bilgi olduğu için ilgileniyorum. Başka işler yaparım. Size ihtiyacınız olduğunda yardım ederim, yarım gün."

"Çok iyi, o zaman, çok iyi." Bay Button ufak, pembe elini uzattı. "Bakalım nasıl olacak. Her ikimizin de karşı tarafa sözleşmeye bağlı bir yükümlülüğü yok, anlıyor musun, her an vazgeçebiliriz. Bak, eğer tembellik veya haylazlık edersen bir tane horla çağırıp seni tutuştururum. Ama, hay allah, nezaket kuralları nereye gitti? Henüz ismini bile bilmiyorum."

Kitty kimliklerinden birini seçti. "Lizzie Temple efendim."

"Peki Lizzie, tanıştığımıza çok memnun oldum. Umarım iyi anlaşırız."

Anlaştılar da. Kitty en başından beri Bay Button'ın eli ayağı oldu. İşe, karanlık ve darmadağın evin içinde yolunu bulmak ve uzaklardaki yığınların içinde gizlenmiş kitapları bularak ihtiyara sağ salim ulaştırmak gibi angarya bir görevle başladı. Pek de kolay bir iş değildi. Üstü başı toz içinde, hırıldayarak ya da feci bir kitap sağanağında berelenmiş olarak sık sık büyücünün ampul ışıklı çalışma odasına uğruyor, yanlış bir cildi ya da hatalı bir baskıyı getirdiğini işitip gerisin geri kitapların arasına yollanıyordu. Ama Kitty yılmadı. Bay Button'ın istediği kitapları bulma konusunda yavaş yavaş beceri kazandı; isimleri, kapakları, asırlar boyunca çeşitli basımevlerinde uygulanmış farklı ciltleme yöntemlerini ayırt edebilmeye başladı. Büyücüyse kendi adına oldukça memnundu. Yardımcısı fazlasıyla işine yarıyordu. Böylece aylar geçti.

Kitty, bulunmasına yardım ettiği bazı işler hakkında küçük sorular sormaya başladı. Bay Button bazen kısa ve soğuk cevaplar veriyor, çoğunluklaysa cevabı kendi başına araştırmasını söylüyordu. Kitap, İngilizce olduğu sürece Kitty'nin başarabildiği bir şeydi. Bazı basit ve temel kitapları ödünç alıp odasına götürdü. Gece okumaları Bay Button'a sorulan yeni sorulara, Button'ın cevapları ise daha çok kitap okumasına yol açtı. Kaprisler ve deli profesör tarzı kafası karışık bir mizacın yönlendirmesiyle Kitty öğrenmeye başladı.

Bu şekilde geçen bir yıldan sonra Kitty, büyücünün ayak işlerini yapmaya başladı. Resmi geçiş izinleri alıp başkentteki kütüphanelere giriyor, arada şifalı otlar ve büyü malzemeleri satan dükkanlara uğrayıp elleri kolları dolu olarak çıkıyordu. Bay Button'ın hizmetinde bir iblis yoktu, zaten fazla büyü yapmazdı. Onun ilgi alanı, geçmiş kültürler ve demonlarla kurulan bağlantının tarihiydi. Seyrek olarak düşük seviyedeki bir varlığı çağırıp tarihteki bir dönemle ilgili sorular sorardı.

"Ama bu işi tek bacakla yapmak çok zor," demişti Kitty'e. "Çağırma işini iki bacakla yapmak bile çok zor, bir de sen çemberi doğru çizmeye çalışırken elindeki sopa kayıp durur, ucundaki tebeşir dakikada bir düşerse o zaman cehennem azabı yaşıyorsun. O yüzden artık fazla yapmıyorum."

"Ben size yardım edebilirim efendim," diye önermişti Kitty. "Tabii temel kuralları bana öğretmeniz gerekecek."

"Ah, bu imkansız. İkimiz için de çok tehlikeli."

Bay Button bu konuda fazlasıyla dikbaşlı çıktı, Kitty adamı ikna etmek için aylarca başının etini yemek zorunda kaldı. Sonunda Kitty'nin dırdırından bıkan büyücü, tütsü kaplarını doldurmasına, kendisi daireyi çizerken iğneyi yerinde tutmasına ve domuz yağından mumları yakmasına izin verdi. Demon geldiğinde sorular sorarken Kitty, tekerlekli koltuğun arkasında durdu. Sonra da geride kalan yanık izlerinin ıslatılmasına yardımcı oldu. Soğukkanlı tutumuyla büyücüyü etkilemişti, çok geçmeden bütün çağırmalarda ona eşlik etmeye başladı. Her konuda olduğu gibi yine çabuk öğrendi. Lisanı hiç anlamasa da bazı temel Latin formüllerini ezberlemeye başladı. Bedensel çalışmayı sağlığı için tehlikeli bulan ve zaten tembelliğe eğilimli bir adam olan Bay Button, yardımcısına gün geçtikçe daha çok işlem konusunda güvenmeye başladı. Hep yaptığı gibi üstünkörü bir şekilde bazı bilgi açıklarını kapatmasına yardımcı olsa da ciddi bir eğitim vermeyi reddediyordu.

"Bu sanatın özü," demişti. "Sonsuz çeşitlemeleri olsa da sadeliktir. Biz hep temel esaslara bağlı kalacağız. Yaratığı çağır, yıldızın içinde hapset ve geri yolla. Sana bütün ayrıntıları öğretmek için ne zamanım ne de böyle bir niyetim var."

"Sorun değil efendim," demişti Kitty de. Bunları öğrenmeye ne zamanı ne de öyle bir niyeti vardı. İhtiyacı olan tek şey uygulanabilir basit bir yöntemdi.

Yıllar geçti. Savaş sürdü. Bay Button'ın kitapları türlerine göre özenle ayrıldı, katalogları çıkartıldı ve yazarlarına göre dizildi. Yardımcısı paha biçilmezdi. Artık folyotlar, hatta küçük cinler çağırmasını isteyip kendisi rahat rahat koltuğuna gömülüyordu. Anlaşmalarından fazlasıyla memnundu.

Ve –her seferinde yaşadığı korku dışında– Kitty de çok memnundu.

Su sonunda kaynamıştı, Kitty çayı demledi ve divana gömülmüş kitabını okumaya devam eden büyücünün yanına döndü. Bay Button, çayı konulurken bir teşekkür homurtusu çıkardı.

"Trismegistus'a göre," dedi. "Succubuslar çağrıldıklarında korkusuz ve kendine zarar vermeye eğilimli olurlarmış. Tütsülerin içine turunçgillerden meyveler konarak ya da hafif kaval sesi kullanarak sakinleştirebilmek mümkünmüş. Hım, duyarlı canavarlar anlaşılan." Dalgın dalgın kesik bacağını kaşıdı. "Hah, bir şey daha buldum Lizzie. Geçen gün sorduğun şu demon neydi?"

"Bartimaeus efendim."

"Evet, oydu. Trismegistus ondan da bahsetmiş, antik cinler tablolarından birinde. Eklerde bulabilirsin."

"Ah, cidden mi efendim? Bu harika. Teşekkürler."

"Biraz çağrılma tarihinden bahsediyor. Çok kısa. İlginç bulacağını sanmıyorum."

"Hayır efendim. Ben bulacağımdan eminim." Kitty elini uzattı. "Bir göz atabilir miyim acaba?"

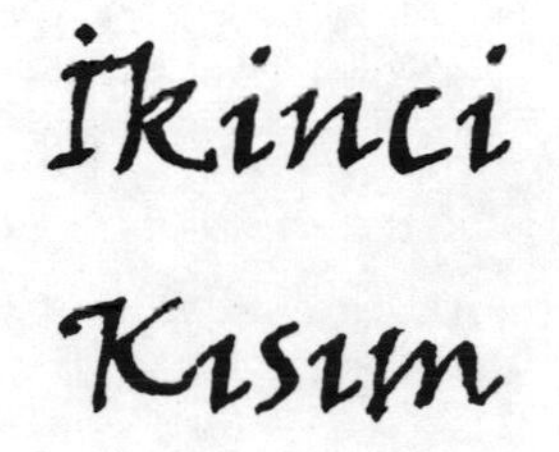
İkinci
Kısım

İskenderiye
M.Ö. 126

Yaz ortasında sıcak bir sabah, nehrin yanındaki çitleri kırıp geçen kutsal bir boğa, sinekleri yemeye çalışarak ve hareket eden her şeye boynuz atarak tarlalar boyunca paldır küldür ilerledi. Dizginlemeye çalışan üç adam ağır yaralanmıştı, boğa sazlıkları yararak çocukların oynadığı bir patikaya daldı. Onlar bağırıp kaçışırken tereddüte düşmüş gibi durakladı. Fakat suya vuran güneş ve çocukların beyaz giysileri onu yeniden kudurttu. Başını indirip en yakındaki kıza doğru atıldı ve eğer Batlamyus'la ben oradan geçiyor olmasaydık kızcağızı boynuzlayıp ezerek öldürecekti.

Prens elini havaya kaldırdı. Ben harekete geçtim. Boğa, sanki bir duvara çarpmış gibi zınk diye durdu. Başı dönmüş, gözleri şaşı olmuş halde, bakıcılar tarafından halatlarla bağlanıp kendi otlağına geri götürülünceye kadar toz toprak içinde devrilip kaldı.

Yardımcılarının çocukları sakinleştirmesini bekleyen Batlamyus, daha sonra gezintisine kaldığı yerden devam etti. Olaydan bir kez olsun bahsetmedi. Ama o bahsetmese de bizden önce saraya ulaşmış olan bir dedikodu furyası hortum gibi dönerek üzerine çullanıverdi. Akşam olduğunda, en sefil dilenciden en kibirli Ra rahibine kadar şehirdeki herkes olay hakkında bir şeyler duymuş ya da yanlış duymuştu.

Ben, adet edindiğim üzere, geç saatlere kadar pazarlarda dolaşıp şehrin ritmini, insan dalgaları üzerinde taşınan bilgi gelgitinin sesini dinlemiştim. Efendim, sarayın kendine ait bölümünün damında bağdaş kurmuş, karanlık denize bakıyor, arada papirüs şeridine bir şeyler karalıyordu. Kız kuşu görünümünde damın kenarına konup boncuk gözlerimden tekini ona diktim.

"Çarşılarda sırf bu konuşuluyor," dedim. "Siz ve boğa."

Tüy kalemini mürekkebe batırdı. "Ne olmuş?"

"Belki hiçbir şey olmamıştır, belki de çok şey. Ama insanlar fısır fısır konuşuyor."

"Ne konuşuyorlar?"

"Demonlarla düşüp kalkan bir büyücü olduğunuzu."

Gülerek özenle çizdiği bir rakamı tamamladı. "Eh, haksız da sayılmazlar."

Kız kuşu pençelerini taşa vurdu. "Protesto ediyorum! 'Demon' deyimi had safhada hatalı ve aşağılayıcı bir kullanım!"[1]

Batlamyus kalemini bıraktı. "İsimler ve ünvanlara bu kadar takılmak bir hatadır, sevgili Rekhyt. Bu tür şeyler sadece kaba yakıştırmalardır, gündelik dilde konuşurken kaçınılmazdır-

---

[1] Kullandığım sınırlı dile dikkatinizi çekerim. O günlerde, Batlamyus'la ettiğim sohbetlerde standart lisanım oldukça seviyeliydi,. Ondaki bir şey kaba, küfürbaz ya da saygısız davranmakta isteksiz olmanıza neden oluyor, hatta Mısır Körfezi'nde konuşulan argo konusunda kendimi sınırlamama neden oluyordu. Yasakladığından falan değil, daha çok kendi kendinize ihanet etmişçesine bir suçluluk duygusu yaşattığından. Ağır hakaretler de yapılamayacaklar listesindeydi. Geriye hâlâ söyleyecek bir şeylerin kalması ilginçti tabii.

lar. İnsanlar, cahil oldukları için böyle konuşuyor. Eğer senin gerçek doğanı anlayıp *hâlâ* edepsizlik ederlerse işte o zaman endişelenmelisin." Yan yan bakarak sırıttı. "Ki bu her zaman mümkündür, kabul etmek lazım."

Kanatlarımı biraz kaldırıp denizden gelen rüzgarın tüylerimin arasından geçmesine izin verdim. "Genel olarak şimdiye kadar her konuda sen haklı çıktın. Ama bu sözümü yabana atma. Çok geçmez boğayı senin serbest bıraktığını söylemeye başlarlar."

İçini çekti. "Tüm dürüstlüğümle söylüyorum ki şöhret iyi de olsa kötü de beni ilgilendirmiyor."

"*Seni* ilgilendirmiyor olabilir," dedim sıkıntıyla, "ama sarayda kimileri var ki bu onlar için ölüm kalım meselesi."

"Yalnızca siyaset kazanına düşmüş olanlar," dedi. "Ve ben onlar için bir hiçim."

"Öyle olsun," dedim sıkıntıyla. "Öyle olsun. Sen ne yazıyorsun öyle?"

"Dünya aleminin sınırlarında olduğunu söylediğin element duvarlarının tarifini. Şimdi gaganı aç da iyice bir anlat bakalım."

Eh, ben de anlattım. Batlamyus'a karşı gelmek pek işe yaramazdı.

İlk başından beri hevesli ve meraklı bir sahip olmuştu. Servet, güzel eşler ve Nil'e bakan mücevher emlaklar istiflemek –o zamanlar Mısır'daki çoğu büyücü bunlardan başka bir şey düşünmezdi– ilgisini çekmiyordu. Bir çeşit bilginin peşindeydi ama bu, şehir surlarını tuzla buz eden ve bozguna uğramış düşmanın gırtlağını kesen türden bir bilgi değildi. Daha çok öteki dünyaya ait bir bilgiydi.

Daha ilk karşılaşmamızda bana sorular sormaya başlamıştı.

Kum fırtınasından bir sütun görünümündeydim. Açıkçası o günlerde çok moda bir kılıktı. Sesim küçük bir vadiye yuvarlanan kayalar gibi yankılanmıştı. "İsteğini dile getir, ölümlü."

"Cin," dedi, "sana bir soru soracağım."

Kumlar daha hızlı dönmeye başladı. "Dünyanın sırlarını, havanın gizlerini bilirim, bir kadının usuna giden anahtar bendedir. Dileğin nedir? Söyle."[2]

"Öz nedir?"

Kum fırtınası havada donakaldı. "Ha?"

"Özün. Tam olarak nedir? Nasıl çalışır?"

"Şey, hımm..."

"Ya Öteki Taraf. Bana oradan bahset. Oradaki zamanın bizimkiyle izdüşümü var mıdır? Varlıklar nasıl cisimlenir? Kralları veya bir liderleri var mıdır? Maddesel bir boyut mudur, yoksa girdabımsı bir cehennem midir ya da nedir? Senin ülkenle dünyanın arasındaki sınırlar nelerdir ve ne dereceye kadar geçirgendirler?"

"Mmm..."

Kısacası, Batlamyus bizimle ilgiliydi. Cinlerle. Köleleriyle. Yani *içsel* doğamızla, o bildik ve sahte yüzeysel özelliklerle değil. En ürkünç görünümler ve tahrikler esnemesine neden olurdu, gençliğiyle ve kız gibi görüntüsüyle alay etme çabalarım yalnızca içten kıkırtılara neden olurdu. Tüy kalemi dizinde, kendi yıldızının ortasında oturup can kulağıyla beni dinler, biraz abartılı bir yalan attığımda beni uyarır, sıkça sözümü keserek anlamadığı bir yeri iyice açıklamamı isterdi. Beni yola getirmek için ne Kızgın İğneler ne Mızraklar ne de başka bir yöntem uygulardı. Çağırmaları bir–iki saati nadiren aşardı. İn-

---

[2] Tabii ki hepsi yalandı. Özellikle de son bölüm.

sanların ne kadar gaddar olabileceğini bilen, benim gibi kartlaşmış bir cin için bütün bunlar biraz kafa karıştırıcıydı.

Ben düzenli olarak çağırdığı diğer cinler ve daha düşük seviyeli varlıkların arasından biriydim yalnızca. Normal rutini hiç sapmazdı: çağırma, sohbet, büyücünün deli gibi notlar alması ve kovulma.

Zamanla merakım arttı. "Bunu neden yapıyorsun?" diye sordum ters ters. "Tüm bu sorular neden? Bütün bu yazdıkların?"

"Büyük Kütüphane'deki yazmaların çoğunu okudum," dedi çocuk. "Çağırmalar, cezalar ve diğer uygulamalar hakkında birçok bilgi var ama demonların doğasından hemen hemen hiç bahsedilmiyor. Kişiliğiniz, kendi arzularınız. Bana en önemli şey buymuş gibi geliyor. Bu konuda detaylı bir şey yazmak istiyorum, sonsuza kadar okunacak ve hayran olunacak bir kitap. Bunu yapmak için bir sürü soru sormam gerek. Bu tutkum seni şaşırtıyor mu?"

"Evet, aslında öyle. Bizim çektiğimiz acılarla bir büyücü ne zaman ilgilendi ki? Senin ilgilenmen için de bir neden yok. Sana bir şey kazandırmaz."

"Ah, tabii kazandırır. Eğer bu cehaletimiz sürer, sizi anlamaktansa çağırıp tutsak etmeye devam edersek eninde sonunda başımız belaya girecek. Ben böyle hissediyorum."

"Tutsaklıktan başka seçenek yok. Her bir çağırma, bizi zincirlere vuruyor."

"Sen fazla karamsarsın cin. Tacirler, kuzeydeki ülkelerde başka dünyalardan varlıklarla irtibat kurmak için kendi bedenlerini terk eden şamanlar olduğundan söz etti bana. Bana sorarsan bu çok daha düşünceli bir yöntem. Belki biz de bu tekniği öğrensek daha iyi olacak."

Haşin bir kahkaha attım. "Bu asla olmayacak. O yol, Mısır'ın mısır çuvalı rahipleri için fazlasıyla tehlikeli. Enerjini boşa harcama çocuk. Anlamsız sorularını unut. Kov beni, bu iş de burada bitsin."

Benim şüpheciliğime rağmen o vazgeçmiyordu. Bir sene geçti, yalanlarım yavaş yavaş tükendi. Ona doğruyu söylemeye başladım. Bunun karşılığında o da bana kendini anlattı.

Kralın yeğeniydi. Bundan oniki sene önce doğduğunda emzirildiği sütü kusan, kedi gibi ciyaklayan, sıskacık, çelimsiz bir şeymiş. Rahatsızlığı isim töreninin üzerine bir kefen gibi örtülmüş. Konuklar alelacele ayrılmış, görevliler kasvetli gözlerle birbirlerine bakmış. Süt annesinin gece yarısı çağırdığı bir Hathor rahibi, bebeğin ölüme çok yakın olduğunu bildirse de gerekli ritüelleri tamamlayıp onu koruması için tanrıçaya sunmuş.[3] Geceyi zor geçirmiş. Güneşin ilk ışıkları akasya ağaçlarının arasından süzülerek bebeğin başına düşmüş. Feryatları dinmiş, bedeni sakinlemiş. Hiç ses çıkarmadan ve karşı koymadan, burnunu göğse dayayıp emmeye başlamış.

Ölümünün ne şekilde ertelendiği gözlerden kaçmamış ve çocuk zaman kaybetmeden güneş tanrısı Ra'ya adanmış. Yıllar boyunca güçlenerek büyümüş. Çabuk öğrenen, zeki bir çocuk olsa da hiçbir zaman, kralın oğlu, kendisinden sekiz yaş büyük kuzeni kadar iriyarı ve güçlü biri olamamış.[4] Sarayın avlusunda dövüşen erkek çocuklara katılmaktansa rahipler ve

---

[3] Hathor: Yeni doğan bebeklerin koruyucusu ana tanrıça; tapınaklarındaki cinler sığır başlı kadın görünümünde dolaşır.

[4] Onun adı da Batlamyus'du. 200 yılı aşan bir süre için bu Mısırlı kralların hepsi de birer Batlamyus'tu. Ta ki Kleopatra gelip bu düzeni bozana kadar. Özgünlük, ailenin en güçlü özelliği sayılmazdı. Herhalde, benim Batlamyus'un isimleri neden umursamadığını görmek artık zor değildir. Onun için bir anlamı yoktu. Kendi ismini bana ilk soruşumda söylemişti.

kadınlarla zaman geçirmekten memnun, göze batmayan bir tip olarak kalmış.

O yıllarda kral sık sık savaşa gider, sınırları Bedevi baskınlarından korumaya çalışırdı. Şehri yöneten bir dizi danışman, rüşvet ve liman vergileriyle gittikçe zenginleşiyor ve yabancı ajanların (özellikle karşı kıyılarda güç kazanan bir şehirden, Roma'dan gelen ajanların) tatlı sözlerine gittikçe daha fazla kulak kabartıyorlardı. Mermer sarayında lüks içinde yaşayan kralın oğlu, vaktinden önce sefahate düşmüştü. Daha yirmisine basmadan gözlerinden paranoya ve suikast korkusu akan, boşboğaz, gülünesi bir tip olmuş, içkiden göbek bağlamıştı. Tahta geçmek için sabırsızlanarak babasının gölgesinden ayrılmıyor, ihtiyarın ölümünü beklerken akrabaları arasındaki rakiplerini kestirmeye çalışıyordu.

Batlamyus'sa tam tersine okuyup yazan, ince yapılı ve yakışıklı, Yunanlı'dan çok Mısırlı'ya benzeyen bir tip olmuştu.[5] Tahtın uzaktan varisi olsa da bir savaşçı ya da devlet adamı olmadığı açıktı ve kraliyet ailesi tarafından genelde yok sayılıyordu. Zamanının çoğunu rıhtıma bakan İskenderiye Kütüphanesi'nde öğretmeniyle çalışarak geçiriyordu. Luxor'dan yaşlı bir rahip olan adam, birçok lisanın yanında krallığın tarihini de iyi biliyordu. Ayrıca bir büyücüydü. Böylesine olağanüstü bir öğrenci bulunca, tüm bildiklerini ona aktarmaya karar vermişti. Her şey sessizce başlayıp sessizce bitmiş, yalnızca son zamanlarda, boğa olayıyla birlikte, söylentiler şehre yayılmıştı.

---

[5] Sanırım annesi yüzünden. Kadıncağız nehrin yukarısında bir yerlerden gelen bir köylü kızıymış, sarayda cariyeymiş. Ben hiç görmedim. Benim zamanımdan önce babasıyla birlikte vebadan ölmüş.

Olaydan iki gün sonra bir tartışmanın ortasındayken efendimin kapısını bir hizmetkar tıklattı. "Affedin majesteleri, fakat sizi görmek isteyen bir kadın var."

"Görüp ne yapacakmış?" Böyle bir baskın ihtimali için bir akademisyen kılığına girmiştim.

Batlamyus bir işaretle beni susturdu. "Ne istiyormuş?"

"Kocasının ekinleri çekirge istilasına uğramış efendim. Sizin yardımınızı istiyor."

Sahibim kaşlarını çattı. "Saçma! Ben ne yapabilirim ki?"

"Efendim, şeyi duymuş..." Hizmetkar duraksadı, o gezinti esnasında bizimle birlikteydi. "Boğayı nasıl durdurduğunuzu."

"Bu haddini aşmaktır! Burada çalışıyorum. Rahatsız edilmemem gerek. Yolla onu."

"Nasıl isterseniz." Hizmetkar içini çekerek kapıyı kapamaya yeltendi.

Efendim dayanamadı. "*Çok* mu kötü durumda?"

"Oldukça efendim. Şafaktan beri burada."

Batlamyus sabırsızlıkla pofladı. "Of, bu tam bir aptallık!" Bana döndü. "Rekhyt, git bak bakalım, yapılabilecek bir şey var mı."

İşimi bitirip bitkin bir suratla geri döndüm. "Çekirgeler gitti."

"Çok iyi." Kaşlarını çatarak tabletlerine baktı. "İpin ucu iyice kaçtı. Öteki Taraf'ın akışkanlığıyla ilgili konuşuyorduk galiba..."

"Farkındaysan," dedim, hasır döşeğe kibarca kurulurken "artık paçayı kaptırdın. Kendine bir şöhret edindin. Felaketleri önleyen adam. Şimdi *hiç* huzurun kalmayacak. Aynı şey Süleyman'ın da başına gelmişti. Şu bilgelik olayı. Kucağına bir bebek tutuşturulmadan evden dışarı adımını atamazdı. Sık sık farklı bir nedenle olsa da."

Çocuk başını iki yana salladı. "Ben akademisyenim, bir araştırmacıyım, o kadar. İnsanlığa yazdıklarımın meyveleriyle yardımcı olacağım, boğalarla ya da çekirgelerle savaştığım için *değil*. Üstelik bütün işi yapan *sensin* Rekhyt. Ağzının kenarındaki şu böcek kanadını silmeni istesem, ayıp olmaz değil mi? Teşekkür ederim. Şimdi, işimize bakalım."

Bazı konularda çok akıllıydı sevgili Batlamyus, bazılarındaysa hiç. Ertesi gün dairesinin önünde iki kadın daha görüldü. Birinin arazisine giren hipopotamlarla başı dertteydi, diğerinin ise kucağında bir bebek vardı. Bir kez daha elimden geleni yapmam için yanlarına yollandım. Bir sonraki sabah, kapısının önünde sokağa kadar uzanan küçük bir kuyruk vardı. Sahibim saçlarını yolup kötü kaderine lanetler yağdırdı ama yine de Affa ve Penrenutet isimli iki ciniyle birlikte göreve yollandım. Bu böyle devam etti. İskenderiye'nin sıradan insanları arasındaki ünü, yaz çiçekleri kadar hızla artarken çalışmaları bir salyangozla yarışamayacak hale geldi. İşinin yavaşlatılması onu çılgına çevirse de incelikli bir lütuf göstererek tepki verdi. Çağırmanın mekaniği üstüne bir kitap yazarak kendini teselli edip diğer araştırmalarını bir kenara attı.

Yıl eskidi ve Nil'in taşma zamanı geldi. Seller yatıştı, koyu toprağı ıslak ve verimli bir parıltı sardı, ekinler ekildi, yeni bir mevsim başladı. Batlamyus'un kapısındaki mağdurlar kuyruğu bazen uzadı, bazen kısaldı ama hiç bitmedi. Bu günlük merasimin daha yüce tapınaklardaki siyah cübbeli rahipler ve şaraba batmış tahtında oturan kara vicdanlı prens tarafından duyulması da fazla uzun sürmedi.

5

Saygıdan yoksun bir ses, Mandrake'ye sihirli aynadaki cinin dönüşünü haber verdi. Son savaş kitapçıkları için notlar aldığı kalemini bir köşeye bırakıp cilalı diskin içine baktı. Bebeğin suratı, sanki tüm gücüyle kurtulmaya çalışır gibi pirinç yüzeye yapışarak yamulmuştu. Mandrake, kıvranışını görmezden gelerek sordu: "Evet?"

"Evet ne?" Bebek inleyerek gerindi.

"Bartimaeus nerede?"

"Buranın yirmi altı mil güney batısında uzun saçlı bir kız kılığında bir moloz yığının üstünde oturuyor. Çok güzel olmuş, falan yani. Ama buraya gelmiyor."

"Ne? Gelmiyor mu?"

"Evet. Aah, burası korkunç dar. Altı yıldır bu diskin içinde, evimi bir kez olsun görmedim. Beni bırakabilirdin, gerçekten bırakabilirdin. Sana bütün kalbim ve ruhumla hizmet ettim."

"Senin ruhun *yok*," dedi Mandrake. "Bartimaeus ne söyledi?"

"Sana söyleyemem, daha çok küçüksün. Ama çok ayıptı. Kulaklarıma inanamadım. Neyse, kendi rızasıyla gelmiyor, bu kadar işte. Yak şunu gitsin, derim ben. Şimdiye kadar neden kül olmadı anlamıyorum zaten. Oh, *yine* o çekmeceye koyma lütfen, sende hiç insaf yok mu, kaka çocuk?"

Diski kumaşa sarıp hemen çekmeceyi atan Mandrake gözlerini ovuşturdu. Bartimaeus sorunu, kontrolden çıkıyordu. Cin her zamankinden daha zayıf ve hırçın haldeydi, bir hizmetkar olarak neredeyse yararsızdı. Mantığı gitmesine izin vermesini söylese de bu düşünceyi –her zamanki gibi– tatsız buluyordu. Bunun nedenini tam olarak söyleyebilmek zordu, köleleri arasında yalnızca bu cin saygılı davranmanın yanına bile yaklaşmazdı. Sivri dili yorucu, haddinden fazla can sıkıcıydı... Aynı zamanda bu, tuhaf şekilde hoşuna gidiyordu. Mandrake, gerçek duyguların sürekli kibar maskeler ardında gizlendiği bir dünyada yaşıyordu. Ama Bartimaeus ondan hoşlanmadığını saklamaya çalışmazdı. Ascobol ile çetesinin yağcılığı ve dalkavukluğu yanında Bartimaeus, henüz bir çocukken ve tamamen farklı bir isme sahipken karşılaştıkları ilk gün kadar küstahtı hâlâ.

Mandrake'nin düşünceleri başka bir konuya kaydı. Öksürerek kendini toparladı. Esas neden *buydu*, elbette. Cin, gerçek ismini biliyordu. Kendi pozisyonundaki bir adam için çok riskli bir durum! Başka bir büyücü, cini çağırıp demonun bildiklerini öğrenecek olsa...

İçini çekti, zihni yürümekten aşınmış bir patikadan diğerine güçlükle ilerledi. *Siyah saçlı kız. Güzel.* Kimin kılığına girdiğini anlamak için dahi olmaya gerek yoktu. Kitty Jones öldüğünden beri Bartimaeus onu rahatsız etmek için kızın görüntüsünü kullanıyordu. Başarılı olmadığı da söylenemezdi. Aradan üç yıl geçmesine rağmen kızın yüzünü hatırlamak Mandrake'nin karnına şiddetli sancılar girmesine neden oluyordu. Kendine telkin etmekten usanmış halde kafasını salladı. Unut onu! O bir vatan hainiydi, öldü artık.

Zavallı durumdaki demonun önemi yoktu. En acil konu savaşın neden olduğu gün geçtikçe artan kargaşaydı. Bu ve bir de halk arasında yeni ortaya çıkan tehlikeli yetenekler. Fritang'ın yumurta atan çocuklarla ilgili anlattıkları gerçekleşen bu türden olayların yalnızca sonuncusuydu.

Büyücüler, Gladstone'dan bu yana, temel bir kurala bağlı kalmışlardı: Halk büyü ve büyü araçları konusunda ne kadar az şey bilirse o kadar iyidir. Bu yüzden en cılız iblisten en kendini beğenmiş ifrite kadar bütün kölelere, sahiplerinin emirlerini yerine getirirken gereksiz yere fark edilmekten kaçınmaları emredilirdi. Kimileri görünmez olma yeteneklerini kullanır, kimileri kılık değiştirirdi, böylece başkentin sokaklarında dolaşan ya da çatıların üstünde uçuşan demonlar, kural olarak halk tarafından görülmezdi.

Ama artık durum değişmişti.

Demonların fark edildiği yeni olayların görülmediği bir hafta geçmiyordu. Whitehall'un üzerinde uçan bir haberci iblisler sürüsü çığlık çığlığa bir grup okul çocuğu tarafından görülmüştü. Büyücüler, iblislerin kurallara uygun şekilde güvercin kılığında olduğunu ve şüphe uyandırmamaları gerektiğini rapor etmişti. Günler sonra bir kuyumcunun Londra'ya yeni gelen çırağı, çılgın gözlerle Horseferry Caddesi'nden koşturarak nehrin surlarından Thames'e atlamıştı. Görgü tanıkları kalabalık arasında hayaletler gördüğüne dair bir şeyler haykırdığını söyledi. Yapılan sıkı araştırma, Horseferry Caddesi'nde o gün casus demonların işbaşında *olduğunu* ortaya çıkardı.

Halktan kişiler demonları görebilme gücüyle doğuyorlarsa son zamanlarda Londra'yı saran kargaşa daha da kötüye gidebilirdi... Mandrake, sıkıntı içinde başını iki yana salladı. Bir kütüphaneye gidip tarihte bu tür örnekler olup olmadığına bakması gerekiyordu. Böyle bir salgın daha önce de yaşanmış olabilirdi... Ama hiç zamanı yoktu, bugünü yeterince zordu. Geçmiş beklemek zorundaydı.

Kapı tıklatıldı, uşağı yerdeki yıldızlara basmamaya büyük özen göstererek çekine çekine içeri girdi.

"Polis Şefi Yardımcısı ziyaretinize geldiler efendim."

Mandrake'nin alnı hayret içinde kırıştı. "Ah. Öyle mi? Çok iyi. Ona yolu gösterin."

İki kat aşağıdaki kabul odasına inip geri dönmesi üç dakika süren uşak, cebinden çıkardığı küçük aynayla kendine çeki düzen vermesi için Mandrake'ye bol bol zaman tanımış oldu. Büyücü, kısa saçlarının fırça gibi dikilmiş bir bölümünü düzeltip omuzlarında birikmiş birkaç toz parçacığını silkeledi. Sonunda tatmin olarak azimli ve iyi düşünülmüş bir çalışkanlık örneği halinde masasındaki kağıtlara daldı. Bu türden sahtekarlıkların gülünç olduğunun farkındaydı ama yine de yapmadan duramıyordu. Polis Şefi Yardımcısı ne zaman ziyaretine gelse kendisinin fazlasıyla farkında olurdu.

Kapı sertçe vuruldu. Jane Farrar, elinde bir küre çantasıyla içeri girip hafif ama becerikli ve kararlı adımlarla odanın öteki tarafına ilerledi. Bay Mandrake, kibarca ayağa kalkmaya yeltense de elini sallayarak yerine oturttu.

"Bunun ne büyük bir onur olduğunu bana söylemen gerekmiyor John. Söylenmiş kabul ediyorum. Sana göstermek istediğim önemli bir şey var."

"Lütfen..." Mandrake, masanın yanındaki deri bir koltuğu

işaret etti. Bayan Farrar, küre çantasını sertçe masaya bırakarak oturup sırıttı. Mandrake de kıza sırıttı. Yaralı bir farenin iki yanından birbirine bakan iki kedi gibi bakımlı, güçlü ve karşılıklı güvensizlikleri içinde kendinden emin olarak karşılıklı sırıttılar.

Üç yıl önceki Golem olayı, Polis Şefi Bay Duvall'ın ölümüyle sonuçlanmış, Başbakan o günden beri göreve yeni birinin atanmasını uygun görmemişti. Bunun yerine çevresindeki büyücülere karşı gün geçtikçe büyüyen güvensizliğinin bir göstergesi olarak bu ünvanla *kendini* ödüllendirmiş ve işlerin çoğunu Polis Şefi Yardımcısı'nın üstüne yıkmıştı. Jane Farrar, iki yıl boyunca bu görevi yerine getirmişti. Genç kızın çok iyi bilinen doğal yeteneği, geçmişte Bay Duvall ile yakın işbirliği içinde olmasını ve Bay Devereaux'nün desteğini kazanmasını sağlamıştı. Mandrake ile birlikte artık başbakanın en yakın müttefiklerinden biri olmuştu. Bu nedenle birbirlerine acı verecek denli dostça davranıyorlar ama eski rekabetleri yine de yüzeye yakın bir yerlerde hışırdayıp duruyordu.

Mandrake, başka bir neden yüzünden daha kızı huzursuz edici buluyordu. Işıltılar saçan uzun, koyu kumral saçları, uzun kirpiklerin ardından hoşnutsuzca bakan yeşil gözleriyle Farrar hâlâ çok güzeldi. Görüntüsü dikkatini dağıtıyor, konuşurlarken onunla boy ölçüşebilecek olgunluğundan gelen bütün güveni silip süpürüyordu.

Büyücü kayıtsızca koltuğuna gömüldü. "Benim de sana anlatacaklarım var," dedi. "Kim başlıyor?"

"Ah, devam et. Sen başla. Ama biraz çabuk."

"Tamam. Başbakanın ilgisini halktan bazı kişilerin geliştirdiği bu yeni yeteneklere çekmemiz artık *şart* oldu. Dün demonlarımdan biri daha fark edildi. Yine çocuklar. Bunun nasıl bir sorun olduğunu sana anlatmam gerekmiyor."

Bayan Farrar'ın güzel kaşları çatıldı. "Hayır," dedi, "gerekmiyor. Bu sabah rıhtım işçileri ve makinistlerin yaptıkları grevlere dair yeni haberler aldık. Yürüyüşler. Gösteriler. Bir tek Londra'da değil, taşrada da. Bunlar bu doğaüstü güçlere sahip kadın ve erkeklerce düzenleniyor. Onları yola getirmek zorundayız."

"Hımm, ama *neden* Jane? Neden nedir?"

"Onları güven içinde Kule'ye aldığımızda anlarız. Şu anda casuslar publarda dolaşıp bilgi topluyor. Bir anda bastıracağız. Başka bir şey?"

"Bir de Kent'deki son baskını tartışmamız gerek ama konseye kadar bekleyebilir."

Bayan Farrar, uzun ince iki parmağını uzatarak çantasının fermuarını açtı, kumaşı aşağı çekerek içinden tabanı düzleştirilmiş, mavi-beyaz, kusursuz bir küre çıkardı. "Sıra bende," diyerek masanın ortasına doğru ittirdi.

Büyücü hafif doğruldu. "Casuslarından biri mi?"

"Evet. Şimdi, iyi dinle John, bu çok önemli. Bay Devereaux, büyücüleri yakından izlememi söylemişti biliyorsun, olur da birileri Duvall ve Lovelace'ın izinden gitmeye kalkarsa diye."

Mandrake başını salladı. Bay Devereaux, Amerika'daki isyanlardan, Avrupa'daki düşmanlarından, sokaklarda gösteriler düzenleyen öfkeli halktan çok kendi bakanlarından, sofrasında oturup şarabını içen kadın ve erkeklerden korkardı. Bu endişesinde de haklıydı. Meslektaşları hırslı insanlardı ama yine de bu durum diğer acil işleri biraz savsaklamasına neden oluyordu. "Ne buldun?" diye sordu.

"Bir şey." Farrar, öne doğru eğilip uzun saçlarını yüzüne düşürerek tek elini kürenin üzerinden geçirdi. Mandrake de boğazını temizleyip kızın kokusunun, görünümünün, paylaştıkları bu mahremiyetin (her zamanki gibi) tadını çıkartarak öne eğildi. Ne kadar tehlikeli ve kedi tabiatlı olsa da Bayan Farrar'la birlikte olmanın zevkli tarafları da vardı.

Kız bir-iki kelime söyledi: Mavi zerrecikler dibe yakın bir havuzda birleşmek için kürenin içinde hareket ettiler. Orada bir görüntü belirdi, gölgeler içinde bir yüz. Titreşti, kıpırdandı ama yakınlaşmadı.

Bayan Farrar başını kaldırdı. "Bu Yole," dedi. "Yole, dikkatimi çekmiş olan genç bir büyücüyü izliyordu. Adı Palmer, ikinci düzeyden, İçişleri'nde çalışıyor. Terfisi defalarca reddedilmiş, öfkeli bir adam. Dün hasta olduğunu söyleyip işe gitmedi. Onun yerine yürüyerek evinden çıkıp Whitechapel yakınındaki bir hana gitti. Sıradan işçi elbiseleri giymişti. Yole onu takip etti, olanları küreden yayınlayabilir. İlgini çekeceğini sanıyorum."

Mandrake çekimser bir hareket yaptı. "Lütfen devam et."

Jane Farrar, parmaklarını şaklatarak küreye doğru konuştu. "Bana hanı göster, sesli olarak."

Gölgeli yüz geri çekilerek kayboldu. Kürenin içinde bir görüntü belirdi: Çatı kirişleri, beyaz badanalı duvarlar, tavandan sarkan pirinç bir lambanın altındaki büyük ahşap bir masa. Buzlu camdan kirli pencerelerin önünde birikmiş duman. Sanki yerde yatarlarmış gibi aşağıdan bir görüş açısı vardı. Üstlerinden rüküş kadınlar ve kötü kesimli elbiseleriyle erkekler geçiyordu. Kahkahalar, öksürük ve bardak şıkırtıları, çok uzaklardan gelirmiş gibi güçsüz bir sesle çınlıyordu.

Masada oturan bir adam vardı, orta yaşlı, yapılı bir adam, yüzü oldukça pembe, saçlarında beyaz benekler. Üstünde yıpranmış bir paltoyla bir bere vardı. Durmaksızın oraya buraya bakan gözleriyle belli ki handaki insanları inceliyordu.

Mandrake, hafifçe nefes alarak daha da yaklaştı. Farrar o gün oldukça ağır bir parfüm sürmüştü. Nar özü gibi bir şey kokuyordu. "Bu Palmer, öyle mi?" diye sordu. "Çok garip bir açıdan bakıyoruz. Fazla aşağıdan."

Kız başını salladı. "Yole, süpürgeliklerin yanında bir fare kılığındaydı. Dikkat çekmemeye özen gösteriyordu ama bu hata bize pahalıya patladı, değil mi Yole?" Kürenin yüzeyini ovaladı.

İçeriden ağlamaklı, uysal bir ses geldi. "Evet hanımefendi."

"Mmm. Evet, bu Palmer. Normalde şık ve göze batan bir adam. Şimdi, burası önemli. Bu kadar aşağıdan görmesi zor ama elinde bir bardak bira tutuyor."

"Olağandışı," dedi Mandrake. "Tabii pubdayken elinde biranın ne işi var." *Kesinlikle* nar... Altında hafif bir limon notasıyla birlikte...

"Bekle de gör. Birini izliyor."

Mandrake, kürenin içindeki şekli inceledi. Palmer, halkın arasına karışmış bir büyücüden beklenebileceği gibi huzursuz görünüyordu. Gözleri sürekli oynuyor, boynunda ve parlak alnında boncuk boncuk ter birikiyordu. İki kez üst üste birasını içecekmiş gibi bardağını kaldırdı, ikisinde de dudaklarına değdirip masanın köşesine itti.

"Tedirgin," dedi Mandrake.

"Evet. Ah, zavallı Palmer."

Jane Farrar, yumuşak bir tonda konuşmuştu ama sesindeki bir şey bıçak keskinliğindeydi. Mandrake yine nefes aldı. Bu keskin nota tam yerindeydi. Tatlı kokuyu hoş bir şekilde dengeliyordu.

Bayan Farrar öksürdü. "Koltuğunda bir terslik mi var, Mandrake? Biraz daha eğilirsen kucağıma düşeceksin."

Başını telaşla küreden kaldıran Mandrake, alınların çarpmasına kılpayıyla engel oldu. "Pardon, Farrar, pardon." Boğazını temizleyerek derinden gelen bir sesle konuştu. "Yalnızca çok gerginim, kendimi bırakamıyorum. Bu Palmer'ın derdi nedir merak ettim. Çok şüpheli bir karakter." Gömleğinin kolunu öylesine çekiştirdi.

Farrar bir an ona baktı, sonra başıyla küreyi işaret etti. "İyi izle, o zaman."

Kürenin köşesinden, elinde bir bardak birayla başka bir adam belirdi. Şapkasız başındaki kızıl saçlarını arkaya yapıştırmıştı; uzun, siyah bir yağmurluğun arasından kirli işçi botları ve pantolonu görünüyordu. Rahat ama temkinli adımlarla sıranın üzerinde yana kayıp kendisine yer açan Bay Palmer'a yaklaştı.

Yeni gelen oturdu. Birasını masaya koyup gözlüklerini küçük burnunun üstüne doğru itti.

Mandrake şaşkına dönmüştü. "Durun!" diye tısladı. "Onu tanıyorum!"

Farrar emir verdi. "Yole, sahneyi dondur."

Kürenin içindeki iki adam selamlaşmak için başlarını çevirirken kızın verdiği emirle sahne dondu.

"Bu çok iyi," dedi Farrar. "Kim olduğunu hatırlıyor musun?"

"Evet. Bu *Jenkins*. Clive Jenkins. İçişlerinde benimle çalışıyordu. Hâlâ da çalışıyordur, herhalde. Sekreter. Yükselme şansı yok. Bak şimdi. Bu çok ilginç."

"Bekle." Kız parmaklarını şaklattı. Mandrake pembe ojeleri, tırnak diplerindeki açık renk yuvarlakları fark etti. Küredeki görüntü yeniden hareketlendi: İki adam dönüp başlarıyla selamlaştılar ve yeniden önlerine baktılar. Yeni gelen Clive Jenkins, bir yudum bira aldı. Dudakları kıpırdadı, yarım saniye sonra küreden tenekemsi ve cızırtılı bir ses duyuldu.

"Peki o zaman Palmer. Her şey çok hızlı ilerliyor ve artık karar zamanı geldi. Bizimle birlikte misin, değil misin? Bilmemiz gerekiyor."

Palmer, bardağından büyük bir yudum aldı. Yüzü terden ışıldıyor, gözleri fer fecir okuyordu. Konuşmaktan çok gevelemeye benzer bir şekilde, "Daha fazla bilgiye ihtiyacım var," dedi.

Jenkins gülerek gözlüklerini düzeltti. "Sakin ol, sakin ol. Senin ısırmayacağım Palmer. Bilgiyi alacaksın. Ama önce iyi niyetinden emin olmamız lazım."

Öteki adam dudakları ve dişleriyle şempanzeye benzer bir hareket yaptı. "Benden şüphelenmenizi gerektirecek bir davranışım oldu mu şimdiye kadar?"

"Olmadı. Ama sana *inanmamızı* sağlayacak bir şey de yapmadın. Bize kanıt gerek."

"Nasıl? Yani bir sınav mı?"

"Bir çeşit. Bay Hopkins ona olan bağlılığını görmek istiyor. Devereaux ya da o Farrar kaltağı için çalışan bir polis olup olmadığından bile emin değiliz." Bir yudum bira daha içti. "Ne kadar dikkatli olsak azdır."

Kürenin dışında, başka bir yer başka bir zamanda, John Mandrake başını kaldırıp Jane Farrar'a bakarak tek kaşını havaya kaldırdı. Kız sivri köpek dişlerinden birini göstererek tembel tembel gülümsedi.

"*Hopkins...*" diye başladı söze Mandrake. "Sence aynı adam mı?"

"Duvall'e golemlerle nasıl çalışılacağını gösteren akademisyen," dedi Farrar. "Son komplo olayındaki eksik halka. Evet, bence o. Ama dinle."

Üzerine atılan haksız bir iftiradan yaralanmış görünen Palmer, kırmızı suratlı bir yakınma faslının ortasındaydı. Clive Jenkins hiç konuşmadı. Sonunda Palmer'ın itirazı bitti ve öfkesi bir balon gibi söndü. "Peki benden ne yapmamı istiyorsunuz?" diye sordu. "Seni uyarıyorum Jenkins, bana tezgah kurmasanız iyi edersiniz..."

Kendine gelmek için bardağını kaldırdı. Tam kaldırırken Jenkins geriye kaykılır gibi yaptı ve yamalı dirseği öteki adamın koluna çarptı. Bira bardağı sarsıldı, biralar masaya saçıldı. Palmer'dan ufak bir öfke miyavlaması duyuldu. "Seni beceriksiz sakar..."

Jenkins'in özür dilemeye niyeti yoktu. "Eğer gereken şeyi yaparsan," dedi, "benim ve diğerleriyle beraber bunun meyvelerini de toplayacaksın. Onunla buluşman lazım... *Burada.*"

"Ne zaman?"

"*Zamanı geldiği zaman.* Hepsi bu. Şimdi gidiyorum."

Kızıl saçlı, zayıf adam, başka bir şey söylemeden sırada yana kayarak masadan kalktı ve gözden kayboldu. Palmer, kırmızı suratında boş ve çaresiz bir ifadeyle birkaç dakika daha oturdu. Sonra o da kalktı.

Farrar parmaklarını şaklattı. Görüntü soldu, gölgeler arasından bir yüz uzaklardan isteksizce kürede belirdi. Farrar arkasına yaslandı. "Söylememe gerek yok," dedi. "Yole bizi batırdı. Bir farenin bakış açısından masanın üzerini göremedi. Jenkins'in birayı kasten masaya döktüğünü ve buluşmanın yeri ve zamanını masanın üzerindeki sıvıya yazdığını akıl edemedi. Neyse, günün geri kalanında sürekli Palmer'ı izlediyse de bir şey göremedi. O gece bana rapor vermeye geldi. O bunu yaparken Palmer dairesinden ayrılıp bir daha dönmedi. Apaçık ortada ki gizemli Hopkins'le olan randevusuna gitmişti."

Mandrake sabırsızlık içinde parmak uçlarını birbirine vurdu. "Döndüğünde Bay Palmer'ı sorguya çekmemiz gerekecek."

"O konuda bir sorunumuz var. Rotherhithe Lağım Tesisleri'nde çalışan mühendisler bu sabah şafakla atıkların ortasında yüzen bir şey gördüler. İlk başta bunun bir paçavra yığını olduğunu sandılar."

Mandrake duraksadı. "Yoo..."

"Korkarım öyle. Bay Palmer'ın cesediymiş. Kalbinden bıçaklanmış."

"Ah," dedi Mandrake. "Oh, bu çok kötü."

"Evet öyle. Ama aynı zamanda umut verici." Jane Farrar'ın elini üstünden geçirmesiyle küre kararak soğuk ve sönük mavi bir renk aldı. "Bu, senin şu Clive Jenkins'le bizim Hopkins'in büyük bir iş peşinde oldukları anlamına geliyor. Kolayca cinayet işletecek kadar büyük bir iş. Ve biz iz peşindeyiz." Gözleri heyecanla pırıldadı. Uzun, siyah saçları biraz dağılmış, birkaç perçem kaşlarının üstüne dökülmüştü. Yüzüne kan hücum etmişti, hızla soluyordu.

Mandrake hafifçe yakasını düzeltti. "Bunu bana neden şimdi, konsey öncesinde anlatıyorsun?"

"Çünkü sana güveniyorum John. Ötekilerin hiçbirineyse güvenmiyorum." Gözüne kaçan saçları yana attı. "Whitwell ve Mortensen bize karşı dolap çeviriyor. Biliyorsun. Konsey içinde başbakandan başka hiç dostumuz yok. Eğer bu vatan hainlerini tek başımıza ortaya çıkartırsak konumumuz ciddi ölçüde sağlamlaşır."

Mandrake başını salladı. "Doğru. Neyse, yapılacak şey ortada. Clive Jenkins'in peşine bir demon takıp bizi şu gizemli Hopkins'e götürüp götüremeyeceğine bir bakalım."

Bayan Farrar, küreyi çantasına koyup fermuarı çekerek ayağa kalktı. "Sakıncası yoksa bu işi sana bırakıyorum. Yole bir işe yaramıyor, öbür demonlarımın hepsi de görevdeler. Bu aşamada sadece gözlem yapacağız. Güçlü bir şeye ihtiyacın olmayacak. Yoksa seninde mi bütün cinlerin bağlı."

Mandrake sessiz çemberlerden yana baktı. "Yo, yo," dedi yavaşça, "eminim birini bulabilirim.

6

Sorarım size. Bir görevi yüzünüze gözünüze bulaştırıyorsunuz, bir haberciye saldırıyorsunuz ve geri dönmeyi açıkça reddediyorsunuz. Ve hiçbir şey olmuyor. Saatlerce. Ne çağırma, ne ceza girişimi, hiçbir şey.

Bu ne biçim bir sahiptir böyle?

Eğer *cidden* sinirime dokunan bir şey varsa o da yok sayılmaktır.

Sert davranılmaya gelebilirim, aşağılayıcı hareketlere de. Bunlar en azından bir çeşit etki yaratabildiğinizi gösterir. Ama sihirli aynanın içindeki üç kuruşluk bir iblis gibi çürümeye terk edilmek, sinirimi ziyadesiyle bozar.

Özümdeki ilk burkulmaları hissettiğimde günün yarısı çoktan geçmişti. Keskin, ısrarcı, dikenli tel gibi iç organlarımı yarıp geçen. Sonunda çağrılmıştım! Güzel; gitme zamanı! Korkup isteksizlik duyacak, karşı koyacak halde değildim. Kırık bacadan kalktım, gerindim, kalkanımı dağıttım, yanımdan geçen bir köpeği kokuttum, yan bahçedeki yaşlı hanıma pis bir çığlık atıp bacayı tüm gücümle yola fırlattım.[1]

---

[1] Güçsüzlüğüm yüzünden karşı kaldırıma bile ulaşamadı. Fakat oh, nasıl da yırtıcı görünmüştüm.

Artık vakit kaybetmek yoktu. Ben hâlâ Uruk, Karnak ve İskenderiyeli Bartimaeus'tum. Bu sefer pazarlığa oturacaktım.

Çağırmanın özümü çekip götürmesine izin verdim. Sokak hızla dağılarak ışıklar ve renkli şeritlerden bir karmaşaya dönüştü. Bu karmaşa bir saniye sonra yeniden tipik bir çağırma odası şeklinde cisimlendi: Tavanda floresan lambalar, yerde çeşitli beş köşeli yıldızlar. Enformasyon Bakanlığı, her zamanki gibi. Bedenimin Kitty Jones şeklinde cisimlenmesine izin verdim. Başka bir şey düşünmekten daha kolaydı.

Peki, lanet olası Mandrake? O neredeydi?

İşte! Elinde kalemiyle masanın ardında oturmuş, önündeki kağıt yığınına bakıyordu. Benden tarafa bir göz bile atmıyordu! Boğazımı temizleyip güzel kollarımı belime dayayarak konuşmaya hazırlandım...

"Bartimaeus!" Kibar bir ses. Madrake'nin olamayacak kadar ince. Arkamı döndüm, yandaki yıldızın içinde başka bir masada oturan, saçları kahverengi tarla faresi renginde zarif bir kadın gördüm. Efendimin yardımcısı Piper, bugün sert davranabilmek için elinden geleni yapıyordu. Alnı kaş çatışını andıran bir hareketle kırışmıştı, parmak uçları haşin bir kubbe şeklinde birleşmişti. Üzgün bir anaokulu öğretmeni gibi bana bakıyordu. "Neredeydin Bartimaeus?" diye söze girdi. "Bu sabah haber aldığında buraya dönmen gerekiyordu. Bay Mandrake'nin işi başından aşmışken bir de seni çağırmak için zaman harcamak zorunda kaldı. Hiç hoş değil, biliyorsun. Davranış tarzın bizim için fazlasıyla yorucu olmaya başladı."

Aklımda olan şey kesinlikle bu değildi. Kendimi toparladım. "Yorucu mu?" diye bağırdım. "Yorucu ha? Kiminle konuştuğunu unuttun galiba? Karşında Bartimaeus var; Cinler Cini, Kudretliler Kudretlisi, surların kurucusu, imparatorlukların yıkıcısı. Şimdiye kadar konuşulmuş tüm dillerde en az yirmi adım ve ünvanım var ve kahramanlıklarım söylenen her hecede yankılanır! Sakın beni hafife almaya kalkışma, kadın! Yaşamak istiyorsan eteklerini kaldırıp son sürat buradan ayrılmanı öneririm. Bay Mandrake ile yalnız konuşacağım."

Piper diliyle bir cık cık sesi çıkardı. "Bugün gerçekten dayanılmazsın, Bartimaeus. Senden hiç beklemezdim. Şimdi, sana verilecek ufak bir görev..."

"Ne? Orada dur bakalım!" Yıldızımın içinden öne doğru kısa bir adım attım. Gözlerimden kıvılcımlar, tenimden mercan rengi bir ateş bulutu çıktı. "Önce Mandrake ile halledilecek işlerim var!"

"Korkarım bakan şu anda rahatsız!"

"Rahatsız mı? Balona bak! Orada oturuyor işte!"

"Bugünkü haber broşürleri üstünde çalışıyor. Yetiştirmesi gereken işler var."

"Eh, yeni yalanlar uydurmaya birkaç dakikalığına ara verebilir. Bir şey söylemek istiyorum."[2]

Bayan Piper burnunu kırıştırdı. "Sayın Bakan'a söyleyecek neyin olabilir ki? Şimdi, lütfen göreve dönelim."

Ona sırtımı dönüp masadaki şekle bağırdım. "Hey, Mand-

---

[2] Mandrake, halkı yatıştırma çabalarının bir parçası olarak Amerikan topraklarında savaşan Britanya askerlerinin kahramanlık hikayelerini anlatan, beş para etmez, berbat bir kitapçıklar dizisine başlamıştı. Gerçek Savaş Hikayeleri başlığı altında. Hikayeler kötü ahşap baskılarla resimlendiriliyor, en son gelişmelerin gerçek anlatımı oldukları ileri sürülüyordu. Acımasız ve vahşi Amerikalı büyücülerin her zaman için en kara büyüleri ve en korkunç demonları kullandıklarını söylemeye gerek yok. Yürekli ve cesur İngilizlerse tam tersine, centilmence savaşmakta ve hile yapmamakta ısrar ediyor, düştükleri en güç durumlardan tahta çitler, konserve kutuları, halat ve ip parçaları gibi el yapımı silahlarla kurtuluyorlardı. Savaş erdemli bir gereklilik olarak betimleniyordu. O eski bildik hikaye işte; Nil deltası boyunca resmi tabletlere firavun savaşlarını savunan benzeri iddiaları kazıyan iblisler görmüştüm. Halk bunlara da pek inanmazdı.

rake!" Cevap yok. Sesimi yükselterek yeniden bağırdım. Masasındaki kağıtlar uçuşup dağıldı.

Büyücü, elini kısacık saçlarından geçirip hafiften sıkıntılı bir ifadeyle başını kaldırdı. Duyarlı bir yerindeki eski bir yarayı hatırlamaya zorlanmış gibi görünüyordu. Yardımcısına döndü. "Bayan Piper, yakınmalarıyla uzaktan yakından ilgilenmediğimi Bartimaeus'a iletin. Benden başka çoğu sahibin savaştaki yetersizliği yüzünden ağır cezalar vereceğini ve hayatta olduğu için şükretmesi gerektiğini eklemeyi de unutmayın lütfen. Teşekkürler." Kalemini tekrar eline aldı.

Piper konuşmak için ağzını açtı ama ben ondan önce davrandım. "Beni hemen şimdi kovmasının şart olduğunu," diye şarladım. "bu uzamış sakal kafalı velete lütfen iletin. Gücüm, hâlâ korkulması gerekse de zayıfladı ve yenilenmesi gerekiyor. Eğer bu mantıklı ve haklı isteği kabul etmeyecekse *hem kendi çıkarıma hem onun çıkarına karşı* şiddetli tepkiler vermeye zorlanmış olacağım."

Piper kaşlarını çattı. "Bu son söylediklerin neyle ilgiliydi?"

Tek kaşımı havaya kaldırdım. "*O* anlar." Mandrake'ye döndüm. "Anlıyorsun, değil mi?"

Bana baktı. "Evet, tabii."[3] Uğursuz bir temkinlilikle kalemini bir kez daha masaya bıraktı. "Bayan Piper," dedi, "lütfen bu fesat demona söyleyin, bana ihanet etmenin hayalini kurduğu anda, kendini, günde onlarca cinin ölümüne sahne olan Boston bataklıklarının ortasında bulur."

"Ona mantıklı davranmadığını söyle canım. Savunmalarım o kadar güçsüz ki alışverişini yaparken bile yok olabilirim. Kaybedecek bir şeyim yok."

---

[3] Çok iyi anlamıştı. Doğumda kendisine verilen ad, bir kılıç gibi boynunda asılı duruyordu.

"Güçsüzlüğünü kesinlikle abarttığını söyleyin. Bunlar Süleyman'la dirsek temasında bulunmuş Bartimaeus'un sözleri olamaz."

"Ve Faustus'la ve Zarbustibal'la."

"Faustus, Zarbustibal, her kimse. Burada liste çıkarmıyorum. Neyse, ona söyleyin Bayan Piper, bu son görevi başarıyla tamamlarsa iyileşmesi için geçici olarak kovulmasını kabul ediyorum, bununla yetinmek zorunda."

Küçümseyerek burnumu çektim. "Bu teklifi ancak görev kolay, kısa ve kesinlikle tehlikesizse kabul edeceğimi söyleyiverin."

"Ona söyleyin... Of, yeter, ona görevi söyleyin de gidip yapsın artık!" Deri koltuğunu gıcırdatıp kağıtları hışırdatarak tekrar işine döndü. Bayan Piper'ın başı sonunda sabitlendi. Konuşma boyunca ürkmüş bir baykuş gibi bir ona bir bana bakmıştı. Özenle ensesini ovuşturdu.

"İyi, anlat bakalım," dedim.

Piper, ters konuşmamdan biraz incinmiş görünüyordu ama nezaket kurallarıyla uğraşacak halım yoktu. Mandrake, bir kez daha beni saygısızca aşağılamıştı. Tehditlerimi ve ricalarımı bir kez daha duymazdan gelmişti. Bininci intikam yeminimi ettim. Belki de Amerika'ya gitmeyi göze *almalı*, oraya gidip savaşta taraf değiştirmeliydim. Daha önce de böyle durumlara düşmüştüm. Ama bu denli zayıf bir durumdayken değil... Yo, önce gücümü yeniden toplamam gerekti, buysa "son" görevi kabul etmem anlamına geliyordu. Suratımı asıp bekledim. Odanın öteki tarafında, Mandrake'nin yalanlarını sürdüren kalemin sesini işittim.

Bayan Piper'ın karşılaşmanın sona ermesinden rahatladığı belliydi. "Peki," dedi soğuk bir tebessümle, "çok kolay bulacağından eminim Bartimaeus. Cilve Jenkins isminde küçük bir büyücüyü izlemeni ve bizi her hareketinden haberdar etmeni istiyoruz. Görülmene ya da hissedilmene fırsat tanıma. Hükümete karşı bir komploya ve bir cinayete karışmış. Bundan başka kaçak akademisyen Hopkins'le çalıştığını biliyoruz."

Bu konu hafiften ilgimi çekmişti. Hopkins'in izini kaybedeli yıllar olmuştu. Ama Kitty'nin ergenlik çağındaki somurtkan kız ifadesini korudum.

"Jenkins, güçlü mü?"

Piper kaşlarını çattı. "Sanmam."

Sahibim başını kaldırıp burnundan sesler çıkartarak güldü. "Jenkins mi? Mümkün değil."

"İçişlerinde çalışıyor," dedi Bayan Piper. "İkinci düzeyde büyücü. Truklet isminde bir cini var. Düşük düzeydeki başka büyücülerin aklını çelmeye çalıştığını biliyoruz, nedeni belirsiz. Clem Hopkins'le ilişki içinde olduğu kesin."

"En öncelikli konu *bu*," dedi Mandrake. "Hopkins'i bul. Harekete geçmeye veya saldırmaya kalkışma, Bir bit kadar zayıf olduğunu biliyoruz Bartimaeus. Yalnızca yerini bul. Bir de neyin peşinde olduklarını öğren. Eğer becerirsen bende... Of, *kahretsin*." Masasındaki telefon çalmıştı. Ahizeyi kaldırdı. "*Evet*? Ah, merhaba Makepeace." Gözlerini çevirip tavana dikti. "Evet, evet, uğramayı çok isterdim, cidden ama şu anda gelemem. Konseye katılmam lazım, aslında geç bile kaldım... Konusu nasıl? Hımm, hımm, *çok* gizemli. Belki daha sonra... tamam denerim. Görüşürüz o zaman." Ahizeyi çarparak telefonu kapattı. "Gitmem gerek Piper. Boston kuşatmasıyla ilgili hikayeyi öğle yemeğinde bitirip sana iblisle yollarım, tamam mı? Baskıyı akşamki gösterilere yetiştirebiliriz." Kağıtları bir çantaya tıkıştırarak ayağa kalkıyordu. "Bilmem gereken başka bir şey var mı Bartimaeus? Bahane ve sızlanmalar dışında diyorum, onlar için zamanım yok."

Benim Kitty yorumum dişlerini gıcırdattı. "Biraz desteğe ne dersin? Bu Hopkins'e ulaşırsam, bir iblisten daha fazla savunması olacaktır."

"O yalnızca bir *akademisyen* Bartimaeus. Ama savunmaları varsa bile senin işe karışmanı istemiyoruz. Cormocodran'la diğerlerini anında yollayabilirim ayrıca Bayan Farrar'ın hazırda bekleyen birçok polisi var. Sen yalnızca bilgiye ulaşır ulaşmaz bana rapor et. Sana açık kapı emri vereceğim. İstediğin zaman bana dönebilirsin."

"Nerede olacaksın?"

"Bu öğleden sonra Westminster Hall'dayım, akşama doğru da Devereax'nün Richmond'daki konağında. Gece evdeyim." Çantası klik diye kapandı, gitmek için sabırsızlanıyordu.

"Jenkins'i nerede bulacağım?"

"İçişleri binası, Westminster on altı. Ofisi arka tarafta. Ufak tefek, kızıl saçlı bir alçak. Aklında bir şey kaldı mı?"

"Duymak istemezdin."

"Hiç kuşkum yok. Son bir şey Bartimaeus," dedi. "Sana söz verdim, yalnız, bu kılığa girmekten vazgeçersen, sözümü tutmamı garanti etmiş olursun." O zaman bana baktı, ilk defa doğrudan gözlerime. "Düşün bakalım." Karmaşık bir işaret yaptı. Beni çemberin içine hapseden bağlar etrafıma sarılıp zıt yönlerde çekerek döne döne dışarıdaki dünyaya yolladılar.

7

Bartimaeus: Procopius ve Michelot'da bahsedilen Şakir el Cin isimli demonun takma adı. Şöhreti çok eskilere dayanan orta rütbeli bir cindir, üstün zekalı ve bir o kadar da güçlüdür. Kayıtlarına ilk kez Uruk'da, daha sonra Kudüs'de rastlanmıştır. Al–Arish savaşında Asurlulara karşı savaşmıştır. Bilinen sahipleri arasında: Gılgamış, Süleyman, Zarbustibal, Herakles, Hauser gibi isimlere rastlanmaktadır.

N'gorso, Necho, Rekhyt gibi gücünü açığa çıkartan başka isimleri de vardır.

Linné sınıflandırması: 6, tehlikeli. Hâlâ hayatta.

Kitty, kitabı kucağına koyup otobüsün penceresinden dışarı baktı. İkinci kattaki yerinden büyücü yönetiminin Londra sokaklarına yayılmış sinir ve tendonlarını görebiliyordu. Kaldırımlarda yürüyen Gece Polisi, bütün köşebaşlarında bekleyen araştırma küreleri, gökyüzünde son sürat belirip kaybolan küçük ışık noktaları. Her yeri sarmış bu bekçilerle göz göze gelmemeye çalışarak kendi işlerine bakan sıradan insancıklar. Kitty içini çekti. Orduları uzaklarda savaşırken bile devletin gücü hâlâ yerinde, muhalefete izin vermeyecek derecede belirgindi. Tek başına halk hiçbir şey yapamazdı, bu ortadaydı. Farklı türden bir yardıma ihtiyaçları vardı.

Başını yeniden Trismegistus'un *El Kitabı*'na eğdi. Gözlerini küçük, karmaşık harflere alıştırdı ve aynı paragrafı kimbilir kaçıncı kez baştan okudu. Necho ve Rekhyt isimleriyle ilk defa karşılaşıyordu ama geri kalanı ne yazık ki bildiği şeylerdi. O kısacık sahip listesi örneğin. Gılgamış ve Süleyman'ın yüzleri hakkında fazla şey bilinmese de ikisi de kesinlikle yetişkin krallardı. Herakles büyücü bir imparatordu; çocuk değil bir savaşçıydı. Zarbustibal'a gelince, onun ismine aylar önce Arap sahiplerle ilgili bir envanterde rastlamıştı. Kızıl Deniz civarında kanca burnu ve fırlak nasırlarıyla ünlüydü. Hauser gençken de *varmış*, orası doğruydu, ama Kuzey Avrupalı, beyaz tenli ve çilliydi. Bay Button'a ait kitaplardan birinde gördüğü kabartma öyle söylüyordu. İçlerinden hiçbiri, Bartimaeus'un en sevdiği görünümü olan siyah saçlı, esmer oğlan olamazdı.

Kitty başını iki yana salladı, kitabı kapatıp çantasına koydu. Büyük ihtimalle zamanını boşa harcıyordu. Sezgilerini boş verip çağırmaları yapsa daha iyi olacaktı.

Öğle yemeği vakti gelip geçmişti, otobüsün içi işlerine dönen kadın ve erkeklerle doluydu. Bazıları alçak sesle sohbet ediyor; bazıları ise çoktan yorulmuş, uyuklayıp baş sallıyordu. Kitty'nin karşı tarafında oturan adamlardan biri, Enformasyon Bakanlığı'nın düzenli olarak savaş haberlerini aktardığı, *Gerçek Savaş Hikayeleri*'nin son sayısını okuyordu. Kitapçığın ön kapağı ahşap bir baskıyla süslenmişti: Süngüsü hazırda, tepe yukarı koşan İngiliz bir asker. Asil, kararlı. Hareket halindeki klasik bir heykel. Tepenin başına, yüzü korku, öfke ve diğer nahoş duygularla kırışmış, Amerikalı bir asi tünemiş duruyordu. Üzerinde gülünç ve kadınsı görünmesini sağlayan eski tarz bir büyücü kaftanı vardı. Kollarını kendini korumak istercesine kaldırmıştı. Yanında duran müttefiki küçük bir demon da benzer bir pozda çizilmişti. Buruş buruş yüzünden kötülük akıyordu ve büyücünün üstündeki kaftanın minyatürünü giymişti. İngiliz askerin demonu yoktu. Resmin altındaki başlık şöyleydi: "Yeni bir Boston Zaferi".

Kitty, ahşap baskı resimdeki incelikten yoksun propagandayı aşağılayarak dudak büktü. Bu Mandrake'nin işiydi. Artık Enformasyon Bakanı olmuştu. Onun yaşamasına izin verdiğini düşündükçe...

Ama bunu yapmasına, büyücünün hayatını kurtarmak için çabalamasına, Bartimaeus denen cin neden olmuştu ve aradan üç yıl geçmesine rağmen bu durum hâlâ kafasını karıştırıyor ve anlamsız geliyordu. Demonlar hakkında bildiği şeyler, Bartimaeus'un kişiliğine kesinlikle uymuyordu. Hafızasında hâlâ taze olan, bir tehlike ve korku arka planıyla çerçeveli sohbetleri, yaşam sevinci, içgörü, bilgelik ve hatta beklenmedik bir dostluk içeriyordu. Kitty'nin önünde yeni bir kapı açmış, tahmin bile edemeyeceği tarihi bir oluşumun ipuçlarını vermişti; büyücülerin binlerce yıldır demonları köle haline getirdiğini ve güçlerini kötüye kullanmalarını sağladığını anlatarak. Binlerce yıldır düzinelerce imparatorluk güç kazanmış, gerilemiş ve çökmüştü. Bu kalıp tekrar tekrar yinelenmişti. Demonlar çağrılmış, büyücüler servet ve şöhret için savaşmıştı. Ardından duraklama dönemi gelmişti. Halk, o zamana kadar sahip olduğunu bilmediği doğal yeteneklerini keşfetmiş, büyüye karşı esneklik nesiller boyunca güçlenmiş ve yöneticilere karşı isyan etmelerine olanak sağlamıştı. Büyücüler düşürülmüş, başka bir yerde yenileri ortaya çıkmış ve aynı süreç bir kez daha yeniden başlamıştı. Ve bu sonu gelmez bir kısır döngü şeklinde böyle devam etmişti. Sorun, bu kısır döngünün kırılıp kırılamayacağıydı.

Korna çalan otobüs sarsılarak aniden durdu. Kitty, koltuğunda hoplayıp neler olduğuna bakmak için başını pencereye uzattı.

Otobüsün ilerisinde bir yerlerde, genç bir adam çırpınarak havada uçuyordu. Kaldırıma sert iniş yapıp bir an öylece kaldı, sonra ayağa kalkmaya başladı. Pırıl pırıl çizme ve şapkalarıyla gri üniformalı iki Gece Polisi belirdi. Gencin üstüne atılsalar da o karşı koyup tekme yumruk kurtulmayı başardı. Zar zor ayağa kalktı. Memurlardan biri kemerinden bir çubuk çıkarıp bir şeyler söyledi, çubuğun ucunda mavi bir akım cızırdadı. Çevreye toplanan kalabalık korkuyla kaçıştı. Genç adam ağır ağır geri çekiliyordu. Kitty, adamın kanayan başını ve çılgın bakışlarını gördü.

Kadın polis şok çubuğunu sallayarak ilerledi. Ani bir hamleyle akım hedefi buldu. Delikanlı göğsünden vurulmuştu. Bir an olduğu yerde titreyerek sarsıldı, yanık giysilerinden dumanlar yükseldi. Sonra bir karganın keskin ve duygusuz ötüşüne benzer bir sesle kahkaha attı. Elini uzatıp çubuğu akım geçen ucundan kavradı. Mavi enerjiler teninden geçiyor ama çocuk etkilenmemiş görünüyordu. İki kısa hareketle çubuğu durdurdu, ters çevirdi ve kadın polisi ani bir parıltıyla sırt üstü kaldırıma yapıştırdı. Polisin kol ve bacakları sarsıldı, bedeni bir yay çizdi, sonra yavaş yavaş çöktü. Hareketsiz yere uzandı.

Genç adam çubuğu fırlatıp attı, topukları üstünde döndü ve arkasına bakmadan, yan sokaklardan birinde gözden kayboldu. Sessiz kalabalık çocuğa yol açtı.

Otobüs homurtulu bir tıkırtı ve bir fren gıcırtısıyla yoluna devam etti. Kitty'nin önünde oturan bir kadın kendi kendine başını salladı. "Savaş," dedi. "Bütün bunların sorumlusu savaş."

Kitty saatine baktı. Kütüphaneye on beş dakika. Gözlerini yumdu.

Aslında kadının söylediği doğruydu: Sorunların en büyük nedeni, hem ülkede hem dışarıda, *cidden* savaştı. Ama halk arasında yayılan esneklik de ateşi körüklüyordu.

Savaş Bakanı Bay Mortensen, bundan altı ay önce yürürlüğe yeni bir uygulama koymuştu. Amerika'daki isyancıları boyun eğmeye zorlamak için devlet güçlerini hatırı sayılır ölçüde artırmaya karar vermişti. Bu amaçla tüm ülkede mobilizasyon sağlama fikrini içeren Mortensen Doktrini'ni işler hale getirdi. Gezici askere alma büroları açıldı ve halk orduya katılmak için teşvik edilmeye başlandı. Yurda döndüklerinde ayrıcalıklı işlere alınacakları vaadine kanan çoğu erkek de bunu yapmıştı zaten. Birkaç günlük eğitimden sonra özel gemilerle Amerika'ya yollandılar.

Aylar geçti, kahraman fatihlerin beklenen dönüşü gerçekleşmedi. Herkes suspus oldu. Kolonilerden haber almak güçleşti, hükümet demeçleri suya sabuna dokunmaz oldu. Sonunda, büyük ihtimalle Atlantik üzerinden ticaret yapan tüccarlar tarafından yayılan söylentiler başladı: Ordu düşman topraklarında bataklığa gömülmüştü, iki tabur asker katliama kurban gitmişti, adamların çoğu ölmüş, kimileri balta girmemiş ormanlara kaçmış ve onlardan bir daha haber alınamamıştı. Açlıktan ölüm gibi dehşetli olaylardan bahsediliyordu. Askere alma bürolarının önündeki kuyruklar azaldı ve sonunda hiç kalmadı. Londra sokaklarındaki insanların yüzünü belirsiz bir kasvet havası sardı.

Bunun üstüne pasif direniş baş gösterdi. Birbirinden bağımsız birkaç olayla başlamıştı, dağınık ve küçük, her biri rastlantı eseri gelişen yerel olaylar. Kasabanın birinde bir anne, askere alma bürosunun camına taş atarak tek kişilik bir protesto gerçekleştirmişti. Başka bir kasabada, işçiler çalışmayı ve düşük gündeliklerini almayı reddetmişlerdi. Üç esnaf, bir kamyon dolusu değerli malzemeyi –birinci sınıf tahıl ve un, güneşte kurutulmuş jambon– Whitehall yoluna boşaltarak yakmış, dumandan kırılgan bir kurdeleyi göklere göndermişti. Doğu kolonilerinden küçük bir büyücü, belki de yıllardır yediği yabancı yemeklerin etkisiyle çıldırıp elinde bir element küresiyle çığlıklar atarak Savaş Bakanlığına girmiş, saniyeler içinde küreyi patlatarak hem kendini hem iki genç resepsiyonisti kudurmuş bir girdabın içinde yok etmişti.

Olaylardan hiçbiri bir zamanlar vatan haini Duvall'ın, hatta can çekişen Direnç'in gerçekleştirdiği saldırılar kadar etkileyici olmasa da halkın bilincinde daha fazla yer etme gücüne sahiplerdi. Enformasyon Bakanı Bay Mandrake'nin üstün çabalarına rağmen dedikodu ve söylentinin o garip simyasıyla tek bir hikaye halinde bütünleşene kadar pazarlarda, işyerlerinde, bar ve kafelerde tekrar tekrar konuşulmuş, büyücü yönetimine karşı toplu bir protestonun belirtileri haline gelmişlerdi.

Ama bu altyapısı olmayan bir protestoydu ve Kitty, zamanında aktif isyancılığı denemiş biri olarak nasıl sonuçlanacağı hakkında hayallere kapılmıyordu. Frog Inn'de çalışırken her akşam, grev ve gösteri planları işitiyordu ama ortada büyücülere ait demonların baskısından nasıl kurtulunacağına dair hiçbir fikir yoktu. Evet, kendisi gibi, birbirinden habersiz birkaç kişinin esneklik yeteneği vardı ama tek başına bu yeterli değildi. Ayrıca *yandaşlara* ihtiyaç vardı.

Otobüsten Oxford Sokağı'nın güneyindeki huzurlu ve ağaçlıklı bir yolda indi. Kitty çantasını sırtlanıp Londra Kütüphanesi'ne kalan son iki bloğu yürüdü.

Nöbetçi onu sık sık görüyordu, hem tek başına hem Bay Button'la birlikte. Buna rağmen selamını görmezden geldi, giriş kartını almak için elini uzatıp sırasının ardında tünediği yüksek taburenin üstünde ekşi bir suratla inceledi. Yorum yapmadan içeri kışkışladı. Kitty tatlı tatlı gülümsedi ve kütüphanenin fuayesine girdi.

Kütüphane, sessiz bir meydanın köşesindeki üç malikane boyunca uzanan, labirente benzer beş katlı bir yapıydı. Halkın kullanması yasak olsa da uzmanlık alanı büyü kitapları değildi, yetkililerin yanlış ellere geçtiğinde tehlikeli ya da bölücü olacağını düşündükleri çalışmalarla doluydu. Bunların arasında tarih kitapları, matematik, astronomi ve diğer eski moda bilimlerle ilgili kitaplarla, Gladstone zamanından beri yasak olan edebi kitaplar vardı. Önde gelen büyücülerden çok azı kütüphaneye uğruyor ya da bu konularla ilgileniyordu ama tarih kitaplarının çok azından habersiz olan Bay Button, rafları karıştırması için Kitty'i sık sık buraya yollardı.

Kütüphane, her zamanki gibi neredeyse bomboştu. Mermer merdivenlerden uzanıp küçük bölmelere bakan Kitty, kayısı rengi öğleden sonrası güneşi altında, pencerelerin önünde iki büklüm oturan bir –iki ihtiyar adam görebildi sadece. Birinin elinde düştü düşecek bir gazete vardı, öteki çoktan uyumuştu bile. Uzaktaki bir koridorda bir genç kız yerleri süpürüyordu. Süpürge *hışır hışır* ettikçe koridorun iki yanındaki raflara doğru belli belirsiz toz bulutları süzülüyordu.

Bay Button, ödünç alacağı kitapların bir listesini vermişti ama Kitty'nin yapılacak başka işleri de vardı. İki yıldır yaptığı düzenli ziyaretlerden sonra kütüphaneyi iyice öğrenmişti. Çok geçmeden ikinci kattaki ıssız bir koridorda bulunan Demonoloji bölümüne ulaştı.

Necho, Rekhyt... Eski dillerle ilgili hiçbir şey bilmiyordu. Bu isimler geçmiş kültürlerden herhangi birine ait olabilirdi. Babilce mi? Asurca mı? İçinden gelen sese güvenerek Mısırcayı denedi. Genel demon listelerinden birçoğuna başvurdu. Siyah deri ciltleri çatlamış, daracık, solgun sütunlardan oluşan listelerle dolu, sayfaları sararmış kitaplar. Yarım saat geçti, bir şey bulamadı. Kütüphane fihristinde yaptığı kısa bir araştırma, onu pencere kenarındaki uzak bir bölmeye yönlendirdi. Mor yastıklı pencere kenarı oldukça davetkar görünüyordu. Raflardan birkaç özel Mısır almanağı indirerek araştırmaya başladı.

Neredeyse başlar başlamaz, dev bir sözlükte bir şey buldu.

> *Rekhyt*: İng. *kızkuşu*. Eski Mısır'da köleliği temsil eden bu kuşa mezar resimlerinde ve büyücü yazmalarında sıkça rastlanır. Bu takma isimle anılan demonlar Eski, Yeni ve Geç Dönemlerde tekrar tekrar ortaya çıkarlar.

Demonlar, *çoğul...* Bu, sinir bozucuydu. Ama dönemi bulduğu kesindi. Bartimaeus, Mısır'a *cidden* çağrılmış ve –en azından bir süre boyunca– Rekhyt olarak tanınmıştı... Kitty, cini gördüğü haliyle gözünde canlandırmaya çalıştı: Esmer, zayıf, beline dolayarak bağladığı basit bir etekle. Mısırlıların görünümlerini bildiği kadarıyla bir iz üstünde olabileceğini hissediyordu.

Sonraki bir saat boyunca, orada oturup kendinden emin bir halde tozlu sayfaları karıştırdı. Bazı kitaplar işine yaramazdı; çünkü ya yabancı dillerde yazılmışlardı ya da o kadar karmaşık ifadeler kullanılmıştı ki cümleler, sanki gözlerinin önünde kıvrılıp birbirlerine dolaşıyorlardı. Diğerleri laf kalabalığı yapıyor ve kafa karıştırıyordu. Firavunların, devlet erkanının, Ra'nın savaşçı rahiplerinin listelerini veriyor; bilinen çağırmalara, elde kalan kayıtlara, sıradan görevlere yollanan ne olduğu belirsiz demonlara ait çizelgeler sunuyorlardı. Yıldırıcı bir araştırmaydı ve Kitty birçok kez başını iki yana salladı. Uzaktan gelen polis sirenleriyle hayata geri döndü, yakındaki bir sokaktan bağırmalar ve şarkı sesleri, koridorda ayaklarını sürüyen yaşlı bir büyücünün duyulmaktan çekinmeden burnunu sümkürüşü duyuldu.

Kütüphane penceresine vurmaya başlayan sonbahar güneşinin altın rengi ışınları oturduğu yeri ısıtıyordu. Saatine göz attı. Dört on beş! Kütüphanenin kapanmasına çok az kalmıştı ve daha Bay Button'ın kitaplarını aramaya bile başlamamıştı. Üstelik üç saat sonra işte olması gerekiyordu. O gece önemli bir geceydi ve Frog Inn'deki George Fox, dakiklik konusunda takıntılı biriydi. Yorgun argın pencere kenarına bir cilt daha çekip açtı. Beş dakika daha, öyleyse...

Kitty gözlerini kırpıştırdı. İşte sonunda bulmuştu. Seçkin demonların alfabetik olarak dizildiği sekiz sayfa uzunluğunda bir liste. Şimdii... Kitty, hiçbir ismi gözden kaçırmadan listeyi hızla taradı. Paimose, Pairi, Penrenutet, Ramose ... İşte, Rekhyt. Üç tane.

Rekhyt (1): İfrit. Sneferu (Üçüncü Hanedanlık) ve başkalarının kölesi, efsanevi saldırganlığıyla ünlüdür. Kartum'da öldürülmüştür.

Rekhyt (2): Cin. Takma adı Quishog. Thebes (18inci Hanedanlık) mezarlığının bekçisi. Hastalıklı alışkanlıkları vardır.

Rekhyt (3): Cin. Diğer isimleri Nectanebo ve Necho. Enerjik fakat güvenilmez. İskenderiyeli Batlamyus'un kölesi. (M.Ö. 120 civarı)

Üçüncüsüydü, üçüncüsü *olmalıydı*... Açıklama, kısanın da kısasıydı ama Kitty, heyecanı iliklerine kadar hissetmişti. Yeni bir sahip, yeni bir olasılık. Batlamyus... İsim oldukça tanıdıktı. Bay Button'ın söz ettiğinden emindi, başlığında bu isim olan kitapları olduğundan daha da emindi... *Batlamyus*. Beynini zorladı... Neyse, elindeki referansla iz sürmek çok daha kolay olacaktı geri döndüğünde.

Kitty, bulduklarını hummalı bir telaşla not defterine geçirdi ve plastik bantını yeniden geçirip eski püskü sırt çantasının içine attı. Kitapları gelişigüzel bir yığın haline getirdi, kollarıyla kaldırıp raflarına geri koydu. O anda uzaktaki fuayeden gelen sinyal sesini duydu. Kütüphane kapanıyordu! Ve ustasının kitaplarını *hâlâ* almamıştı!

Gitme zamanı. Kitty, koridorda tabana kuvvet koşarken içinde şaşmaz bir zafer duygusu vardı. *Dikkat etsen iyi olur, Bartimaeus,* diye düşündü koşarken. *Çok dikkatli ol... Sana,gittikçe yaklaşıyorum.*

8

Öğleden sonraki konsey toplantısı, Mandrake'nin korktuğundan da daha az doyurucu geçmişti. Toplantı Westminster'ın, taş zemininde İran kilimleri serili, yüksek tavanlarında ortaçağdan kalma çatı kemerlerinin süzüldüğü, duvarları pembe –gri taşlardan örülü Heykelli Salon'da yapılmıştı. Duvarlar boyunca yer alan onlarca girintide geçmişte yaşamış büyük büyücülerin birebir ölçülerde heykelleri vardı. En ileride, sade ve haşin Gladstone; karşısında, gösterişli frağıyla, ölümcül rakibi Disraeli. Diğer önemli şahsiyetlerle birlikte başarılı başbakanların hepsi duvarlardaki yerlerini almıştı. Henüz bölmelerin hepsi dolmamıştı ama bugünkü başbakan Bay Deveraux, onların da heybetli çiçek düzenlemeleriyle doldurulmasını buyurmuştu. Boş yerlerin ona kendi ölümlülüğünü hatırlattığı zannediliyordu.

İblis ışığından küreler tavanda süzülerek salonun ortasındaki, işçi iblislerin kusursuz cilaladığı, İngiliz meşesinden geniş çaplı yuvarlak bir masayı aydınlatıyordu. Masanın çevresinde, imparatorluğun önde gelenlerinden oluşan konsey oturmuş, kalemleri ve maden suyu şişeleriyle oyalanıyordu.

Bay Devereaux'nün yuvarlak bir masa seçmesinin nedeni diplomatikti. Teknik olarak kimsenin kimseye üstünlüğü olmayacaktı. Bu hayran kalınacak tedbir, tombul melek oymalı, altın varaklı dev bir koltuğa oturmaktaki ısrarıyla gölgelenmişti. Savaş Bakanı Sayın Mortersen da cilalı kızılağaçtan görkemli bir koltuğa oturarak başbakanın izinden gitmişti. İçişleri sorumlusu Collins'in seçimi, parfümlü püskülleri de eksik olmayan, zümrüt yeşilinden anıtsal bir tahttı. Bu böyle devam ediyordu; yalnızca Mandrake ve eski ustası koltuklarını bireyselleştirme çabasına girişmemişti.

Oturma düzeni de alttan alta bir çekişme konusu olmuş, sonunda konsey içinde oluşmaya başlayan ikilikleri yansıtacak şekilde dengelenerek çözüme ulaşmıştı. Bay Devereaux'nün iki gözdesi iki yanında oturuyordu: Enformasyon Bakanı John Mandrake ve polis güçlerinden Jane Farrar. Farrar'dan sonra, savaşın gidişatı konusunda şüpheleri olduğu bilinen Bayan Whitwell ve Bay Collins geliyordu. Mandrake'den sonraysa Mortensen ve Dışişleri Bakanı Bayan Malbindi vardı. Hükümetin şu anda izlediği politika onların eseriydi.

Toplantı, uğursuzluk işareti bir reklamla başladı. Yandaki bir odadan tekerlekli bir platform üstünde paldır küldür dev bir kristal küre geldi. Platformu küçük iblislerden oluşan bir köle takımı çekiyor, köleleri elindeki at kılından kırbaçla bir folyot yönetiyordu. Masaya yaklaştıklarında folyottan bir çığlık koptu, iblisçikler hazırola geçti ve bir kırbaç şaklamasıyla renkli buğular içinde birer birer gözden kayboldular. Kristal küre, pembe pembe parıldadı sonra turuncu oldu. Ortasında oturan geniş ve ışıltılı yüz göz kırparak konuşmaya başladı.

"Saygıdeğer konsey üyeleri! Asrın tiyatro olayına, yılın en sosyetik olayına sadece iki gün kaldığını sizlere hatırlatmak isterim! Sevgili dostumuz ve liderimiz, Sayın Devereaux'nün yaşamından esinlenen son eserimin galası için biletlerinizi şimdiden ayırtın! Kahkahalarla gülmeye, ağlamaya, ayağınızla ritm tutarak *Wapping'den Westminster'a: Politik bir Odyssey*'in şarkılarına eşlik etmeye hazırlanın. Eşinizi getirin, arkadaşlarınızı getirin, mendillerinizi de unutmayın. Ben, Quentin Makepeace, hepinize muhteşem bir gece vaat ediyorum!"

Yüz kayboldu, küre karardı. Bakanlar topluca öksürerek yerlerinde kıpırdandı. "Aman Tanrım," diye fısıldadı birileri. "*Müzikalmiş*."

Devereaux hepsine ışıldayan bir yüzle baktı. "Quentin'in bu hoş jesti *birazcık* gereksiz olmuş," dedi. "Biletlerinizi çoktan aldığınıza eminim."

Almışlardı. Başka seçenekleri yoktu.

İşe başladılar. Mortensen, okyanusun öteki tarafından cinlerin getirdiği son haberleri verdi. Yeni bir şey yoktu: Laf salatası, küçük çatışmalar, elde var sıfır. Durum haftalardır aynıydı.

John Mandrake dinlemiyordu bile. Anlatılanlar bildik ve can sıkıcıydı. İçinde kaynayan hayal kırıklığını körüklemekten başka bir işe yaramıyordu. Eğer ülkeyi kurtarmak istiyorlarsa vakit kaybetmeden, kesin sonuç verecek bir şey yapılmalıydı. Ve bu şeyin ne olduğunu biliyordu. Gladstone'un Asası müthiş güce sahip bir silah– tam da o salonun altındaki depolarda, kendisini kullanabilecek kadar yetenekli birinin eline verilmek için yalvarıyordu. Eğer etkili bir şekilde kullanılırsa asileri yok eder, Britanya'nın düşmanlarını sindirir, halk koşa koşa işbaşı yapardı. Ama onu ancak en güçlü düzeyden bir büyücü kullanabilirdi ve bu kişi Devereaux değildi. Yine de –koltuk korkusu yüzünden– asayı koruma altına almıştı.

Fırsat verilse Asa'yı Mandrake kullanabilir miydi? Bütün dürüstlüğüyle cevabı bilmiyordu. Belki. Belki bir tek Bayan Whitwell dışında salondaki en güçlü büyücü oydu. Ama yine de üç yıl önce Asa'yı hükümet adına ele geçirdiğinde, çalıştırmayı denemiş ve başaramamıştı.

Bunu bilmek, içindeki bu gerçekleştirilemeyen tutku, son zamanlarda üstüne çöreklenen bitkinlik hissini artırıyordu. Günler boşuna geçiyordu, çevresi durumu düzeltmek için bir şey yapmaktan aciz, çalçene budalalarla doluydu. Tek umut ışığı, hain Hopkins'in bulunma ihtimaliydi. Belki *orada* bir gelişme elde edebilir, bir kez olsun elle tutulur bir şey yapabilirdi.

Mortensen uzattıkça uzattı. Mandrake, sıkıntıdan defterine gereksiz notlar aldı. Suyundan içti. Teker teker konsey üyesi arkadaşlarını inceledi.

Önce Başbakan; saçlarında kır çizgiler, yüzü savaşın geriliminden şişkin ve kabartılarla dolu. Üstünde bir ağırlık var gibi, konuşurken sesi titrek ve kararsız. Bir tek tiyatrodan bahsederken o eski canlılığı, küçük bir çocukken Mandrake'yi o denli etkileyen o bulaşıcı karizması geri geliyordu. Onun dışında tehlikeli derecede kinciydi. Collins'in İçişlerindeki selefi, Harknett isminde bir kadının, kendi politikalarına karşı muhalefet etmesinin üstünden fazla zaman geçmemişti. Gecesinde kadıncağızı altı horla ziyaret etmişti. Bu türden olaylar Mandrake'nin güvenini sarsıyordu; bir liderde olması gereken açıkgörüşlülüğe uymuyorlardı. Üstelik etik olarak yanlıştılar.

Deveraux'nün yanında Jane Farrar oturuyordu. İncelendiğini hissederek başını kaldırıp gülümsedi. Gözlerinden suç ortaklığı akıyordu. Mandrake bakarken bir kağıda bir şeyler karalayıp önüne itti. *Hopkins? Haber var mı?* Başını iki yana sallayıp dudaklarını oynattı, "Daha çok erken." Üzgün bir surat yapıp başını Farrar'ın komşusuna çevirdi.

Güvenlik Bakanı Jessica Whitwell, yıllar boyu gözden düştükten sonra pençeleriyle kazıyarak eski gücüne kavuşuyor, gün geçtikçe yerini sağlamlaştırıyordu. Nedeni basitti: Yok sayılamayacak kadar güçlüydü. Tutumlu yaşıyor, zamanını servetini çoğaltmak değil güvenlik hizmetlerini geliştirmek için harcıyordu. Son isyanlardan çoğu, onun çabaları sayesinde bastırılmıştı. Hâlâ bir deri bir kemik, saçları hayalet beyazı ve dik dikti. Saygı dolu bir nefretle bakıştılar.

Solunda konseyin en yeni üyesi, Bay Collins. Ufak tefek ateşli bir adamdı, esmer, yuvarlak yüzlü, gözleri her zamanki gibi kızgınlıkla parlıyordu. Sürekli savaşın ekonomiye verdiği zarara parmak basar; yine de ihtiyatı elden bırakmaz, çıkartmalara son verilmesini açıkça önermeden konuşmayı keserdi.

Mandrake'nin sağındaysa savaş yandaşları vardı: Birincisi, Dışişleri Bakanı Helen Malbindi. Uysal ve yumuşakbaşlı bir doğası olsa da son görevinin baskısıyla sinir nöbetleri geçirip personeline çığlık çığlığa bağıran bir kadın hâline gelmişti. Burnu nasıl hissettiğinin iyi bir göstergesiydi: Gergin olduğu zamanlar kansız ve bembeyaz olurdu. Mandrake, kadına fazla yüz vermiyordu.

Savaş Bakanı Carl Mortensen, Malbindi'nin yanında ayağa kalkmış raporunu özetliyordu. Yıldızı yıllardır yükselmişti. Amerikayla savaşı en şiddetli savunan, stratejileri en yakından izlenen bakan hep o olmuştu. Cansız sarı saçları hâlâ uzundu –asker traşı yaptırmaya tenezzül etmemişti– ve zaferin yakın olduğuna güveni hâlâ tamdı. Yine de tırnakları dibine kadar kemirilmişti ve diğer konsey üyelerinin akbaba gözleri ona sabitlenmişti.

"Davamıza bağlı kalmamız gerektiğini hepinize hatırlatırım," dedi. "Çok kritik bir zamandayız. İsyancılar, güçten düşüyor. Bizse tam tersine kaynaklarımızı tüketmeye başlamadık bile. Oradaki varlığımızı en az bir yıl daha koruyabiliriz."

Bay Devereaux, altın koltuğundaki meleklerden birinin poposunu parmağıyla okşayarak yumuşak bir sesle konuştu. "Savaş bir yıl daha sürerse artık sen bu salonda olmazsın Carl." Sarkık göz kapaklarının altından bakarak gülümsedi. "Tabii süslemelerden biri haline gelmezsen."

Collins kıkırdadı, Farrar soğuk bir tebessümle gülümsedi. Mandrake dolma kaleminin ucunu inceledi.

Mortensen sararmıştı, yine de gözlerini başbakandan kaçırmadı. "Bir yıl daha sürmeyecek elbette. Yalnızca bir örnekti."

"Bir yıl, altı ay, altı hafta; hepsi bir." Bayan Whitwell öfkeli konuşmuştu. "Bu arada tüm dünyadaki düşmanlar durumumuzdan yararlanıyor. Her yerde başkaldırıdan bahsediliyor! İmparatorluk kaynıyor."

Mortensen yüzünü buruşturdu. "Abartıyorsun."

Devereaux içini çekti. "*Senin* raporun nasıl Jessica?"

Whitwell başıyla sert bir selam verdi. "Teşekkürler Rupert. Dün, yalnızca bir gece içinde, kendi topraklarımızda üç ayrı saldırı gerçekleşti! Kurtlarım Norfolk sahilinde bir Hollanda akınını engelledi, Collins'in cinleri Southampton'a düzenlenen bir hava akınını geri püskürttü: İspanyol demonları olduğunu zannediyoruz, değil mi Collins?"

Collins başını salladı. "Üzerine Aragon arması işlenmiş, sarı turuncu cübbeler giymişlerdi. Şehir merkezine İnferno yağdırdılar."

"Bu arada *başka* bir demon grubu da Kent'in bir bölümüne saldırdı," diyerek devam etti Bayan Whitwell, "sanırım onu da Bay Mandrake halletti." Burnunu çekti.

"Evet," dedi Mandrake sakince. "Düşman güçleri yok edildi ancak elimizde nereden geldiklerine dair ipucu yok."

"Yazık." Whitwell'in sıska parmakları masanın üstünde ritm tuttu. "Öyle de olsa sorun çok açık: Bu Avrupa çapında bir olay ve kullanmamız gereken güçler Amerika'da."

Bay Devereaux, canı sıkkın bir şekilde başını salladı. "Öyle, öyle. Benden başka tatlı bir şeyler yemek isteyen var mı?" Yüzlere bakındı. "Yok mu? Öyleyse ben tek başıma yerim." Öksürdü. Koltuğunun yanında beliren uzun, gri gölge bir adım atarak saydam parmaklarıyla başbakanın önüne tepeleme sarı kek ve pastalarla dolu altın bir tepsi bıraktı. Geri çekildi. Devereaux, parlak bir hamur işini seçti. "Ah, mükemmel. Jane, sen de bize polisin ülkedeki durumunu anlat lütfen."

Bayan Farrar, avantajlı konumunu hissettirmeyi başardığı uyuşuk bir tavırla konuştu. "Açıkçası, sorunlu. Bu baskınlarla uğraşmak yeterince zorken önümüzde bir de halk arasındaki kargaşa sorunu var. Büyülü saldırılara karşı gün geçtikçe daha fazla sayıda insan direnç geliştiriyor gibi. İlüzyonların ötesine geçiyorlar, casuslarımızı görüyorlar... Devletin durumunu fırsat bilip grev ve gösteriler düzenliyorlar. Bu durumun potansiyel olarak savaştan daha önemli olduğunu düşünüyorum."

Başbakan, dudağının kenarından şeker kırıntılarını temizledi. "Jane, Jane, dikkatimizin dağılmaması gerek. Halkı zamanı gelince hallederiz. Onlar savaş *yüzünden* huzursuzlanıyor." Anlamlı gözlerle Mortensen'a baktı.

Farrar başını eğdiğinde, yüzüne düşen bir tutam saç cazibesini biraz daha artırdı. "Elbette, karar size ait efendim."

Devereaux, eliyle kalçasına bir şaplak attı. "Kesinlikle! Şimdi de kısa bir ara vermemizi kararlaştırıyorum. Kahve ve tatlılar dağıtılsın!"

★

Gölge uşak yeniden belirdi. Bakanlar çeşitli seviyelerde isteksizlik belirtileri göstererek yiyecekleri kabul etti. Mandrake, tekrar Farrar'a bakarak fincanının üstüne tünedi. Konseyde müttefik oldukları doğruydu. Ötekilerin güvensizliği ve Devereaux'nün özel ilgisi, ikisini yan yana getirmişti. Ama bu pek bir şey ifade etmiyordu. Bu türden bağlılıklar, bir şapka yere düşünceye kadar bozulabilirdi. Her zaman olduğu gibi kızın o güçlü çekiciliğiyle kişiliğindeki o soğuk keskinliği bağdaştırmakta zorlanıyordu. Kaşlarını çattı. O denli kontrollü oluşuna rağmen, büyücü yönetiminin erdemlerine inancının tam olmasına rağmen, Farrar gibi birini yakından gözlemlemek, ta derinlerde bir yerde, belirsiz ve ikircikli hissetmesine, bir tedirginlik bulutunun içine gömülmesine neden oluyordu nedense. Yine de hâlâ çok güzeldi.

İş buna gelince, elbette, konseydeki *herkes* onu tedirgin ediyordu. İçlerindeki konumunu koruyabilmek için bütün zırhlarını kuşanması gerekmişti. Hepsinin üstünden hırs, güç, zeka ve sinsilik akıyordu. İçlerinden hiçbiri kendi çıkarına ters düşecek bir şey yapmazdı. Ayakta kalabilmek için kendisi de aynı şekilde davranmıştı.

Eh, belki de doğal olan buydu. Başka türlü davranan birine *hiç* rastlamış mıydı? Kitty Jones'un yüzü, davetsiz bir misafir gibi zihninde belirdi. Saçma! Bir vatan haini, şiddet düşkünü, esip geçen, yontulmamış... Defterine bir desen çiziktirdi: Uzun, siyah saçlı bir surat... Saçma! Neyse, zaten kız ölmüştü. Yüzün üstünü çabucak karaladı.

Ve daha geriye gittiğinde artık çok çok eskilerde kalan, resim öğretmeni Bayan Lutyens. Tuhaf, artık kadının yüzünü zihninde tam olarak canlandıramıyordu...

"Duymadın mı John?" Deveraux neredeyse kulağına bağırmıştı. Ufak şeker parçalarının yüzüne püskürdüğünü hissetti. "Avrupa'daki durumumuzu tartışıyoruz. Senin görüşünü sordum."

Mandrake doğruldu. "Affedersiniz efendim. Şey, ajanlarım huzursuzluğun İtalya'ya kadar uzandığını bildiriyor. Anladığım kadarıyla Roma'da isyan baş göstermiş. Ama orası benim alanıma girmiyor."

Sözü sıska, atılgan ve bir deri bir kemik Güvenlik Bakanı Jessica Whitwell aldı. "Ama benimkine giriyor. İtalya, Fransa, İspanya, doğudaki tüm ülkeler. Her yerde durum aynı. Elimizdeki asker gücü sürekli yetersiz kalıyor. Sonuç nedir? Kargaşa, isyan, ayaklanma. Bütün Avrupa kaynıyor. Dünyadaki bütün fırsat düşkünleri bizi vurmaya hazırlanıyor. Bir ayı bulmadan onu aşkın ülkeyle savaşmak zorunda kalacağız."

"Durumu abartmak için uygun zaman değil Jessica." Mortensen'ın gözleri çelik gibiydi.

"Abartmak mı?" Kemikli bir el masaya indi. Bayan Whitwell ayağa kalktı. "Bu 1914'den bu yana en büyük ayaklanma olacak! Peki ya ordularımız nerede? Binlerce kilometre uzakta! Size söylüyorum, eğer ayağımızı denk almazsak Avrupa'yı kaybederiz!"

Mortensen da sesini yükseltti. Koltuğundan biraz doğruldu. "Ah, öyleyse belki senin bir çözümün vardır, ne dersin?"

"Tabii var. Ordularımızı, Amerika'dan çekip ülkeye getireceğiz!"

"Ne?" Mortensen öfkeden kararmış bir yüzle başbakana baktı. "Duyuyor musun Rupert? Bu, düşmana taviz vermekten başka bir şey değil! Vatan hainliğiyle eşdeğerde!"

Jessica Whitwell'in sıkılmış yumruğunda mavi–gri bir ışık parıldadı, salon doğaüstü bir güç dalgasıyla vızıldadı. "Lütfen bir daha söyler misin Carl?"

Savaş Bakanı, parmakları kızılağaçtan koltuğunun kollarına yapışmış halde, gözleri fır dönerek öylece kalakaldı. Sonunda öfke dolu bir dinginlikle yerine oturdu. Bayan Whitwell'in yumruğundaki ışık titreşerek kayboldu. Birkaç saniye daha ayakta kaldı, sonra zafer kazanmış birinin özeniyle o da oturdu.

Öteki bakanlar, yakınlık derecelerine bağlı olarak sırıttılar ya da kaş çattılar. Bay Devereaux manikürünü inceledi, biraz sıkılmış görünüyordu.

John Mandrake ayağa kalktı. Ne Mortensen'a ne de Whitwell'e bir yakınlık duymadığı halde insiyatifi ele almak için ani bir isteğe kapılmıştı. Tembelliğini üzerinden atıp bir kumar oynayacaktı. "Eminim saygın bakanlarımızdan hiçbiri ne hakaret etmeye istekli ne de alınganlık yapacak kadar çocuksudur," dedi saçlarını düzelterek. "Açıkçası ikisi de haklılar. Jessica'nın endişesi öngörülü, Avrupa'da durum kötüleşiyor; Carl'ın yenilgiyi kabul etmemekteki ısrarı da övgüye değer. Amerika'yı haydutların eline teslim edemeyiz. Sorunun çözümü için benim bir önerim olacak."

"Neymiş?" Bayan Whitwell etkilenmiş görünmüyordu.

"Orduları geri çekmek çözüm değil," dedi Mandrake buz gibi bir sesle. "Bu, dünyadaki düşmanlarımıza yanlış mesaj göndermek olur. Ama bu çıkmaza da bir *son* vermemiz gerek. Demonlarımız yeterli sayıda değil. Bay Mortensen kusura bakmasın ama asker gücümüz de öyle. Son sözü söyleyecek, Amerikalılarda olmayan bir silaha ihtiyacımız var. Onların baş edemeyeceği bir şey. Çok basit. Gladstone'un Asası'nı kullanalım."

Teklifine karşılık gelecek ses bombardımanını bekliyordu bu yüzden daha fazla konuşmadan, hafif bir tebessümle yerine oturdu. Jane Farrar gözlerini yakalayıp tek kaşını alayla havaya kaldırdı, diğer yüzler çeşitli kızgınlık ifadeleriyle yüklüydü.

"İmkansız!"

"Aptalca bir hayal!"

"Söz konusu bile olamaz!"

Uğultu dindi. Mandrake kıpırdandı. "Özür dilerim," dedi. "Ama neden bu kadar karşı olduğunuzu tam olarak anlayamıyorum."

Carl Mortensen düşünmeye bile değmez der gibilerden bir hareket yaptı. "Asa denenmemiş, güvenilmez."

"Kontrol etmesi çok güç," dedi Malbindi.

"Üstelik çok tehlikeli bir eşya," diye ekledi Jessica Whitwell.

"Zaten olay da *bu*," dedi Mandrake. "Gladstone, o Asa ile Avrupa'yı fethetmiş. Boston'da da aynı şeyi yapabilir. Paris ve Roma'daki dostlarımız bunu duyduklarında yeniden parmaklıklarının arkasına sinecekler. Sorun çözülmüş olacak. Okyanusu geçtikten sonra, işini görmesi bir hafta bile sürmez. Sorunlarımızı çözebilecekken onu kilit altında tutmak niçin?"

"*Çünkü,*" dedi soğuk bir ses, "ben öyle istiyorum. Ve burada *benim* sözüm geçer."

Mandrake dönerek koltuğunda kıpırdanıp doğrulmuş olan başbakanla yüz yüze geldi. Deveraux'nün sertleşip çizgilerle dolan yüzünün sarkıklığı daha az belirgindi. Gözleri donuk ve nüfuz edilemezdi. "Bu sabah eline bir bildiri geçmiş olması gerek Mandrake," dedi. "Asa ve bazı diğer eşyalar, içinde bulunduğumuz binanın Hazine Dairesi'ne kaldırıldı. Yüksek seviyede birçok büyüyle korunuyorlar. Onlar kullanılmayacak. Anlaşıldı mı?"

Mandrake duraksadı, taviz vermemeyi düşündü. Sonra Bayan Harknett'in başına gelenleri hatırladı. "Tabii efendim," dedi, "ama nedenini bilmem gerekir..."

"Gerekmek? Hiçbir şey bilmen gerekmiyor!" Başbakanın yüzü aniden kırıştı, kızgın gözler üzerine dikildi. "Yerini bilecek ve anlamsız varsayımlarınla bu konseyin vaktini çalmayacaksın. Şimdi sessiz ol ve bir daha konuşmadan önce iyice düşün! Ayrıca dikkatli ol ki gizli planların olduğundan şüphelenmeyeyim." Başbakan başını çevirdi. "Mortensen, haritaları çıkar da son durumu etraflıca bir anlat. Anladığım kadarıyla isyancıları bataklık bir bölgede kıstırmışız..."

"Yaptığın biraz düşüncesiz bir hareketti," diye fısıldadı Jane Farrar, bir saat sonra Mandrake ile koridorda yürürken. "Asayı ele geçiren kişi gerçekten çok güçlü olacak. Devereaux, *kendi* başına gelebileceklerden korkuyor."

Mandrake somurtarak başını salladı. Kısa süreliğine kurtulmayı başardığı bunalım hızla geri dönmüştü. "Biliyorum. Ama birisinin durumu açıkça ortaya koyması gerekiyordu. Ülke kaosa sürükleniyor. Konseyin en az yarısı gizli planlar yapmıyorsa çok şaşarım."

"*Bildiğimiz* konu üstünde yoğunlaş. Jenkins'den hâlâ haber yok mu?"

"Henüz yok. Ama yakındır. En iyi cinimi bu işle görevlendirdim."

9

Gümüş atmaca kılığına girip uzaklardaki kum tepeleri boyunca Kushite yağmacılarını izlediğim eski Mısır zamanından beri görünmeden takip etme konusunda uzman sayılırım. Şu yağmacılar örneğin. Kendileri uykudayken çöle göz kulak olmaları için çakal ve akrep kılığında cinler bırakmışlardı. Ama atmaca yükseklerde süzülerek gözden kaçmayı başarmıştı. Yağmacıların Kharga vahasındaki mavi–yeşil kâfur ağaçları arasına gizli üslerini bulup firavunun ordusunu üstlerine salmıştım. Telef olmuşlardı.

Koşulların az biraz ihtişamdan yoksun olduğunu söylemem gerekse de hâlâ aynı özeni gösteriyordum ve artık daha ölümcül becerilere sahiptim. Elimde puma postuna bürünmüş acımasız bir yağmacılar sürüsü yerine kızıl saçlı, eciş bücüş bir sekreter; yürek burkan çöl manzarası yerine Whitehall'un kokuşmuş bir arka sokağı vardı. Bunun dışında durum aynıydı. Ha, bir de atmaca değildim, hüzünlü minik serçeler Londra'ya daha uygundu.

Bir eşikte oturmuş karşıdaki kirli pencereyi gözlüyordum. Benim eşiğin sahibi kimse kuşlardan fazla hoşlanmıyordu anlaşılan. Pencereye kuş kireci asmış, ayrıca bütün eşiği metal çiviler ve zehirli ekmek parçalarıyla doldurmuştu. Tipik İngiliz konukseverliği. Ekmekleri tekmeyle sokağa attım, küçük bir İnfernoyla kireci yaktım, bir–iki çiviyi baştan savma kıvırdım ve kırılgan leşimi eşiğe yerleştirdim. Artık o kadar güçsüzdüm ki bu Herkülümsü çabayla neredeyse tükenmiştim. Başım dönerek penceremi gözetlemeye koyuldum.

Kaçırılmayacak bir manzara sayılmazdı. Pencereye yapışmış kirlerin arasından bir masada oturan Clive Jenkins'i görüyordum. Sıska, kambur ve oldukça çelimsizdi. Serçeyle dövüşecek olsa, ben paramı serçeye yatırırdım. Pahalı bir takım elbise, sanki fazla yakınlaşmak istemezmiş gibi, üzerinden dökülüyordu ve gömleği de rahatsız edici bir leylak rengiydi. Soluk yüzlü ve biraz çilliydi, küçük gözleri miyop bakışlarla kalın camların ardından bakıyor; yağlı bir post halinde geriye yatırılmış saçları, yağmura yakalanmış bir tilki gibi parlıyordu. Kemikli ufak eller, keyifsizce bir daktilonun tuşları üzerinde geziniyordu.

Mandrake, Jenkins'in gücünü değerlendirirken abartmamıştı. Yerime tüner tünemez, yedi düzlemde birden büyücünün korunma amacıyla kullanabileceği duyarlı ağlar, gözcü prizmalar, matkap gözler, gölge avcıları, küreler, matrisler, ısı tuzakları, tetikleyici tüyler, periler, iblisler ve bilumum savunmalar aradım. Naylon torba bile yoktu. Masasının üstünde bir fincan kahve vardı, o kadar. Hopkins veya başka biriyle doğaüstü iletişim kurduğuna dair bir belirti araştırdım, ne ağzını oynatıyordu ne de yersiz bir hareket yapıyordu. Parmakları tak-tak tuşlara vuruyor, arada burnunu karıştırıyor, gözlüğünü düzeltiyor ya da çenesinin ucundaki bir sivilceyi kaşıyordu. Öğleden sonrası böyle geçti. Sahiden çok ilgi çekiciydi.

Dikkatimi elimdeki işe vermek için elimden geleni yapsam da arada düşüncelere daldığımı fark ediyordum. Bunun ilk nedeni, iş bir hayli sıkıcı olduğu için ikinci nedeni ise özümdeki ağrı yüzünden sürmenaj geçirmek üzere olduğum içindi. Kronik uykusuzluk çekmek gibiydi, sürekli dalıp ilgisiz düşüncelere dalıyordum. O kız, Kitty Jones; eski düşmanım Faquarl satırını bileylerken; ta eskilerden Batlamyus, değişmeden önceki haliyle. Her seferinde irkilerek şimdiki zamana dönmek için kendimi zorluyordum, ama Jenkins her seferinde yerinden kıpırdamamış oluyordu, o yüzden sorun yoktu.

Saatin beş otuz olmasıyla Jenkins'de de beklenmedik bir değişim gözlendi. Damarlarından yeni ve gizlenmiş bir yaşam akmaya başladı, uyuşukluğu gitti. Seri hareketlerle daktilonun üstüne bir kapak örttü, masasını topladı, birkaç tomar kağıdı düzeltti ve koluna bir palto attı. Ofisinden çıkıp gözden kayboldu.

Serçe sızlayan kanatlarından birini gerdi, gözlerinin ardındaki sersem edici ağrıdan kurtulmak için başını iki yana salladı ve havalandı. Yan sokaktan aşağı süzülüp Whitehall'un keşmekeşine daldım. Otobüsler sıkışık trafikte ağır aksak ilerliyor, zırhlı araçlar düzenli aralıklarla kalabalığın arasına Gece Polislerini kusuyordu. Savaş, sokaklara kargaşa getirmişti bu yüzden yetkililerin başkent merkezinde işi şansa bırakmaya niyeti yoktu. İblis ve folyotlar, yakın binaların damlarında gözcülük yapıyordu.

İçişlerini sokaktan ayıran küçük avludaki bir ceviz ağacına inip bekledim. Altımdaki kapıda bir polis duruyordu. Hemen açılan kapıdan Jenkins göründü. Siyah deriden, uzun bir palto giymişti, elinde buruşuk bir şapka vardı. Kapıya gelince nöbetçiyi başıyla selamladı, kartını gösterip çıktı. Whitehall'dan kuzeye döndü, şapkasını neşeli bir eğimle başına geçirip kalabalığa karıştı.

Girdap gibi dönen bir sürünün içinden yalnızca birini takip etmek kolay iş değildir ama benim gibi uzman bir izsürücüyseniz, telaşa kapılmazsınız. İşin püf noktası, dikkatinizin dağılmasına izin vermemektir. Ben de gözlerimi Jenkins'in şapkasının tepesine sabitleyip olur da etrafa bakınır diye biraz arkasından, yükseklerde kanat çırparak ilerledim. Takip edildiğini anlaması uzak bir olasılıktı ama beni bilirsiniz, işimi tam yaparım. Takip etme sanatında *beni* yakalayabilmek için oldukça erken kalkmanız gerekir.[1]

Damların ötesinde, ağustos güneşi Hyde Park'daki ağaçların arasından batıyordu. Gökyüzünde kırmızı, hoş bir pus tabakası vardı. Serçe onaylayan gözlerle manzaraya baktı. Piramitlerdeki günbatımını anımsatmıştı bana. Cinlerin, kırlangıçlar gibi kral mezarları üzerinde uçuştuğu ve...

Bir otobüs korna çaldı, serçe titreyerek bugüne döndü. *Dikkat et*, neredeyse hayallere dalacaktın. Şimdi, Jenkins nerede?

Ah...

Çılgınlar gibi orayı burayı taradım. Neredeydi o gözden kaçmaz şapka? Kuş olup uçmuş. Belki de çıkarmıştı... Hayır, görünürde tilki kürkü yok. Erkek, kadın, çocuk, tamam. İnsan sürüsü yerli yerinde dalgalanıyor. Ama Jenkins yok.

Serçe sinir içinde gagasını tıkırdattı. Hep *Mandrake'nin* suçuydu. Birkaç ay dinlenmeme izin verse zihnim daha açık ola-

---

[1] Algonquin'li şamanlara hizmet ederken bir seferinde, ifritin biri geceleyin kabileye saldırıp şefin çocuğunu kaçırmıştı. Olay fark edildiğinde ifrit çok uzaklardaydı; kendisi bir bufalo kılığına girmiş, çocuğa da bir cazibe büyüsü sararak bodur bir buzağı gibi görünmesini sağlamıştı. Ama ifritlerin kızgın toynakları vardır; engebeli bozkır arazide kilometreler boyunca yanık çim izlerini takip edip suçluyu gümüş bir mızrakla şişlemiştim. Fazla otlanmaktan dili biraz yeşillenmiş olsa da çocuk babasına canlı olarak teslim edildi,.

caktı. Hayallare dalıp durmayacaktım. Aynı şu şeyin olduğu...

Konsantre ol. Jenkins belki de otobüse binmişti. Hızla yakınlardaki birkaçının yanından geçtim ama sekreter yoktu. Yani, ya bedeni çözünmüş ya da bir binaya girmişti... O anda bir bar gördüm, aşağı yukarı tam Jenkins'in kaybolduğu yerde, iki devlet dairesinin arasına sıkışmış, Çedar Peyniri. İnsanlar arasında bedenini gönüllü olarak çözündürmek sık görülmediğinden barın en yakın seçenek olduğuna karar verdim.[2]

Kaybedecek zaman yoktu. Serçe, kaldırıma taş gibi düşerek telaşlı kalabalığa sezdirmeden kapıya doğru süründü. Tam kapıdan geçerken, dişlerimi sıkıp değişip bir sinek oldum: Tüylü poposuyla mavi bir sinek. Değişimin getirdiği acı dalgasıyla yalpaladım. Nerede olduğumu unuttum, dumanlı havada bir an salındım ve yumuşak bir plop sesiyle kadehini dudaklarına götürmekte olan bir hanımın şarabına daldım.

Kıpırdanmayı hissederek gözlerini indirdi ve burnunun dibinde yüzen sineği gördü. Kıllı bacaklarımdan birini salladım, maymun gibi çığlık atarak kadehi fırlatıverdi. Şarap barda oturan bir adamın yüzüne sıçradı, adam şok içinde geriye sendelerken iki kadını birden taburelerinden düşürdü. Bağırış, çağırış, debelenen kollar, bacaklar. Bütün bara kargaşa hakim oldu. Şaraba batmış olan sinek, bar tezgahına çarparak kaydı ve kendini toparlayıp bir fıstık çanağının ardına saklandı.

Eh, istediğim *kadar* olaysız bir giriş olmasa da en azından salonu şöyle çabucak bir incelemek için zamanım olacaktı. Sinek gözlerimi silip cips ve domuz kızartmalarının arasından patinaj yaparak yakındaki bir sütuna gittim. Yukarıdan kuşbakışı etrafa bakındım.

---

[2] Genelde gönülsüzce olur. Örneğin üstlerine bir patlama yolladığınızda.

İşte, Jenkins barın ortasında durmuş, iki adama heyecanla bir şeyler anlatıyordu.

Sinek, gölgeler arasından uçarak daha da yaklaştı ve düzlemleri kontrol etti. Üstleri başları leş gibi tütsü koksa, yüzleri tipik büyücü solgunluğunda olsa da hiçbirinin büyülü savunması yoktu. Pasaklı bir üçlü oldukları kesindi. Ötekiler de Jenkins gibi kendileri için fazla bol ve fazla iyi takımlar giymişlerdi; ayakkabıları sivri burunlu, vatkaları biraz fazla yüksekti. Bana üçü de yirmili yaşlardaymış gibi geldi. Çıraklar, sekreterler. Hiçbiri güçlü bir elektrik yaymıyordu. Ama heyecanla konuşuyorlardı. Gözleri, Çedar Peyniri'nin loşluğunda fanatik bir coşkuyla parıldıyordu.

Sinek, konuşulanları duyabilmek için tavandan baş aşağı sarktı. Faydası yok. Bardaki uğultu, seslerini bastırıyordu. Duvar kenarında durmamalarına lanetler yağdırıp daireler çizerek gizlice yaklaştım. Konuşan Jenkins'di, iyice yaklaştım, artık kafasındaki yağın kokusunu alıyor, burnundaki gözenekleri görebiliyordum.

"... gece için hazırlanmanız gerek. Her ikiniz de seçiminizi yaptınız mı?"

"Burke seçti. Ben seçmedim." Bu konuşansa üçlünün en cılızıydı. Göz nezleli, göğsü içbükey; onunla kıyaslandığında Jenkins Atlas gibi kalıyordu.[3] Üçüncü adam Burke, az biraz daha iyiceydi, omuzları kepekle kaplı, çarpık bacaklı bir adam.

Jenkins homurdandı. "Öyleyse elini çabuk tut. Trismegistus ya da Porter'ı dene, onlarda bir sürü seçenek var."

---

[3] Atlas: M.Ö. 440 civarında Yunanlı büyücü Pheidias tarafından Partenon'un inşasıyla görevlendirilmiş olan, muazzam güçlü, kaslı bir merid. Atlas, işten kaytarıp temeli mahvetmişti. Pheidias da onu yeraltına hapsedip binayı elleriyle ayakta tutmakla cezalandırdı. Tam bilmiyorum ama hâlâ orada olabilir.

Cılız çocuk hüzünle mırıldandı. "Sorun seçenek çokluğu değil Jenkins. Sadece... Ne kadar güçlü olması gerekir? Ben..."

"*Korkmuyorsun*, değil mi Withers?" Jenkins'in gülüşü kırıcı ve düşmancaydı. "Palmer da korkuyordu ve başına gelenleri *biliyorsun*. Başka birini bulmak için çok geç değil."

"Yo, yo, yo." Withers'ın ani telaşı dinmişti. "Hazır olacağım. Hazır olacağım. Ne zaman istersen."

"Bizim gibi çok var mı?" diye sordu Burke. Eğer Withers mırıldandıysa Burke, daha çok bir inek gibiydi, geviş getiren bir alık.

"Hayır," dedi Jenkins. "Bunu bilmiyorsunuz. Toplam yedi tane. Her sandalye için bir kişi."

Burke, hıçkırarak alçak sesli kahkahalar attı. Withers daha yüksek perdeden kıs kıs güldü. Bu fikir, onları eğlendirmişe benziyordu.

Withers'ın çekimserliği tekrar su yüzüne çıktı. "Yani o zamana kadar güvende olduğumuza eminsin?"

"Devereaux savaşla meşgul, Farrar ve Mandrake halkın öfkesiyle. *Bizi* fark edebilmek için herkesin işi fazlasıyla başından aşmış." Jenkins'in gözleri parıldadı. "Zaten şimdiye kadar *kim* bizim farkımıza vardı ki?" Bir süre susup karşılıklı ters bakışmalara zaman tanıdı, sonra şapkasını tekrar başına geçirdi. "Peki, gitmem lazım," dedi. "Yapılacak bir–iki ziyaret daha var. İblisleri de unutmayın sakın."

"Ama şu deney..." dedi Burke yaklaşarak, ""Withers'ın hakkı var. Başarılı olduğuna dair *kanıt* isteriz, şeyden önce... Anlarsın ya?"

Jenkins güldü. "Kanıtı göreceksiniz. Yan etkileri olmadığını size bizzat Hopkins gösterecek. Ama inanın bana çok etkileyici. Başlangıç için..."

Vıjt. Kulak misafirliğim, bu duyulmadık sesle sona erdi. Jenkins'in kulak hizasında gizlice vızıldarken kıvrılmış bir gazete bir anda göklerden inip arkamdan vurdu. Çok haince bir saldırıydı. Havada pat diye vurulup fırdöndü başımla, altı bacağım böğrümde, yere kapaklanmıştım. Jenkins'le çetesi hafif bir şaşkınlıkla bana bakıyordu. Saldırgan, adaleli barmen, gazeteyi onlara doğru salladı.[4]

"Yakaladım," diye gülümsedi. "Tam kulağınızın dibinde vızıldıyordu efendim. Korkunç büyük bir şey hem de hiç mevsimi değil."

"Evet," dedi Jenkins. "Değil mi?" gözleri kısıldı, lensleriyle beni incelediğine şüphem yoktu, ama ben birinci düzlemden dördüncüye kadar bir sinektim, o yüzden bir şey anlayamadı. Aniden harekete geçip ezmek için ayağını uzattı. Belki yaralı bir sinekten *beklenebilecek* atiklikten biraz fazlasıyla yana kaçıp en yakındaki pencereye doğru yalpalayarak süzüldüm.

Sokağa çıkıp barın kapısını yakın takibe aldım, bu arada hassas özümü gözden geçirdim. ____________ bir cinin kıvrılmış bir gazeteyle yere yapıştırılması içler acısı bir durumdu, ama bu acı bir gerçekti.[5] Bütün bu şekil değiştirmeler ve itilip kakılmalar durumumu iyice zorlaştırıyordu. *Mandrake...* Bu Mandrake'nin işiydi. Elime geçen ilk fırsatta onunla *ödeşecektim.*[6]

---

[4] Daha da kötüsü saldırı için kullanılan silah Gerçek Savaş Hikayeleri'nin bir kopyasıydı. Mandrake'nin dergisi! Sonsuz suçlar listesine eklenecek bir madde daha.

[5] Boşluğa seçeneklerden dilediğinizi yerleştirin: (a) Quadesh savaşında utukkuları tek eliyle yenen, (b) yüce Uruk surlarını taşlardan oyan, (c) Hermetik Laf Çevirme kullanarak ard arda üç sahibi yok eden, (d) Süleyman'la sohbet eden ya da (e) hepsi.

[6] Şu anki halimle, en azından tek başıma, ona bir şey yapabileceğimden değil. Aralarında Faquarl'ın da bulunduğu bazı cinler, uzun süredir büyücülere karşı toplu bir isyan düzenlemekten bahseder. Bu fikri, her zaman, başarılması imkansız bir hayal olarak dışlamıştım ama Faquarl o anda üstün zeka ürünü planlarından biriyle karşıma gelse, 'çak moruk' tarzı bir sevinçle hemen üstüne atlardım.

Jenkins'in sıradan bir böcek olmadığımdan şüphelenip izini kaybettirmeye çalışmasından endişe duyuyordum ama birkaç dakika sonra kapıda görünüp yeniden Whitehall'un yolunu tutması içimi rahatlattı. Sinek görüntümün artık işe yaramayacağını biliyordum, o yüzden –acıdan inleyerek– tekrar bir serçe olup takibe giriştim.

Şehri alacakaranlık sararken büyücü Jenkins, Londra merkezindeki kaldırımlarda yürüyerek ilerledi. Üç yere daha uğrayacaktı. Bunların ilki, Trafalgar Meydanı'na fazla uzak olmayan küçük bir oteldi. Bu sefer içeri girmeye kalkışmayıp pencerenin birinden bakarak rüküş bir kadınla konuşmasını izledim. Sonra Holborn'a doğru Covent Garden'ı geçip küçük bir kafeye girdi. Yine uzaktan izlemenin daha sağlıklı bir davranış olacağını düşündüm ama konuştuğu kişiyi çok iyi görebiliyordum. Yüzü garip şekilde balığa benzeyen orta yaşlı bir bey. Dudaklarını sanki bir morina balığından ödünç almıştı. Özüm gibi, hafızam da boşluklarla doluydu ama öyle de olsa adam bir şekilde tanıdık geliyordu. Yok, vazgeçtim. Hatırlayamayacaktım.

Tümüyle anlaşılmaz bir işti. Duyabildiğim kadarıyla kesinlikle bir dolap dönüyordu. Ancak ne gariptir ki bunlar tehlikeli işler için uygun insanlar değildi. Ne güçleri ne de enerjileri vardı. Esasında, tam tersi geçerliydi. Londra'daki bütün büyücüleri sahanın kenarına dizip maç için takım kurmalarını söyleseniz, bunlar şişkoyla alçılı kolun yanında en sona kalırdı. Bu genel becerisizlikleri, kesinlikle planın bir parçasıydı ama nedenini ölsem söyleyemezdim.

En son Clerkenwell'de salaş bir kafeye geldik ve ilk kez burada, Jenkins'de hafif bir değişim sezdim. Buraya kadar soğuk, kaba ve rahat davranmıştı. Burada, kendine çekidüzen vermek ister gibi kapıda durakladı. Saçını arkaya yatırdı, kravatını düzeltti, işi çenesindeki sivilceyi kontrol etmek için bir cep aynasına bakmaya kadar vardırdı. Ve kafeye girdi.

İşte *bu* ilginçti. Artık astlarıyla ya da kendine eşit olanlarla birlikte değildi. Belki de içeride bekleyen gizemli Bay Hopkins'in ta kendisiydi. Bunu öğrenmem lazımdı.

Yani minik serçe dişlerini sıkıp yine şekil değiştirecekti.

Kafenin kapısı kapalıydı, pencereler de. Kapının altındaki daracık bir aralıktan sarı ışık sızıyordu. Çaresizlik içinde inleyerek aralıktan yorgun argın süzülen bir duman halkası şeklini aldım.

Havasız bir salon. Sıcak kahve, sigara ve kızarmış jambon kokusu. Dumanın ucu kapının altından dikizledi, yükselip sağına soluna baktı. Her şey biraz bulanıktı –değiştikten sonra gözlerim her zamankinden daha çok buğulanıyordu– ama ilerideki bir masaya oturan Jenkins'i seçebildim. Masada karanlık bir şekil daha vardı.

Duman zeminden ayrılmadan, sandalye bacaklarının ve müşterilerin ayakkabılarının etrafından dikkatle dolaşarak salon boyunca süzüldü. Aklıma bir anda rahatsız edici bir düşünce girdi. Bir masanın altında durarak düşman büyüsünü araştırmak için bir Nabız yolladım.[7] Beklerken Jenkins'in arkadaşına baktım ama arkası bana dönüktü. Ayrıntılı göremiyordum.

Nabız geri döndü: Yol yol kırmızı, zehirli bir turuncu. Sıkıntı içinde soluşunu izledim. Demek burada büyü vardı, üstelik güçsüz sayılmazdı.

---

[7] Bir tek yedinci düzlemde görünür olan Nabız, bilye büyüklüğünde, yeşil–mavi küçük bir küre biçimindeydi. Hızla mekanı dolaşıp sonra sahibine dönecekti. Döndüğündeki görüntüsü keşfettiği büyünün düzeyini gösterirdi: Yeşil–mavi, bölgenin temiz olduğunu; sarı, büyü izine rastlandığını; turuncu, güçlü büyüleri; kırmızı ve çivit mavisi, bir yolunu bulup hemen sıvışmam gerektiğini gösterirdi.

Ne yapmam gerekirdi? Dehşet içinde kafeden ayrılırsam Jenkins'in planlarını öğrenemeyecektim. Buysa kovulmamı garantilemenin tek yoluydu. Ayrıca eğer masadaki karanlık şekil Hopkins ise o zaman adamın yerini bulup Mandrake'ye gidebilir ve daha şafak sökmeden özgürlüğüme kavuşurdum. Sonuç olarak tüm riskleri göze alıp kalmalıydım.

Eh, Prag surları tehlikeye atılmadan ya da çaba harcamadan dikilmemişti.[8] Duman halkası, bir–iki sessiz dalgalanmayla masaların arasından süzüldü, Jenkins'in oturduğu yere yaklaştıkça yaklaştı. En sonuncu masaya geldiğimde plastik masa örtüsünün eteklerinde enerjimi toplayıp dışarı bir göz attım.

Yüzü hâlâ öteki tarafa dönük olsa da karanlık şekli artık daha iyi görebiliyordum. Üstünde ağır bir palto, ayrıca yüzünü gizleyen geniş kenarlı bir şapka vardı.

Jenkins'in yüzü gerginlikten sararmıştı: "... Lime da bu sabah Fransa'dan geldi," dedi.[9] "Hepsi hazır. Hevesle bekliyorlar."

Gereksiz yere gırtlağını temizledi. Öteki konuşmadı. Üstünden hafif tanıdık büyülü bir aura sızıyordu. Uyuşmuş beynimi zorladım. Nerede görmüştüm bu adamı?

Benim masada ani bir hareketlenme. Duman yıldızlı numan çiçeği gibi geri çekildi ama sorun yoktu. Önümden, elinde iki kahve fincanıyla bir garson geçmişti. Fincanları pat diye Jenkins ile diğerinin önüne bırakıp ıslıkla melodisiz bir şarkı çalarak uzaklaştı.

Yan masayı gözetledim. Jenkins bir yudum kahve içti. Konuşmadı.

---

[8] Zaten diken de ben değildim. Ben güvenli bir mesafede hamağımda uzanmış yıldızları seyrederken bütün işi üstlerine yıktığım cin taburları korku dolu zamanlar geçirmişti.

[9] Lime! Aradığım isim *buydu*. Diğer kafedeki balık suratlı adam beş yıl önceki Lovelace olayının sorumlularından biriydi. Böyle bir anda ininden çıkmaya karar verdiğine göre işler kesinlikle kızışıyor demekti.

Bir el öteki fincana uzandı. Üzerinde çaprazlama beyaz yara izlerinden garip bir desen bulunan, koca bir el.

Elin, fincanı kavrayıp kibarca masadan kaldırışını izledim. Başı kahveyi içmek için arkaya yatarken biraz yana döndü; kalın kaşını, kanca burnunu, düzgün kesilmiş diken gibi siyah sakalını gördüm. Sonra, geç olsa da görüntü dalgalanarak hafızamdaki yerini buldu.

Paralı asker kahvesini içti. Ben gölgelere doğru büzüştüm.

10

İşin doğrusu, bu paralı askeri tanıyordum. Her iki karşılaşmamızda da görüş ayrılıklarımız olmuş, her ikimiz de uygarca bir çözüme ulaşmak için elimizden geleni yapmıştık. Ama o, bir heykelin altında ezilse de, bir patlama ile havaya uçsa ya da (son seferinde olduğu gibi) ateşe verilip dağdan aşağı yuvarlansa da en ufak bir hasar görmemişti. Ona gelince, beni gümüşten yapılmış çeşitli silahlarla ölümün eşiğine kadar getirmişti. Ve şimdi, en zayıf anımda, yeniden karşıma çıkıyordu. Donakalmıştım. Tabii ki ondan korkmuyordum. Aman Tanrım, ben mi, yo. Yalnızca sağduyuyla tepem atmıştı diyelim.

Her zamanki gibi derisi çatlak ve yıpranmış, eski zamanlardan kalma çizmeler giymişti. Çizmeler, leş gibi büyü kokuyordu.[1] Herhalde yolladığım Nabzı tetikleyen bunlardı. Göz açıp kapayıncaya kadar kilometrelerce yol alabilen yedi düvel botları, cidden az bulunur cinstendi. Adamın büyüye karşı olan aşırı esnekliği ve komando eğitimi de göz önüne alınırsa yenilmez bir düşmandı. Masa örtüsünün altında olmaktan gayet memnundum.

---

[1] Sahiplerimden çoğunun *yalnızca* leş gibi kokan ayakkabılarının tersine.

Paralı asker, kahvesini bir dikişte bitirip kesik izleriyle dolu elini yeniden masaya koydu.[2] Konuşmaya başladı. "Peki, hepsi seçti mi?" O eski bildik sesti; sakin, ağır ve okyanus derinliğinde.

Jenkins başını salladı. "Evet efendim. İblisleri de. Umarım yeterlidir."

"Kalanını liderimiz tedarik edecek."

Aha! Şimdi konuşmaya başlamıştı işte! Bir lider! Hopkins mi, yoksa başka biri miydi? Özümdeki sancı sağolsun, kulaklarım uğuldadığı için duymakta zorlanıyordum. Yaklaşsam iyi olacaktı. Duman, kıvrılarak masanın altından biraz çıktı.

Jenkins kahvesini yudumladı. "Yapmamı istediğiniz başka bir şey var mı efendim?"

"Şimdilik yok. Minibüsleri ben ayarlarım."

"Zincir ve halatlar ne olacak?"

"Onları da ben hallederim. O konuda deneyimliyim."

Zincirler! Halatlar! Minibüsler! Hepsi bir araya gelince elde ne kalıyor? Hayır. Hâlâ bir şey anlamamıştım. Ama bana pis bir iş gibi gelmişti. Heyecana kapılıp biraz daha yaklaştım.

"Evine git," dedi asker. "İyi iş becerdin. Şimdi Bay Hopkins'e rapor vereceğim. İşler hızlanacak."

"Ya onunla ilişki kurmam gerekirse? Hâlâ Ambassador'da mı?"

"Şimdilik, evet. Ama bunu yalnızca son çare olarak düşün. Dikkat çekmemeliyiz."

Özünün her yeri tutulmuş olmasa duman halkası yandaki masanın altında sevinçle kendine sarılmış olmalıydı. Bu Ambassador, bir otel falan olmalıydı. Yani tam Mandrake'nin iste-

---

[2] Kahve eminim çok sıcaktı. Oh, ne erkek.

diği şeyi yapmış, Hopkins'in adresini ele geçirmiştim. Özgürlük çok yakındı! Dediğim gibi itibarımı biraz kaybetmiş olabilirim ama iş sinsi takiplere gelince asla hata yapmam.

Jenkins, biraz düşünceli görünüyordu. "Efendim, böyle dediniz de aklıma geldi... Şey, bu akşam Burke ve Withers'la konuşurken yanımda dolaşan bir sinek vardı. Büyük ihtimalle masum bir sinekti ama..."

Askerin sesi, uzaklarda kopan bir fırtına gibiydi. "Öyle mi? Sen ne yaptın?"

Jenkins yuvarlak, küçük gözlüklerini yukarı itti. Endişeli olduğunu çok iyi anlayabiliyordum. Asker ondan en az bir metre daha uzun, neredeyse iki katı iriliğindeydi. Tek bir yumrukta Jenkins'in omurgasını kırabilirdi. "Yola devam ederken çok dikkat ettim," diye kekeledi, "ama başka bir şey görmedim."

Ee herhalde. Duman halkası, masanın altında kendi kendine sırıttı.

"Ayrıca iblisim Truklet'a, uzaktan takip edip burada rapor vermesini söyledim."

Ah. Bu iyi değildi işte. Tekrar gözden kaybolarak oraya buraya kıvrılıp sandalyelerin arasında yedi düzlemi birden kontrol ettim. Önce, bir şey göremedim. Sonra yerde oraya buraya seğirterek yaklaşan küçük bir örümcek görmeyeyim mi? Gözleriyle her noktayı araştırarak bütün masaların altına bakıyordu. Yükselerek gözden kayboldum, gölgelerde dalgalanarak bekledim.

Küçük örümcek seğirte seğirte benim masaya geldi. Altımdan geçti... Bir an beni gördü, sonra alarm vermek için arka bacakları üstünde şaha kalktı. Duman halkası hemen aşağı indi, örümceği yuttu. Hafif bir direnç, ümitsiz bir ciyaklayış.

Duman halkası hemen harekete geçti. Önce, büyük bir lokma yutmuş piton yılanı gibi hantal dönüşlerle ağır ağır ilerledi, çok geçmeden hızlanmaya başladı.[3]

Arkama baktım. Komplocular ayrılıyordu. Paralı asker ayağa kalkmıştı, Jenkins –herhalde iblisinin dönüşünü beklemek için– yerinde kaldı.[4] Karar zamanıydı.

Mandrake, Hopkins'in yerini bulup planını ortaya çıkarmamı söylemişti, bu ilk talebi yerine getirmekte bayağı yol almıştım. Bu noktada bile efendime geri dönmeye *hakkım* vardı, kovulmamı sağlayacak yeterince iş yapmıştım. Ama 'haklar', özellikle bana ait olanlar, Mandrake'nin umurunda değildi. Beni, daha önce de hayal kırıklığına uğratmıştı. O yüzden tam emin olana kadar beklemek en iyisiydi. Onu, öyle bir bilgi bombardımanına tutmalıydım ki elinden beni alçak gönüllü bir teşekkürle yıldızıma yollamaktan başka bir şey gelmesin.

Ve paralı asker, şimdi Hopkins'e gidiyordu.

Duman halkası, masanın altında bir yay gibi kıvrıldı. Yandaki zemine bakıyordum. Bir şey yok... Bir şey yok... Görüş alanıma iki çizme girdi; kahverengi deriden, eski, çatlamış ve yıpranmış.

Tam yanımdan geçerken çözülüp sıçradım. Bunu yaparken bir yandan da tekrar şekil değiştirdim.

Asker, görkemli adımlarla kapıya yürüdü. Paltosu hışırdıyor, üstündeki silahlar şıngırdıyordu. Uzun pençeli, küçük bir kertenkele çizmelerin sağ tekine yapıştı.

---

[3] Zavallı Truklet'in özü, beslenmek için yetersizdi. Normalde burun kıvırırdım. Ama bunlar zor günlerdi ve bütün enerji kaynaklarına ihtiyacım vardı. Üstelik, küçük domuz beni gammazlayacaktı.

[4] Biraz uzun bekleyecekti. Keşke ona bir kahve daha ısmarlasaydım.

Dışarıda, gece çökmüştü. Uzak bir sokaktan geçen arabaların homurtusu duyuldu. Yoldan geçenler ,sayıca az ve bizden uzaktı. Asker kapıyı çarparak kapadı, bir–iki adım atıp durdu. Kertenkele pençelerini iyice geçirdi. Neler olacağını biliyordum.

Bir büyü dalgası, özümü ta çekirdeğine kadar sarsan bir titreşim. Yapıştığım çizme havalandı, bir yay çizerek yeniden yere bastı. Tek bir adım atmıştı ama gece, sokak ve kafenin ışıkları etrafımda sıvı bir akım halinde gözden kaybolmuştu. Bir adım daha, sonra bir tane daha. Işık akımı titreşti; binaları, insanları, kırık ses katmanlarını hissettim ama yedi düvel botları, normal zaman ve mekana takmadan ilerlerken ben, tatlı canımı kurtarmak için onlardan birine yapışmakla meşguldüm. Öteki Taraf'a dönmek gibi bir şeydi. Uzantılarımdan kopup bir ateşin korları gibi ardımızda sönmeye terk ettiğimiz ufak öz parçacıklarını hissetmesem, bu yürüyüş aslında çok hoşuma gidebilirdi. Son yemeğimden sonra biraz ısınmış olsam da varlığını sürdürebilir bir formda kalabilmem gittikçe güçleşiyordu.

Çizme, üçüncü adımda durdu. Dönen ışıklar anında pıhtılaştı, kafeden birkaç kilometre uzakta Londra'nın bir başka yerindeki başka bir mekan haline geldi. Bakışlarımın odaklanmasını bekledim sonra kamaşmış gözlerle etrafa bakındım.

Trafalgar yakınındaki parklardan birindeydik. Akşamın gelmesiyle şehrin insanları, hava almak için buraya sökün etmişti. Bu aktiviteyi devlet büyükleri de teşvik ediyor, savaşın kötüye gitmeye başladığı günlerden beri her gün duyuları uyarıp derin düşünmeyi engelleyecek en görkemli türünden gösteriler düzenliyorlardı.

İleride, parkın ortasında, kubbeler ve minarelerden oluşan muhteşem bir karmaşa, Cam Saray, ışıklar altında pırıl pırıl parlıyordu. Çelik iskelet üzerine, eğimli camdan yirmi bin panelle inşa edilen saray, savaşın ilk yılında kurulmuş; sonradan içi meyhaneler, birahaneler, atlı karıncalar ve sirk gösterileriyle tıka basa doldurulmuştu. Halk arasında çok popülerdi ama cinler pek uğramazdı. Biz, çelikten fazla hoşlanmıyorduk.

Ağaçlara asılı seyrek iblis fenerleriyle rengarenk aydınlatılmış parkta, nokta nokta başka pavyonlar vardı. Bir tarafta bugivugiler yükselip iniyor, bir tarafta fırıl fırıl uçan sandalyeler dönüyor. Sultan Kalesi'nde sarhoş bir kalabalık önünde albenili güzeller dans ediyordu.[5] Anayolda şarap ve bira fıçıları dolup boşalıyor, şişlerde mahzun inekler dönüyordu. Asker şimdi kalabalığa karışmış, insan hızında yürümeye başlamıştı.

Cam kafese konmuş savaş esirlerinin uğultulu kalabalık üzerinde sallandığı Hainler Köşesi'nden geçtik. Yanında asılı başka bir cam prizmada, birinci düzlemde görünebilen, ürkünç bir siyah demon vardı. Kükreyip sıçrıyor, şaşkın sürüye yumruk sallıyordu. Biraz ileride bir sahne kurulmuştu. Sergilenen oyunun ismi, koca bir afişin üstünde yazılıydı: *Hain Koloninin Yenilgisi.* Sahnede koşuşturan oyuncular, plastik kılıç ve kartondan demonların yardımıyla savaşın resmi hikayesini canlandırıyorlardı. Her yer gülümseyerek *Gerçek Savaş Hikayeleri*'nin bedava sayılarını elinize tutuşturan kızlarla doluydu. Bitmek bilmez gürültü, parlak renkler ve karmaşa o haldeydi ki oradaki birinin, bırakın savaş hakkında mantıklı bir tartışma yapmayı, doğru düzgün düşünebilmesi bile imkansızdı.[6]

---

[5] Güzellerin kimisi gerçekten insandı ama yüksek düzlemlerde oldukları gibi görünmeyen iki varlık yakaladım: Birisi, ön tarafı üç boyutlu arkası bomboş bir kabuktu; öteki cazibe büyüsünün altına gizlenmiş sırıtan, diken diken bir folyot.

[6] Bunların çoğunda Mandrake'nin parmağı olduğunu seziyordum. Onun o detaycılığı, oyun yazarı arkadaşı Makepeace'den edindiği tiyatro bilgisiyle birleşmişti. Hamlık ve ince zekanın kusursuz bir uyumu. Özellikle esir 'Amerikan' demonu, bence çok iyiydi ama şüphesiz sırf bu iş için hükümetten biri tarafından çağırılmıştı.

Hepsini daha önce görmüştüm, defalarca. Şimdi paralı askerden ayrılmamaya konsantre olmalıydım. Anayoldan ayrılmış, karanlık çimenlerin üstünden ağaçlar arasındaki süslü bir göle doğru yürüyordu.

Göl, öyle özel bir şey sayılmazdı. Gündüzleri, şüphesiz sıkıcı su kuşlarıyla doluydu, çocuklar kiralık küçük kayıklarda etrafa su sıçratırlardı ama geceleyin dingin bir gizem havasına bürünmüştü. Kıyıları gölgeler ve sazlıklardan oluşan bir labirent içinde kaybolmuş, üzerinde uzanan oryantal köprüler sessiz adacıkları birbirine bağlıyordu. Adalardan birinde bir Çin tapınağı yükseliyordu. Onun önündeki ahşap verandaysa suyun üstüne kadar uzanıyordu.

Paralı asker, hızla verandaya yöneldi. Çizmeleriyle takırdatıp gıcırdatarak süslemeli bir köprüden geçti. İleride, verandanın karanlığında bekleyen bir şekil fark ettim. Başının üstünde, daha yüksek düzlemlerde, süzülerek gözcülük yapan tekinsiz biçimler vardı.

Tedbiri elden bırakmamalıydım. Çizmenin üstünde kalırsam, çok geçmez en yarım akıllı iblis tarafından bile yakalanırdım. Yine de izleyip dinleyecek kadar yaklaşmamın sakıncası yoktu. Geçtiğimiz yerin altında bir sazlık uzanıyordu, yoğun ve karanlık. Gizlenmek için mükemmel. Kertenkele kendini yere bıraktı, sıçrayıp sazların arasına daldı. Saniyeler sonra acılarla dolu yeni bir değişimin ardından yeşil küçük bir yılan, çürüyen sazların arasından adaya doğru yüzmeye başladı.

Yukarıdan askerin kısık ve saygılı sesini duydum. "Bay Hopkins."

Sazların arasında bir boşluk. Yılan, sudan çıkan çürümüş bir dala sarılarak yukarı kıvrılıp verandaya baktı. Asker oradaydı. Yanındaki ince, kambur adam dostça bir birlikteliğin ifadesi olarak pat pat koluna vurdu. Yorgun gözlerimi zorladım. Bir an için yüzünü görebildim: ifadesiz, özelliksiz, tamamen silik. Öyleyse neden o yüzdeki bir şey, fazlasıyla tanıdık gelmiş ve ürpermeme neden olmuştu?

Adamlar, verandadan ayrılıp görüş alanımdan çıktılar. Yılan, seri küfürler savurarak öne atılıp zarif kıvrımlarla sazların arasından ilerledi. Birazcık daha... Şu Hopkins'in sesini bir duyabilseydim, belki o zaman...

Saz kamışlardan on tanesi hareket etti. Sazlığın içinden beş uzun gölge yükseldi. Kamıştan on bacak bükülerek sıçradı. Her şey sessiz sedasız oldu. Gölde tek başıma yüzerken bir anda nasıl olduysa kılıç gibi gagalarını takırdatarak, kırmızı gözlerinden ateşler saçarak, gri–beyaz hayaletler gibi beş tane balıkçıl üzerime saldırmıştı. Çırpılan kanatlar suya çarparak kaçış yollarını tıkadı, pençeler çaresizlik içindeki yılanı yaraladı, gagalar saplandı. Yukarı sıçrayarak düşünce hızıyla derine daldım. Ama balıkçıllar daha hızlı çıktı. Gagalardan biri kuyruğumu kıstırdı, bir diğeri tam başımın altından yakaladı. Kanat çırparak yükseldiler, ben aralarında bir solucan gibi çırpındım.

Rakiplerimi yedi düzlemde birden taradım: Beşi de folyottu. Normal koşullarda bütün şehri tüyleriyle süslerdim ama o durumda tekiyle bile dövüşmek, şansımı zorlamak olurdu. Özümün yırtılmaya başladığını hissettim.

Karşı koydum, debelendim. Sağa sola zchirlcr tükürdüm. İçimi dolduran öfke, bana biraz güç verdi. Değiştim, küçük ve kaygan bir yılanbalığı olup ellerinden kayarak sudan yuvama döndüm.

Bir gaga dalış yaptı.

Tak! Her yer karardı.

İşte bu, çok çok utanç vericiydi. İblis muamelesi gördüğüm yetmemiş gibi bir de mideye indirilmiştim. Etrafımda dönen yabancı özün benimkini ele geçirmeye başladığını hissettim.[7]

Başka şansım yoktu. Bütün enerjimi toplayıp bir patlama yolladım.

Eh, gürültülü ve pis bir işti ama istenen etkiyi yarattı. Yere küçük folyot parçaları yağdı. Ben de küçük bir siyah inci kılığında onlarla birlikte yağdım.

İnci suya düştü. Geriye kalan dört balıkçıl anında saldırdı. Gözlerinden kıvılcımlar saçarak gagalarını deli gibi suya batırıp çıkardılar.

Kendimi bırakarak hızla karanlığa daldım. Görüş alanından uzağa; çamur, balçık ve ölü sazların oluşturduğu çürük kördüğüm, en dipte beni her düzlemde gizleyene kadar dalışa devam ettim.

Zekem can çekişiyordu, bilincimi yitirmek üzereydim. Yo, uyursam beni bulurlardı. Kaçıp sahibime geri dönmeliydim. Son bir çaba harcayıp kurtulmam gerekti.

Çevremdeki karanlığa dev bacaklar daldı. Mızrak gagalar suyu kurşun gibi delerek vınladı. Balıkçılların savurduğu boğuk küfürler, otların arasında gürül gürül yankılandı. Yaralı, küçük bir iribaş, peşinde can çekişen öz zerrecikleri bırakarak kıyıya doğru ilerledi. Gelmiş geçmiş tüm rekorları kırarak kıyıya ulaştığında kemik ayaklı, sarkık dudaklı, gudubet bir kurbağa oldu. Tüm hızıyla çimlere doğru zıplamaya başladı.

Folyotlar beni gördüğünde yolu yarılamıştım. İçlerinden bi-

---

[7] Böyle durumlarda, öteki tarafından emilmeden önce elinizi çabuk tutmak gerekir. Daha büyük bir güç tarafından yutulmuşsa küçük varlıkların hiçbir şansı yoktur, buysa başa baş bir çekişme olacaktı.

ri yükseğe uçup debelenişimi görmüş olmalıydı, boğuk çığlıklarla gölden havalanarak karanlık çimlere atıldılar.

Biri dalışa geçti, kurbağa can havliyle sıçradı. Gaga yere saplandı.

Sonra yola, kalabalığın arasına. Kurbağa oraya buraya hopladı, bacakların arasından, tentelerin altından, başlardan omuzlara, sepetlerden çocuk arabalarına sıçrayarak çılgın bakışlı baloncuk gözleriyle vıraklayıp guruldayarak ilerledi. Adamlar haykırdı, kadınlar çığlık attı, çocuklar şaşkınlık içinde yutkundu. Gözlerini kan bürümüş balıkçıllar, tüylerini parıldatarak ve kanatlarını çırparak arkamdan geliyordu. Tezgahları yerle bir edip şarap fıçılarını deviriyorlar, geçtikleri yerlerdeki köpekler ürküp uluyarak karanlık sokaklara kaçışıyordu. İnsanlar kuka gibi devrildi. Yığınlarca *Gerçek Savaş Hikayeleri* havalarda uçuştu, kimileri şarapların içine, kimileri tandır kuyularına düştü.

Kaçak yüzergezer açıkhava sahnesine hopladı. Oyunculardan biri, iblis lambalarının ışığı altında sıçrayarak ötekinin kucağına atladı, bir diğeri seyircinin arasına balıklama dalış yaptı. Kurbağa peşinde bir balıkçılla yerdeki bir kapaktan içeri daldı. Bir saniye sonra kartondan bir goblin kafasının üstünde başka bir kapaktan dışarı çıktı. Yukarı sıçrayıp ağlı ayaklarıyla afişin üstüne yapıştı. Alttan saldıran bir balıkçıl, afişi gagasıyla parçalara ayırdı. Afiş, bir orman sarmaşığı gibi kıvrılarak yere düştü ve kurbağayı yolun öteki tarafına, esir demonun olduğu cam prizmanın yanına yolladı.

Bu noktada nerede olduğumu, ne yaptığımı bilemez hale gelmiştim. Aslında özüm hızla çözünüyordu, dünya ahenksiz seslerle dolu bir havuz gibiydi. Hiç düşünmeden hopluyor, geleceğini bildiğim saldırıyı savuşturmak için her hoplayışta yön değiştiriyordum. Çok geçmeden takipçilerimden biri, bu kovalamacadan sıkıldı. Sanırım bir sarsıntı yollamış olmalı; ben her ihtimale karşı karşıya sıçradım. Büyünün prizmaya çarptığını, kristalin parçalandığını duymadım. Benim suçum değil. Benimle hiçbir ilgisi yok. Koca siyah demonun hayretle yüzünü buruşturup uzun, kıvrık tırnaklarını kırık camlara geçirdiğini görmedim. Ne küre tamamen parçalanırken ortaya çıkan o muazzam şangırtıyı ne de demon aralarına karıştığında insanlardan kopan o feryat figanı işittim.

Hiçbir şeyden haberim yoktu. Tek bildiğim kovalamacanın o bitmek bilmeyen ezici ritmi, tek hissettiğimse çaresizlik içinde her hoplayıp zıpladığımda özümün yumuşayarak sıvıya dönüştüğüydü. İşte ölüyordum ama dinlenemezdim. Bundan daha hızlı bir ölüm uçarak yaklaşıyordu.

11

Kitty'nin ustası divanından ona baktı. Tümü o karınca duası gibi yazısıyla doldurulmuş bir kağıtlar denizinin ortasındaki ıssız bir ada. Dudaklarında mavi mürekkepten küçük lekeler oluşturan bir tükenmez kalemin ucunu kemiriyordu. Hafif bir şaşkınlıkla gözlerini kırpıştırdı.

"Bu akşam seni tekrar görmeyi ummuyordum Lizzie. İşe gitmen gerektiğini sanmıştım."

"Gerekiyor efendim. Birazdan. Şimdi..."

"Peck'in *Desiderata Curiosa*'sının şu orijinal kopyasını bulabildin mi peki? Ya *Melankolinin Anatomisi*'ni? Hani dördüncü cildini istemiştim?"

Kitty'nin yalanı, biraz önceden düşünülmüştü. "Efendim, özür dilerim, bulamadım. İkisini de. Kütüphane bugün erken kapandı. Sokakta bir karışıklık oldu –bir halk gösterisi– onlar da güvenlik için kapıları kapattılar. Kitaplarınızı bulamadan dışarı çıkmam söylendi."

Bay Button, huysuzlanma belirtisi bir ses çıkarıp kaleminin ucunu daha sert kemirmeye başladı. "Ne şanssızlık! Halk, gösteri mi yapıyor dedin? Daha neler olacak? Yularını atan atlar?

Sağılmayı reddeden inekler? Bu zavallı insanların haddini *bilmesi* gerek." Son cümleyi kalemini her hecede dişlerine vurarak vurgulamıştı, sonra suçlu suçlu gözlerini kaldırdı. "Üstüne alınma da Lizzie."

"Alınmadım efendim. Efendim, Batlamyus kimdi?"

Yaşlı adam, ellerini sıkıntıyla başının arkasına koydu. "Batlamyus Batlamyus'tur. Çok önemli bir büyücü." Dokunaklı bir bakış attı. "Çay demleyecek kadar vaktin var mı Lizzie, gitmeden önce?"

Kitty vazgeçmedi: "Mısırlı mıydı?"

"Aslında öyleydi, ismi Yunanca olsa da. Makedon soyundan geliyordu. Aferin Kitty. Gösteri yapan halkın çoğu *bunu* bilmez!"

"Onun yazdığı bir şeyler okumak isterdim efendim."

"Bunu biraz zor yapardın çünkü yazdıkları Yunanca. Bende en ünlü kitabı var: *Batlamyus'un Gözü*. Öteki Taraf'dan demonları getirmenin mekaniği hakkında çok kapsamlı bir kitap olduğundan bütün büyücülerin okuması gerekir. Konuya çok ılımlı yaklaşmış denebilir. Diğer yazdıkları *Apocrypha* olarak bilinir. Onları buraya ilk gelişinde Hyrnek'lerden bana sen getirmiştin... Tartışmalı görüşlerle dolu, bir dizi garip... Çay demiştik..."

"Demleyeceğim," dedi Kitty. "Batlamyus hakkında okuyabileceğim bir şeyler var mı efendim, çay yaparken?"

"Aman Tanrım, *sahiden* meraklı bir kızsın. Evet, *İsimler Kitabı*'nda var. Elinle koymuş gibi bulacağına eminim."

Çaydanlık arkasında köpürüp tıslarken Kitty, çabucak bulduğu paragrafı okudu.

İskenderiyeli Batlamyus (M.Ö. 120)

İktidardaki Batlamyus Hanedanlığında doğan çocuk büyücü, VIII. Batlamyus'un yeğeni, sonradan tahta geçen IX. Batlamyus'un kuzenidir. Kısa süren yaşamının çoğu, İskenderiye Kütüphanesi'nde çalışarak geçmiştir ancak detayları bilinmemektedir. Henüz çok küçük yaşlarda büyücü olarak saygın bir üne sahip olmuş önemli bir dehadır. Halk arasındaki saygınlığını tehdit olarak gören kuzeninin ona karşı suikast girişiminde bulunduğu söylenir.

Ölüm nedeni bilinmese de ileri yaşlara ulaşmadığı kesindir. Şiddet sonucu ya da bir hastalığa yenilerek ölmüş olabilir. Bir İskenderiye yazmasında "zor bir yolculuğun" ardından bozulan sağlığının bir daha düzelmediğinden söz edilir ancak bu şehri hiç terk etmediğini belirten diğer kayıtlarla çelişmektedir. Amcasının ölüp kuzeninin tahta geçtiği dönemde (M.Ö. 116) kayıtlarda kesinlikle ölü olarak görünmektedir yani yirmili yaşlarına bile ulaşmamış olması kuvvetle muhtemeldir.

Kütüphanede kaldıkları üç yüzyılı aşkın süre içinde yazdıkları, Tertullian ve diğer Romalı büyücüler tarafından incelenmiştir. Çalışmalarının bir bölümü Roma'da *Batlamyus'un Gözü* adı altında basılarak ün kazanmıştır. Özgün arşiv üçüncü yüzyıldaki büyük deprem ve yangın sırasında yok olmuş, kurtarılabilenler *Apocrypha* adı altında toplanmıştır. Her ikisi de Loew zamanına kadar çağırmalarda kullanılan Sabır Kesiği ve Mouler Kalkanı gibi çok sayıda tekniğin yaratıcısı, aynı zamanda "Batlamyus'un Kapısı" gibi birçok alışılmadık ve tartışmalı varsayımın kuramcısı olarak bilinen Batlamyus, tarihe damgasını vurmuş bir şahsiyettir. Çok genç yaşta ölmesine rağmen bütün bunları başarabilmiş olması, olgunluğa erişebilse en büyüklerin arasında yer alabileceğini kanıtlamaktadır. Olağandışı bir bağla bağlı oldukları söylenen demonları arasında Affa,† Rekhyt veya Necho,‡ Methys, † Penrenutet † sayılabilir.

† Ölümü kayıtlara geçmiş

‡ Akibeti bilinmiyor

Kitty, çayı getirdiğinde Bay Button dalgın dalgın gülümsedi. "Aradığını buldun mu?"

"Bilemiyorum efendim ama bir sorum var. Sahiplerinin görünümünü almak, demonlar arasında yaygın mıdır?"

Büyücü kalemini bıraktı. "Alay etmek ve kafa karıştırmak için mi diyorsun? Elbette! Bu en eski numaralardan biridir, deneyimsiz birini savunmasız bırakmak için birebirdir. Kendi hayaletinle karşı karşıya gelmekten daha denge bozucu bir şey olamaz, özellikle de yaratık tarafından kışkırtma ve çökertme amacıyla kullanılıyorsa. Bence Münihli Rosenbauer, yapmacıklı tavırlarının gerçek tasvirlerinden artık o kadar bunalmıştı ki elindeki güzellik kremini yere fırlatıp hıçkırıklar içinde çemberinden kaçarak çok üzücü sonuçlara kendisi yol açtı. Zamanında ben de kendi bedenimin ağır ağır çürüyerek kurtlu bir ceset haline gelişini izlemek zorunda kalmıştım, ses efektleri bile eksiksizdi. Bu arada Girit mimarisinin prensipleri hakkında demona sorular soruyordum. Aldığım notlar biraz bir şey ifade ediyorsa insanüstü çabam sayesindedir. Bundan mı bahsediyorsun?"

"Şey, aslında hayır Efendim." Kitty derin bir soluk aldı. "Benim merak ettiğim, bir demon sahibinin görünümünü ona duyduğu saygı, hatta sevgi yüzünden tercih edebilir mi acaba? Hoşuna gittiği için." Yüzünü buruşturdu, söylediklerini duyunca kendi kulağına da gülünç gelmişti.

İhtiyar burnunu kırıştırdı. "Hiç sanmıyorum."

"Yani büyücü öldükten sonra."

"Benim güzel Lizzie'm! Eğer bu büyücü, olağanüstü çirkin veya itici görünüyorsa belki demon başkalarını korkutmak için onun görüntüsünü kullanabilir. Mesela Yemenli Zarbustibal, vefatından sonra uzun dönem ortalıkta dolaşmıştı. Ama saygı duymak? Aman Tanrım! Bu önerme, sahip ve köle arasında bir ilişki olması koşulunu getiriyor, buysa bugüne kadar görülmemiş bir şey. Böylesi enteresan bir fikir ancak halk, pardon senin gibi deneyimsiz birinden çıkabilirdi! Aman Tanrım, aman Tanrım..." Çay tepsisine uzanırken kendi kendine kıkırdadı.

Kitty kapıya yürümeye başlamıştı. "Teşekkürler efendim, çok yardımcı oldunuz. Bu arada," diye ekledi, "Batlamyus'un Kapısı nedir?"

Yaşlı büyücü, divanın ortasında, kağıt yığınlarının arasından homurdandı. "Ne midir? Saçmasapan bir varsayım! Bir efsane, masal dünyasında yaşayan bir çocuğun hayali! Sorularını değerli konular için sakla. Şimdi çalışmam lazım. Sersem yardımcılarımla çene çalacak vaktim yok. Haydi git! Batlamyus'un Kapısı, çok iyi ya..." Ürpererek Kitty'i eliyle kışkışladı.

"Ama..."

"Gitmen gereken bir işin yok mu Lizzie?"

Kırk dakika sonra Kitty bir otobüsten inerek Thames kıyısındaki yaya yoluna çıkmıştı. Üstündeki kalın, siyah, kapüşonlu paltosuyla özenle elindeki sandviçi kemiriyordu. Cebinde ikinci kimliğine ait belgeler vardı: Clara Bell.

Şehirden yansıyan ışıkla alçaktan geçen birkaç bulut hâlâ kirli sarı bir renkte parlasa da gökyüzü kararmak üzereydi. Dalgakıranın altındaki nehir uzak, alçalmış ve suskundu. Kitty, kayalar ve çöpler arasında balıkçılların dikildiği, büyük, gri bir çamur yatağının yanından geçti. Hava soğuktu; karadan esen güçlü bir meltem vardı.

Nehrin kıvrıldığı bir yerde, yol aniden doksan derecelik bir açıyla Thames'den ayrılıyor, geçiş dik çatıları ve sivri uçlu tavan pencereleriyle geniş bir bina tarafından kesiliyordu. Duvarlarında desenler ören ağır, siyah kirişler; orasında burasında sokağa ve nehrin karanlık sularına güçlü bir ışık yayan ışıldayan pencereler vardı. Çepeçevre dışarı taşan üst kat, kimi yerde güçlü, kimi yerde çökecekmiş gibi sarkıktı. Yolun tepesinden sarkan soluk yeşil tabela hava koşullarından o denli yıpranmıştı ki üstündeki sözcükler okunmuyordu. Ama bu önemli değildi, Kurbağa o yörede tanınmış bir yerdi. Birasıyla, bifteğiyle ve haftada bir düzenlenen domino turnuvalarıyla ünlüydü. Ayrıca Kitty'nin geceleri çalıştığı yerdi.

Eğilerek alçak bir kemeri geçti ve barın bahçesine giden zifiri karanlık yan sokağa girdi. Avluya girerken yukarı baktı. Çatının yanından donuk kırmızı bir ışık süzülüyordu. Doğrudan bakıldığında bulanık ve belirsizdi; yan tarafına bakılıncaysa açık olarak görülebiliyordu: Küçük, şirin bir araştırma küresi, takipte.

Kitty, casusu görmezden geldi. Avluyu geçerek kararmış, eski bir sundurmayla hava koşullarından korunan ana kapıya geldi ve Kurbağa Bar'a girdi.

Mekanın parlak ışıkları gözlerini kamaştırdı. Gecenin üzerine perdeler çekilmiş, ocakta ateş yakılmıştı. Barın yöneticisi George Fox'un birer birer parlatarak tezgaha dizdiği bardaklar üzerinde ateş renkleri dans ediyordu. Kitty, sırt çantasını asacağı vestiyere giderken Bay Fox başıyla selam verdi.

"Acele etme Clara, acele etme."

Kitty saatine baktı. "Gelmelerine daha yirmi dakika var George."

"Senin için planladığım işe yetecek bir zaman değil."

Kitty, şapkasını bir kancaya fırlattı. "Sorun değil." Başıyla arkasında kalan kapıyı işaret etti. "Ne kadardır oradalar?"

"Bir–iki saattir. Hep aynı şey. Korkutmaya çalışıyorlar. Duyamazlar. Karışamazlar."

"Tamam. Bana bir bez atıver."

Koşuşturmalı ve verimli geçen bir on beş dakika sonra bar tertemiz ve hazırdı. Bardaklar parlatılmış, masalar gıcır gıcırdı. Kurbağa'nın barmeni Sam, Kitty'nin tezgaha dizdiği on sürahiye açık kahverengi biraları köpürterek doldurmaya başladı. Kitty son domino kutularını da dağıttı, ellerini pantolonunda kuruladı, bir yere asılı bir önlük bulup takarak barın arkasındaki yerini aldı. George Fox, ana kapıyı açıp müşterileri içeri buyur etti.

Kurbağa'nın şöhreti, her zaman için sürekli değişen bir müşteri profilini garantiliyordu. Bu gece de daha önce görmediği birçok insan fark etti Kitty: Uzun boylu bir asker, gülümseyerek oturacak bir yer aranan yaşlı bir hanım, sakallı ve bıyıklı sarışın bir delikanlı. Domino taşlarının bildik şıkırtısı başladı, mekanı bir muhabbet havası sardı. Kitty, önlüğünü düzeltip masalar arasında koşturarak yemek siparişlerini aldı.

Bir saat geçti. Oyuncuların dirsekleri arasındaki tabaklarda kalın biftekli sıcak sandviçlerin artıkları kaldı. Yemeğin bitmesiyle dominoya olan ilgi de süratle azalmıştı. Polis baskınına önlem olarak taşlar masalarda kalmış ama oyuncular aniden canlanıp ayılarak oturdukları yerde beklemeye başlamışlardı. Kitty, boş kalan birkaç bardağı daha doldurdu. Barın arkasına dönerken şöminenin yanında oturan bir adam yavaşça ayağa kalktı.

Yaşlı ve sağlıksız, yılların etkisiyle kamburlaşmış bir adamdı. Bütün bar suspus oldu.

"Dostlar," diye söze başladı, "geçen haftadan bu yana kayda değer bir şey olmadı, bu yüzden biraz sonra isteyene söz vereceğim. Her zaman olduğu gibi hamimiz Bay Fox'a konukseverliğinden dolayı teşekkür ediyorum. Belki ilk önce Mary'den başlayıp Amerika'daki son durumu öğrenebiliriz."

Yerine oturdu. Bitişikteki bir masadan zayıf yüzlü, yorgun görünümlü bir kadın ayağa kalktı. Saçında aklar olsa da Kitty henüz kırkında bile olmadığını düşündü. "Dün gece ticari bir gemi geldi," diye başladı kadın söze. "Uğradığı son liman savaş bölgesindeki Boston'muş. Mürettebat, bu sabah bizim kafede kahvaltı yaptı. En son İngiliz saldırısının da başarısız olduğunu, Boston'un hâlâ Amerikalıların elinde olduğunu söylediler. Ordumuz, tedarik sağlamak için geri çekilmiş ve birçok kez saldırıya uğramış. Kaybımız çok büyükmüş."

Salonu bir mırıltı sardı. Yaşlı adam hafifçe ayağa kalktı. "Teşekkürler Mary. Başka konuşmak isteyen var mı?"

"İzin verirseniz?" Konuşan sakallı delikanlıydı; tıknazdı, kendine güvenen ve iddialı bir havası vardı. "Ben, yeni bir örgüt olan Halkın Gücü'nü temsil ediyorum. Belki duymuşsunuzdur."

Genel bir kıpırdanma ve huzursuzluk hissedildi. Kitty, barın arkasından kaşlarını çattı. Konuşanın sesindeki bir şey onu rahatsız etmişti.

"Destek bulmaya çalışıyoruz," diye devam etti delikanlı, "yeni bir grev ve gösteri zinciri için. Büyücülere neyin ne olduğunu göstermemiz lazım. Hadlerini bildirmenin tek yolu ortak hareket etmek. Toplu başkaldırıdan söz ediyorum."

"Konuşabilir miyim?" Koyu mavi elbisesi ve kırmızı şalıyla özen içinde giyinmiş olan yaşlı hanım ayağa kalkmaya yeltendi, dost seslerden oluşan bir koronun protestosuna neden olarak oturduğu yerde kaldı. "Londra'da olanlar beni korkutuyor," dedi. "Bu grevler, bu karışıklık... Bunların çözüm olmadığı kesin. Neye yarayacak? Yalnızca liderlerimizin sert tepkisini çekecekler. Dürüst insanların çığlıkları Kule'de yankılanacak."

Delikanlı kalın, pembe yumruğunu masaya indirdi. "Başka seçenek var mı hanımefendi? Ses çıkarmadan oturalım mı? Böyle yaparsak büyücüler bize teşekkür etmeyecek! Bizi iyice ezip pisliğe batıracaklar. Hemen harekete geçmeliyiz! Unutmayın, herkesi birden hapse atamazlar!"

Barda kesik kesik alkışlar duyuldu. Yaşlı hanım, inatla başını iki yana salladı. "Çok yanılıyorsunuz," dedi. "İddianız, sadece büyücüler yok edilebildiği takdirde geçerli olabilir. Ama edilemezler!"

Başka bir adam söze karıştı. "Dur bakalım, büyükanne. Bunlar bir bozguncunun sözleri."

Kadın çenesini kaldırdı. "Öyle mi? Edilebilirler mi? Nasıl?"

"Kontrolü kaybetmeye başladıkları ortada, yoksa isyancıları kolaylıkla dize getirebilirlerdi."

"Ayrıca Avrupa'dan da yardım alabiliriz,"diye ekledi sarışın delikanlı. "Bunu unutmayın. Çekler, bize para sağlayacaktır. Fransızlar da."

George Fox başını salladı. "Fransız casuslar, bana birkaç büyülü eşya vermişlerdi," dedi. "Başım belaya girerse diye. Hiç kullanmam gerekmedi ama..."

"Kusura bakmayın," dedi yaşlı hanım, "ama büyücülerin bir–iki grevle nasıl çökertileceğini açıklamadınız hâlâ." Kemikli çenesini kaldırıp meydan okurcasına etrafına bakındı. "Evet?" Erkeklerin çoğu onaylamayan sesler çıkarsa da doğru dürüst bir cevap veremeyecek kadar içkilerini yudumlamakla meşguldüler.

Kitty, barın arkasından konuştu. "Büyücüleri yenmenin zor olacağı konusunda haklısınız efendim," dedi yavaşça, "ama imkansız değil. Bugüne kadar onlarca devrim başarıya ulaştı. Mısır'da, Roma'da ya da Prag'da olan nedir? Hepsi de yenilmezdi, en azından bir süre için. İnsanlar harekete geçtiğinde hepsi de yıkıldı."

"İyi de hayatım," dedi yaşlı hanım, "her seferinde düşman ordular da vardı..."

"Her seferinde," diye devam etti Kitty kararlı bir sesle. "Yabancı liderler, krallığın iç karışıklığından yararlandılar. Halk zaten isyan etmişti. Büyülü güçleri ya da büyük orduları yoktu, bizim gibi sıradan vatandaşlardı bunlar."

Yaşlı hanım, dudaklarını sarkıtarak tebessüm etse de pek eğlenmiş görünmüyordu. "Belki. Ama kaçımız, ülkenin *yabancılarca* istila edilmesini ister? Liderlerimiz kusursuz olmayabilir ama en azından İngilizler."

Sakallı delikanlı burnundan sesler çıkartarak güldü. "Artık *bugüne* dönelim. Bu gece, hemen nehrin aşağısında, Battersea çelik işçileri greve gidiyor. Gelip bize katılın! Büyücüler, demonlarını yollarsa ne mi olacak? Artık fabrikadan top çıkmayacak!"

"Peki ya çelik işçileriniz nerede olacak?" dedi yaşlı hanım hırsla. "Kimileri Kule'ye gidecek, kimileri Thames'in dibini boylayacak. Yerlerini de yenileri alacak."

"Demonlar her istediklerini yapamayacaklar," dedi delikanlı. "Bazılarımızın *esnekliği* var. Herhalde duymuşsunuzdur. Saldırılardan etkilenmiyor, yanılsamalar ardındaki gerçekliği görebiliyorlar..."

O konuşurken Kitty'nin hafızası aniden tazelendi. O kalın

bıyığın, bakımsız sarı sakalın altındaki yüzü görebildi. Delikanlıyı tanıyordu, hem de çok iyi. Nick Drew, Direnç'den sağ kalan tek arkadaşı. En kötü zamanlarında Westminster Katedrali'nden kaçan, dostlarını ardında bırakan Nick Drew. Şimdi daha yaşlı, daha iriydi ama eski yaygaracılığından bir şey kaybetmemişti. Ağzın hâlâ iyi *laf* yapıyor, diye düşündü pis pis. *Konuşmayı* hep iyi becerirdin. Grevde işler karıştığında da bir yolunu bulup sıvışacağına bahse girerim... Ani bir korkuyla geri çekilerek görüş alanından çıktı. Nick, işe yaramaz biri olsa da onu tanıması gerçek kimliğini ele verebilirdi.

Grup, esneklik olgusunu tartışmaya girişmişti. "Büyüyü görebiliyorlar. Gün gibi aşikar," dedi orta yaşlı bir kadın. "Öyle duymuştum."

Yaşlı hanım, bir kez daha başını iki yana salladı. "Söylentiler, acımasız söylentiler," dedi üzüntüyle. "Bunların hepsi, kulaktan kulağa yayılan safsatalar. Büyücüler tarafından tedbiri elden bırakmanız için başlatıldılarsa hiç şaşmam. Söyleyin bakalım," diye devam etti, "buradan herhangi biri şimdiye kadar bu esneklik denen şeye kendi *gözleriyle* şahit oldu mu?"

Kurbağa'yı bir sessizlik sardı. Kitty, konuşmak için can atarak sabırsızca yerinde kıvrandı. Ama Clara Bell özel biri değildi, buna uzun zaman önce karar vermişti. Ayrıca Nick'in varlığı da onu engelliyordu. Bara göz gezdirdi. Yıllardır gizlice orada buluşan topluluk genelde orta yaş ve üstüydü. Esneklik fazla tanıdıkları, ilk elden bildikleri bir şey değildi. Kendisi de en az Kitty kadar esnekliğe sahip olan Nick Drew dışında. Ama o hiçbir şey söylemeden öylece oturuyordu.

Salondaki hava tartışma yüzünden gerilmişti. Birkaç dakika karşılıklı surat asıldıktan sonra ihtiyar adam tekrar yavaşça ayağa kalktı. "Dostlarım," diyerek söze başladı, "cesaretimizi yitirmeyelim! Belki büyücülere karşı gelmek çok tehlikeli ama en azından onların propagandasına karşı direnebiliriz. Bugün *Gerçek Savaş Hikayeleri*'nin yeni sayısı çıktı. Okumayı reddedin! Tanıdıklarınıza yalanlarla dolu olduğunu anlatın!"

Bunun üstüne George Fox konuştu. "Bence biraz haksızlık ediyorsun." Söylediğine inanamayan insanların uğultusu üstüne sesini yükseltti. "Evet. Toplayabildiğim kadar *Gerçek Savaş Hikayesi* toplamayı kendime iş edindim."

"Ah, çok ayıp Bay Fox," dedi yaşlı hanım titrek bir sesle.

"Yo, bunu açıklamaktan gurur duyuyorum," diye devam etti Bay Fox. "Eğer daha sonra tuvaletleri ziyaret etmek isterseniz, bu dergilere hak ettikleri değerin fazlasıyla verildiğini göreceksiniz. En emici cins kağıttan yapılmışlar." Kahkahalar koptu. Kitty, sakallı delikanlıya sırtı dönük olarak bardakları doldurmak için elinde bir sürahiyle ilerledi.

"Eh, zaman geçiyor," dedi ihtiyar adam, "artık ayrılmalıyız. Ama önce, geleneğimizi yerine getirerek her zamanki andımızı içmeliyiz." Yerine oturdu.

George Fox, barın altından kapağına çaprazlasına iki domino taşı işli, eski ve yıpranmış, büyük bir kupa çıkardı. Kaliteli gümüşten yapılmıştı. Bir raftan koyu renk bir şişe aldı, kapağını açıp kupaya bol bol kırmızı şarap doldurdu. Kitty, kupayı iki eliyle kaldırıp ihtiyar adama götürdü.

"Sırayla hepimiz içeceğiz," dedi adam. "Bir kez daha. Halk Parlamentosu'nun kurulacağı güne kadar yaşayalım. Kadın erkek herkesin, liderlerimizin politikalarına karşı tartışma, muhalefet etme, haklarını savunma temel özgürlüklerini koruyan ve onları, yaptıklarından sorumlu tutacak bir parlamentonun kurulacağı güne kadar." Kupayı saat yönünde yanındakine geçirmeden önce saygıyla kaldırarak bir yudum aldı.

Bu tören, Kurbağa'da gerçekleşen bu tür toplantıların doruk noktalarındandı. Hiçbir zaman sonuca ulaşmayan tartışmaların ardından bir süreklilik ve tanışıklık hissi yaratıyordu. Gümüş kupa ağır ağır dudaktan dudağa, masadan masaya geçti. Gitmeye hazırlanan yaşlı hanım dışında eski yeni herkes kupanın gelişini bekliyordu. George barın dışına çıktı, barmen Sam'le beraber pencerenin yanındaki masalardan bardakları toplamaya başladılar. Kitty, yüzünü mümkün olduğunca Nick Drew'a göstermemeye çalışarak kupayı takip ediyor, gerektiğinde masalar arasında taşıyordu.

"Daha şarap lazım mı Clara?" diye bağırdı George Fox. "Bizim Mary kocaman bir yudum aldı, gördüm."

Kitty kupayı alıp içine baktı. "Yok. Daha bir sürü var."

"Güzel. Hanımefendi, bizi terk etmiyorsunuz umarım?"

Yaşlı hanım gülümsedi. "Gitmeliyim canım. Sokaklar bu kadar karışıkken çok geç kalmamam lazım."

"Evet, tabii. Clara, kupayı getir de gitmeden önce hanımefendi içiversin."

"Hemen geliyor George."

"Ah, şart değil canım. Bir dahaki sefere duble içerim." Bu sözlerin üzerine bir kahkaha ve ufak bir alkış koptu. Kadının geçmesine izin vermek için birkaç adam ayağa kalktı.

Kitty peşinden gitti. "Buyurun efendim, daha çok var."

"Yo, yo, cidden gitmem lazım, teşekkürler. Çok geç oldu."

"Efendim, şalınızı düşürdünüz."

"Hayır, hayır. Bekleyemem. Özür dilerim, lütfen..."

"Dikkat et tatlım. Önüne baksana..."

"Özür dilerim, özür dilerim..."

Yaşlı hanım donuk bir yüz ifadesi, boş bir maskeye kesilmiş gözler gibi karanlık ve boş bakışlarla, arkasından hızla yaklaşan Kitty'e tekrar tekrar bakarak salonda telaşla ilerliyordu. Kitty, gümüş kupayı ilk başta bir armağan sunar gibi saygıyla uzatmış sonra aniden rakibini tartan bir hançer gibi öne arkaya savurmaya başlamıştı. Gümüşe yakın olmak kadını rahatsız eder gibiydi, irkilerek geri çekildi. George, topladığı bardakları dikkatle yanındaki bir masaya koyup elini cebine attı. Sam, duvardaki bir dolabı açıp içine uzandı. Grubun geri kalanı sandalyelerinden kıpırdamadı, yüz ifadeleri eğlenmekle kararsızlık arasında gidip geliyordu.

"Kapı, Sam," dedi George Fox.

Yaşlı hanım öne atıldı. Sam kapıyı tutarak kadınla yüz yüze geldi. Elinde kısa, siyah bir sopa vardı. "Durun hanımefendi," dedi anlaşmaya çalışarak. "Kural kuraldır. Gitmeden önce kupadan bir yudum almak zorundasınız. Bu bir çeşit sınav." Utanmış gibi bir hareket yaparak üzüntü içinde kadına baktı. "Üzgünüm."

Yaşlı hanım durup omuz silkti. "Üzülmeyin." Tek eli havaya kalktı. Avucundan fırlayan mavi ışık, çatırdayan parlak mavi bir güçle Sam'i sardı. Sam sıçradı, sarsıldı, garip bir kukla dansı yapıp dumanlar içinde yere serildi. Bardaki biri çığlık attı.

Bir düdük çaldı, tiz ve küstah. Yaşlı hanım, hâlâ havada tuttuğu elinden buharlar saçarak arkasına döndü. "Gel bakalım hayatım..."

Kitty, gümüş kupayı kadının suratına fırlattı.

Çakan parlak yeşil bir ışık, haşlanan et tıslaması. Yaşlı hanım bir köpek gibi hırladı, parmaklarını pençe gibi yüzüne geçirdi. Kitty başını çevirdi. "George!"

Barın sahibi cebinden dikdörtgen, zarif ve küçük bir kutu çıkardı. Bağrış çağrış arasında hızla Kitty'e fırlattı, yanındakilerin başı kutuyu izlemek için havaya kalktı. Kitty tek eliyle yakaladı, tek bir hareketle çevirip kıvranan kadına atmaya hazırlandı...

Yaşlı hanım, ellerini yüzünden çektiğinde yüzünün çoğu yok olmuştu. Bakımlı kır saçların ve boynundaki inci kolyelerin arasında biçimsiz bir kütle parıldıyordu. Belirli bir şekli ya da organları yoktu. Kitty şaşalamıştı, tereddüt etti. Yüzü olmayan kadının havaya kalkan elinden safir renginde parlak bir ışık patladı. Işık, Kitty'in başına çarparak pırıltılı bir enerji girdabıyla bedenini sardı. Kitty inledi. Dişleri takırdıyor, vücudundaki her kemik sanki diğerinden bağımsız olarak zangırdıyordu. Göz kamaştıran ışıklar gözlerini kör etti. Üzerindeki giysilerin alazlandığını hissetti.

Saldırı durdu, mavi enerji ışınları kayboldu. Kitty, asılı kaldığı yerden, bir metre kadar yüksekten, yere kapaklandı.

Yaşlı hanım parmaklarını esnetti, hoşnutluk içinde homurdanıp bara göz gezdirdi. İnsanlar her tarafa kaçışarak masaları deviriyor, sandalyeleri havalandırıyor, birbirlerine çarpıp ölümcül bir korkuyla çığlıklar atıyordu. Sarışın delikanlı bir fıçının arkasına saklanmıştı. Kadın, salonun karşısında yavaş yavaş barın önündeki bir kutuya ilerleyen George Fox'u gördü. Bir parlama daha... Ama George Fox kendini can havliyle yana atmıştı. Tezgahın bir bölümü bir ahşap ve cam yığını halinde parçalandı. George Fox, yuvarlanarak bir masanın altında gözden kayboldu.

Çevresindeki haykırışlar ve karmaşayı görmezden gelen kadın, bir kez daha gitmeye niyetlendi. Döpiyesini düzeltti, bozulmuş yüzüne düşen bir perçem beyaz saçı yana attı, Sam'in cesedi üzerinden geçerek kapıya yürüdü.

Gürültü patırtının içinde bir düdük sesi daha, tiz ve küstah. Yaşlı hanımın parmakları, kapı kolunda kalakaldı. Başını kaldırıp arkasına döndü.

Sonra görüşü hafif bulanık, yanıklar içindeki giysileri paramparça, cızırdayan saçları yünden bir yele gibi her yerine yapışmış olan ama tüm bunlara rağmen zar zor ayağa kalkan Kitty küçük kutuyu fırlattı. Kutu, yaşlı hanımın ayağının dibine düşerken tek bir sözcük söyledi.

Bir ışık patlaması, kavurucu yoğunlukta daha sonra yerden iki metre çapında alev bir sütun yükseldi. Tamamen düz yüzeyli, hareket eden bir şeyden çok direğe benzeyen bir sütun. Yaşlı hanımı her tarafından çevreledi. Kadın, alevden sütunun içinde sabitlenmiş, kehribar taşının içindeki bir böcek gibi görünüyordu. Kır saçlar, inci kolye, mavi elbise, her şey. Direk katılaştı, aniden saydamsızlaştı ve yaşlı hanım içinde kayboldu.

Işık soldu, sütun silikleşerek buharlaştı. Yerde kusursuz çember şeklinde bir yanık izi bırakarak yok oldu. Eriyik suratlı yaşlı hanım artık yoktu.

İlk önce Kurbağa'da çıt çıkmadı. Bar tersine dönmüştü. Masalar, kırık sandalyeler, tahta parçaları, yüzükoyun yatmış bedenler ve dağılmış domino taşlarıyla dolu bir çöplük gibi görünüyordu. Bir tek Kitty ayakta, kolları havada, soluk soluğa, gözlerini kapının önündeki boşluğa dikmiş bakıyordu.

Sonra grup üyeleri teker teker yaşadıkları şoku ve korkuyu ifade etmeye başladı. Yerde kıpırdanıp ters döndüler, ağır ağır ayağa kalktılar, ağlayıp sızlanmalar başladı. Kitty sessiz kaldı, harabeye dönmüş bara doğru baktı. Barın ilerisinde bir yerden George'un yüzü belirdi. Konuşmadan Kitty'e baktı.

Kitty kaşını kaldırdı. "Ee?"

"Bırakalım biraz soluklansınlar. Sonra gidebilirler. Kürenin bir şey fark etmemesi lazım."

Kitty ağır, sert hareketlerle en yakınındaki tahta yığınına tırmanıp barmenin cesedinin etrafından dolaştı. Gözyaşları içinde kapıya doğru sendeleyen bir adamı kenara itip kapıyı kilitledi. Orada beş dakika dikilip korkmuş müşterilerin yatışmasını bekledi, sonra kapıyı açıp teker teker hepsini dışarıya çıkarttı.

Fıçısının arkasından ortaya çıkan Nicholas Drew en sona kalmıştı. Göz göze geldiler, delikanlı kapıda durdu.

"Selam Kitty," dedi. "Her zamanki gibi enerjiksin, gördüğüm kadarıyla."

Kitty'nin yüz ifadesi değişmedi. "Nick."

Genç adam saçlarını arkaya yatırıp paltosunun düğmelerini iliklemeye başladı. "Endişelenme," dedi. "Seni gördüğümü unutacağım. Yeni bir hayat falan." Salondaki enkaza baktı. "Tabii eğer Halkın Gücü'ne katılmak istemezsen. Senin gibi biri çok işimize yarardı."

Kitty başını iki yana salladı. "Hayır teşekkürler. Ben böyle mutluyum."

Nick başını salladı. "Tamam. Peki o zaman. Hoşçakal. Ve iyi şanslar."

"Güle güle Nick." Kapıyı arkasından kapattı.

George Fox Sam'in cesedi yanında diz çökmüştü. Mutfaktan kireç gibi, dehşet içinde yüzler belirdi. Kitty, sırtını kapıya dayayıp gözlerini kapadı. Bunu yapan tek bir demon, tek bir casustu ve Londra'da yüzlercesi vardı. Gelecek hafta aynı saatte insanlar yine Kurbağa'da buluşacak, konuşup tartışacak ve hiçbir şey yapmayacaktı. Bu arada, bütün Londra'da, ufak başkaldırı sesleri duyulacak, sonra çabucak ve insafsızca susturulacaktı. Gösteriler boşunaydı. Konuşmak boşunaydı. Başka bir yolu olmalıydı.

Belki de vardı. Artık planını uygulamanın zamanı gelmişti.

12

Başbakanın Richmond'daki malikanesi üstüne gece çöktü. Batıdaki çimenliklerin üstüne kurulmuş yüksek sütunların tepesinde yanan iblis alevleri, manzarayı garip bir ışıkla aydınlatıyordu. Orada burada ateş kuşu ve semender kılığındaki cafcaflı kılıklarıyla içki sunan uşaklar vardı. Gölün ilerisindeki kara ağaçlardan duvarın içinde, görünmez orkestra onaltıncı yüzyıla ait hoş bir dans müziği çalıyordu. Sesler, yavaşça konukların sesleri üzerinde dolaşıyordu.

İmparatorluğun önde gelenleri bahçede salınıyor, sessiz ve uyuşuk sohbetleri arasında saatlerine bakıyorlardı. Resmi tuvaletler ve takım elbiseler giymiş, yüzlerini hayvan, kuş ve demonları resmeden maskeler ardına gizlemişlerdi. Devereaux'nün birçok savurganlıklarından biri olan bu tür partiler, savaş döneminde oldukça sıradan bir olay haline gelmişti.

John Mandrake, bir sütuna yaslanmış önünden geçenleri izliyordu. Maskesindeki aytaşından pullar, beyaz bir kertenkelenin başını andıracak şekilde zekice dizilmişti. Kuşkusuz ince işçilik örneği, hayran olunacak bir şeydi ama yine de yüzüne uymuyordu. Etrafı görmekte zorlandığından iki kez üst üste çiçek tarhlarının içine girmişti. İçini çekti. Bartimaeus'dan hâlâ haber yoktu... Şimdiye kadar *birşeyler* bulmuş olmasını beklerdi.

Yanından ufak bir grup geçti, üzerine titreyen iki dişi vaşak ve açık kahverengi bir orman perisiyle çevrelenmiş bir tavuskuşu. Göbeği ve kendini beğenmiş, kasıntı yürüyüşünden tavuskuşunun Bakan Collins olduğunu anladı. Kadınlarsa büyük ihtimalle onun bölümünden, terfi bekleyen daha küçük büyücülerdi. Mandrake'nin kaşları çatıldı. Konseyde, Asa konusunu açtığında Collins ve ötekiler şiddetle eleştirmişti. Toplantının geri kalanını bir düzine imalı söz ve Devereaux'nün buz gibi bakışlarına göğüs gererek geçirmek zorunda kalmıştı. Yaptığı teklifin bir politikacı için tedbirsizlik ve aptalca bir gaf olduğu su götürmez bir gerçekti.

Politikanın canı cehenneme! Gelenekleri onu boğuyordu, kendini ağa düşmüş bir sinek gibi hissediyordu. Tüm *yaşamı,* Devereaux'yü memnun ederek ve rakipleriyle savaşarak geçmişti. Tam bir zaman kaybı. *Birinin* çok geç olmadan imparatorluğu düzeltmesi gerekiyordu. *Birisi* diğerlerine meydan okumalı ve Asa'yı kullanmalıydı.

Whitehall'dan ayrılmadan önce Heykelli Salon'un altındaki depolara inmişti Mandrake. Yıllardır uğramadığı bir yerdi burası. Merdivenlerin dibinde dururken salonun en sonuna kaplanmış bir dizi kırmızı karoyu görerek şaşırdı. Bir masadan fırlayan iri yarı bir memur yanına yaklaştı.

Mandrake başıyla selam verdi. "Hazine dairelerini incelemek istiyorum, mümkünse."

"Tabii Bay Mandrake. Beni takip eder misiniz?"

Salonu geçtiler. Memur kırmızı karoların önünde durdu. "Bu

noktadan sonra efendim, yanınızdaki tüm büyülü eşyaları bırakmanızı ve görünmeyen varlıkları kovmanızı istemek zorundayım. Bu çizgi bir sınır. Karoların ötesinde cazibe dahil her tür büyü yasak. En ufak büyü, korkunç bir cezayı tetikliyor."

Mandrake önlerindeki loş ve boş koridoru gözden geçirdi. "Öyle mi? Ne çeşit bir ceza?"

"Söylememe izin yok efendim. Bırakacak tehlikeli bir şeyiniz yok mu? Öyleyse devam edebiliriz."

Yukarıdaki parlamento binalarından daha da eski ve boş taş koridorlardan bir labirente girdiler. Orada burada ahşap kapılar, karanlık girişler vardı. Ana koridoru, elektrik ampulleri aydınlatıyordu. Mandrake iyice baktı ama gizli tuzağa ait bir ipucu göremedi. Memur bir tek önüne bakıyor, yürürken bir yandan da kendi kendine mırıldanıyordu.

Sonunda çelikten büyük bir kapıya geldiler. Memur işaret etti. "Hazine dairesi."

"İçeri girebiliyor muyuz?"

"Pek tavsiye etmem efendim. Arzu ederseniz, içeri bakmak için şurada bir parmaklık var."

Mandrake, öne doğru bir adım atıp kapının ortasındaki ufak bir kapağı açtı. Gözlerini kısarak içeri baktı. Kapının ardında iyi aydınlatılmış geniş bir oda vardı. İleride, odanın ortasında, pembe–beyaz mermerden bir kaide duruyordu. Kaidenin üstünde, devletin en değerli hazineleri apaçık ortadaydı: Onlarca renkte parıldayan süslü eşyalar. Mandrake'nin gözleri, uzun ahşap Asa'yı hemen seçti. Başı sade oymalı, kaba ve süssüz. Yanındaki kısa, altın kolye de gözüne takıldı, zincirden küçük, oval bir altın parçası sarkıyordu. Ovalin ortasında yeşim taşının o derin, koyu pırıltısı vardı.

Gladstone'un Asası ve Semerkant Tılsımı... Sahip olduğu bir şeyi yitirmenin o iç sızlatan derin acısını hissetti Mandrake. İlk üç düzlemi taradı, Mühür, tel, ağ ya da başka türden bir korumanın izine rastlayamadı. Yine de kaidenin çevresinde yeşilin garip bir tonunda çiniler döşeliydi. Hastalıklı bir görüntüleri vardı.

Geri çekildi. "Oda nasıl korunuyor, eğer öğrenmeme izin varsa?"

"Bir salgınla efendim. Fazlasıyla açgözlü bir şey. İçeri izinsiz girmeye çalıştığınız etlerinizi kemiklerinizden ayırabilir."

Mandrake memura baktı. "Tamam. Çok güzel. Gidelim."

Evden bir kahkaha tufanı yükseldi. Mandrake bardağındaki mavi kokteyle baktı. Hazine dairesine yaptığı ziyaret bir şey kanıtladıysa o da Devereaux'nün koltuğuna yapışmaya niyetli olduğuydu. Asa ulaşılmazdı. Bunu yapmak istediğinden değil. Şey, aslında *ne* yapmak istediğini bilmiyordu. Kendini sıkıntılı hissediyordu, parti ve bütün bu saçmalıklar sinirine dokunuyordu. Bardağını kaldırıp içkisini mideye indirdi. En son ne zaman mutlu olduğunu hatırlamaya çalıştı.

"John, seni yaşlı kertenkele! Yakaladım seni o duvarın üstünde!" Çimenliğin oradan turkuvaz rengi muhteşem gece elbisesi içinde kısa boylu, toparlak bir adam geliyordu. Maskesi haşince gülen bir iblis şeklindeydi. Ölmekte olan bir kuğuya benzeyen maskesiyle uzun boylu, narin bir genç koluna girmişti. Kıkırdamaktan katılacak gibiydi.

"John, John," dedi iblis. "Sence de müthiş bir parti değil mi?" Mandrake'nin omzuna şakacıktan vurdu. Genç kahkahalara boğuldu.

"Merhaba Quentin," diye mırıldandı Mandrake. "İyi vakit geçiriyor musun?"

"Neredeyse sevgili Rupert kadar iyi." İblis, pencerelerden hoplayıp zıplayan boğa başlı bir gölgenin göründüğü evi işaret etti. "Böylece kafası biraz olsun dağılıyor zavallıcığın."

Mandrake kertenkele maskesini düzeltti. "Peki, bu genç bey kim?"

"Bu," dedi iblis, kuğunun boynuna sarılıp kendine çekerek "genç Bobby Watts, bir sonraki muhteşem oyunumun yıldızı! Göz kamaştıran bir yetenek! Sakın, sakın unutma,"–iblis dengesini sağlamakta biraz zorlanır gibiydi–"*Wapping'den Westminster'a*'nın galası çok yaklaştı. Herkese hatırlatıyorum. İki gün kaldı Mandrake, iki gün! Oyunu gören herkesin yaşamının değişeceği garanti! Ha, Bobby?" Genç adamı kabaca itti. "Şimdi, git de bize birer içki daha al! Bu hayırsız dostuma söyleyecek bir–iki sözüm var."

Kuğu başı çimlerin üzerinde sendeleyerek uzaklaştı. Mandrake sessizce onu izledi.

"Bak John." İblis yaklaştı. "Sana *günlerdir* mesaj yolluyorum. Artık beni atlattığını düşünmeye başlayacağım. Beni görmeye gelmeni istiyorum. Yarın. Unutmazsın, değil mi? Çok önemli."

Mandrake, adamdan gelen kokuyla maskesinin altında burnunu kırıştırdı. "Üzgünüm Quentin. Konsey uzadıkça uzadı. Kurtulamadım. Yarın uğrarım."

"Güzel, güzel. Sen hep en parlaklarıydın Mandrake. Bunu bozma. İyi geceler Sholto! Tanıdım seni!" Yanlarından, taktığı koyun maskesiyle uyumsuz heybetli bir adam geçiyordu. İblis Mandrake'den ayrıldı, yeni gelenin göbeğine parmağıyla şöyle bir dokunup dans ederek uzaklaştı.

Kertenkele ve koyun göz göze geldi.

"Şu Quentin Makepeace'den," dedi koyun, derinden gelen, samimi bir ses tonuyla, "hiç hoşlanmıyorum. Arsız ve bence aklı pek yerinde değil."

"Sanatçı bir kişiliği olduğu kesin." Mandrake içten içe adamın duygularını paylaşıyordu. "Bak, bak. Seni uzun zamandır görmemiştim Sholto."

"Öyle. Asya'daydım." Koca adam içini çekti, tüm ağırlığını bastonuna verdi. "Artık satacağım şeyleri, kendim arayıp buluyorum. Zor zamanlar yaşıyoruz."

Mandrake başını salladı. Golem şehre dehşet salarken mağazasının aldığı hasardan sonra Sholto Pinn'in işleri tam olarak düzelmemişti. Dükkanı yeniden kurmak için çok uğraşsa da finansal açıdan müşkül durumdaydı. Bir de savaşın başlayıp ticaretin gerilemesi üstüne tuz biber ekmişti. Artık Londra'ya daha az mal ithal ediliyor, büyücüler daha az alışveriş ediyordu. Son yıllarda çoğu insana olduğu gibi, Pinn de görünür ölçüde yaşlanmıştı. Koca bedeni hafif çökmüş gibiydi, beyaz elbisesi hantalca omuzlarından sarkıyordu. Mandrake adama acıyarak baktı.

"Asya'dan ne haberler var?" diye sordu. "İmparatorluk ne durumda?"

"Bu aptal kostümler, en gülüncünü bana verdiklerine yemin ederim." Pinn koyun maskesini bir anlığına kaldırıp mendilini terli yüzüne bastırdı. "İmparatorluk, Mandrake, can çekişiyor. Hindistan'da isyan çıktığı söyleniyor. Kuzey'deki dağ büyücüleri saldırılar için demon çağırmakla meşgullermiş, öyle duydum. Delhi'deki garnizonlar, şehrin korunması için Japon müttefiklerden yardım istemiş. Düşünsene! Bizim için korkuyorum, gerçekten." Yaşlı adam iç geçirip maskesini taktı. "Nasıl görünüyorum Mandrake? Neşeli bir koyun gibi mi?"

Mandrake maskesini ardından sırıttı. "Daha çeviklerini de *görmüştüm* efendim."

"Ben de öyle tahmin etmiştim. Eh, kendimi aptal durumuna düşüreceksem midem dolu olsun bari. Sen, küçük kız!" Bastonunu kaldırıp alaycı bir selam verdi ve servis yapan hizmetçiye doğru yürüdü. Gidişini izlerken Mandrake'de beliren anlık mizah duygusu da gecenin soğuğunda buharlaşıp gitti. Başını kaldırıp gecenin boş gökyüzüne baktı.

Uzun zaman önce, elinde bir kalemle bahçede otururken.

Bardağını sütunun arkasına atıp eve doğru yürüdü.

★

Malikanenin holünde, en yakındaki alemciler yumağının biraz uzağında, Jane Farrar'ı gördü. Maskesi –kayısı rengi, uzun ince tüylerden bir cennet kuşu– bileğinden sarkıyordu. Ruhsuz bir uşağın tuttuğu paltosunu giymek üzereydi. Mandrake yaklaştığında uşak süzülerek ayrıldı.

"Bu kadar erken mi gidiyorsun?"

"Evet. Yorgunum. Ve eğer Quentin Makepeace, o berbat oyunu hakkında bir kez daha konuşmaya kalkarsa kafasına bir tane indireceğim." Güzel yüzü asıldı.

Mandrake daha da yaklaştı. "İstersen, sana eşlik edeyim. Ben de pek eğlenmiyorum doğrusu." Kayıtsız bir tavırla maskesini çıkardı.

Farrar gülümsedi. "İstesem, bana eşlik edecek üç cin ve beş folyot var. Bana onlarda olmayan ne sunabilirsin?"

Tüm gece boyunca Mandrake'nin içinde büyüyen melankoli ve yalnızlık duygusu aniden ateşlenerek yerini umarsızlığa bıraktı. İmalı sözler ve yaptıklarının getireceği sonuçlar umurunda değildi, Jane Farrar'a yakın olmak onu cesaretlendiriyordu. Hafifçe kızın eline dokundu. "Londra'ya benim arabamla dönelim. Cevabımı yolda veririm."

Farrar güldü. "Yol çok uzun Bay Mandrake."

"Belki benim cevaplarım da çoktur."

Jane Farrar koluna girdi, holü birlikte geçtiler. Çıkarlarken birçok göz üzerlerine çevrildi.

Malikanenin çıkışı, kapıda hazır bekleyen iki uşak dışında boştu. Bir duvar dolusu geyik başı ve uzun zaman önce yabancı ülkelerdeki demir ocaklarından çalınmış hanedanlık armalarının altında bir şömine ateşi çıtırdıyordu. Karşısındaki duvarda büyük bir vitray, düz perspektifle Londra'nın merkezindeki yapıları gösteriyordu. Manastır, Westminster sarayı, Thames'in yanında kurulu büyük devlet binaları. Sokaklar hayran kitlelerle dolu, saray avlusunun ortasında Başbakanın ışıklar saçan bedeni, elleri bir takdis edasıyla havaya kalkmış. Hol ışıkları altında solgun parıldayan camın ardında yükselen koyu ve yoğun gece.

Pencerenin altında ipek minderlerle dolu alçak bir divan vardı.

Mandrake durdu. "Burası sıcak. Bekle de şoförümü bulayım."

Jane Farrar, kolunu çekmeden divana baktı. "Veya *ikimiz* de biraz burada kalalım..."

"Doğru."

Vücudu ürpererek yüzünü kıza döndü. Farrar da hafif ürperdi.

"Bunu sen de hissettin mi?" diye sordu.

"Evet," dedi Mandrake usulca, "ama konuşma."

Jane Farrar Mandrake'yi itti. "Bu bizim duyarlı ağımız sersem, bir şey onu tetikledi."

"Ha! Evet." Durup yanan odunun çıtırtısını, koridorun ilerisindeki bahçede kesilen cümbüşün sessizliğini dinlediler. Tüm bunların üzerinde uzaktan gelen yüksek sesli, tiz bir çığlık işitiliyordu.

"Bu Devereaux'nün neksus alarmı," dedi Mandrake. "Bahçeye dışarıdan bir şey girmiş."

Farrar kaşlarını çattı. "Devereaux'nün demonları durdurur."

"Seslerden saldırıya geçtikleri anlaşılıyor..." Vitray pencerenin ötesinde bir yerlerden, uzak dağlara çarpıp gelen gökgürültüsü gibi büyük bir gümbürtüyle birlikte insana ait olmayan gırtlaklarda yankılanan tuhaf çığlıklar geldi. İki büyücü ses çıkarmadan bekledi. Bahçeden güçsüz bir bağırtı koptu.

Sesler yükseldi. Siyah gözlüklü ve smokinli bir adam, büyülü sözcükler mırıldanıp koşarak yanlarından geçti. Parmaklarını bitiştirdiği avucunda koyu turuncu plazmalar titreşti, öteki eliyle kapıyı iterek açıp dışarıda gözden kayboldu.

Mandrake peşinden gitmeye kalkıştı. "Gidip bakmamız..."

"Bekle John!" Jane Farrar'ın gözleri, pencerenin tepesine sabitlenmişti. "Bu tarafa doğru geliyor..."

Mandrake afallayarak yukarı baktı, vitray camları arkalarında çakan bir ışıkla aniden aydınlanarak birçok muhteşem renkte, anlık ışıltılarla parıldadı. Sesler daha da yükseldi. Artık sanki tepelerinde bir kasırga kopmuş gibiydi. Bir haykırış, çılgınlık ve vahşet dolu keskin bir çığlık. Yükseldikçe yükseldi. Geriye çekildiler. Patlamalar ve ürkünç feryatlar duyuldu. Bir ışık daha çaktı. Her yerinden duyargalar, kanatlar ve tırpan gibi pençeler fırlayan dev, canavarımsı bir silüeti bir an için görebildiler.

Mandrake yutkundu. Farrar bir çığlık attı. Birbirlerine sarılarak geriye doğru sendelediler.

Bir parıltı. Siyah silüet tüm pencereyi kapladı. Büyük bir gürültüyle cama çarptı.

Şangır! Pencerenin ortasındaki Başbakanı resmeden küçük bir bölüm, binlerce parçaya ayrıldı. Koridor ışığında zümrüt yeşili parlayan küçük bir şey, havada bir kavis çizerek içeri girdi. Yumuşak, hüzünlü bir sesle önlerine düştü, bir kez sarsakça zıpladı ve yere serildi.

İki büyücü, dillerini yutmuş gibi yere baktı. Cansız bir kurbağa.

Pencerenin dışında devam eden sesler, her geçen saniye azalarak uzaklaşıyordu. Bir–iki parıltı kısa süreliğine pencereyi aydınlattı, sonra gece yeniden karanlığa gömüldü.

Mandrake, buruş –kırış kurbağaya doğru eğildi. Bacakları kıvrık ve yayvan, ağzı yarı açık, gözleri sımsıkı kapalı. Çevresine ağır ağır, tuhaf ve renksiz bir sıvı yayıyordu. Mandrake, kalbi küt küt atarak lenslerini kullandı. Kurbağa, her üç düzlemde de aynı görünüyordu. Yine de...

"Bu iğrenç yaratık da *ne* böyle?" Jane Farrar'ın solgun yüzü tiksinerek buruştu. "Yüksek düzlemlere bakmaları için cinlerimi çağıracağım, sonra bu pislikten kurtula..."

Mandrake elini havaya kaldırdı. "Bekle." İyice eğilip kurbağaya seslendi: "Bartimaeus?"

Farrar alnını kırıştırdı. "Yani sence bu şey...?"

"Bilmiyorum. Sessiz ol." Yeniden seslendi, bu kez daha yüksek sesle, zavallı kurbağanın eğilmiş başına iyice yaklaşarak. "Bartimaeus, sen misin? Benim..." Sustu, dudaklarını ıslattı. "Efendin."

Ön bacaklardan biri seğirdi. Mandrake, yere oturup heyecanla dostuna baktı. "Hâlâ yaşıyor! Gördün mü?"

Farrar'ın dudakları incecik bir çizgiydi. Sanki fark ettirmeden, kendini olaydan ayrı tutmak ister gibi, hafif geride duruyordu. Koridorun girişinde gözleri faltaşı gibi açılmış üniformalı bir–iki uşak belirdi, Farrar sinirli hareketlerle adamları kışkışladı. "Fazla uzun yaşamaz. Akan şu öze bak. Onun buraya gelmesini sen mi istemiştin?"

Mandrake kıza bakmıyordu, endişe içinde yerde yatan bedeni incelemekle meşguldü. "Evet, evet. Ona açık kapı emri vermiştim. Hopkins'i bulur bulmaz bana dönecekti." Tekrar denedi. "Bartimaeus!"

Farrar'ın sesi birden ilgili bir ton aldı. "Sahi mi? Ve duyduğumuz seslere bakılırsa takip edilmiş olmalı. Enteresan! John, soruşturma için çok az vaktimiz var. Devereaux'nün çember salonu yakınlarda bir yerde olacaktı. Biraz ucu ucuna olacak ama eğer yaratık *tüm* özünü yitirmeden yeteri kadar güç kullanırsak..."

"Sus. Uyanıyor!"

Kurbağanın başının arkası belirsiz ve bulanıktı. Ön bacak bir kez daha hareket etmemişti. Buna rağmen göz kapağının teki seğirdi, seğirme sürekli devam etti ve göz açıldı. Sisli, odaksız, patlak bir göz.

"Bartimaeus..."

Sanki uzaklardan gelen, cılız bir ses. "Kim soruyor?"

"Mandrake."

"Ah. Tahmin etmiştim... Burada bir dakikalığına uyanmaya değer doğrusu." Başı öne düştü, göz kapağı sarktı. Farrar, bir adım atıp sivri burunlu pabucuyla kurbağanın bacağını dürttü. "Görevini tamamla! Bize Hopkins'den bahset!"

Kurbağanın gözü hafif aralandı. Acıyla dönerek bir an Farrar'da odaklandı. Cılız ses tekrar duyuldu. "Bu senin piliç mi? Olmadığını söyle. Aman Tanrım."

Göz kapandı ve Mandrake'nin tüm yalvarışlarına, Farrar'ın tüm emirlerine rağmen yeniden açılmadı. Mandrake topuklarının üstüne oturup ne yapacağını bilemeden elini saçlarından geçirdi.

Sabırsızlanan Farrar elini omzuna koydu. "Toparla kendini John. O sadece bir demon. Etrafa saçılan şu öze bak! Hemen harekete geçmezsek, bilgiyi kaybederiz!"

Mandrake, o zaman ayağa kalkıp bitkin bitkin kıza baktı. "Sence onu uyandırabilir miyiz?"

"Doğru teknikleri kullanırsak, evet. Parlak bobin ya da öz kapanı mesela. Ama sanırım en fazla beş dakikamız var. Cismini daha fazla koruyamaz."

"Bu teknikler onu yok eder."

"Evet. Ama bilgiye ulaşmış oluruz. *Haydi* ama John. Sen!" Onları izleyen bir grup konuğun etrafında süzülen uşağa parmak şıklattı. "Buraya! Faraş ya da kürek gibi bir şey getir, bu pisliği hemen temizlememiz lazım."

"Yo... Bir yolu daha var." Mandrake çok sessiz konuşmuştu, Farrar'ın duyamayacağı kadar sessiz. Kız, etrafındaki adamlara emirler yağdırırken o bir kez daha kurbağanın yanına diz çöküp uzun ve karmaşık bir büyünün sözcüklerini fısıldadı. Kurbağanın eklemleri titreşti. Bedeninde, sıcak havanın soğuk havayla temas etmesinde olduğu gibi belirsiz gri bir sis belirdi. Kurbağanın bedeni, son hızla sisin içinde eridi, sis Mandrake'nin ayakkabılarına dolandı ve yok oldu.

Farrar arkasına döndüğünde Mandrake ayağa kalkıyordu. Kurbağa gitmişti.

Birkaç saniye şaşkına dönmüş halde bakakaldı. "Ne yaptın sen?"

"Hizmetkarımı kovdum." Gözleri başka yerdeydi. Tek elinin parmakları yakasıyla oynuyordu.

"Ama... Peki ya bilgi! Ya Hopkins!" Farrar gerçekten hayretler içindeydi.

"İki gün sonra kölemden alınabilir. Bu süre içinde Öteki Taraf'da özünü benimle konuşabilecek kadar iyileştirmiş olur."

"İki gün ha!" Farrar, kısa bir öfke ciyaklaması çıkardı. "Bu çok geç olabilir! Hopkins'in neler çevirdiği hakkında hiçbir..."

"O değerli bir köleydi," dedi Mandrake. Söyledikleri, yüzünü kızartmış olsa da boş ve uzak gözlerle kıza baktı. "Çok geç olmaz. Özü iyileştiğinde ben onunla konuşurum."

Farrar'ın gözlerinden karanlık bulutlar geçti. Yaklaştı; nar kokusundan bir dalga, hafif bir limon notasıyla birlikte aniden Mandrake'yi çarptı. "Bana," dedi kız, "can çekişen bir demonun ortalığa saçtığı balçıktan daha çok değer vereceğini sanmıştım. O yaratık seni hayal kırıklığına uğrattı! Sana bilgi getirmekle görevlendirilmişti ve beceremedi. Bizim için önemli bir istihbarat taşıyordu... Sense gidip onu kovdun!"

"Yalnızca geçici olarak." Mandrake, tek elini sallayıp bir sözcük fısıldamıştı. Bir sessizlik balonu çevrelerini sararak koridorun bahçe girişinde itişip kakışan büyük kalabalığın konuştuklarını duymasını önledi. Konukların maskeleri hâlâ yüzlerindeydi. Parlak ve canlı renkleri, garip ve egzotik şekilleri, boş göz oyuklarını gördü. Kendisi ve Farrar maskesiz olan tek büyücülerdi. Kendini fazlasıyla ortada ve çıplak hissediyordu. Dahası kızın öfkesine karşılık verebilecek cevabı olmadığını biliyordu, yaptığı şeyler kendini bile şaşırtmıştı. Bu durum, onun da öfkelenmesine neden oldu. "Lütfen kendine hakim ol," dedi soğuk bir sesle. "Kölelerime nasıl davranacağıma ben karar veririm."

Farrar kısa ve haşin bir kahkaha attı. "Tabii sen karar verirsin. Senin kölelerin ya da belki küçük *arkadaşların* mı demeliydim?"

"Ah, haydi ama..."

"Yeter!" Farrar, Mandrake'ye sırtını döndü. "İnsanlar, uzun zamandır senin zayıf yönünü bulmak için uğraşıyor Bay Mandrake," dedi omzunun üzerinden bakarak, "ve ben, hiç çaba harcamadan buluverdim. Olağanüstü! Senin böyle duyarlı bir budala olduğunu hiç tahmin etmezdim." Paltosu çevresinde döndü, zorba adımlarla balonun ince zarından geçti. Bir kez bile arkasına bakmadan koridorda ilerledi.

Mandrake gidişini izledi. Derin bir soluk aldı. Sonra tek bir sözcükle sessizlik balonunu bozup kollarını açmış bekleyen bir gürültü, kargaşa ve heyecanlı tahminler okyanusuna daldı.

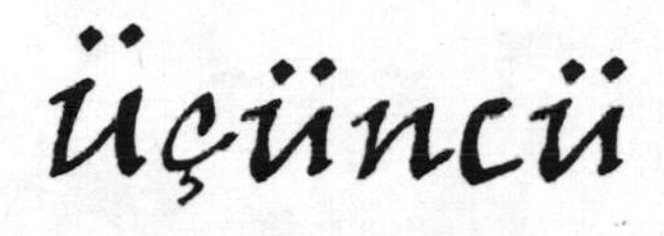
Üçüncü

Kısım

İskenderiye
M.Ö. 125

Her sabah olduğu gibi o sabah da sahibim Batlamyus'un dairesi önünde yardım isteyen ufak bir grup toplanmıştı. Şafaktan çok önce gelmişlerdi. Sarındıkları şalları, soğuktan morarmış bacaklarıyla titreyerek besbelli güneşin doğuşunu bekliyorlardı. Nehrin üzerine ışık vurduğunda Batlamyus'un hizmetkarları kapıyı açıp bekleyenleri birer birer içeri almaya başladı.

Her sabah olduğu gibi o sabah da bir dizi şikayet, haksızlık ve içten kederler dile getirilip çözülmeye çalışıldı. Kimilerine tavsiyede bulunuldu. Birkaçına (çıkarcı ve yalancı oldukları ortada olanlara) yardım reddedildi. Geriye kalanlara şöyle ya da böyle yardım edileceği sözü verilerek evlerine yollandı. Pencerelerden çıkan iblis ve folyotlar, çeşitli ayak işleri yapmak için şehir boyunca oradan oraya uçuştu. Tanıdık, soylu bir cinin saraydan ayrıldığı ve işini bitirip döndüğü gözlemlendi. Saatler boyunca sürekli gelip giden bir varlık trafiği yaşandı. Fazlasıyla işlek bir mekandı.

On bir buçukta kapılar kapandı ve o gün için artık kilitlendi. Daha sonra, büyücü Batlamyus (gecikmesine neden olabilecek ısrarcı mağdurlara yakalanmamak için) bir arka yoldan çıkıp çalışmalarına devam edeceği İskenderiye Kütüphanesi'ne gitti.

Kütüphane binasının dışındaki avluda yürüyorduk. Öğle yemeği zamanıydı ve Batlamyus rıhtımdaki pazardan ançuvezli ekmek almak istemişti. Ben kel kafalı, kıllı bacak, Mısırlı bir yazıcı şeklinde yanında yürüyor, hararetle dünyalar felsefesini tartışıyordum.[1] Yürürken yanımızdan bir–iki akademisyen geçti. Tartışmacı Yunanlar, kızarık gözleri ve bakımlı ciltleriyle Romalılar, esmer Nabatiler, Meroe ve uzak Partiya'dan gelen nazik diplomatlar. Hepsi de derin Mısır kuyusundaki bilgiyi içmek için kente akın etmişlerdi. Tam kütüphane bloğundan çıkarken alt sokaktan bir boru uğultusu koptu. Sokağın başından kargılarında Batlamyus Hanedanı'na ait renkler uçuşan bir grup asker çıktı. Yanlara çekildiklerinde kasıla kasıla ve ağır ağır basamakları çıkan kralın oğlu ve tahtın varisi, Batlamyus'un kuzeni görüldü. Gözdelerinden oluşan bir hayran kitlesini peşinden sürüklüyordu yani yağcı ve dalkavukları.[2] Efendimle birlikte durup gelenek olduğu üzere saygıyla öne eğildik.

"Kuzen!" Kralın oğlu yalpalayarak durdu. Tüniği göbek bölgesinde dar, kısa yürüyüşünün terlettiği yerlerde ıslaktı. Yüzü şaraptan leke leke olmuş, aurası bel vermişti. Gözleri, ağır göz

---

[1] O, iki dünya arasındaki bağlantının bir amacı olması gerektiğini, bu amacın ne olduğunu daha iyi anlayabilmek için büyücüler ve varlıkların el ele verip birlikte çalışmaları gerektiğini iddia ediyordu. Bense (kibarca) bunun saçmalık olduğunu savunuyordum. Dünyalarımız arasında olan çok az etkileşim bana göre acımasız bir sapkınlıktan başka bir şey değildi, cinlerin köleleştirilmesine en kısa zamanda son verilmeliydi. Tartışma hararetlenmişti ve dünyevi basitlikler bir tek benim konuşma sanatının saflığına gösterdiğim özen sayesinde önlenebiliyordu.

[2] İçlerinde kıdemli rahipler, ülkenin soyluları, batakhanelerden edindiği içki arkadaşları, profesyonel güreşçiler, sakallı bir hanım ve bir cüce vardı. Kralın oğlu, sefil bir şehvete ve engin bir zevk yelpazesine sahipti bu yüzden çevresi çok genişti!

kapaklarının altında, donuk boncuklardı. "Kuzen," dedi yeniden, "seni bir ziyaret edeyim dedim."

Batlamyus, tekrar başını eğdi. "Efendim. Bu elbette büyük bir onurdur."

"Sadık bir kuzenin yapması gerektiği gibi benim yanımda olmaktansa," –bir nefes aldı– " nereye arazi olduğunu bir göreyim dedim." Dalkavuklar kıkırdadı. "Philip, Alexander ve diğer bütün kuzenlerin bir mazereti var," diye devam etti sözcükleri ağzında yuvarlayarak. "Çöllerde bizim için savaşıyorlar, doğudan batıya tüm prensliklerde elçilik yapıyorlar. Hanedanlığa olan bağlılıklarını ispat ediyorlar. Ama sen..." Sustu, ıslak tüniğini çekiştirdi. "Ya *sen?* Sana güvenebilir miyiz?"

"Size ne şekilde hizmet etmemi isterseniz."

"Evet ama *güvenebilir* miyiz Batlamyus? O kız gibi kollarınla ne bir kılıç kaldırabilir ne bir yay çekebilirsin, öyleyse senin gücün nerede, ha? Duyduğuma göre"–titrek bir parmakla başına vurdu– "buradaymış. Yukarıda. Bu kasvetli yerde ne yapıyorsun öyleyse, güneş yüzü görmeden?"

Batlamyus, alçakgönüllülükle başını eğdi. "Çalışıyorum efendim. Değerli rahiplerin tarihten bu yana derlediği papirüs yazmaları ve kitapları inceliyorum. Tarih ve dinle ilgili..."

"Ve herkesin bildiği gibi büyüyle ilgili. Yaşak şeyler." Bunu söyleyen uzun boylu, siyah cübbeli, kafasını kazıyıp göz çevresine hafif beyaz kil sürmüş bir rahipti. Sözcükleri, zehir atan bir yılan gibi ağır ağır tükürmüştü. Büyük ihtimalle kendisi de bir büyücüydü.

"Hah! Evet. Her çeşit pislik." Kralın oğlu, biraz daha yakına yalpaladı, giysilerinden ve ağzından ekşi bir koku yayılıyordu. "İnsanlar, seni bu yüzden kutluyor kuzen. Onları ayartıp kendi tarafına çekmek için büyünü kullanıyorsun. Şeytan işi hokus pokuslarını görmek için her gün evine geldiklerini duyuyorum. Hakkında duymadığım şey *yok.*"

Batlamyus dudaklarını sarkıttı. "Öyle mi efendim? Bunu anlayamıyorum. Şansı yaver gitmeyen kişilerce sürekli rahatsız edildiğim doğru. Onlara tavsiyelerde bulunuyorum, hepsi bu. Ben, yalnızca, sizin de dediğiniz gibi zayıf ve içine kapanık bir çocuğum. Yalnız kalmayı tercih ediyor, biraz bilgiden başka bir şey aramıyorum."

Bu yapmacık alçakgönüllük gösterisi (Evet, yapmacıktı çünkü Batlamyus'un bilgiye olan açlığı, kralın oğlunun güce sahip olma isteğiyle eşit düzeyde ve çok daha tutkuluydu.) prensi küplere bindirmiş gibiydi. Suratı pişmemiş et gibi morardı, dudaklarının kenarında salyadan küçük yılanlar kıvrıldı. "Bilgi, ha?" diye bağırdı. "Evet, ama ne çeşit bir bilgi? Ve ne için? Yazmalar ve tüy kalemler, sıradan insan için bir şey ifade etmeyebilir ama beyaz bir hokkabazın elinde en güçlü demirden daha ölümcüldür. Eski Mısır'da, hadımların ayaklarını bir kez yere vurarak ordular yarattığı ve dürüst firavunları denize döktüğü söylenir! *Benim* bunu yaşamaya niyetim yok. *Sen* ne sırıtıyorsun öyle köle?"

Gülmek istememiştim. Yalnızca anlattıkları hoşuma gitmişti, bundan bin yıl önce, denize dökme işini yapan ordunun öncüsü ben olduğum için. Demek iyi bir izlenim yaratmıştım. Eğilerek reverans yaptım. "Hiçbir şeye efendim. Hiçbir şeye."

"Sırıttın, gördüm seni! Bana, geleceğin kralına gülmeye nasıl *cüret* edersin?"

Sesi titriyordu. Olacakları anlayan askerler, kargılarını hazır etti. Batlamyus sakinleştirici sesler çıkardı: "Hakaret etmek istemedi efendim. Yazıcım yüzünde talihsiz bir tikle doğmuş, keskin ışıkta pis pis sırıtırmış gibi duran bir yüz deformasyonu. Çok üzücü bir durum..."

"Onun başını Timsahlı Kapı'ya astıracağım! Nöbetçiler!"

Her biri, taşları kanımla sulamaya daha istekli görünen askerler kargılarını indirdi. Hoşgörüyle kaçınılmaz sonu bekledim.[3]

Batlamyus öne doğru bir adım attı. "Lütfen kuzen. Bu çok saçma. Yalvarırım..."

"Hayır! İtiraz istemem. Köle ölecek."

"Öyleyse *söylemem* gerek." Sahibim bir anda haşin kuzenine iyice yaklaştı, garip ama karşısındakinden daha uzundu. Koyu renk gözleri dosdoğru diğerinin, zıpkına geçmiş bir balık gibi kıpraşan sulu gözlerinin içine baktı. Kralın oğlu ürkerek geri çekildi, askerler ve diğerleri ne yapacaklarını bilemeden kıpırdandılar. Güneşin ısısı azaldı, avlu bulutlar altında kaldı. Birkaç askerin boyunlarındaki kıllar diken diken oldu. "Onu rahat bırakacaksın," dedi Batlamyus, ağır ağır ve açık seçik konuşarak. "O *benim* kölem ve *ben,* sana cezayı hak etmediğini söylüyorum. Dalkavuklarını al ve şarap fıçılarına geri dön. Buradaki varlığın, akademisyenleri rahatsız ettiği gibi ailemizin adına da leke sürüyor. İmalı sözlerin de. *Anlıyor musun*?"

Kralın oğlu, delici bakışlardan kaçabilmek için o denli arkaya eğilmişti ki pelerini yerleri süpürüyordu. Sesi çiftleşen bir bataklık kurbağası gibi çıktı. "Evet," diye vırakladı. "Evet."

Batlamyus geri çekildi. Bir anda küçülmüş gibiydi, grubun çevresini bir kış bulutu gibi saran karanlık yükselerek dağıldı. Seyredenler rahatladı. Rahipler enselerini ovuşturdu, soy-

---

[3] Yani tarafımdan gerçekleştirilecek bir katliam kasırgasını.

lular nefeslerini bıraktı. Bir güreşçinin arkasına saklanan cüce başını uzattı.

"Gel Rekhyt." Batlamyus, koltuğunun altındaki yazmaları düzeltip çalışkan bir öğrencinin ilgisizliğiyle kralın oğluna baktı. "Hoşçakal kuzen. Yemeğe geç kaldım."

Geçip gitmeye yeltendi. Kralın oğlu, yüzü kireç kesmiş bir halde sendeleyerek anlaşılmaz bir sözcük mırıldandı. Öne doğru yalpaladı, pelerinin altında bir yerlerden bir hançer çıkardı. Hırıldayarak Batlamyus'a yandan saldırdı. Tek elimle bir hareket yaptım. Jöleli pastanın üstüne düşen bir kaya gibi boğuk bir çarpışma sesi duyuldu. Kralın oğlu solar pleksus çakrasına yapışmış, faltaşı gibi açılmış gözleriyle ağzından köpükler saçarak iki büklüm oldu. Diz üstü yere çöktü. İktidarını yitiren hançer yere düştü.

Batlamyus, yoluna devam etti. Askerlerden dördü kararsızca hareketler yaptı. Kargıları indi, saldırgan sesler çıkardılar. İki elimle bir yarım daire çizdim, birbiri ardına geriye uçtular. Önce başlar, sonra ayaklar, avlunun üzerinden geçti. Biri bir Romalıya, biri bir Yunanlıya çarptı. Üçüncüsü ise burun üstü yüz metre kaydı. Dördüncü asker, bir satıcının tezgahına düşüp bir şekerleme çığının altında kaldı. Bir güneş saatinin çizgileri gibi dümdüz yere uzandılar.

Grubun geri kalanı ürkek tavşanlar gibiydi. Birbirlerine sokulup hiçbir şey yapmadılar. Yine de gözlerimi yaşlı, kel rahipten ayırmadım. Onun bir şeyler yapmaya niyetli olduğunu görebiliyordum. Ama gözleri gözlerimle karşılaştı ve yaşamayı seçti.

Batlamyus, yürümeye devam etti. Ben peşinden gittim. Ançuvezli ekmek almaya gittik. İşimizi bitirip geri döndüğümüzde, kütüphane civarı sessiz ve durgundu.

Efendim, olayın uğursuzluk habercisi olduğunu biliyordu. Ancak çalışmaları bütün zamanını ve enerjisini aldığından getireceği sonuçları göz ardı etmeyi tercih etti. Ama ne *ben* ne de İskenderiye halkı bunu göz ardı etmedik. Olay hakkındaki söylentiler hızla yayıldı, bazıları gerçeğinden daha yaratıcıydı.[4] Kralın oğlu sevilen biri değildi, bu yüzden aşağılanması genel bir sevinçle karşılandı ve Batlamyus'un şöhreti arttı.

Geceleyin, sarayın üzerindeki rüzgarlarla birlikte süzülüp cinlerle sohbet ettim.

"Yeni haber var mı?"

"Haberler, Bartimaeus, kralın oğluyla ilgili. Gazap ve korkunun pençesine düşmüş. Durmadan, Batlamyus'un kendisini yok edip tahtı ele geçirmek için bir demon yollayabileceğinden bahsediyor. Tehlike, bir davul gibi şakaklarında atıyor."

"Ama sahibim bir tek çalışmaları için yaşar. Tahtla kesinlikle ilgilenmiyor."

"Fark etmez. Kralın oğlu, sabahlara kadar şarap içip bunu kuruyor. Bu tehditi ortadan kaldırmasına yardımcı olabilecek adamlar bulabilmek için casuslar yolluyor."

"Affa, teşekkür ederim. İyi uçuşlar."

"İyi uçuşlar Bartimaeus."

Batlamyus'un kuzeni, budala bir ayyaştı ama korkusunu anlayabiliyordum. Kendisi büyücü değildi. İskenderiyeli büyücüler, geçmişte hizmet ettiğim o büyük büyücülerin beceriksiz gölgeleriydi.[5] Ordu, nesiller boyunca zayıflamış ve çoğunlukla

---

[4] Olayın liman duvarlarına çizilen canlı bir tasviri, kralın oğlunun kütüphanedeki masalardan birine yüz üstü yatırılıp çıplak poposunu bilinmeyen bir demon ya da demonlarca krallığa ait bir topuzla dövülürken betimliyordu.

[5] Eski firavunlar, bu türden hizmetleri rahiplerine yaptırmayı adet edinmişti, Yunan hanedanlığıysa bu geleneği değiştirmek için bir çaba göstermemişti. Fakat geçmişte yetenekli insanlar sanatlarını icra etmek için Mısır'a gelir, gözü yaşlı cinlerin sırtından imparatorluğa güç kazandırırlardı, şimdiyse durum uzun zamandır değişmişti.

ülke dışındaydı. Buna karşın Batlamyus, gerçekten de güçlüydü. Sahibim onu düşürmeye karar verse kralın oğlunun yapabileceği hiçbir şey yoktu kesinlikle.

Zaman geçti. Ben tetikte bekledim.

Kralın oğlu adamlarını buldu. Paralar verildi. Ay ışığıyla dolu bir gecede dört suikastçi gizlice saraya girerek efendimi ziyaret etti. Herhalde daha önce de belirtmiştim, ziyaretleri oldukça kısa sürdü.

Kralın oğlu tedbiri elden bırakmayıp o geceyi saraydan uzakta geçirmiş, çölde ava çıkmıştı. Döndüğünde, timsahlı kapı üzerinde süzülen bir leş kargası sürüsü ve kapıya asılı üç suikastçi cesediyle karşılaştı. Şehre girmek için kapıdan geçerken arabasındaki tüyler adamların ayaklarını gıdıkladı. Prens, alı al moru mor bir yüzle dairesine kapandı ve günlerce ortalıkta görünmedi.

"Sahip," dedim. "Hayatınız tehlikede. İskenderiye'yi terk etmeniz lazım."

"Bu imkansız Rekhyt, sen de biliyorsun. Kütüphane burada."

"Kuzeniniz can düşmanınız oldu. Yeniden deneyecektir."

"O zaman sen yine onu engellemek için burada olacaksın Rekhyt. Sana sonuna kadar güveniyorum."

"İyi de bu suikastçiler insandı. Bundan sonrakiler insan olmayacaktır."

"Eminim baş edersin. Öyle bağdaş kurmak zorunda mısın? Canımı sıkıyor."

"Bugün iblisim. İblisler bağdaş kurar. Bakın," dedim, "bana olan güveniniz mutluluk verici ama onsuz da yapabilirdim doğrusu. Kapınıza bir merid dayandığında onun ateş hattında olmadan yapabileceğim gibi."

Kadehinin içine kıkırdadı. "Merid mi? Bence saray büyücülerinin becerilerini biraz fazla abartıyorsun. Olsa olsa tek bacaklı bir mouler olabilir."

"Kuzeniniz başka yerlere de el atıyor. Romalı büyükelçilerle uzun içki sohbetleri yapıyor. Roma ise duyduğum kadarıyla şu anda en hareketli yermiş. Buradan Tigris'e kadar bütün dönek büyücüler, üne kavuşmak için oraya akın ediyormuş."

Batlamyus omuz silkti. "Demek kuzenim Roma'ya yaltaklanıyor. Bana neden saldırsınlar ki?"

"Onlara borçlu kalması için. Bu aradaysa *ben* ölmüş olacağım." Sıkıntı dolu bir kükürt rüzgarı yaydım, efendimin çalışmalarına duyduğu şevk bazen iç karartıcı olabiliyordu. "Siz, paçanızı kurtarmak için istediğiniz kadar varlık çağırabilirsiniz. *Biz* neler çekmişiz umurunuzda mı?" Kanatlarımı küskün bir yarasa gibi yüzüme kapatıp çatı kirişlerinden aşağı sarktım.

"Rekhyt, sen iki kez hayatımı kurtardın. Sana ne kadar minnettar olduğumu sen de *biliyorsun*."

"Hep laf, hep laf. Hiçbişi demiyo bana."[6]

"Haksızlık etme. Çalışma konumu biliyorsun. Bizi ayıran mekanizmaları anlamaya çalışıyorum yani insanları ve cinleri. Dengeyi kurmayı amaçlıyorum, aramızda güven..."

"Tabii, tabii. Bu arada ben de peşinizden dolaşıp lazımlığınızı boşaltıyorum."

"*Şimdi* uydurdun işte. O işi, Anhotep yapıyor. Ben asla..."

"Mecazi anlamda diyorum. Demek istediğim, sizin dünyanızda olmak, benim için kapana kısılmak demek. Emirleri siz veriyorsunuz. Bunun güvenle alakası yok." Yarasa zarımsı kanadının altından pis pis bakıp tekrar kükürt püskürttü.

---

[6] Buraya biraz Mısır sokak argosu karıştı. Eh, tepem atmıştı yani.

"Şunu keser misin? Bu gece bu odada uyuyacağım ben. Demek içtenliğimden şüphen var, öyle mi?"

"Benim görüşümü sorarsan sahip, bütün bu alemler arası barış falan lafları fasa fisodan başka bir şey değil."

"Öyle mi?" Sahibimin ses tonu sertleşti. "Peki o zaman Rekhyt. Bunu bir meydan okuma olarak alıyorum. Çalışmalarım öyle bir noktaya geliyor ki artık konuşmayacağım ve yapacağım. Bildiğin gibi, kuzeydeki kabilelerin tekniklerini inceliyordum. Büyücü ve varlıkların ortada buluşmalarını içeriyor. Senin ve ötekilerin bana anlattıklarınızdan yola çıkarak ben daha iyisini yapabileceğimi düşünüyorum." Kadehini bir kenara fırlattı, ayağa kalkıp odada dört dönmeye başladı.

Yarasa sıkıntıyla kanadını indirdi. "Ne demek istiyorsun? Takip edemiyorum."

"Ah, *senin* takip etmen gerekmeyecek," dedi çocuk. "Tam tersi. Hazır olduğumda ben *seni* takip edeceğim."

13

Başbakanın Richmond'daki partisi sırasında gerçekleşen olaylar ani ve anlaşılmazdı, neler olduğunu keşfedebilmek biraz zaman aldı. Vahşet fırtınası göklerde koptuğunda çoğunluğu balıklama olarak gül tarhlarına ya da süs göletlerine sığındığından konuklar arasında, olanları görebilen çok azdı. Ancak Devereaux, arazinin güvenliğinden sorumlu büyücüleri çağırıp buyuculer de çevreyı koruyan demonları çağırdıktan sonra zihinlerde bir resim belirmeye başladı.

Anlaşıldığına göre alarm, kör topal ilerleyen kurbağa kılığındaki bir cin, arazi üzerindeki neksustan geçtiğinde tetiklenmişti. Cin, çimenliklerde kaçışırken peşinde yakın takipte olan büyük bir demon sürüsü acımasızca avına saldırmıştı. Çok geçmeden bu arbedeye katılan bekçi demonlar, hareket eden her şeye yiğitçe saldırmış, kısa sürede akıncılardan bir ya da ikisini, ayrıca üç konuğu, bir kahya yardımcısını ve güneydeki çimenliklerde kurbağanın bir süre arkasına sığındığı antika heykellerden çoğunu imha etmişlerdi. Kurbağa, bu kargaşa içinde evin içine girmeyi başarabilmiş, diğer istilacılar bunun üzerine dönüp olay yerinden kaçmışlardı. Saldırganların ve sahiplerinin kimliği henüz belirlenememişti.

Onun yerine *kurbağanın* sahibinin kim olduğu hemen anlaşılmıştı. Malikanenin holünde olanları, o kadar fazla insan görmüştü ki John Mandrake'nin şüphe çekmemesi mümkün değildi. Gece yarısından hemen sonra sürüklenerek (malikanede kalan en kıdemli üç büyücü olan) Devereaux, Mortensen ve Collins'in önüne götürüldü ve söz konusu cine istediği zaman kendisine dönme özgürlüğü tanıdığını itiraf etti. Daha sonra sıkı bir sorgulama altında, demonunun görev aldığı operasyon hakkında bazı ayrıntılar vermeye zorlandı. Clive Jenkins'in adı ortaya atılır atılmaz, adamın Londra'daki dairesine beş tane horla yollandı. Horlalar çok geçmeden döndü. Bay Jenkins evde yoktu. Nerede olduğu bilinmiyordu.

Cininin öğrendikleri hakkında Mandrake'nin hiçbir bilgisi olmadığından ayrıca yaralı cinin çağırılması –hiçbir şey öğrenilmeden– özünü yok edebileceğinden konu şimdilik kapanmış kabul edildi. Mandrake'ye üç gün sonra konseye gelmesi ve sorgulama için cinini çağırması emri verildi.

Bu arada genç büyücü genel bir hoşnutsuzluk havasını sindirmek zorunda kaldı. Yunan heykellerini kaybeden başbakanın aklı başından gitmişti, alarmın çaldığı anda ördekli göle ilk atlayan ve kendisinden daha kilolu hanım konukların altında boğulma tehlikesi geçiren Collins, kat kat havluların altından öldürecekmiş gibi ona bakıyordu. Üçüncü bakan Mortensen, herhangi bir zarar görmemişse de zaten Mandrake'den yıllardır nefret ederdi. Hep beraber Mandrake'yi sorumsuzlukla ve gizli iş yürütmekle suçladılar ve çeşitli türde cezalar verileceğini hissettirdiler. Yine de ayrıntıların belirlenmesi bir sonraki konsey toplantısına kadar ertelendi.

Mandrake suçlamalara yanıt vermedi. Solgun bir yüzle malikaneyi terk ederek Londra'ya döndü.

Ertesi sabah kahvaltısını tek başına yaptı. Her zaman olduğu gibi sabah erkenden brifinge gelen Bayan Piper kapıyı bir uşağın beklediğini gördü. Bakan rahatsızdı, onunla daha sonra ofisinde görüşecekti. Piper, huzursuzlanarak kapıdan ayrıldı.

Mandrake, kurşun gibi ağır adımlarla çalışma odasına gitti. Küçük ölçekli bir şamata yaratmaya kalkışan kapı bekçisi, bir spazm dalgasıyla sarsıldı. Mandrake, uzun süre duvara bakarak masasında oturdu.

Sonra telefonu açıp bir numara çevirdi.

"Alo. Jane Farrar'ın ofisi mi? Kendisiyle konuşabilir miyim lütfen? Evet, ben Mandrake... Ah... Anlıyorum. Tamam." Almaç yavaşça yerine kondu.

Eh, onu uyarmaya çalışmıştı. Konuşmayı reddetmesi kendi suçu sayılmazdı. Önceki gece onun ismini işin dışında tutmaya çalışmıştı ama işe yaramayacaktı. Tartıştıkları görülmüştü. Kuşkusuz şimdi o da kınama alacaktı. Bundan biraz da olsa pişmanlık duyuyordu. Güzel Farrar'ı düşünmek içini garip bir nefret hissiyle doldurdu.

Gerçekten aptalca olan şuydu ki eğer Farrar'ın dediğini yapmış olsa bütün bu bela önlenebilecekti. Bartimaeus'un, Jenkins'in çevirdiği dolapla ilgili Devereax'yü yatıştırmaya yetecek kadar bilgi edindiği neredeyse kesindi. O bilgiyi hiç düşünmeden kölesinden alması gerekirdi. Ama onun yerine gitmesine izin vermişti. Ne saçmalık! O cin, sırtındaki bir yükten başka bir şey değildi: Küfürbaz, dikbaşlı, güçsüz ve gerçek ismini bildiği için her an ölümcül bir tehdit haline gelebilirdi. Karşı koymaya gücü yokken onu yok etmesi gerekirdi. O zaman her şey ne kadar kolay olurdu!

Boş gözlerle masasındaki kağıtlara baktı. *Duyarlı ve budala...* Belki de Farrar haklıydı. Hükümetin bakanı John Mandrake kendi çıkarlarına ters davranmıştı. Artık düşmanlarına karşı savunmasız durumdaydı. Öyle de olsa Bartimaeus'a karşı, Jane Farrar'a karşı ve hepsinden önce kendine karşı ne kadar duyarsız ve kızgın olmaya çalışırsa çalışsın başka türlüsünün elinden gelmeyeceğini biliyordu. Cinin o ufacık, kırılgan bedenini görmek onu öylesine şok etmişti ki bu, içgüdüsel olarak hareket etmesine neden olmuştu.

İşte sarsıcı olan, tehditlerden ve meslektaşlarının nefretinden çok daha çarpıcı olan şey esas buydu. Yıllardır, tüm yaşamı ince hesaplar üstüne kurulu bir yapı olmuştu. Konumunu kendini işe acımasızca adayarak kazanmıştı, içinden geldiği gibi davranmak ona yabancıydı. Ama şimdi, düşünmeden yaptığı tek bir hareketin gölgesi, çalışma kavramını aniden sevimsiz hale getirmişti. O sabah başka yerlerde ordular çarpışıyor, bakanlıklar arı kovanı gibi işliyordu yani yapılacak çok iş vardı. Oysa John Mandrake kendini bitkin, kayıtsız, şöhretinin ve işinin gerektirdiklerinden bir anda uzaklaşmış hissediyordu.

Aklından, önceki geceye ait bir dizi düşünce geçti. Bir görüntü: Uzun zaman önce, özel öğretmeni Bayan Lutyens'la bahçede oturmuşlar, bir yaz günü mutluluk içinde çizim yapıyorlar... Yanında oturan kadın gülüyor, saçları güneş ışığında parıldıyor. Görüntü bir serap gibi titreşti. Kayboldu. Oda soğuk ve boştu.

Zamanı geldiğinde odasından çıktı. Yanından geçerken kapı bekçisi kapıdaki yanık çember izinin içine kaçtı.

Mandrake'nin günü iyi geçmedi. Enformasyon Bakanlığı'nda Farrar'ın ofisinden gelen sivri dilli bir not onu bekliyordu. Polis araştırmasına zarar vermeyi göze alarak demonunu sorguya çekmeyi reddetmesini resmi olarak şikayet etmeye karar vermişti. Daha bu notu okumayı bitirmeden elinde siyah kurdeleli bir mektupla içişlerinden asık yüzlü temsilci geldi. Sayın Collins, önceki gece St James Parkı'nda gerçekleşen ciddi bir olay hakkında onu sorguya çekmek istiyordu. Olayın ayrıntıları Mandrake için uğursuzluk habercisiydi: Kaçan bir kurbağa, prizması kırılarak serbest kalan vahşi bir demon, insanların ölümüyle sonuçlanan bir–iki kaza. Bütün bunları takiben çıkan küçük bir isyanda, panayırın bir bölümünün halk tarafından tahrip edilmesi. Sokaklarda gerilim hâlâ yüksekti. Mandrake'den iki gün içinde konseye sunmak için bir savunma hazırlaması istendi. Pazarlıksız kabul etti, kariyerini tutan pamuk ipliğinin giderek inceldiğinin farkındaydı.

Toplantılar sırasında yardımcılarının gözleri alaycı ve taviz vermezdi. Bir–ikisi siyasi açıdan görülecek zararın hafifletilmesi için cini hemen çağırmasını teklif edecek kadar ileri gitti. Mandrake ise ifadesiz bir yüz ve inatla reddetti. Tüm gün boyunca kafası karışık ve rahatsızdı, Bayan Piper bile ondan kaçmak ister gibiydi.

Öğleden sonra geç saatlerde, Makepeace arayıp randevularını hatırlattığında, artık dayanma gücünü yitirmişti. O günlük ofisini terk etti.

Mandrake birkaç yıldır –Gladstone'un Asası olayından beridir– oyun yazarı Quentin Makepeace'in yakın dostu olmuştu. Bunun için iyi nedenleri vardı. Her şeyden önce başbakan bir tiyatro aşığıydı ve bu nedenle Makepeace'in onun üzerinde büyük bir etkisi vardı. Liderlerinin bu özelliğini paylaşıyormuş gibi yaparak Devereaux ile konseyin diğer, daha hoşgörüsüz üyelerinin yalnızca kıskanabilecekleri bir bağ kurmayı başarmıştı. Ancak bunun da bir bedeli vardı. Mandrake, defalarca Richmond'da düzenlenen o berbat amatör yapımlarda rol alması için sıkboğaz edilmiş, kendini şifon tozluklar ya da şalvarlarla sahnede hoplayıp zıplarken, hatta –hiçbir zaman unutulmayacak korkunç bir seferinde– parıltılı tülden kanatlarla bir salıncakta sallanırken bulmuştu. Meslektaşlarının keyiflenmesini dayanılmaz bulsa da sabretmişti. Deveraux'nün beğenisini kazanmak bundan daha önemliydi.

Bu desteğine karşılık Quentin Makepeace de Mandrake'ye sık sık akıl verir; Mandrake ise adamın kurnazlığına, ilginç söylentileri ilk duyan kişi olma becerisine, başbakanın değişken ruh hallerini hatasız olarak tahmin edebilme yetisine her seferinde şaşmadan edemezdi. Oyun yazarının tavsiyelerine uyarak çoğu kez avantaj elde etmişti.

Ama son aylarda, iş yükünün artmasıyla Makepeace'in dostluğundan sıkılmış, Devereaux'nün keyfine hizmet etmek için harcanan zamana acır olmuştu. Boş şeylere harcayacak zamanı yoktu. Makepeace'in buluşma isteğini haftalardır geçiştiriyordu. Şimdiyse şevkini ve yolunu böylesine yitirmişken artık daha fazla direnemeyecekti.

Sessiz eve onu bir uşak aldı. Mandrake pembe avizelerin ve yazarı saten sabahlığı içinde kendi el yazması eserlerinden bir yığına dayanmış gösteren dev bir yağlıboya tablonun altından yürüyerek koridoru geçti. Gözlerini kaçırarak (sabahlığı biraz fazla kısa buluyordu) ana merdivenleri indi. Ayakkabıları, ses çıkarmadan kalın havlu halıya gömüldü. Duvarlar tüm dünyadan tiyatro afişleriyle doluydu. İLK GECE! DÜNYA GALASI! MAKEPEACE GURURLA SUNAR! Sessiz sloganlarını bağıran bir dizi reklam. Merdivenlerin dibindeki çivili çelik kapı yazarın çalışma odasına açılıyordu.

Kapı, daha çalarken açıldı. Yayvan ve ışıyan bir yüz dışarı uzandı. "John, evladım! Mükemmel! *Öyle* sevindim ki. Kapıyı arkandan kilitle. Hafif karabiberli çay içeceğiz. Biraz canlanmaya ihtiyacın var senin."

Makepeace, minik hareketlerden oluşan bir girdaptı; Kesin, önceden belirlenmiş, balerin gibi. Ufak bedeni çay koyup biber ekerken yerinde duramayan bir kuş gibi inip kalkıyor, olduğu yerde fır dönüyordu. Yüzünden enerji fışkırıyor, kızıl saçları parlıyor, dudaklarının kenarı sanki gizli bir sevinci hatırlar gibi sürekli kıvrılıyordu.

Giysileri her zamanki gibi neşeli kişiliğini yansıtıyordu: Açık kahverengi ayakkabılar, kestane rengi ve bezelye yeşili ekose pantolon, parlak sarı yelek, pembe bir kravat, pileli kollarıyla üstüne oturmayan keten bir gömlek. Ancak bugün, nasıl olmuşsa kolları dirseklerine kadar sıvanmış, kravatı ve gömleğiyse lekeli, beyaz bir önlüğün altına gizlenmişti. Makepeace'in iş üstünde olduğu belliydi.

Çayı minicik bir kaşıkla karıştırdı, kaşığı iki kere bardağın kenarına vurdu ve sonunda ortaya çıkan şeyi Mandrake'ye verdi. "İşte!" diye bağırdı. "Al bakalım. Şimdi John," (gülüşü müşfik ve kaygılıydı) "küçük kuşlar bana işlerin pek iyi gitmediğini fısıldadı."

Mandrake kısaca, ayrıntıya girmeden, son birkaç saatte olanları anlattı. Ufak tefek adam gereken şefkatli sesleri çıkardı. "Utanç verici!" dedi sonunda. "Üstelik sen, yalnızca görevini yapıyordun! Ama Farrar gibi aptallar, ellerine geçen ilk fırsatta, seni parçalara ayırmaya fazlasıyla hevesli. Bunların derdi ne biliyor musun John?" Söyleyeceği şeyin etkisini artırmak için bir ara verdi. "Çekememezlik. Etrafımız bizi çekemeyen, yeteneklerimizi kıskanan zavallılarla dolu. Tiyatro dünyasında aynı tepkiyi ben de sürekli alıyorum, eleştirmenler oyunlarımı yerden yere vuruyor."

Mandrake homurdandı. "Eh, yarın onlara bir kez daha hadlerini bildireceksin," dedi. "Galayla."

"Öyle olacak John, öyle olacak. Ama bilirsin, bazen hükümette tek, bir tek dostun bile olmaz. Sanırım böyle hissediyorsun, değil mi? Tek başınaymış gibi hissediyorsun. Ama ben senin dostunum John. Başka hiç kimse duymasa da *ben* sana saygı duyuyorum."

"Sağol Quentin. Ben işlerin bu kadar da kötü..."

"Bak, sende onlarda olmayan bir şey var. Ne biliyor musun? Vizyon. Sendeki bu özelliği ben hep görmüşümdür. Her şeyi olduğu gibi görebiliyorsun. Hırslısın da. Sende bunu da görebiliyorum, hem de nasıl."

Mandrake gözlerini pek hoşlanmadığı çayına indirdi. "Şey, bilmem ki..."

"Sana göstermek istediğim bir şey var John. Küçük bir büyü deneyi. Senin görüşünü almak istiyorum. Bakalım ne diyeceksin? Haydi ama, bugünün işini yarına bırakma demişler. Yanındaki şu demir iblis değneğini de alır mısın? Teşekkürler. Evet, çayını da alabilirsin."

Makepeace kısa ve hızlı adımlarla içerideki bir odaya açılan kemere doğru yürüdü. Mandrake, hafif şaşkın bir şekilde peşinden gitti. Büyülü bir deney mi? Daha önce Makepeace'in temel büyülerden daha fazlasını yaptığını görmemişti bu yüzden onu hep sıradan bir hokkabaz olarak değerlendirmişti... Zaten *herkes* öyle düşünürdü. Peki şimdi ne...?

Köşeyi dönünce durdu. Çay bardağının elinden devrilmesine zor engel oldu. Gözleri yarı aydınlıkta faltaşı gibi açıldı. Ağzı beş karış, öylece kalakaldı.

"Ne diyorsun evlat? Ne diyorsun?" Makepeace omzunun üzerinden sırıtıyordu.

Uzun bir an boyunca konuşamayan Mandrake, gözlerini odada gezdirmekten başka bir şey yapamadı. Burası daha önce oyun yazarının kendine tapınmak için ayırdığı, bir dizi kupa, ödül, gazete haberleri, fotoğraf ve değerli eşyayla dolu bir odaydı. Şimdiyse bu tapınak ortada yoktu. Tek bir ampul odayı loş bir ışıkla aydınlatıyordu. Beton zemine özenle çizilmiş iki beş köşeli yıldız görünüyordu. Büyücüye ait olan ilki standart ölçülerdeydi ama diğeri çok daha büyüktü. Üstelik içi de doluydu.

Çağırma yıldızının içinde dört büyük vidayla yere sabitlenmiş, metal bir sandalye vardı. Demirden yapılmış sandalyenin ek yerleri kalın ve çok iyi lehimlenmişti üstelik yarı karanlıkta hafif parlıyordu. Üzerinde el ve ayak bilekleri çadır bezinden şeritlerle sandalyeye bağlanmış bir adam oturuyordu.

"Ne manzara, değil mi?" Makepeace, heyecanını zor zaptediyordu. Atlayıp Mandrake'nin yanında resmen dans etmeye başladı.

Bilinci yerinde olan mahkum, panik dolu gözlerle onlara bakıyordu. Kabaca bağlanmış bir ağız tıkacı ağzını, ayrıca bıyığıyla sakalının bir bölümünü örtmüştü. Bakımsız sakalı sarıydı, tek yanağında bir yara izi vardı. Giydiği halk tipi elbisenin yakası yırtıktı.

"Bu... Kim bu?" Mandrake konuşmakta zorlandı.

"Bu yakışıklı mı?" Makepeace kıkırdadı. Yıldızlardan küçüğüne sıçrayıp mumları yakmaya başladı. "Battersea çelik işçileriyle çıkan sorunu mutlaka duymuşsundur. 'Greve' gitmişlerdi. Anlaşıldığına göre zamanlarını fabrika dışında parti yaparak geçiriyorlar. Neyse, dün gece geç vakit ajanlarım bu ahbabımızı bir kamyonun arkasında işçilere nutuk atarken görmüş. Sesi oldukça gürmüş. Gerçek bir hatip. Kalabalığa yirmi dakika boyunca nasıl da isyan etmeleri gerektiği, büyücüler için bavullarını toplama vaktinin nasıl da hızla yaklaştığı gibi konularda atıp tutmuş. Sonunda da bayağı bir alkış almış. Ama her ne hikmetse bütün gece işçilerle birlikte soğukta beklemek yerine hemen evinin yolunu tutmuş. Benim çocuklar da takip edip kimsecikler görmeden kafasına vuruvermişler. Sonra da buraya getirdiler. O iblis değneğine ihtiyacım olacak, sakıncası yoksa. Yo, bir kez daha düşündüm de değneği *sen* tut. Çağırmayı yaparken ellerim dolu olacak."

Mandrake'nin başı dönüyordu. "Ne çağırması? Ne...?" Şaşkınlığı heyecana dönüşmüştü. "Quentin, bana tam olarak ne yaptığını söyler misin lütfen?"

"Daha iyisini yapacağım. Sana göstereceğim." Makepeace mumları yakmayı bitirdi, büyülü harfleri ve tütsü taslarını gözden geçirdi ve tutsağın karşısına sıçrayıverdi. Narin parmaklarıyla ağız tıkacını yönlendirdi. "Bunu kullanmak hoşuma gitmiyor ama sesini kesmek zorundaydım. Delikanlı, *bayağı* bir yaygara kopardı. "Şimdi, *sen* –yüzündeki tebessüm yok oldu–

"sorularıma tam olarak cevap ver, yoksa neler olacağını biliyorsun." Tıkaç çekilip alındı, sıkılmış dudaklara yeniden renk geldi. "Adın nedir?"

Bir öksürük ve yutkunma sesi. "Nick... Nicholas Drew efendim."

"Mesleğin?"

"T... tezgahtar."

"Demek halktan birisin?"

"Evet."

"Boş zamanlarındaysa siyasi eylemcisin."

"E... evet efendim."

"Çok güzel. Küçültücü ateş nedir ve ne zaman uygulanır?"

Soru ok hızıyla gelmişti; mahkum irkilip anlayamayan gözlerle Makepeace'e baktı. "Ben... Ben... Bilmiyorum..."

"Haydi, haydi. Cevap ver. Yoksa bu arkadaşım seni değneğiyle dürtüverir."

Mandrake öfkeyle kaşlarını çattı. "Makepeace! Bu saçmalığa hemen..."

"Bir saniye evlat." Büyücü, tutsağının üstüne iyice eğildi. "Demek, acı çekme pahasına bile olsa yalanına devam ediyorsun?"

"Yalan değil! Yemin ederim! O ateşi hiç duymadım! Lütfen..."

Geniş bir tebessüm. "Güzel. Bu da yeter." Tıkaç seri hareketlerle yeniden takıldı. Makepeace diğer yıldıza atladı. "Duydun, değil mi John?"

Mandrake'nin yüzü şok ve gitgide artan bir tiksintiyle bembeyaz olmuştu."Makepeace, bu gösterinin amacı nedir? Sokaklardan adam toplayıp işkence yapamayız..."

Yazar burnundan sesler çıkartarak güldü. "İşkence mi? O

çok iyi. Kılına bile zarar gelmedi. Üstelik, onu duydun. Bir eylemci, ulusumuza karşı bir tehdit. Ama ona zarar vermeye niyetim yok. Sadece ufak bir deney yapmama yardımcı oluyor. Seyret..." Teatral bir duruş aldı, parmakları orkestra yönetmeye hazırlanır gibi açılıp kapandı.

Mandrake öne doğru bir hamle yaptı. "Buna bir son vermen konusunda ısrar..."

"Dikkat, John. Bir çağırma töreni sırasında rahat durmak gerektiğini sen de bilirsin." Bunun üstüne, oyun yazarı seri şekilde büyülü sözcükleri sıralamaya başladı. Işıklar karardı, nereden geldiği bilinmeyen bir esinti mum alevlerini titreştirdi. Yan odadaki çelik kapı menteşelerinden oynadı. Mandrake, geriye bir adım atıp içgüdüsel olarak elindeki sopayı kaldırdı. Bilinçsizce sözcükleri dinledi: Latince... Oldukça tipik bir çağırma, bildik cümleler... Demonun adı: Borello... Ama bir saniye, o *in corpus viri* kısmı neydi öyle...? 'Şurada göreceğin kabın içine...' 'Kabın iradesine itaat et" ... Bu garip ve alışılmadıktı...

Çağırma tamamlandı. Mandrake'nin gözleri, kara bir gölgenin titreştiği sandalyeye kaydı. Gölge hemen kayboldu. Adamın vücudu, sanki tüm kasları gerilmiş gibi sarsıldı, sonra gevşedi. Mandrake bekledi. Rüzgar duruldu, ampul yeniden yandı. Sandalyedeki genç adam hareketsiz ve edilgendi. Gözleri kapanmıştı.

Makepeace ellerini indirdi. Mandrake'ye göz kırptı. "Şimdii..."

Öne doğru bir adım attı. Mandrake yutkunup uyarmak için bağırdı. "Dur, aptal! Demon orada! Bunu yapmak intihar..."

Makepeace, uykusunu almış bir kedi kadar sakin ve yavaş kendi çemberinden çıkıp ötekine girdi. Hiçbir şey olmadı. Sırıtarak tıkacı tekrar çıkarıp tutsağın yanağını hafifçe tokatladı. "Bay Drew! Uyanın! Şimdi uyumanın sırası değil!"

Delikanlı yorgun argın kıpırdandı. Bağlı ellerini ve ayaklarını gerdi. Gözlerini açıp rüyadaymış gibi etrafa bakındı. Durumunu hatırlamakta zorlanır gibiydi. Her şeye rağmen etkilenen Mandrake biraz yaklaştı.

"O sopayı hazır tut," dedi Makepeace. "İşler ters gidebilir." Adama eğilip tatlı tatlı konuştu. "Adın ne dostum?"

"Nicholas Drew."

"Bu senin *tek* ismin mi? İyice düşün. Başka adın var mı?"

Sessizlik. Adamın yüzü kırıştı. "Evet, var."

"Nedir peki?"

"Borello."

"Hah, güzel. Söyle bakalım Nicholas, mesleğin nedir?"

"Tezgahtar."

"Peki küçültücü ateş nedir? Ne zaman uygulanır?"

Delikanlı anlamayarak kısa bir an kaşlarını çatsa da yüz ifadesi hemen kendine güvenli bir hal aldı. "Görevimizde kasten başarısızlığa uğradığımızda, itaatsizliğimiz için verilen cezadır. Sahibimiz özümüzü meşaleye atar. Bırr, bundan çok korkarız!"

"Çok güzel. Teşekkürler." Makepeace adamı bıraktı, yanındaki tebeşir çiziklerinin üstünden dikkatlice atlayıp ifadesiz bir yüzle bakan John Mandrake'ye yaklaştı. "Ne diyorsun evlat? Büyüleyici bir şey, değil mi?"

"Bilmiyorum... Zekice bir numara..."

"Bu yalnızca bir numara değil! Demon, kendini çocuğun içine hapsetti. Onu bir pentagram olarak kabul ediyor! Duymadın mı? Demonun bildiği herşey şimdi çocuğun idaresinde.

Küçültücü ateşin ne olduğunu hemen bildi. Daha önce bomboş olan beyni şimdi bilgiyle doldu! Şimdi, bununla yapabileceklerini..."

Mandrake kaşlarını çattı. "Bu etik olarak yanlış olabilir. Bu çocuk zoraki bir kurban. Üstelik halktan biri. Demonun bilgisini gereği gibi kullanamaz."

"Aha! Her zamanki gibi ileri görüşlüsün! Etik boyutunu bir an için bir kenara koy. Bir düşün..."

"Ne yapıyor?" Mandrake, nerede olduğunu yeni hatırlamış gibi görünen tutsağı inceliyordu. Bağlarından kurtulmaya çalışan delikanlının yüzü yeniden acı çeker gibiydi. Başını pirelerini kovmaya çalışan bir köpek gibi, bir–iki kez, vahşice sağa sola salladı.

Makepeace omuz silkti. "Ya içindeki demonu hissediyordur ya da demon onunla konuşuyordur. Söylemesi zor. Bunu daha önce halktan biriyle hiç denememiştim."

"Başkalarını da mı kullandın?"

"Sadece bir kez. Gönüllüydü. O zaman fazlasıyla başarılı olmuştuk."

Mandrake çenesini kaşıdı. Debelenip duran tutsağın görüntüsünden rahatsız olmuş, bu görüntü kafasını karıştırmıştı. Ne diyeceğini bilemiyordu.

Makepeace'inse böyle sorunları yoktu. "Bununla yapabileceğin şeylerin, dediğim gibi, sınırı yok. Yıldızın içine hiç zarar görmeden nasıl girdim, gördün mü? Demonun beni durduracak gücü yoktu çünkü tamamıyla *farklı* bir zindanın içine girmişti! Bak, bunu çok acil olarak görmeni istedim John çünkü sana güveniyorum, umarım ki aynı senin de bana güvendiğin gibi. Ve eğer..."

"Lütfen!" Sandalyedeki bedenden gelen ağlamaklı bir ses. "Dayanamıyorum! Ah, fısıldıyor! Çıldıracağım!"

Mandrake geriye kaçtı. "Acı çekiyor. Demon kurtulmuş olmalı."

"Az sonra çıkacak oradan, az sonra. Sesini kısacak kadar zihinsel yeteneği yok herhalde..."

Tutsak yeniden kıvranmaya başladı. "Bildiğim her şeyi anlatacağım! Halk hakkında, planlarımız hakkında! Size bilgi verebilirim..."

Makepeace suratını buruşturdu. "Hişt, casuslarımızın bilmediği hiçbir şey söyleyemezsin bize. Bağırıp çağırmayı bırak. Başım ağrıyor."

"Yo! Size Halkın Gücü'nü anlatabilirim! Elebaşlarının isimlerini!"

"Biz hepsini biliyoruz; isimlerini, karılarının isimlerini, ailelerini. Canımız isterse hepsini karınca gibi ezeriz. Şimdi, tartışılacak daha hayati meselelerimiz var..."

"Ama... *Bunu* bilmiyorsunuz: Eski Direnç'ten yaşayan bir kişi var! Londra'da saklanıyor! Onu gördüm, birkaç saat önce! Sizi oraya götürebilirim..."

"Bunlar artık tarih oldu." Makepace demir sopayı Mandrake'nin elinden alıp pat pat avucuna vurdu. "Ben sabırlı bir adamımdır Bay Drew ama artık canımı sıkmaya başladınız. Eğer susmazsanız..."

"Dur bir dakika." John Mandrake'nin değişen ses tonu yazarın donakalmasına neden oldu. "Hangi Direnç üyesiymiş bu? Bir kadın mı?"

"Evet! Evet, bir kız! Adı Kitty Jones ama şimdi başka isim kullanıyor... Ah, fısıldamayı *keser* misin?"

Mandrake'nin kulakları hafiften uğuldadı. Bir an başı döndü, düşecek gibi oldu. Ağzı kupkuruydu. "Kitty Jones mu? Yalan söylüyorsun."

"Hayır! Yemin ederim! Beni serbest bırakırsanız, sizi ona götürürüm."

"Bu sorgulama *cidden* gerekli mi?" Makepeace huysuzlanarak kaşlarını çattı. "Direnç olayı biteli çok oldu. Lütfen dediklerime konsantre ol John. Bu çok önemli, özellikle şu anki durumunda. John? *John*?"

Mandrake duymuyordu. Gözünün önünde esmer tenli bir oğlan kılığındaki Bartimaeus vardı. Yıllar önce arnavut kaldırımlı bir avluda dururken. Çocuğun konuştuğunu duydu. "*Golem onu yok etti ... Birkaç saniye içinde yanıp kül oldu.*" Kitty Jones ölmüştü. Cin öyle söylemişti. Mandrake de ona inanmıştı. Şimdiyse esmer oğlanın geçmişten gelen ağırbaşlı yüz ifadesi ürkünç biçimde değişerek alayla bakan, aşağılayıcı bir ifadeye bürünmüştü.

Mandrake tutsağın üzerine eğildi. "Onu nerede gördün? Söylersen serbest kalırsın."

"Kurbağa Bar, Chiswick! Clara Bell ismini kullanıyor. Artık lütfen..."

"Quentin, demonu kovup adamı hemen serbest bırakmanı rica edeceğim. Benim gitmem gerek."

Yazar sessizleşmiş, aniden içine kapanmıştı. "Tabii John... Sen öyle istiyorsan. Ama beklemeyecek misin? Söyleyeceklerimi dinlemeni şiddetle tavsiye ederim. Kızı unut. Daha önemli şeyler var. Bu deneyi seninle tartışmak..."

"Sonra Quentin, daha sonra." Mandrake'nin yüzü kireç gibiydi, kemerli kapıya çoktan ulaşmıştı.

"Ama nereye gidiyorsun? İşe dönmeyeceksin herhalde?"

Mandrake sıkılmış dişlerinin arasından konuştu. "Hayır. Benim de gerçekleştirmem gereken özel bir çağırma töreni var."

14

Öteki Taraf'da, daha önce de bir–iki kez belirtmiş olabileceğim gibi, zaman yoktur. Ama yine de orada yetersiz zaman geçirdiğinizde bunu çok iyi anlayabilirsiniz. Yeni bir çağırmanın amansız çekişini bir kez daha hissettiğimde girdabın besleyici enerjilerince tam olarak emilmemiştim bile; çağırmanın gücü beyazından ayrılan yumurta sarısı gibi içine çekip yeryüzünün katı ve acı dolu gerçekliğine bir kez daha fırlatıverdi beni.

Şimdiden. Üstelik özüm henüz iyileşmeye başlamamıştı bile. Maddesel dünyada son yaşadıklarım, özüm için o denli acı verici, o denli tehlikeliydi ki neler olduğunu tam olarak hatırlayamıyordum. Ama bir şey yeterince açıktı: Beni uyuşturan o lanet olası zayıflığım! Nemrut büyücülerini dağıtmaya; Berberistan kıyılarını ateşe vermeye; Ammet, Koh ve Jabor'u fır döndürerek kötü yazgılarına yollamaya kudretli olan *ben*, o aynı Bartimaeus, nasıl olurdu da ruhunu şeytana satmış bir avuç balıkçıyla en ufak bir patlama bile yollayamacak kadar zavallı ve işe yaramaz bir kurbağa olarak kaçmaya mahkum edilirdim.

Bütün bu hayhuy içinde ölüme hep o kadar yakındım ki en doğal hakkım olan öfkeyi bile tam olarak hissedememiştim. Ama şimdi hissediyordum. Öfkenin ta kendisiydim.

Sahibimin kovuşunu hayal meyal hatırlıyordum. Herhalde yere yaydığım pislikten hoşlanmamıştı. Belki de içine düştüğüm sefalet sonunda onu utandırmıştı. Her neyse nedeni ne olursa olsun, fikrini değiştirmesi uzun sürmemişti.

Güzel. Artık onunla işim bitmişti. İkimiz de ölümümüze gidecektik. Gerçek ismini ona karşı kullanacaktım, sonucu ne olursa olsun. Son isteğim, onun can çekiştiğini görmekti.

Ayrıca sıradan bir sürüngen olarak dönmeye de niyetim yoktu.

Yeryüzünden ayrı olduğum o kısa süre içinde Öteki Taraf sihrini göstermişti. Birazcık olsun enerji emmeyi başarabilmiştim. Fazla uzun sürmeyecekti ama bundan sonuna kadar faydalanacaktım.

Cisimlenirken özümde kalan ne varsa duygularımı en saf biçimde yansıtacak bir şekle girmek için kullandım, yani karpuz gibi kasları, dizi dizi dişleri olan koca boynuzlu bir demon. Aklınıza ne gelirse vardı. Kükürt fırtınası, mızrak gibi bir kuyruk, kanatlar, toynaklar, pençeler, hatta araya serpiştirilmiş birkaç kamçı. Gözlerim yanan olta kancalarıydı, tenim soğuyan lav gibi kızıl kızıldı. Fazla özgün sayılmaz ama niyetimi belirtmek için oldukça uygundu. Odada yaşayan ölüleri takır tukur tabutlarına yollamaya yetecek bir gökgürültüsüyle patladım. Bunu intikama susamış bir öfke uluması takip etti, Anubis'in Memphis gömütleri etrafında fırsat kollayan çakallarından çıkabilecek türden bir uluma. Yalnız daha yüksek ve daha uzun süreli, doğal olmayan bir şekilde uzatılmış ürkünç bir uğultu.

Aslında, karşı pentagramdaki kişiyi görüp iyice afalladığımda ulumalarım daha yeni başlamıştı. Çığırtkan kükreyiş, birkaç oktav düşerek titrek bir gargara sesine, oradan da kafa sesiyle atılmış bir ciyaklamaya dönüşüp bir soru işaretiyle sona erdi. Demon, deri kanatları böğründe, kamçılarını çırparak geri geri gitti, poposu dışarıda, dengesini zar zor sağlayarak öylece kalakaldı. Kanatları yana düştü, kamçılar aşağı sarktı. Kabaran kükürt bulutu, ürkek bir damlacık haline dönüşerek toynaklarımın arkasında gizlice gözden kayboldu.

Öylece durup bakakaldım.

"Tamam," dedi kız ters ters. "Salak salak bakmayı bırak. Daha önce hiç bir kadın tarafından çağırılmadın mı?"

Demon, kaslı parmaklarından birini kaldırıp çenesini yerine oturttu. "Evet, ama..."

"Aması yok. Mızmızlanmayı bırak."

Demonun ağzından, kuyruğuyla tıpa tıp aynı, çatallı bir dil çıkarak dudaklarını ıslattı. "Ama... Ama.. Dur bir dakika...."

"Ayrıca, bu ne biçim bedenlenme böyle?" diyerek konuşmaya devam etti kız. "Bu gürültü! Bu iğrenç koku! Bütün bu kanatlarla yamrı yumru nasırlar! Neyi kanıtlamaya çalışıyorsun?" Gözleri kısıldı. "Bir şeyin acısını çıkarmak ister gibisin."

"Bak," diye başladım, "Bu kurumsallaşmış, geleneksel bir..."

"Geleneksel falan değil. Giysilerin nerede?"

"Giysilerim mi?" dedim zayıf bir sesle. ""Bu kılığa girdiğimde genelde modayla pek uğraşmam."

"En azından bir şort falan giyebilirdin. Çırılçıplaksın."

"Kanatlarıma uyar mı emin değilim..." Demon alnını kırıştırıp gözlerini kırpıştırdı. "Dur bakalım, bu kadar yeter!"

"Deri şort giyersen, kanatlarına da uyar."

Zorlanarak da olsa kendimi toparladım. "Kes! Bırak şortu falan! Esas konu... *Esas* konu.. *Sen* burada ne yapıyorsun? *Beni* çağırarak! Anlamıyorum! Buradaki her şey yanlış!" O şaşkınlık içinde kurumsallaşmış ve geleneksel korkutma numaralarına bir son verdim. Dev gibi demonun küçülüp titreşerek beş köşeli yıldıza daha uygun bir boyut alması özümü de oldukça rahatlattı. Deri kanatlarım omuzlarımda iki yumru halini aldı, kuyruğum geri çekilip gözden kayboldu.

"*Neden* yanlışmış?" diye sordu kız. "Son karşılaşmamızda bana bahsettiğin o sahip/köle numaralarından biri yalnızca. Bilirsin: *Ben* efendiyim, *sen* kölesin. *Ben* emir veririm, *sen* sorgusuz sualsiz yerine getirirsin. İşlerin nasıl yürüdüğünü şimdi hatırladın mı?"

"Alaycılık güzel bir yüze yakışmaz," dedim. "O yüzden sivri dilli yorumlarına istediğin kadar devam edebilirsin. Ne demek istediğimi çok iyi anladın. *Sen büyücü değilsin.*"

Gülerek içinde bulunduğumuz durumu gösterir gibi bir hareket yaptı. "Öyle mi? Bir büyücüden neyim eksik acaba?"

Pentagrama uygun boyuttaki demon soluna baktı. Pentagrama uygun boyuttaki demon sağına baktı. Kızın haklı oluşu sinir bozucuydu. Orada, bir pentagramın içinde hapsolmuştum. O ise başka bir pentagramın içinde dikiliyordu. Her yerde o bildik ıvır zıvırlar vardı: Mumlar, şamdanlar, tütsü kapları, tebeşirler, masanın üstünde koca bir kitap. Bunların dışında perdesi bile olmayan bomboş bir odadaydık. Tepemizdeki büyük dolunay yüzümüze gümüş ışığını saçıyordu. Zemin, çember ve büyülü harflerin çizili olduğu hafif yüksek ve pürüzsüz bölüm dışında eğri büğrü ahşap parkelerle kaplıydı. Leş gibi biberiye kokusunun yanında bütün oda rutubet, küf ve çeşitli kemirgen kokularıyla doluydu. Buraya kadar her şey çok *sıradandı*. Bu kasvetli manzarayla binlerce kez karşılaşmıştım, değişen tek şey penceredeki manzaraydı.

Ama esas aklımı kurcalayan beni çağıran sözde büyücünün kendisiydi.

Kitty Jones.

Elleri belinde, Nil halici kadar geniş bir tebessümle, yaşam dolu ve eskisinden de kendine güvenli, önümde duruyordu işte. Aynı Mandrake'nin tepesini attırmak için defalarca göründüğüm gibi.[1] Uzun, siyah saçları kulak hizasında kesilmişti. Yüzü belki hatırladığımdan biraz daha süzgündü. Ama golemi yendikten sonra sendeleyerek kaçtığı gün onu son görüşümden beri iyice form tutmuş görünüyordu. O günden bu yana ne kadar zaman geçmişti? Üç yıldan fazla değil. Ancak zaman onun için farklı işlemiş gibiydi. Gözleri, bir şekilde, edinilmiş bilginin rahatlığıyla bakıyordu.[2]

Hepsi iyi güzel de beni çağırmayı beceremezdi. Bunu *biliyordum*.

Cep demonu başını sağa sola salladı. "Bu bir oyun," dedim ağır ağır. Etrafa bakındım, bakışlarım bir kılıç keskinliğinde odanın köşesini bucağını deldi. "Gerçek büyücü buralarda bir yerlerde... Saklanıyor..."

Sırıttı. "Ne? Onu kolumun içine mi sakladım sence?" Kolunu sallaması biraz gereksizdi. "Ah. Yokmuş. Herhalde yaşın ilerle-

---

[1] Ya da hemen hemen. Ben bazen vücudunun kıvrımlarını abartırdım.

[2] Giydikleri o anda beni fazla ilgilendirmiyordu ama aranızdaki detaycılar için anlatayım: Siyah tünik ve pantolondan oluşan takımıyla çok alımlıydı, eğer ilginizi çeken buysa. Tüniğinin yakası açıktı, takı kullanmıyordu. Ayaklarında kocaman, beyaz spor ayakkabılar vardı. Şimdi kaç yaşında mıydı? On dokuz civarında, sanırım. Ona sormak hiç aklıma gelmedi, şimdiyse artık çok geç.

dikçe unutkan oluyorsun Bartimaeus. Büyüyü yapan *sensin*."

Duruma uygun şeytanca bir kaş çatışla onu ödüllendirdim. "Sen ne dersen de buralarda bir pentagram daha var... Olmalı... Daha önce de böyle numaralar görmüştüm... Hah, şu kapının arkasında mesela." Odanın tek çıkışını gösterdim.

"Yok."

Kollarımı kavuşturdum. Dördünü birden. "Evet, orada."

Gülmemek için kendini zor tutarak başını iki yana salladı. "Olmadığına sana garanti veririm!"

"İspat et! Kapıyı açıp göster bana."

Bir kahkaha attı. "Yıldızımdan dışarı çıkayım, öyle mi? Sen de beni parçalarıma ayır. Saçmalama Bartimaeus!"

Hayal kırıklığımı huysuz bir yüzle maskeledim. "Cık cık. Bahaneye bak. Orada olduğuna eminim. Beni kandıramazsın."

Yüz ifadesi hep değişken olmuştu. Şimdiyse sıkıntılı bir haldeydi. "Zaman kaybediyoruz. Belki *bu* seni ikna eder." Çabucak beş heceli bir sözcük söyledi. Yıldızımın ortasından yükselen leylak rengi bir alev hassas bir yerime süratle çarptı. Tavana kadar sıçrayışım acı dolu çığlığımı es geçmesine neden oldu, en azından bu amacıma ulaşmıştım. Tekrar yere indiğimde alev kaybolmuştu.

Tek kaşı havaya kalktı. "Artık bir pantolon giysen daha iyi olmaz mı sence de?"

Uzun ve derin bir bakış attım. "O Kızgın İğne'yi," dedim, toparlayabildiğim saygınlığın tümüyle, "sana geri yollamamayı seçtiğim için şanslısın. *İsmini* biliyorum, Bayan Jones. İstersem büyülerinden korunabilirim, yoksa daha oralara gelmedin mi?"

Omuz silkti. "Bir şeyler duymuştum. Ayrıntılarla ilgilenmiyorum."

"Tekrar söylüyorum: Sen büyücü değilsin. Büyücüler ayrıntılar konusunda takıntılıdır. Hayatta kalmalarını sağlayan şey budur. Önceki çağırmalarından nasıl sağ çıktın hayret ediyorum."

"Hangi öncekiler? İlk kez tek başıma yapıyorum."

Demon, alazlanmış poposundan hafif hafif yükselen yanık tost kokusuna rağmen durum geç de olsa kendi kontrolüne geçmiş gibi davranmak için elinden geleni yapıyordu. Ama bu yeni bilgi onu yeniden allak bullak etti.[3] Yine de dilimin ucuna kadar gelen o ağlak sorunun dile getirilmeden gelip geçmesine izin verdim. Sormanın anlamı yoktu. Neresinden bakarsan bak, burada olan her şey saçma sapandı. Ben de yeni ve beklenmedik bir strateji deneyip sessiz kaldım.

Bu kurnazca yaklaşım kızı şaşırtmış görünüyordu. Bir–iki saniye durakladıktan sonra konuşmayı sürdürmenin kendisine düştüğünü anladı. Sinirlerini yatıştırmak için derin bir nefes alıp konuşmaya başladı. "Evet, çok haklısın Bartimaeus," dedi. "Şükürler olsun ki büyücü *değilim*. Bu hayatımda yapıp yapacağım tek çağırma. Son üç yıldır bunu planlıyordum."

Tekrar nefes alıp sustu... Aklıma onlarca soru daha geldi.[4] Ama bir şey demedim.

"Bu yalnızca bir amaca hizmet edecek," diyerek devam etti. "Büyücülerin istediği şeylerle ilgilenmiyorum. Bunun için endişelenmen gerekmez."

---

[3] Biz üçüncü seviyeden cinler; kılı kırkyaran, mükemmeliyetçi, büyülü sözcüklerdeki en ufak hatayı yakalamak için kulak kesilen yaratıklar olduğumuzdan, çağırılması en kolay varlıklar sayılmayız. Bunun dışında, zorlu zekamız ve (genelde yanık tost kokusunu barındırmayan) ezici varlığımız nedeniyle de büyücüler yeterli ustalığa ulaşmadıkça bizleri çağırmaktan kaçınırlar.

[4] Her soruya karşılık olası yirmi iki çözüm, sonucunda ortaya çıkan on altı varsayım ve karşı önerme, sekiz soyutlama spekülasyon, dört bilinmeyenli denklem, iki aksiyom ve beş dizelik taşlamadan bahsetmiyorum bile. Alın size katıksız zeka.

Yeni bir sessizlik. Konuşmak mı ? Yo. Ağzımı bile açmadım.

"Bunların hiçbirini istemiyorum," dedi kız. "Engin bir güç ve servet elde etmek istemiyorum. Bunun aşağılık bir şey olduğunu düşünüyorum."

Kurşundan çizmeler giymiş bir kaplumbağa hızında ilerlese de stratejim işe yarıyordu. İstediğim açıklamayı elde ediyordum.

"Köleleştirilmiş varlıklara hükmetmeyi de *kesinlikle* istemiyorum," diye ekledi hevesle. "Eğer aklındaki şey buysa."

'Hükmetmekle ilgilenmiyor mu?' Stratejim anında işe yaramıştı; ama hey, esas ben bir dakikadan fazla sessiz kalmayı başarmıştım, bu bile başlı başına bir rekor sayılırdı. Küçülmüş demon ahlayıp ohlayarak yanık bölgeyi parmakladı. "Öyleyse bunu göstermek için garip bir yöntem kullanıyorsun. Ben burada acılar içindeyim, bildiğin gibi."

"Sadece bir şeyden emin olmanı istemiştim, o kadar," dedi. "Bak, şunu yapmasan olmaz mı? Dikkatimi dağıtıyorsun."

"Neyi yapmayacağım? Yalnızca dokunuyorum..."

"Neye dokunduğunu çok iyi gördüm. Kes şunu. Ayrıca bu konudan bahsetmişken şu görüntünü değiştiremez misin? Bu cidden gördüğüm en berbat bedenlenme. Daha ince zevkli olduğunu sanırdım."

"*Bu mu* berbat?" Islık çaldım. "Sen gerçekten fazla çağırma yapmamışsın anlaşılan. Tamam o zaman, madem bu kadar duyarlısın. Ben de edepli davranacağım." En sevdiğim görünümü aldım. Bedeninde kendimi rahat hissettiğim için Batlamyus bana uyuyordu, yanık yerleri peştamal altında kaldığından kıza da uyardı.

Ben değişir değişmez, gözleri canlandı. "*Evet,*" diye fısıldadı duyulur duyulmaz bir sesle. "*İşte bu!*"

Gözlerimi kısıp ona baktım. "Pardon, yardım edebileceğim bir şey var mı?"

"Yo, yok bir şey. Şey, bu... Bu çok daha iyi bir görünüm." Ama soluğu kesilmiş, heyecanlanmıştı ve kendini yeniden toparlaması birkaç saniyesini aldı. Yere bağdaş kurup bekledim.

Kız da yere oturdu. Nedense aniden biraz daha rahatlamıştı. Sözcükler az önce ağzından ağır ağır ve beceriksizce çıkarken şimdi sular seller gibi akmaya başlamıştı. "Şimdi, beni çok dikkatli dinlemeni istiyorum Bartimaeus," dedi, parmaklarını yere geçirip öne doğru eğilerek. Ben dikkatle parmakları inceliyordum, olurda tebeşir izlerinden birine değer, belki bir parça siler diye. Söyleyeceklerini elbette merak ediyordum ama bir kurtuluş fırsatını da gözden kaçıracak değildim.

Batlamyus çenesini eline dayadı. "Devam et. Dinliyorum."

"Güzel. Of, bu kadar iyi gitmesine o kadar *sevindim* ki." Poposu üstünde ileri geri sallanırken sevinçten neredeyse kendine sarılacaktı. "Başaracağımı düşünmeye bile cesaret edemiyordum. Öğrenmem gereken öyle çok şey vardı ki *tahmin* bile edemezsin. Şey... Belki de edersin," diyerek hakkımı teslim etti, "ama ilk başından beri hiç de eğlenceli olmadığını söyleyebilirim sana."

Koyu renk gözlerimin üzerindeki kaşlar çatıldı. "Tüm bunları üç yılda mı öğrendin?" Etkilenmiş, bir o kadar da şüphelenmiştim.

"Seni gördükten sonra başlamam uzun sürmedi. Yeni kimlik belgelerimi alır almaz. Kütüphanelere gidip büyüyle ilgili kitaplar ödünç aldım..."

"Ama büyücülerden nefret edersin!" diye patladım. "Yaptıklarından nefret edersin. Üstelik biz varlıklardan da nefret ediyorsun! Bunu yüzüme karşı söylediğinde, duygularımı oldukça incittiğini de eklemem gerek. Ne değişti de bizlerden birini çağırmaya karar verdin?"

"Ah, peşinde olduğum *herhangi* bir demon değildi," dedi. "Bunca zamandır çalışmamın, o... aşağılık teknikleri öğrenmemin bütün amacı *seni* çağırmaktı."

"Beni mi?"

"Şaşırmış görünüyorsun."

Kendimi toparladım. "Hiç de değil, hiç değil. Fikrini değiştiren ne oldu? Muhteşem kişiliğimdir herhalde? Yoksa zeka fışkıran sohbetim mi?"

Kıkırdadı. "Eh, kişilik değil tabii. Ama evet, bunu sağlayan, hayallerimi tetikleyen şey, daha önce ettiğimiz sohbetlerdi."

Doğrusu, o konuşmayı ben de hatırlıyordum. Üç yıl geçmişti ama şimdi daha uzun geliyordu, uzatmalı sahibim Nathaniel o zamanlar hâlâ diğer bakanlar tarafından dışlanan ve tanınmak için can atan bir zavallıydı. Kitty Jones'la yollarımızın ikinci kez kesişmesi, golem krizinin ortasına, Londra'nın bu kilden canavar ve Honorius denen ifrit tarafından talan edildiği dönemlere rastlıyordu. Hem güçlü kişiliği hem de taviz vermez idealistliğiyle o zaman da beni etkilemişti, bunlar bir büyücüde çok nadir biraraya gelen özelliklerdi. Halktan biriydi, kötü eğitim görmüş, çevresinde olanları tam olarak anlayamayacak kadar cahil bırakılmıştı ama yine de her şeye meydan okuyor ve değişime olan inancını yitirmiyordu. Bunun da ötesinde düşmanının çizmesini yalayacak kadar bile değeri olmayan aşağılık bir zavallının hayatını kurtarmak için kendininkini riske atmıştı.[5]

---

[5] Bu da benim sahibimdi. Tahmin etmiş miydiniz?

Evet, beni gerçekten etkilemişti. Aslında, biraz düşününce sahibimi de.

Sırıttım. "Demek duydukların hoşuna gitmişti, ha?"

"Düşünmeme neden oldun Bartimaeus, kurulup yok olan uygarlıklar hakkında bütün o anlattıklarınla. Her şeyi bırak, bana tekrarlanan *kalıplar* olduğunu söylemiştin ve ben bunları bulmam gerektiğini biliyordum." Bunu söylerken vurgulamak için yere bastırdığı parmağı neredeyse kırmızı tebeşir izine değecekti. Çok yaklaşmıştı, çok. "Ben de," dedi kısaca, "araştırmaya başladım."

Batlamyus peştemalının kenarını düzeltti. "Hepsi iyi güzel de masum bir cini istirahat ettiği yerden acımasızca çekip almak da pek hoş değil. Özümün acilen bir molaya ihtiyacı var. Mandrake beni,"–el ve ayak parmaklarımla çabucak bir hesap yaptım–"son yedi yüz günün altı yüz sekseni boyunca kendi hizmetinde tuttu. *Bu da* bendeki etkisini gösterdi. Kasanın dibinde kalmış bir elma gibiyim. Bakıldığında tatlı ve taze görünüyorum ama kabuğumun altı çürümüş ve posaya dönmüş durumda. Sen beni iyileştirecek olan yerden çıkardın."

Başını yana eğmişti, gözleri bana alttan bakıyordu. "Öteki Taraf'dan diyorsun."

"Öyle de derler."

"Şey, seni rahatsız ettiğim için üzgünüm." Sanki tek yaptığı beni ufak bir şekerlemeden uyandırmakmış gibi konuşuyordu. "Ama bunu yapabileceğimi bile bilmiyordum. Tckniğimin hatalı olabileceğinden korkuyordum."

"Tekniğinin bir şeysi yok," dedim. "Aslında bayağı iyi. Bu da beni en merak ettiğim soruya getiriyor. Beni çağırmayı *nasıl* öğrendin?"

Gösteriş yapmadan omzunu silkti. "Eh, çok da zor olmadı. Ne düşünüyorum biliyor musun? Büyücüler, halkı dışarıda tutabilmek için bunca yıldır işin zorluğunu abartmışlar. Sonuçta, gerekli olan nedir? Cetvel, ip ve pusula yardımıyla dikkatlice çizilecek bir–iki çizgi. Birkaç büyülü harf, bazı sözcükler. Tütsü ve ot almak için pazara gitmek... Biraz huzur ve sessizlik, biraz ezber... Bunları yaparsan, beceriyorsun."

"Yo," dedim. "Halktan biri bunu daha önce hiç yapmadı, bildiğim kadarıyla. Duyulmadık şey. Yardım almış olmalısın. Lisanlar, harfler ve çemberler, otların tehlikeli karışımı; bütün bunlar konusunda. Bir büyücü var. Kim o?"

Kız saçının birazını kulağının arkasına tıkıştırdı. "Şey, sana onun *ismini* verecek değilim. Ama haklısın. Yardım aldım. Tam olarak bunu yapmak için olmadığını söylememe gerek yok. Beni daha çok hevesli bir amatör olarak görüyor. Ne yaptığımı bilse uçururdu." Güldü. "Şu anda iki kat aşağıda derin uykuda. Aslında bayağı tatlı biri. Neyse, zaman aldı ama işler fena gitmedi. Bunu daha fazla insanın denemeyişine şaşıyorum."

Batlamyus şişkin göz kapaklarının altından ona baktı. "*Çoğu* insan," dedim anlamlı anlamlı, "çağırabilecekleri şeyden fazlasıyla çekiniyor."

Başını salladı. "Doğru. Ama söz konusu demondan korkmuyorsan o kadar da kötü bir şey değil."

Yerimden sıçradım. "Ne?"

"Eh, sözcükleri yanlış söylersen ya da pentagramı yanlış çizersen falan, korkunç şeyler olabileceğini biliyorum ama bunların olup olmaması daha çok söz konusu demona –özür dilerim, tabii ki cin demek istedim– söz konusu cine bağlıdır. Değil mi? Eğer hiç tanımadığım yaşlı bir ifrit olsaydı anlaşamayacağımızdan biraz endişe duyardım. Ama biz zaten tanışıyoruz, öyle değil mi, senle ben?" Dostça gülümsedi. "Ve ufak hatalar yapsam bile bana zarar vermeyeceğini biliyordum."

Bir kez daha kırmızı tebeşir izinin yakınlarında oynaşan ellerini izledim... "Öyle mi dersin?"

"Evet. Yani, geçen sefer az çok bir ekip gibi çalışmıştık, değil mi? Biliyorsun, şu golem işinde. Sen ne yapacağımı söyledin. Ben de yaptım. İyi bir ortaklık olmuştu."

Batlamyus göz kenarlarını ovuşturdu. "O zaman küçük bir fark vardı," diyerek göğüs geçirdim, "sanırım senin için dile getirmem gerekiyor. Üç yıl önce her ikimiz de Mandrake'nin insafına kalmıştık. Ben onun kölesiydim, sen de tutsağı. Paçamızı kurtarmak için onun işini bozmak ikimizin de ortak çıkarınaydı."

"Kesinlikle!" diye bağırdı. "Biz de..."

"Bunun dışında ortak hiçbir şeyimiz yoktu," dedim soğukkanlılıkla. "Biraz çene çaldık, doğru. Golemin zayıf noktaları hakkında sana birkaç ipucu verdim, bu da doğru ama bunu yalnızca bilimsel bir merakla yapmıştım. O eşsiz küçük vicdanının sapkınlıkta nereye kadar gidebileceğini görmek için. Sapkınlığı da kimseye kaptırmadı zaten."

"Bunu kabul..."

"*Eğer* biraz susup da dinlemeyi becerebilirsen," dedim, "o zamanla şimdiki zaman arasındaki belirgin farka parmak basabilirim. O zaman, her ikimiz de büyücülerin kurbanıydık. Anlaştık mı? Tamam. Ama şimdi, içimizden biri, yani *ben*" –çıplak, esmer göğsüme vurdum– "hâlâ kurban, hâlâ bir köleyim. Diğerine gelince... O taraf değiştirdi."

Başını iki yana salladı. "Yo."

"O bir dönek..."

"Ben..."

"Çift taraflı oynayan bir hain..."

"Bartim..."

"Kölelikle geçen sayısız yıllarıma yenilerini eklemek için dostummuş gibi davranan işbirlikçi, kaypak, çıkarcı, ikiyüzlü bir sahtekar. Lanetli sanatları hiçbir zorlama ve baskı olmaksızın öğrenmeye karar vermiş biri! Nathaniel ve diğerleri için söylenecek bir şey var: Bu konuda başka şansları yoktu. Çoğu, ağaç daha yaşken eğilir hesabı, karar verebilecek yaşa gelmeden önce büyücü olarak yetiştirildi! Ama sen, onlardan başka yol seçebilirdin. Onun yerine kalkıp Bartimaeus'u kölen yapmaya karar verdin. Şakir el Cin, Gümüş Tüylü Yılan, Iroquois'in kurt çeneli koruyucusu Bartimaeus'u. Ve bütün cehaletinle sana zarar vermeyeceğimi düşünüyorsun! Eh, sana söyleyeyim küçük hanım, beni hafife alarak canını tehlikeye atıyorsun! Ben binlerce numaranın, yüzlerce silahın ustasıyım! Ben... Aah!"

Hararetle konuşurken sözcüklerimi bir dizi seri parmak hareketiyle süslüyordum, parmaklardan biri de gidip çizgiyi geçmiş, kendi pentagramımın kırmızı tebeşirine dokunuvermişti. Sarı kıvılcımlı küçük bir patlamayla birlikte özüm ters tepti. Gerisin geri havaya uçup öbür taraftaki çizginin üstüne düşmemek için havada tepe taklak deliler gibi pedal çevirdim. Çaresizlikten gelen bir atiklikle bunu başardım ve kararmış bir suratla peştemalım paramparça yere indim.

Kız ortaya çıkan ikinci sonucu onaylamayan bir dudak kıvırışla izledi. "Cık cık," dedi. "Tekrar başa döndük."

Kumaş parçalarını özenle yeniden düzenledim. "Gerçek değişmedi. Beni çağırarak rollerimizi yeniden tanımlamış oldun.

Aramızda nefretten başka bir şey olamaz."

"Of saçmalama," dedi. "Sana başka türlü nasıl ulaşacaktım? Seni kölem yapmıyorum, seni budala. Yalnızca bir konuyu tartışmak istemiştim, eşit olarak."

Kaşlarımdan geri kalanı yukarı kaldırdım. "Bu pek mümkün değil. Bir kene bir aslana danışır mı hiç?"

"Öf, bırak şu burnu havada numaralarını. Şu Nathaniel kimmiş, onu söyle sen?"

Bilmiyormuş gibi gözlerimi kırpıştırdım. "Kim? Hiç duymadım."

"Daha demin Nathaniel diye birinden bahsettin."

"Yok, yok, yanlış duymuş olmalısın." Hemen konuyu değiştirdim: "Bu fikir tamamen saçma zaten. İnsanlar ve cinler arasında eşitlik imkansızdır. Genç ve akılsızsın, o yüzden belki sana karşı fazla sert olmamam gerek ama yanlış yola sapmışsın. Ben beş bin yılı aşkın zamandır yüzlerce sahip tanıdım, pentagramlar ister çöl kumunun üstüne ister bozkırlardaki çayır çimen üstüne çizilmiş olsun, çağıranlarla aramdaki husumet hep büyük ve ebedi olmuştur. Hep böyleydi. Hep de böyle kalacak."

Sözlerimi, tartışmaya yanaşmayacağımı belirten ekolu ve yankılı ses tonlarıyla bitirdim. Boş odada bir tirat gibi ileri geri çınladılar. Kız saçlarını geriye doğru yatırdı.

"Tam bir zırvalık," dedi. "Peki ya Batlamyus ve sen?"

15

Kitty varsayımının doğru olduğunu o an anladı. Cinin tepkisi bunu açıkça göstermişti. Genç Mısırlı çocuk, pentagramın sınırında geçirdiği kazadan beri yüzünü ona dönmüş, çenesini ve göğsünü öne çıkartmış, uzun cümlelerine eşlik eden elleri oraya buraya savruluyor, arada düşen peştemalını çekiştiriyordu. Ancak Kitty bunları söyler söylemez, bütün o esip gürlemesi kesilmişti. Üstüne büyük bir durgunluk çökmüştü. Yüzü tamamen donuklaşmış, bedeni sanki bir şekilde zamana yenilmişçesine ağırlaşmıştı. Yalnızca gözler hareket ediyordu, yavaş, çok yavaş; gözbebekleri bakışlarını ona sabitlemek için bir küçülüp bir büyüyordu. Çocuğun hep koyu renk olan gözleri, şimdi kapkara olmuştu. Kitty, istemeden gözlerini onlardan ayıramadığını fark etti. Bulutsuz bir geceye bakmak gibiydi; simsiyah, soğuk ve sonsuz, içinde parıldayan minik ışıklar, uzak ve ulaşılmaz... Ürkütücü ama yine de güzeldi. Pencereye doğru çekilen bir çocuk gibi Kitty de gözlerini onlardan alamıyordu. Kendi yıldızının ortasında güven içinde oturmaktaydı. Şimdiyse yarı bağdaş kurup tek koluna yaslanarak diğer kolunu yavaşça o gözlere, gözlerdeki o yalnızlığa ve boşluğa doğru uzatmadan edemedi. Kendi dairesinin kenarına ulaştığında parmak uçları titredi, içini çekti, duraksadı, uzandı...

Çocuk, göz kapakları bir kertenkeleninki gibi seğirerek gözlerini kırpıştırdı. Kitty'nin tüyleri ürperdi, elini bir anda geri çekti. Alnından süzülen boncuk boncuk terlerle pentagramının ortasına büzüştü. Çocuk buna rağmen kıpırdamadı.

"Benim hakkımda," dedi bir ses, "ne bildiğini zannediyorsun?"

Ses, tüm çevresini sarmıştı –yüksek değil ama çok yakınında– daha önce duyduğu hiçbir sese benzemeyen bir ses. İngilizce konuşsa da sanki konuştuğu dili tuhaf ve yabancı bulurmuş gibi garip bir aksanla, çok yakınında ama yine de belirsiz bir uzaklıktan üzerine serpilirmiş gibi kendine özgü bir ses.

"Ne biliyorsun ki?" dedi ses yeniden biraz daha usulca. Cinin dudakları kıpırdamıyordu, siyah gözleri ona kilitlenmişti. Kitty dişlerini sıkmış, titreyerek yere doğru eğildi. Sesteki bir şey onu felç ediyordu, ama ne? Ne tam olarak şiddet dolu ne de öfkeli bir sesti. Ama bilinmedik bir yerdeki bir güce, aynı zamanda bir çocuğa ait, korkunç bir iktidara sahip bir sesti.

Başını eğip dilini yutmuş gibi sallayarak yere baktı.

"SÖYLE!" *İşte şimdi* ses öfke doluydu, konuştuğunda odada büyük bir gürültü kopmuştu. Bir gök gürlemesi gibi pencereleri sarsarak ahşap zeminde dalgalandı, duvardaki çürük sıvalar yer yer koparak yere düştü. Kapı çarpılarak kapandı (ama ne kapıyı açmıştı ne de açıldığını görmüştü); pencere çatırdayarak paramparça oldu. Aynı anda odada esmeye başlayan güçlü bir rüzgar etrafını sardı, hızlandıkça hızlandı, biberiye ve üvez ağacı kaplarını havaya uçurup duvarlara çarptı. Kitabı ve mumları, çantasını, kaplarını ve bıçaklarını kapıp odanın içinde ıslıklar çalıp uğuldayarak yukarı aşağı, görüntüler birbirine karışana kadar durmaksızın döndürdü. Artık duvarların kendisi bile sarsılıyordu, yerdeki yuvalarından çıkıp bu çılgınca dansa katılarak dönerken etrafa tuğlalar saçıp tavanın altında dört döndüler. En sonunda tavan da kalmadı, dönüp duran yıldızlar ve Ay, her yöne giden soluk beyaz çizgiler haline gelen bulutlarla birlikte gecenin o müthiş enginliği üzerlerinde yükseldi, ta ki çemberleri içindeki Kitty ve çocuk evrendeki durağan tek iki nokta olarak kalana kadar.

Kitty, ellerini yüzüne kapatıp başını dizlerinin arasına gömdü. "Lütfen dur," diye bağırdı. "Lütfen!"

Ve kargaşa kesildi.

Gözlerini açtı, bir şey göremedi. Elleri hâlâ yüzündeydi.

Kasılmış ve acı dolu bir dikkatle başını kaldırıp ellerini indirdi. Oda aynı eskisi gibiydi, hep olduğu gibi. Kapı, kitap, mumlarla pencere, duvarlar, tavan, zemin, pencerenin ötesinde sakin bir gökyüzü. Her şey sessizdi, bir tek Karşı pentagramdaki çocuk şimdi hareketlenmişti. Bacaklarını ağır ağır büktü, sonra sanki bütün enerjisi tükenmiş gibi kendini bir anda bırakarak yere oturdu. Gözleri kapalıydı. Elini bitkince yüzünden geçirdi.

O zaman Kitty'e baktı ve gözleri, hâlâ karanlık olsalar da önceki kadar boş değillerdi. Konuştuğunda sesi normale dönmüştü ancak yorgun ve hüzünlü çıkıyordu. "Eğer bir cin çağırıyorsan," dedi, "geçmişini de onunla birlikte çağırırsın. En akıllıcası bir tek bugünden bahsetmektir, yoksa neleri tetikleyeceğini bilemezsin."

Kitty, zar zor doğrulup yüzünü ona döndü. Saçları terden sırılsıklamdı, elini saçlarından geçirip alnını sildi. "Buna hiç gerek yoktu. Ben yalnızca..."

"Bir isim söyledin. İsimlerin nelere kadir olduğunu bilmen gerekirdi."

Kitty boğazını temizledi. İlk korkusu diniyor, yerini hızla göz yaşlarını akıtacak bir duyguya bırakıyordu. Göz yaşlarını bastırdı. "Eğer bir tek bugünden bahsetmek istiyorsan," diyerek öfkeyle yutkundu, "o zaman neden *onun* şeklini almakta ısrar ediyorsun?"

Çocuk kaşlarını çattı. "Bugün biraz fazla zekisin Kitty. *Birinin* kılığına girdiğimi nereden biliyorsun? Bu zayıf düşmüş halimle bile canım nasıl isterse öyle görünebilirim." Yerinden kıpırdamadan şekil değiştirdi, sonra bir kez daha, beş on kez daha, hepsi birbirinden daha şaşırtıcı, hepsi aynı yerde aynı şekilde oturan görünümler aldı. Gösteriyi tombik ve yumuşak tüylü, arka bacaklarıyla bağdaş kurmuş, ön bacaklarını sinir içinde birbirine kavuşturmuş, bir çeşit dev kemirgen olarak sona erdirdi.

Kitty gözünü bile kırpmadı. "Evet, ama genelde battal boy bir sıçan kılığında ortalıkta dolaşmıyorsun," diye bağırdı. "Dönüp dolaşıp yine bu peştemallı esmer çocuk kılığına giriyorsun. Neden? Çünkü senin için bir anlamı var. Bu çok açık. Geçmişte senin için önemli olmuş birisi. Benim, yalnızca kim olduğunu bulmam gerekti."

Sıçan, pembe pençelerinden birini yalayıp kulağının arkasında dikilmiş bir öbek tüyü düzeltti. "Bu uyduruk varsayımlarda herhangi bir gerçeklik payı olduğunu kabul etmiyorum," dedi. "Ama merak ettim. Bu fikre nasıl kapıldın? Çocuk herhangi biri olabilirdi."

Kitty başını salladı. "Doğru. Şöyle oldu. Son karşılaşmamızdan sonra seninle tekrar konuşmak için can atıyordum. Hakkında bildiğim tek şey ismindi –ya da isimlerinden biri– Bartimaeus. Bu bile yeterince zordu çünkü nasıl söylendiğini bile bilmiyordum. Ama adamakıllı incelersem, tarihi belgelerde bir yerde karşıma çıkacağını biliyordum. Onun için çalışmaya başladığımda gözümü dört açtım."

Sıçan gösterişsizce başını salladı. "Sanırım fazla uzun sürmemiştir. Başarılarımla ilgili sayısız kayıt vardır."

"Aslına bakarsan, en küçük ipucuna rastlamam bir yıl aldı. Kütüphanedeki kitaplardan, oradan buradan, her türden birçok demonun ismini aldım. Korkunç Nouda durmadan karşıma çıkıyordu, Tchue isminde bir ifrit, bir de bazı kültürlerde Faquarl diye bir şey oldukça önemliydi. Ama en sonunda seni buldum: bir dipnotta kısa bir madde olarak."

Sıçanın tüyleri diken diken oldu. "*Ne*? Ne biçim kitaplarmış bunlar? Güvenilir kitaplar ortadan kaybolmuş olmalı. Dipnotmuş!" Kızgın, dargın kendi kendine söylenmeye devam etti.

"Sorun şuydu," dedi Kitty çabucak, "senden her yerde Bartimaeus olarak söz edilmiyor, yani uzun uzadıya. Çok önemli belgeler olsa bile ben senden bahsedildiğini anlayamıyordum. Ama bu dipnot yardımcı oldu, anladın mı, çünkü bildiğim isimle diğer iki isim arasında bağlantı kuruyordu: Uruk'lu Bartimaeus, Şakir el Cin (bu İran'daki ismindi, değil mi?) ve Algonquin'li Wahonda. Ondan sonra orada burada– yani baktığım her yerde– hakkında birçok bilgiye rastladım. Sonra devam ettim. Bazı görevlerini ve maceralarını, ayrıca sahiplerinden birçoğunun isimlerini öğrenmek de ilginç oldu."

"Eh, umarım etkilenmişsindir," dedi sıçan. Sesinde hâlâ bir kırgınlık vardı.

"Elbette," dedi Kitty. "*Çok*. Süleyman'la gerçekten konuştun mu?"

Sıçan homurdandı. "Evet, evet, yalnızca kısa bir sohbet." Yine de biraz yatışmış görünüyordu.

"Bu arada," dedi Kitty, "çağırma sanatını öğreniyordum. Ustam oldukça yavaştı ve korkarım, ben daha da yavaştım ama ite kaka da olsa seni çağırmaya cesaret edebileceğim aşamaya ulaştım. Ama hâlâ bu çocuğun kimliği hakkında en ufak fikrim olmaması beni üzüyordu çünkü senin için önemli biri olduğunu biliyordum. Sonra işin püf noktası aniden karşıma çıktı! Mısır'daki ismin Rekhyt'i keşfettim, *bu da* beni büyücü Batlamyus'a götürdü." Zaferle gülümseyerek sustu.

"Öyle de olsa," dedi sıçan, "eline ne geçmiş oldu? Ben yüzlerce sahip tanıdım, pentagramları ister çöl kumunun ister bozkırlardaki çayır çimen üstüne çizilmiş olsun aramızdaki husumet..."

"Tamam, tamam." Kitty bir el işaretiyle sıçanı susturdu. "Zaten konu da buydu. Bir yerde Batlamyus'la köleleri arasında sıkı bir bağ olduğundan bahsediliyordu. Ayrıca öldüğünde daha küçük bir çocuk olduğu da söyleniyordu. İşte o zaman her şey açıklığa kavuştu. En sevdiğin görünümün kim olduğunu o zaman anladım."

Sıçan ayak tırnaklarından birini temizlemekle meşguldü. "Peki," dedi ciddiye almıyormuş gibi, "çocukla cinler arasında ne tür bir ilişki olduğundan bahsediliyordu? Yalnızca meraktan, anlarsın ya."

"Fazla bahsedilmiyordu," diyerek itiraf etti Kitty. "Aslında hiç bahsedilmiyordu. Batlamyus'un kişiliği hakkında artık fazla şey bilindiğini sanmıyorum. Yazdıklarından bazıları günümüze kadar gelmiş sanırım. 'Batlamyus'un Kapısı' diye bir şeyden söz ediyorlar, nasıl bir şeyse..."

Sustu. Sıçan pencereden ayın geceyarısındaki durumuna bakıyordu. Sonunda başını Kitty'den yana çevirdi, çevirirken de bir kez daha çocuk büyücünün, İskenderiyeli Batlamyus'un, görünümünü aldı.

"Yeter," dedi çocuk. "Benden istediğin nedir?"

Artık tahminleri doğrulandığından Kitty çocuğun görüntüsünü tamamen farklı algıladığını fark etti. İki bin yıl önce ölmüş, gerçek bir çocuğun yüzüne baktığını bilmek tuhaf ve huzursuz bir histi. Daha önce bu görüntüyü bir maske, bir kostüm, çok sayıda yanılsama arasından yalnızca biri olarak görüyordu. Şimdiyse bunun hâlâ doğru olduğunu aklının bir köşesinde tutsa da çocuğun bir zamanlar yaşamış olduğunu hissetmeden edemiyordu. Demonun Batlamyus'u eksiksiz olarak canlandırdığından şüphesi yoktu: İnce esmer boynundaki iki beni ilk kez fark etti; çenesinin altındaki iyileşmiş, eski bir yara izini; uzun, ince kollarının normalden daha kemikli olduğunu. Ayrıntılara verdiği önem ancak içten bir şefkat hatta belki de sevgiden kaynaklanabilirdi.

Bunu bilmek devam etmesi için güç verdi.

"Peki," dedi, "anlatacağım. Ama önce tekrarlıyorum: Seni kölem yapmayacağım. Cevabın ne olursa olsun serbest kalacaksın."

"Ne kadar yüce gönüllüsün," dedi çocuk.

"Senden tek istediğim söyleyeceklerimi tarafsızca dinlemen."

"Eh, lafı dolaştırmayı bırakırsan ben de denerim." Cin kollarını kavuşturdu. "Avantajlı olduğun bir noktayı sana söyleyeyim yine de" diyerek devam etti geviş getirircesine. "Binbir cefayla geçen bunca yüzyıl boyunca bu görünümüm hakkında bir şey sormayı *tek* bir büyücü bile aklına getirmedi. Neden soracaklardı ki? Ben bir 'demonum'; bu yüzden de kendinden başka kimseyi düşünmeyen bir manyak olmam gerekir. Kötülük ve ihtirastan başka bir şey hissedemem. Genelde korkuları ve kendilerini koruma istekleri yüzünden bana kendim hakkında asla bir şey sormazlar. Ama *sen* bunu yaptın. Geçmişimi araştırdın. Pek zekice olduğunu söyleyemem, sonuçta insansın. Yine de her şey göz önüne alındığında, fena iş çıkarmamışsın. Peki o zaman," (Eliyle krallara layık bir hareket yaptı.) "Dökül bakalım."

"Tamam." Kitty rahatça yerine yerleşti. "Farkında mısın, bilmiyorum ama Londra'da işler kötüyken şimdi felakete doğru gidiyor. Büyücüler kontrolü elden kaçırmaya başladı, halk savaşa yollanıyor, ticaret geriledi. Yoksulluğun artması kargaşayı da tetikledi; bazı şehirlerde isyanlar bile baş gösterdi. Ve demonlara duyulan nefret eskisinden de fazla."

"Son konuşmamızda bunların olacağını söylemiştim," dedi cin. "İnsanlar, varlıkları fark etmeye ve kendi esnekliklerini ortaya çıkarmaya başlıyor. Neler yapabileceklerini keşfedip savaşmaya başlayacaklar."

Kitty başını salladı. "Ama büyücüler de tepki veriyor. Polis her yerde, her yerde şiddet var, insanlar tutuklanıp kayboluyor, bundan çok daha kötü şeyler de oluyor."

"Olur," dedi çocuk.

"Bence büyücüler korkunç eylemlere hazırlanıyor," diye devam etti Kitty, "gücü ellerinde tutabilmek için. Halk arasında birçok gizli örgüt var ama bölünmüş ve güçsüz durumdalar. Kimsenin devlete karşı koyacak gücü yok."

"Olacaktır," dedi cin. "Zamanla."

"Ama *ne kadar* zamanda? Sorun bu işte."

"Kaba bir tahmin mi istiyorsun?" Çocuk başını yana eğerek düşündü. "Sanırım birkaç nesil yeterli. Elli yıl diyelim. Bu süre esnekliğin başarılı bir isyan için yeterli derecede gelişmesine yeterli olacaktır. Elli yıl fena sayılmaz. Şansın varsa tombik torunlarını dizlerinde hoplatan ihtiyar, tatlı bir nineyken bunun olduğunu görebilirsin. Aslında," elini kaldırıp Kitty'nin protesto çığlığını yarıda kesti "yok, yanlış oldu. Tahminim doğru değildi."

"Güzel."

"Sen asla ihtiyar, tatlı bir nine olmayacaksın. 'Yalnız, aksi bir kocakarı' demeliydim."

Kitty yumruğunu yere geçirdi. "Elli yıl çok fazla! O zamana kadar büyücülerin ne işler çevireceğini kim bilebilir? Bütün hayatım geçmiş olacak! İsyan başladığında büyük ihtimalle ölmüş olacağım."

"Doğru," dedi çocuk. "Ama ben her şeyi görmek için yine burada olacağım. Aynı şimdiki gibi."

"Evet," diye parladı Kitty. "Ne şanslısın, değil mi?"

"Öyle mi dersin?" Oğlan bağdaş kurmuş bedenine baktı. Bacaklarını bir Mısır yazmasındaki gibi derli toplu birbirine geçirmiş, dimdik oturuyordu. "Batlamyus'un ölümünden bu yana iki bin yüz yirmi dokuz yıl geçti," dedi. "On dört yaşındaydı. O günden beri dünyada sekiz imparatorluk yükselip çöktü, bense hâlâ onun yüzünü taşıyorum. *Sence* şanslı olan kim?

Kitty yanıtlamadı. Sonunda bir soru sordu, "Bunu neden yapıyorsun? Onun görünümünü almanı diyorum."

"Çünkü kendime söz verdim," dedi cin. "Ona eskiden nasıl olduğunu gösteriyorum. Değişmeden önce."

"Ama onun hiç büyümediğini sanıyordum," dedi Kitty.

"Yo. Bu doğru. Büyümedi."

Kitty bir soru sormak için ağzını açtıysa da onun yerine başını iki yana sallamakla yetindi. "Esas konudan sapıyoruz," dedi kararlı bir sesle. "Ben bekleyip büyücülerin daha da kötü şeyler yapmalarına seyirci kalamam. Hayat çok kısa. *Hemen* harekete geçilmeli. Ama biz, yani insanlar, yani halk, hükümeti tek başımıza düşüremeyiz. Yardıma ihtiyacımız var."

Çocuk omuzlarını silkti. "Olabilir."

"İşte benim fikrim, yani aslında önerim," dedi Kitty, "cinlerin ve diğer varlıkların bize bu yardımı sağlamaları." Tekrar yerine yerleşti.

Çocuk ona baktı. "Bir daha söyle."

"Şey, tabii kolay olmayacak. Ama bir yolu olmalı. Mesela eğer benim gibi halktan kişiler senin gibi önemli cinleri çağırabilirse, neden hükümeti hep birlikte ele geçirmeyelim? Biraz daha düşünüp plan yapmak ve birçok demo... Varlığın katılımı gerekecektir ama onları şaşırtarak avantaj elde edebiliriz, değil mi? Ve *eşit* güçler olarak savaşmak bizim için çok daha etkili olacaktır: Sahip yok, köle yok. Kendi aramızda sürtüşmek ve bindiğimiz dalı kesmek yok. Yalnızca katıksız bir işbirliği. O zaman bizi kimse durduramaz!"

Kitty, yıldızının içinde öne doğru eğilmişti gözleri parıl parıl, yüzü kurduğu bu hayalle ışıyarak. Çocuk da afallamış görünüyordu, uzun bir süre cevap vermedi. Sonunda konuştu. "Delilik," dedi. "Saçlar güzel, giysiler güzel, ama tam... Tam bir çılgınlık."

Kitty hayal kırıklığıyla kıvrandı. "Yalnızca *dinle*..."

"Yıllardır birçok çılgın sahibim oldu," diye devam etti çocuk. "Dikenli çalılarla popolarını döven yobazlar gördüm, hissizce kitle katliamı gerçekleştiren gözünü kan bürümüş imparatorlar, istifledikleri altın külçelerinden başka bir şey düşünmeyen pintiler gördüm. Hem kendilerine hem de başkalarına zarar veren sayısız büyücü... Sapkın ve iştahsızlık yaratan bir türsünüz siz. Senin kişisel çılgınlığının çoğundan daha az zararlı olduğunu söyleyecek kadar ileri gideceğim Kitty ama ölümüne neden olur, eğer dikkatli olmazsam benim de. Bu yüzden seninle açık konuşacağım. Biraz önce önerdiğin şeyin gülünç olmasının binlerce nedeni var, hepsini saymaya kalksam İngiltere İmparatorluğu sonunda *gerçekten* düştüğünde hâlâ beni dinliyor olursun. Öyleyse bu nedenlerden ikisiyle yetinelim. Hiçbir cin, hiçbir folyot, şehirleri yerinden sarsan hiçbir ifrit, hiçbir kaşındıran kurtçuk (senin dediğin şekilde) hiçbir insanla hiçbir şekilde işbirliği yapmaz. *İşbirliği*... Kulakların duyuyor mu senin? Hepimizin aynı formaları falan giyip el ele savaşa gittiğimizi düşünebiliyor musun?" Çocuk bir kahkaha attı keskin, nahoş bir ses. "Yo! O kadar acı çektik ki bir insanı *asla* yandaş olarak göremeyiz."

"Bu yalan!" diye bağırdı Kitty. "Tekrar söylüyorum, peki ya Batlamyus?"

"*O* eşsizdi!" Çocuğun yumrukları sıkılmıştı. "Bir istisnaydı. Onu bu konunun dışında tutalım!"

"O söylediğin her şeyi çürütüyor!" diye bağırdı Kitty. "Evet, demonların çoğunu ikna etmek zor olacaktır ama..."

"Zor mu? Bu asla yapılamaz!"

"Seni çağırmayı öğrenmem konusunda da böyle demiştin. Ama yaptım işte!"

"Ne ilgisi var? Sana bir şey söyleyeyim: Burada oturmuş tatlı tatlı konuşuyor, her cin gibi nezaket kurallarına uymayı da ihmal etmiyorum ama bu arada sürekli bir şahin gibi seni izleyip tek bir ayak parmağının falan çemberden dışarı taşmasını bekliyorum. Bunu yaptığın anda, göz açıp kapayıncaya kadar üstüne çullanırım, böylece sen de insanlar ve demonlar hakkında iyi bir ders almış olursun, söylemedi deme sonra."

"Öyle mi?" Kitty pis pis sırıttı. "Ama o aptal parmağını çıkartıp eteğini havaya uçuran ben değil sen oldun. Bu da son birkaç bin yılı nasıl geçirdiğini az çok özetliyor. Tek başına bir iş beceremiyorsun ahbap."

"Öyle mi?" Çocuğun yüzü öfkeden mosmor olmuştu. "Öyleyse dur da sana planının neden saçmalık olduğunun ikinci nedenini anlatayım, olur mu? Sana yardım etmek istesem de, neredeyse benim kadar güçlü yüzlerce cin daha aynı duyarlığı paylaşıp saman beyinli insanlarla işbirliği yapmaktan daha iyi bir iş bulamasalar da bunu yapamayız. Çünkü dünyaya gelmemizin tek yolu çağırılmaktır. Buysa özgür iradenin kaybedilmesi demektir. Acı demektir. Sahibine itaat etmek demektir. Yani bu eşitliğin içinde eşitlik falan yok."

"Saçmalık," dedi Kitty. "Bu şekilde olması gerekmez."

"Tabii ki gerekir. Başka seçenek mi var? Her çağırma bizi bağlar. Zaten amacı budur. Bizi zincirden kurtarmanın bir yolunu arar mıydın? Bütün bu gücümüzle? Kontrolü bize vermekten memnun olur muydun?"

"Elbette," dedi Kitty yiğitçe. "Eğer gereken şey buysa."

"Vermezdin! Dünyanın sonu gelse vermezdin."

"Yapardım. Eğer ortada güven varsa. Yapardım."

"Öyle mi? Eh, neden bunu hemen şimdi kanıtlamıyorsun? Pentagramından dışarı çık."

"Ne?"

"Beni çok iyi duydun. Dışarı çık, o çizgiyi geç. Evet, tam o çizgi. Haydi şu güvenini artık bir görelim bakalım, olur mu? Gücü bir an için *bana* ver. Bakalım dediğin kadar yürekli misin?"

Çocuk bunları söylerken ayağa fırlamıştı, ondan bir saniye sonra Kitty de fırladı. Karşılıklı yıldızlarında birbirlerine bakarak dikildiler. Kitty dudağını ısırdı. Aynı anda hem sıcaklamış hem de üşümüş hissediyordu. İşlerin böyle gitmesini istememişti. Önerisi reddedildikten sonra hemen bir meydan okumayla karşılaşmıştı, böyle olacağını hiç düşünmemişti. Şimdi ne yapacaktı? Pentagramından çıkarak çağırmayı bozduğu takdirde Bartimaeus onu yok edip geldiği yere dönebilirdi. Esnekliği onun kendisini paramparça etmesine engel olamazdı. Bunu düşünmek giysilerinin altında tüm tüylerini ürpertti.

Uzun süre ölmüş oğlanın yüzüne baktı. Dostça olması amaçlanmış bir tebessümle o da Kitty'e bakıyordu ama bakışları sert ve alaycıydı.

"Ee?" dedi. "Ne yapıyoruz?"

"Korumaları geçtiğim anda," dedi Kitty boğuk bir sesle, "bana ne yapacağını daha demin söyledin. Göz açıp kapayıncaya kadar üstüme çullanacaksın."

Tebessüm titreşti. "Ah, sen *ona* kafayı takma. Yalnızca blöf yapıyordum. İhtiyar Bartimaeus'un söylediği her şeye inanman *gerekmiyor*, değil mi? Ben hep dalga geçerim, bilirsin." Kitty sustu. "Haydi *ama*," diye devam etti çocuk, "sana bir şey yapmayacağım. Gücü bir anlığına bana ver. Şaşırabilirsin. Güven bana."

Kitty, kurumuş dilinin ucunu alt dudağından geçirdi. Çocuk her zamankinden daha şevkle gülümsüyordu. Gülümseyebilmek için o kadar çaba harcıyordu ki yüzü gerilip kaskatı kesilmişti. Kitty yerdeki tebeşir izlerine baktı, sonra ayağına, sonra tekrar tebeşir izlerine.

"Al sana açık bilet," dedi çocuk.

Kitty bir anda nefes almayı unuttuğunu fark etti. Deli gibi nefesini bıraktı. "Yo," dedi yutkunarak. "Hayır. Bu bir işe yaramaz."

Kara gözler üzerinden ayrılmadı, dudaklar aniden bir çizgi halini aldı. "Eh," dedi cin ters ters, "beklentilerimin fazla yüksek olmadığını itiraf etmeliyim."

"Güvenle ilgili bir sorunum yok," diye yalan söyledi Kitty. "Yalnızca anında kaçıp gidersin. Çağırmanın etkisi olmadan dünyada kalamazsın, benimse şu anda seni yeniden çağıracak gücüm yok. Esas konu," dedi ümitsizce, "eğer sen ve öteki cinler gücünüzü benimkiyle birleştirirseniz büyücüleri yenip sizi çağırmalarına bir son verebiliriz. Biz onları yendikten sonra bir daha asla çağırılmazsınız."

Cin burnundan sesler çıkarttı. "Boş hayallerle kaybedecek vaktim yok Kitty. Kendine bir kulak ver, söylediklerinin tek kelimesine kendin de inanmıyorsun. Şimdi, hepsi bu kadarsa artık beni serbest bıraksan iyi olur." Çocuk sırtını Kity'e döndü.

Bunun üstüne Kitty'nin içini büyük bir öfke sardı. Son üç yılın anıları gözlerinin önünden geçti, buraya kadar gelmek için harcadığı aşırı çabanın yükünü bir kez daha omuzlarında hissetti. Şimdi bu gururlu ve sabit fikirli varlık kalkmış tüm fikirlcrini toptan rcddcdiyordu. Tarafsız olarak düşünüp değerlendirmek için bir saniyesini bile ayırmamıştı. Evet, ayrıntıların gözden geçirilmesi gerekiyordu, çözüme kavuşturulması gereken birçok konu vardı ama bir çeşit işbirliğinin hem mümkün hem de gerekli olduğu çok açıktı. Göz yaşlarına boğulmak üzereydi ama duygularını hiddetle bastırdı. Ayağını yere öyle bir vurdu ki parkeler zangırdadı. "Demek," diye hırladı, "Senin için bir tek bu Mısırlı aptal çocuk yeterince iyiydi, öyle mi? *Ona* gözünü kırpmaksızın inanabiliyorsun. O zaman bana neden inanmıyorsun? Senin için benim yapamayacağım ne yaptı? Ha? Yoksa onun yüce amaçlarını tartışamayacağın kadar basit biri miyim?" Acıyla, acımasızca, içinde demona karşı büyüyen gazapla konuşmuştu.

Çocuk arkasına bakma zahmetine katlanmadı. Çıplak sırtına vc sopa gibi kollarına ayışığı vuruyordu. "Mesela, benimle Öteki Taraf'a gelmişti."

Kitty sonunda sesine hakim olabildi. "Ama bu..."

"İmkansız değil. Yalnızca yapılmıyor."

"Buna inanmıyorum."

"İnanmak zorunda *değilsin*. Ama Batlamyus inandı. Bana olan güvenini kanıtlaması için ona da meydan okumuştum. Güvenini işte böyle kanıtladı: Batlamyus'un Kapısı'nı yaratarak. Beni bulmak için dört elementi geçti. Ve önceden tahmin ettiği gibi bunun bedelini de ödedi. Bundan sonra... Eh, halkla cinler arasındaki bu abes birliği öneren *o* olsaydı, belki o zaman bir denerdim. Aramızdaki bağın sınırı yoktu. Ama sen olunca, ne kadar iyi niyetli olsan da... Üzgünüm Kitty. Yapmam."

Kitty, bir şey demeden çocuğun sırtına baktı. Sonunda arkasına dönen çocuğun yüzü gölgelere gizlenmişti. "Batlamyus'un yaptığı şey eşsizdi," dedi uysalca. "Bunu bir başkasından istemezdim, senden bile."

"Onu öldürdü mü?" diye sordu Kitty.

Cin içini çekti. "Hayır..."

"Öyleyse ödediği bedel...?"

"Bugün özüm *birazcık* kırılgan," dedi Bartimaeus. "Kısa kesip beni yollarsan minnettar olurum."

"Yollayacağım. Ama bence biraz daha kalıp konuşmalısın. Batlamyus'un yaptığı şeyin eşsiz olması gerekmez. Belki de o zamandan beri bu kapı olayı hakkında kimse bir şey öğrenememiştir."

Çocuk küçük bir kahkaha attı. "Ah, çok iyi biliyorlar. Batlamyus yolculuğunu kaleme aldı, yazdıklarından bazıları bugüne kadar geldi. Senin gibi o da sürekli büyücülerle cinler arasında barıştan bahseder, saçmalayıp dururdu. Peşinden gelen, aynı riski göze alan başkaları da olacağını düşünürdü. Bunca yıl boyunca birkaç kişi *denedi de* onun idealizmi ile değil çoğunlukla ihtirasları yüzünden ve güç elde etmek için. Onların sonu Batlamyus kadar iyi olmadı."

"Niçin?"

Cevap gelmedi, çocuk başını çevirdi.

"Pekala, *sus* bakalım," diye haykırdı Kitty. "Umurumdaydı. Batlamyus'un notlarını kendim de okurum."

"Ah, eski Yunanca biliyorsun demek?" Kitty'nin yüz ifadesini görüp kahkahalar attı. "Sen kendini yorma Kitty. Batlamyus gideli çok oldu, modern dünyaysa karanlık ve karmaşık. Bir fark yaratamazsın. Kendine iyi bak ve hayatta kal. *Ben* öyle yapacağım." Kendini çimdikledi. "Ya da deneyeceğim. Mandrake'ye kalsa şimdiye kadar çoktan ölmüştüm."

Kitty, derin bir soluk aldı. Aşağıda, çürüyen villasının kitaplarla dolu bir köşesinde uyuyan Bay Button, yeni kağıtların düzenlenmesi için sabah erkenden dinlenmiş bir Kitty bekleyecekti. Akşam yine Kurbağa'ya gidip barın tamiratına yardım edecek, bir şey beceremeyen halka içki servisi yapacaktı... Gizli planının verdiği güç olmadan bütün bunlar gözüne anlamsız görünüyordu.

"Senin tavsiyelerine ihtiyacım yok," diye terslendi. "Senin hiçbir şeyine ihtiyacım yok."

Çocuk ona baktı. "Eh, biraz cesaretini kırdıysam kusura bakma," dedi, "ama bunların söylenmesi lazımdı. Bence..."

Kitty gözlerini kapatıp kovma sözcüklerini sıraladı. Önce emin olamayarak sonra çok hızlı. İçinde aniden bir şiddet duygusu belirmişti. Demondan kurtulmak istiyordu, bir an önce.

Başının etrafında bir esinti döndü, burun deliklerine mumlardan gelen duman doldu, demonun sesi uzaklaşarak kesildi. Yok olduğunu anlamak için bakması gerekmiyordu, onunla birlikte umut ve hayallerle dolu üç yıl da uçup gitmişti.

16

Quentin Makepeace'in evinden kendisininkine giden yolu yarıladığında John Mandrake ani bir emir verdi. Şoför dinledi, başıyla selam verdi ve sıkışık trafikte bir U dönüşü yaptı. Son hızla Chiswick'e yollandılar.

Gece olmuştu. Kurbağa Bar'ın pencereleri karanlık ve kepenkliydi, kapı sürgülenmişti. Sundurmaya el yazısıyla kabaca yazılmış bir not asılıydı.

BUGÜN SAM WEBBER'İN CENAZESİ
NEDENİYLE KAPALIYIZ.
YARIN AÇILIYORUZ.

Mandrake, tekrar tekrar kapıyı çalsa da bir yanıt alamadı. Tekdüze, gri Thames üzerinde sert bir rüzgar esiyor, martılar gelgitin kıyıya vurduğu atıklar için kavga ediyordu. Avludan çıkarken kırmızı bir araştırma küresi yanıp söndü. Mandrake, küreye kaşlarını çatıp şehir merkezine geri döndü.

Kitty Jones meselesi bekleyebilirdi. Ama Bartimaeus'inki bekleyemezdi.

Bütün demonlar yalan söyler. Bu değişmez bir gerçekti. Bu yüzden aslında, kölesinin özüne uygun davrandığını öğrenmek Mandrake'yi *o kadar da* şaşırtmamalıydı. Ama Bartimaeus'un, Kitty Jones'un hayatta olduğunu sakladığını öğrendiğinde geçirdiği şok onu derinden sarsmıştı.

Neden? Aslında bunun nedeni biraz da uzun zaman önce ölen Kitty'nin zihninde oluşturduğu imajdı. Kızın suçluluk duygusu yüklü bir hayranlığın ışığı altında aydınlanmış o yüzü yıllar boyu anılarına girmişti. Ölümcül düşmanıydı ama buna rağmen kendini onun için feda etmişti. Bu, Mandrake'nin fazla anlayabildiği bir şey değildi ama yaptığı şeyin garipliği (gençliği, canlılığı ve aman dinlemeyen gözü pekliğiyle de birleşince) kıza, yüreğini burkmadan bırakmayan bir çekicilik kazandırmıştı gözünde. Uzun zaman önce avladığı tehlikeli Direnç savaşçısı, zihninin suskun, gizli köşelerinde saf ve kişisel bir şey haline gelmişti. Hoş bir sitem, bir sembol, bir pişmanlık gibi. Aslında birçok şey, hepsi de yaşayan ve nefes alan o kızdan oldukça ayrı ve bağımsız.

Ama eğer yaşıyorsa... Mandrake, içinde bir acı hissetti. Gerçek ve kirli geçmişe ait anıların yenilenmesiyle gelen kafa karışıklığı, öfke ve inançsızlık dalgalarıyla içindeki o huzurlu tapınağın yıkılmasından gelen bir duyguydu bu. Kitty Jones, yalnızca ona ait bir imaj değildi artık dünya onu geri almıştı. Neredeyse yoksunluk hissediyordu.

Ve Bartimaeus ona yalan söylemişti. Bunu *niçin* yapmıştı? Onu kızdırmak için elbette, yine de bu açıklama yeterli görünmüyordu. O zaman, Kitty'i korumak için. Ama bunun için cinle kız arasında bir yakınlık, bir çeşit bağ olması gerekirdi. Bu mümkün müydü? Mandrake, midesinin üzerinde bunun *böy-*

le olduğuna dair kıskançlıkla karışık bir sancı duydu, bu bilgi süzülüp kayarak ta derinlerine doğru ilerledi.

Cinin yalan söyleme nedenini anlayabilmek ne kadar zor olsa da gerçeğin, ortaya çıkmak için yaptığı zamanlama bundan daha acı verici olamazdı, tam da Mandrake kölesinin yaşamını kurtarmak için kendi kariyerini tehlikeye attığı sırada. Yaptığını hatırlarken gözleri yandı, akılsızlığı onu boğmak için midesinden boğazına yükseldi.

Çağırmayı, çalışma odasının geceyarısı yalnızlığında yaptı. Kurbağayı kovduğundan bu yana yirmi dört saat geçmişti. Bu arada Bartimaeus'un özü iyileşti mi iyileşmedi mi bilmiyordu. Artık umurunda da değildi. Sopa yutmuş gibi dimdik, ellerini aralıksız önündeki masaya vurarak ayakta dikildi ve bekledi.

Pentagram soğuk ve sessiz kalmaya devam etti. Çağırma sözcükleri zihninde yankılandı.

Mandrake dudaklarını ıslattı. Bir daha denedi.

Üçüncü bir denemeye kalkışmadan önce kendini deri koltuğuna külçe gibi bırakarak içinden yükselen panik duygusunu bastırmaya çalıştı. Şüphesi yoktu: Demon zaten dünyadaydı. Onu bir *başkası* çağırmıştı.

Mandrake'nin gözleri karanlıkta kıvılcımlar saçtı. Bunu önceden bilmesi gerekirdi. Öteki büyücülerden biri, demonun özünü falan dinlemeyip Jenkins'in çevirdiği işle ilgili bilgi almak için onu çağırmıştı. Kimin çağırdığı çok da önemli değildi. İster Farrar, ister Mortensen, isterse de Collins olsun, Mandrake'nin durumu hiç parlak sayılmazdı. Bartimaeus eğer hayattaysa şüphesiz Mandrake'nin gerçek ismini verecekti. Tabii verecekti! Sahibine zaten bir kez ihanet etmişti. Sonra düşmanları kendi demonlarını yollayacak ve o ölecekti, tek başına.

Hiç yandaşı yoktu. Hiç dostu yoktu. Başbakanın desteğini kaybetmişti. İki gün içinde, eğer hayatta kalırsa, Konsey önünde yargılanacaktı. Yapayalnızdı. Evet, Quentin Makepeace yardım elini uzatmıştı ama adam büyük ihtimalle kaçıktı. Onun o *deneyi*, kıvranıp duran o tutsak... Olanları hatırlamak, Mandrake'nin midesini bulandırıyordu. Kariyerini doğrultmayı başardığı takdirde bu türden iğrençliklerin durdurulması için adımlar atacaktı. Ama şu anda en öncelikli konu bu değildi.

Gece ilerledi. Mandrake masasında oturup düşündü. Uyumadı.

Zaman geçip yorgunluk artınca onu köşeye kıstıran sorunlar netliğini kaybetmeye başladı. Bartimaeus, Farrar, Devereaux ile Kitty Jones, Konsey, duruşma, savaş, sonu gelmez sorumlulukları; her şey birbirine karışıp gözlerinin önünde uçuşmaya başladı. İçinde bütün bunlardan kurtulmak için büyük bir istek doğdu, leş gibi kokan ıslak giysiler gibi üstünden çıkarıp atmak, bir an için bile olsa.

Aklına bir fikir geldi, öfkeyle, öylesine, bir anda. Sihirli aynasını çıkarıp iblise ismini verdiği kişiyi bulmasını emretti. İblis hemen buldu.

Mandrake, içindeki garip hissin bilincinde olarak koltuğundan kalktı. İçinde geçmişten kalan bir şey kabardı, hüzne yakın bir şey. Hem rahatsız edici hem de hoş bir histi. Tedirginlik verse de bu duyguyu kabullendi. Sonuçta *şimdiki* hayatıyla ilgili değildi, verimlilik veya yeterlilik, ün ya da güçle bir ilgisi yoktu. Kızın yüzünü bir kez daha görme arzusuna engel olamıyordu.

İlk ışıklar... Gökyüzü kurşuni, ıslak yapraklarla kaplı kaldırımlar karanlık. Ağaç dallarının arasında ve parkın ortasındaki savaş anıtının çevresinde süzülen rüzgar. Kadının paltosu ters dönüp yüzüne yapıştı. Mandrake başı önde, eli atkısında, uzun adımlarla acele acele yolun kenarından yaklaşan kadını ilk başta tanıyamadı. Hatırladığından daha kısaydı, saçları daha uzun ve hafif kırlaşmış gibiydi. Ama sonra bir anda, tanıdık bir ayrıntı yakalandı. Kalemlerini taşıdığı o çanta; eski, yıpranmış, hatırlanmayacak gibi değil. Aynı çanta! Hayretle başını salladı. İstese ona yeni bir çanta alabilirdi, bir düzine çanta alırdı.

Tam yanına gelene kadar çıkıp çıkmamaya karar veremeden arabada bekledi. Kadının botları yaprakları dağıtıyor, dikkatle derin su birikintilerinin kenarından geçiyor, soğuk ve nem yüzünden hızla yürüyordu. Birazdan geçip gidecekti...

Mandrake kararsızlığına lanet etti. Yol tarafındaki kapıyı açtı, dışarı çıkıp kadının önünü kesmek için karşıya geçti.

"Bayan Lutyens."

Kadının aniden irkildiğini, kendisini ve arkasında park edilmiş bakımlı arabayı tartmak için bir oraya bir buraya baktığını gördü. Bayan Lutyens tereddüt içinde iki adım attı, ne yapacağından emin olamayarak durdu. Bir kolu yana sarkmış, ötekiyle boğazını tutarak gözlerini Mandrake'ye dikti. Konuştuğunda sesi ince ve –Mandrake'nin gözünden kaçmadı– korkuluydu. "Evet?"

"Biraz konuşabilir miyiz?" John Mandrake, adeti olmasa da daha resmi bir elbise giymeyi tercih etmişti. Bunu yapması çok da *gerekmiyordu* ama mümkün olduğunca iyi bir izlenim yaratmak istemişti. Kadını son gördüğünde, küçük düşmüş bir çocuktan başka bir şey değildi.

"Ne istiyorsunuz?"

Büyücü gülümsedi. Bayan Lutyens, *hemen* savunmaya geçmişti. Mandrake'yi ne zannettiğini Tanrı bilirdi. Resmi bir görevli, vergilerini kontrol etmek için gelen... "Yalnızca biraz sohbet," dedi. "Sizi tanıdım ve sizin de beni tanıyıp tanımayacağınızı merak ettim."

Kadının solgun yüzü hâlâ endişeyle kırışmış bir haldeydi. Kaşları çatık, anlamaya çalışan gözlerle kendi gözlerine bakıyordu. "Üzgünüm," diye başladı. "Ben... Ah. Evet, tabii. Nathaniel..." Duraksadı. "Ama sanırım bu ismi kullanmamalıyım."

Mandrake zarif bir hareket yaptı. "En iyisi onu unutmak."

"Doğru..." Lutyens şöyle bir durup ona baktı; elbisesine, ayakkabılarına, gümüş yüzüğüne ama en çok da yüzüne. Beklediğinden daha dikkatli inceleniyordu, daha ciddiye alınarak ve ayrıntılı. Gülümsememesi, hatta herhangi bir sevinç belirtisi göstermemesi şaşırtıcıydı. Ama tabii karşılaşmaları öyle *ani* olmuştu ki.

Mandrake boğazını temizledi. "Geçiyordum da. Sizi gördüm ve... İşte... Uzun zaman oldu."

Kadın ağır ağır başını salladı. "Evet."

"Düşündüm de... Ee, *nasılsınız* Bayan Lutyens? Nasıl gidiyor hayat?"

"İyiyim," dedi Lutyens, sonra aniden, neredeyse sert bir sesle sordu: "Kullanmama izin *verilen* bir ismin var mı?"

Büyücü ceketinin kolunu düzeltti, hafifçe gülümsedi. "John Mandrake şimdiki ismim. Belki de duymuşsunuzdur."

Kadın neredeyse ifadesiz bir yüzle yeniden başını salladı. "Evet. Tabii. Demek işlerin oldukça iyi."

"Evet. Artık Enformasyon Bakanıyım. İki yıldır. Bu büyük sürpriz oldu çünkü bunun için çok gençtim. Ama Bay Devereaux, şansını bir denemeye karar verdi ve"–şöyle bir omzunu silkti– "işte buradayım."

Bu sözlerin, kısa bir baş sallayıştan daha fazlasına neden olacağını ummuştu ama Bayan Lutyens hâlâ tepkisizdi. Hafif bozulmuş bir ses tonuyla devam etti: "Sizinle son... Son karşılaşmamızdan sonra işlerin ne kadar iyiye gittiğini görmek hoşunuza gider sanmıştım. Fazlasıyla... Talihsiz bir olaydı."

Yanlış sözcükleri kullanıyordu, bu kadarını anlayabiliyordu. Aklından geçenleri doğru dürüst ifade etmektense dili sürekli bakanlık yaşamından gelen klişelere kayıyordu. Belki de bu yüzden kadın, bu kadar tutuk ve tepkisizdi. Bir deneme daha yaptı: "Size minnettar olmuştum, bunu söylemek istedim. O zaman da minnettardım. Şimdi de öyleyim."

Bayan Lutyens kaşlarını çatarak başını salladı. "Niçin minnettarsın? Ben bir şey yapmadım ki."

"Biliyorsunuz, Lovelace bana saldırdığında. Beni dövdüğünde o seferinde, onu durdurmaya çalışmıştınız... Şimdiye kadar size teşekkür..."

"Dediğin gibi, talihsiz bir olaydı. Ayrıca da uzun zaman önceydi." Yüzüne düşen birkaç tel saçı yana attı. "Demek Enformasyon Bakanı sensin? Duraklarda dağıtılan şu dergilerden sen sorumlusun?"

Mandrake, alçak gönüllülüğü elden bırakmadan gülümsedi. "Evet. O benim."

"Bize nasıl da güzel bir savaş olduğunu, yalnızca en iyi delikanlıların askere yazıldığını, Amerika'ya giden gemilere binip özgürlük ve güvenliğimiz için dövüşmenin erkeklere yakışır bir iş olduğunu anlatan o dergiler mi? Hani imparatorluğun ayakta kalabilmesi için ölümün göze alınması gerektiğini söyleyen?"

"Biraz az ve öz oldu ama anlatmaya çalıştığı şey bu, sanırım."

"Bak sen. Uzun bir yol kat etmişsiniz Bay Mandrake." Lutyens, neredeyse üzüntüyle bakıyordu.

Hava soğuktu, büyücü ellerini pantolonunun ceplerine sokup yolun sağına soluna bakarak söyleyecek bir şeyler bulmaya çalıştı. "*Genelde* öğrencilerinizi tekrar görmüyorsunuz sanırım," dedi. "Büyüdükten sonra yani. Neler başardıklarını..."

"Hayır," diye onayladı Lutyens. "Benim işim çocuklarla. Yetişkin olduktan sonra değil."

"Anlıyorum." Mandrake kadının yıpranmış eski çantasına baktı, saten kaplı iç bölümünü, içindeki küçük kalem kutularını, tebeşirleri, mürekkepli kalemleri ve Çin fırçalarını hatırladı. "İşinizde mutlu musunuz Bayan Lutyens?" diye sordu bir anda. "Yani parası, toplumsal konumu falan demek istiyorum. Soruyorum çünkü ben, bilirsiniz, isterseniz size başka bir iş bulabilirim. Daha iyi bir şey bulabilecek kadar yetkiliyim. Savaş Bakanlığı'nda strateji uzmanları var mesela, Amerika savaşı için toptan üretilecek pentagramlar çizebilecek, sizin deneyiminizde insanlara ihtiyaçları var. Hatta benim bakanlığımda da mesajımızı insanlara daha iyi iletebilmek için bir reklam bölümü kurduk. Sizin gibi teknisyenler çok işimize yarar. İyi bir iş, gizli bilgilerle çalışacaksınız. Mevkiniz yükselecek."

" 'İnsanlar' derken sanırım 'halktan' bahsediyorsun?" diye sordu kadın.

"Artık gündelik konuşmalarda onlara böyle diyoruz," diye onayladı Mandrake. "Onlar da bunu tercih ediyor gibi. Tabii özel bir *anlam* yüklüyor değilim."

"Anlıyorum," dedi Bayan Lutyens çabucak. "Ben, hayır... Teşekkür ederim ama halimden memnunum. Bakanlıklardan hiçbiri benim gibi yaşlı bir avamın aralarına katılmasını istemez eminim. Ayrıca işimi hâlâ zevk alarak yapıyorum zaten. Ama yine de çok naziksin, teşekkürler." Paltosunun kolunu çekip saatine baktı.

Büyücü ellerini birbirine vurdu. "Gitmeniz gerekiyor!" dedi. "Bakın, neden sizi ben götürmüyorum? Şoförüm sizi istediğiniz yere bırakır. Otobüse ya da trene binip sardalya gibi tıkışmaktan kurtulmuş olursunuz böylece..."

"Hayır. Teşekkürler. Çok naziksin." Kadının yüzü buz gibiydi.

"Peki, nasıl isterseniz." Mandrake, ayaza rağmen terlemiş ve huzursuzdu. Arabadan inmemiş olmayı ne kadar da isterdi. "Şey, sizi yeniden görmek bir zevkti. Elbette, bildiklerinizi bir sır olarak saklamanızı istemek zorundayım... Bunu söylememe bile gerek yoktur eminim," diye de aptal gibi eklemeyi ihmal etmedi.

Bayan Lutyens, bu sözler üzerine öyle bir baktı ki kendini bir anda yaşamının yarısı kadar geriye gitmiş buldu, kadının çok nadir de olsa beliren hoşnutsuzluğunun tüm dersliği ümitsiz bir gölge altında bıraktığı o günlere. Kendini ayakkabılarına bakarken buldu. "Gerçekten de," dedi kadın aksi aksi, "seni, büyük John Mandrake'yi, sevgili Enformasyon Bakanımızı, bir zamanlar poposu yukarı havada asılı halde gördüğümü, bütün dünyaya anlatmak isteyeceğimi zannediyor musun? Acımasız adamlar seni döverken ağlanıp sızlandığını duyduğumu? Sence bunu anlatır mıyım? Cidden böyle mi düşünüyorsun?"

"Hayır! O değil. Ben ismimden bahsediyordum."

"Ha, *o* mu?" Lutyens kısa, kuru bir kahkaha attı. "Belki şaşıracaksın ama," diye devam etti, "zaman harcayacak daha iyi işlerim var. Evet; o aptal, küçük, önemsiz işi yapan ben bile bir zamanlar çalıştırdığım küçük çocuklara ihanet etmek için büyük bir istek duymuyorum, sonradan *ne* olurlarsa olsunlar. Gerçek isminiz, Bay Mandrake, bende bir sır olarak kalacaktır. Şimdi gitmeliyim. İşime geç kaldım."

Sırtını dönüp kaldırımda uzun adımlar atarak ilerlemeye başladı. Mandrake dudaklarını ısırdı, acıyla karışık bir öfke hissediyordu. "Söylediklerimi yanlış yorumluyorsunuz," diye bağırdı. "Buraya size gözdağı vermek için gelmedim ben. Yalnızca o zaman size teşekkür etme fırsatım..."

Bayan Lutyens, durup omzunun üstünden ona baktı. Yüzündeki öfke kaybolmuştu. "Hayır, bence *anlıyorum*," dedi. "Ve bunu öğrendiğime çok memnunum. Ama sen kendini aldatıyorsun. Bana minnettar olan o çocuktu ve sen artık o çocuk değilsin. Onun adına konuşmuyorsun. Seninle aramızda hiçbir ortak nokta yok."

"Beni kurtarmaya çalıştığınızı bildiğimi söylemek istedim ve..."

"Evet," dedi Lutyens, "kurtaramadığım içinse üzgünüm. Hoşçakalın Bay Mandrake." Sonra yoluna devam edip nemli yapraklar üstünde hızla yürüyerek oradan uzaklaştı.

17

Birkaç saat sonra, bir çağırma daha. Hey, olacaksa böyle olsun işte. Kölelik yapmadan geçen bir gün boşa geçmiş demektir bence.

Bir bakalım... Mandrake tamam. Kitty tamam. *Bu* seferki kim olacaktı acaba? Kitty'nin sürpriz ortaya çıkışından sonra şahsen postacı olmasını bekliyordum.

Ama öyle bir şansım yoktu. Şimşek çarpmış gibi bir yüzle beni bekleyen sevgili eski sahibimdi yine. Zavallı yaşlı özümü haşmetli bir şekil almaya zorladım: Mısır'daki savaşlarda dövüşen aslan başlı bir savaşçı oldum.[1] Meşin göğüs zırhı, bronz levhalardan etek, kristal gibi parlayan gözler, siyah diş etlerinden parlayan uzun ve sivri dişler. Güzel. Pençemi, uyarı kabilinden havaya kaldırdım.

"Aklından bile geçirme bacaksız."

"Cevaplar istiyorum Bartimaeus! Cevaplar! Ve eğer alamazsam şu zıpkını görüyor musun? Kendim gitmeden önce bunu

---

[1] Teknik olarak sanırım dişi aslan başlıydım çünkü yelelerim yoktu. Yelelerin değeri gereğinden çok fazla abartılmıştır. Tamam, hava atmak için birebirdirler ama savaş alanında yan görüşünüzü engellerl, üstlerinde biriken kanla keçeli berbat bir görünüm alırlar.

sana *yediririm.*" Sözcükler, yamulmuş ağzından yuvarlanarak çıkıyordu. Kocaman açılmış gözleri bir balık gibi bakıyordu. Biraz canı sıkkın gibiydi!

"*Sen mi*? Sen onun üstüne oturmadan sivri ucunun hangisi olduğunu bile anlayamazsın." Sesim kadife yumuşaklığındaydı. "Yine de dikkatli ol. Ben de pek savunmasız sayılmam." Minicik ayağımdan hilal gibi kıvrık bir pençe çıktı. Aylak aylak çevirdim ki ışıkta parıldasın.

Pis pis sırıttı. "Ah, ne gösteri ama değil mi? İki gün önce, bırak bir saldırıya karşı koymayı, *konuşmaya* bile halin yoktu. Şu gümüşle seni dürtsem, bahse girerim kılını bile kıpırdatamazsın. Onu bana geri de yollayamazsın."[2]

"Öyle mi dersin?" Dişi aslan, tüm ihtişamıyla ayağa kalktı. "Bunlar çok büyük laflar yabancı. Haydi durma da ispat et."

Hırladı, zıpkınla zayıf bir hamle yaptı. Aslan yana kaçıp zıpkının gövdesine bir pençe attı. Baştan sona acıklı bir gösteriydi, ikimiz de hedeften kilometrelerce şaşmıştık.

"Sen buna hamle mi diyorsun?" diye alay etti aslan, bir o ayağı bir bu ayağı üzerinde zıplayarak. "Solucan avlayan kör bir serçe gibisin."

"Sen de farklı sayılmazdın." Büyücü kendi yıldızı içinde bir o yana bir bu yana atılıyor, eğilip sıçrıyor, insanoğlunca bilinen tüm yönlere doğru zıpkın sallıyordu. Hırıldadı, hızlı hızlı nefes aldı. Normalde çatal–bıçağını bile hizmetkarları kaldıran birinin sahip olabileceği tüm becerileri sergiledi.

"Hey," dedim. "Ben buradayım. Tam önünde."

"*Cevaplar* Bartimaeus!" diye bağırdı yeniden. "Bana doğruyu

---

[2] Maalesef haklıydı. Bir ceza büyüsü attığı anda ona geri yollayabilirdim (gerçek ismini bilmenin en büyük avantajlarından biri buydu) ama gerçek bir zıpkına karşı hiçbir savunmam yoktu, özellikle de böylesine güçten düşmüşken.

söyle! Oyalanmak yok, laf çevirmek yok. Seni kim çağırdı?"

Aslında bunu bekliyordum. Ama ona Kitty'nin hâlâ hayatta olduğunu söyleyemezdim elbette. Ne kadar yolunu şaşmış olsa da bana onurlu davranmıştı. Aslan, bir koyun gibi baktı.[3] "Beni *birisinin* çağırdığını kim söylemiş?"

"Ben söylüyorum. Sakın inkar etme! Dün gece denedim ama sen yoktun. Kimdi o? Hangi büyücüyle görüştün?"

"Bu kadar telaş yapma. Yalnızca kısa bir görüşmeydi. Ciddi bir şey değil. Geçti gitti."

"*Ciddi bir şey değil mi?*" Yeni bir zıpkın hamlesi, bu sefer yerdeki parkeleri çizdi. "Buna inanacağımı mı sandın?"

"Sakin ol Kıskanç Bey. Tam bir olay yaratıyorsun."

"Kimdi o? Kadın mı erkek mi?"

İnandırıcı olmaya çalıştım. "Bak, ne düşündüğünü biliyorum ama *yapmadım*. Bu kadarı yeterli mi?"

"Hayır! Söylediğin tek bir söze bile inanacağımı mı zannediyorsun?"

İnandırıcılık buraya kadardı. Aslan, yüzsüzlüğü tekrardan ele aldı.[4] "Peki, o zaman buna inan: Cehenneme git. Seni ilgilendirmez. Sana hiçbir şey borçlu değilim."

Çocuk, o kadar öfkelendi ki patlayıp giysilerini paramparça edecek sandım. Bu onun içindeki korkuydu elbette, gerçek ismini başkalarına açıklayacağım korkusu.

"Dinle evlat," dedim. "Ben, kendi çıkarıma olduğundan kesin emin olmadıkça sahiplerim arasında asla laf taşımam, onun için dün geceyle ilgili hiçbir şey anlatmamı bekleme benden. Aynı şekilde, senin o zavallı küçük ismini de kimseye söyle-

---

[3] Karışık bir benzetme ama anlamışsınızdır.

[4] Yine biraz karışık, kusura bakmayın.

medim. Neden söyleyeyim? Hiçbir işime yaramaz ki. Ama çocukluk sırlarını açıklamam seni bu kadar endişelendiriyorsa çok basit bir çözümü var. Beni temelli azat et! Ama yo, bunu yapmayı beceremezsin, değil mi? Aslında geçmişinden kopmayı gerçekten de istediğini sanmıyorum. Bu yüzden beni sürekli yakınında istiyorsun, ne kadar zayıf düşersem düşeyim. Bu yolla hem bir zamanlar olduğun Nathaniel'a yapışabiliyorsun hem de şimdi olduğun kötü kalpli, büyük John Mandrake'ye."

Büyücü, bir şey demeden çukuruna kaçmış kızgın gözlerle bana baktı. Onu suçlayamazdım. Aslına bakarsanız ben de biraz afallamıştım. Bütün bu keskin içgörüler nerden gelmişti, bilmiyordum. Artık her ne olmuşsa söylenenler bir kulağından girip ötekinden çıktı mı, onu merak ediyordum. Pek iyi görünmüyordu.

Çalışma odasındaydık ve sanırım, öğleden sonraydı. Her yere kağıtlar saçılmıştı, masasında yenmemiş bir tabak yemek, havada yıkanmamış bir gencin içinde fazla zaman geçirdiğini ele veren, ekşi ve bayat bir koku vardı. Söz konusu gencin her zamanki gibi şık ve zarif olmadığıysa şüphesizdi. Yüzü şişmişti, öfkeyle bakan gözleri kızarmıştı, üzerinden dökülen (ve iliklenmemiş düğmeleriyle nahoş bir manzara yaratan) gömleği pantolonunun üstüne sarkmıştı. Hepsi de kişiliğiyle hiç bağdaşmayan şeylerdi. Mandrake, normalde kontrolü elden bırakmamasıyla tanınırdı. Kendini kaybetmesine neden olacak bir şey olduğu belliydi.

Eh, zavallı çocukcağız duygusal yönden çökmüş durumdaydı. Biraz morale ihtiyacı vardı.

"*Enkaza* dönmüşsün," diyerek bıyık altından güldüm. "Dağılmışsın. Ne oldu? Bütün suçluluk duyguları ve kendinden nefretin bir anda üstüne mi çullandı? Bunun nedeni, *bir tek* başkası tarafından çağırılmam olamaz herhalde?"

Çocuk aslanın kristal gözlerine baktı. "Hayır..." dedi yavaşça. "Şikayet etmek için başka nedenlerim var. Hepsinin ortak noktası da *sensin*."

"*Ben mi*?" Bense mağdur olanın kendim olduğunu zannediyordum! İhtiyar cinde hâlâ iş varmış demek. Keyfim yerine gelmişti. "Nasıl yani?"

"Dur da,"–zıpkını yere dayarken başparmağını delmesine ramak kaldı– "senin için şöyle bir özetleyeyim, olur mu?

"İlk önce; son yirmi dört saat içinde Londra'da birçok ciddi isyan gerçekleşti. Halk önemli hasara yol açtı. Çarpışmalar ve yaralanmalar oldu. Şu anda bile sokaklarda kargaşa var. Devereaux, bu sabah olağanüstü durum ilan etti. Askerler, Whitehall'u ablukaya aldı. İmparatorluğun düzeni ciddi olarak bozuldu."

"Anlaşılan, işte kötü bir gün geçirmişsin," dedim. "Ama benimle ilgisi yok."

Öksürdü. "Bütün bunları," dedi, "iki gece önce St. James Parkı'nda kargaşaya neden olan bir kurbağa başlattı. Düşüncesiz davranışları yüzünden tehlikeli bir cin serbest kalarak kalabalığın içine dalmış. İsyanları tetikleyen işte *bu* olaydı."

Aslan itiraz ederek kükredi. "Bu, pek benim hatam sayılmaz! Tamamen zayıf düşmüş bir halde *senin* emirlerini yerine getirmeye çalışıyordum. En zor koşullar altında bunu başardım. Sus, öyle gülmekten vazgeç. Sinirlerimi bozuyorsun."

Delikanlı, başını arkaya atıp bir sırtlanınkinden ayırt edilmesi güç, yankılı ve tiz bir kahkaha attı. "Başardın mı?" diye bağırdı. "Sen buna başarmak mı diyorsun? Ayağımın dibinde neredeyse can verecektin, istediğim rapor hakkında tek kelime edemedin, beni herkesin önünde aptal durumuna düşürdün. Eğer başarmak buysa bundan sonra başarısız olmanı tercih ederim."

"Ben mi seni aptal durumuna düşürdüm?" Aslan, gülmemek için kendini zor tuttu. "Gerçekçi ol. O konuda kimsenin yardımına ihtiyacın yok ahbap. Ne yapmışım? Neredeyse öldüğüm için belki ne kadar gaddar olduğunu ele vermişimdir. Hangi büyücü, bir cinin hayatta kalamayacak kadar zayıf düşmesine izin verir de bu kadar uzun süre dünyada tutar? İşimi bitirmemene şaştım doğrusu."

Mandrake'nin gözleri ateş saçtı. "Onlar bitirmek istedi!" diye bağırdı. "Sendeki bilgiyi zorla alıp sonra ölüme terk etmek istediler! Ne kadar budalaymışım ki seni kurtardım. Gitmene izin verdim. Neden olduğun bütün hasarın hesabını tek başıma vermek zorunda kaldım. Sonuç olarak kariyerim neredeyse sona erdi. Belki hayatım da. Düşmanlarım bir araya geliyor. Sayende yarın duruşmaya çıkıyorum."

Sesi titriyordu, gözleri yaşardı. Arka planda resmen hüzünlü keman nağmelerini duyabiliyordunuz. Savaşçı aslan dilini çıkarıp münasebetsiz bir ses çıkardı. "Bunların hepsi önlenebilirdi," dedim vahşi bir sesle, "daha fazla kovacak kadar bana güvenebilseydin eğer. O zaman daha formda olurdum ve Hopkins'in demonlarıyla kolayca baş ederdim."

Hemen bana baktı. "Ah. Demek Hopkins'i buldun?"

"Konuyu değiştirme. Diyordum ki: Hepsi *senin* suçun. Bana inanman gerekirdi. Ama bunca yıldan sonra Lovelace ve Duvall olayında senin için yaptıklarımdan, Anarşist ve İstiridye işinde..."

İrkildi. "O sonuncusundan hiç bahsetme."

"... yaptıklarımdan sonra *bile*," diye devam ettim vicdansızca, "vasatlığı elden bırakmadın, tipik bir büyücü gibi davrandın, sanki düşmanınmışım gibi. Ben pis bir demonum, tabii ki bana güvenile..." Birden durdum. "*Ne?* Bana bak, o gülüşün *cidden* sinirime dokunuyor."

"Ama tam doğruyu söyledin!" diye bağırdı. "Sana *güvenilmez*. Bana *yalan* söylüyorsun."

"Tek bir örnek ver."

Gözleri parladı. "Kitty Jones."

"Ne demek istediğini anlamıyorum."

"Bana öldüğünü söylemiştin. Yaşadığını biliyorum."

"Ah." Bıyıklarım aşağı sarktı. "Onu gördün mü?"

"Hayır."

"Öyleyse yanılıyorsun." Olabildiğince hızlı sayıp dökmeye başladım. "O pişmiş balık kadar ölü. Daha ölüsünü görmemiştim. O golem, kızı tek parça halinde mideye indirdi. Hop! Dudak şaplat! Bitti gitti. Üzücü, ama yine de bu kadar sene sonra endişe edilecek bir şey..." Buraya gelince sustum. Gözlerindeki bakışı sevmemiştim.

Mandrake, ağır ağır başını salladı. Kırmızı öfke şeritleri yüzünü ele geçirmek için beyaz beneklerle çekişiyordu. Berabere kaldılar, yarı yarıya bölüştüler. "Tümden yuttu, öyle mi?" dedi. "Garip, bense golem kızı yakıp kül etti demişsin gibi hatırlıyorum."

"Ah, öyle mi dedim? Evet, şey, onu da yapmıştı. Önceden. Yutma kısmından önce... Aah!"

Büyücü, haber vermeden zıpkını kaldırıp hamle yapmıştı. Çok güçsüz, tepki veremeyecek kadar dayanıksızdım. Zıpkın, sımsıkı diyaframıma çarptı. Şok içinde güçlükle nefes aldım, aşağıya baktım... Sonra yeniden rahatladım.

"Yanlış uç," dedim. "Orası keskin olmayan taraf."

Mandrake de durumun farkına varmıştı. Hayal kırıklığı içinde bir küfür savurarak zıpkını fırlatıp çemberinin dışına attı. Gözlerini bana dikip nefes nefese, duygularına hakim olmaya çalıştı. Bir dakika kadar bir zaman geçti. Kalp atışları yavaşladı.

"Nerede olduğunu biliyor musun?" diye sordum.

Bir şey söylemedi.

Ağır ağır konuştum. "Onu rahat bırak. Sana bir zararı yok. Üstelik hayatını kurtardı, unutma, bu konuda yalan *söylemedim*."

Konuşacak gibi oldu, sonra konuyu aklından zorla çıkarmak ister gibi yavaşça başını salladı. "Bartimaeus," dedi, "geçen gün görevini tamamlarsan seni kovacağımı söylemiştim ve sözümün arkasındayım. Bana Jenkins'i takip ederken olanları anlat, ben de gitmene izin vereyim."

Aslan, kaslı kollarını birbirine kavuşturmuştu. Büyük bir yükseklikten aşağı çocuğa bakıyordu. "Temelli mi?"

Gözleri yana kaçtı. "Ben öyle bir şey demedim."

"Ama *ben* diyorum. Eğer yanılmıyorsam seni Kule'ye gitmekten ancak benim vereceğim bilgiler kurtarabilir. Doğru mu?"

Dişlerini gıcırdattı. "Hopkins'in bir komplo tezgahladığını zannediyorum. Eğer bunu engelleyebilirsem büyük ihtimalle mevkimi koruyacağım, evet."

"Öyleyse ne diyorsun? Elimde iyi bilgiler var. Pişman olmazsın."

Resmen sesi çıkmıyordu. "Tamam... Eğer yeterince iyiyse."

"Öyle. Güzel, anlaşacağız gibi görünüyor. Biliyor musun Mandrake," dedi dişi aslan düşünceli düşünceli. "Sen küçükken işler daha iyiydi. O zamanlar daha duyarlıydın."

Ters ters yere baktı. "Öyle diyorlar. Şimdi, anlat bakalım."

"Pekala." Aslan pençelerini birbirine geçirdi, eklemlerini çıtırdatıp anlatmaya başladı. "Jenkins'i bütün Londra'da takip ettim. Planlarını gerçekleştirecek bir büyücüler ağına sahip, toplam yedi kişiler, hepsi de biraz kendine benziyor. Düşük seviyeli, canından bezmiş, güçsüz. Görünüşe göre korkulacak bir şey yok, senin gibi zorlu biri için."

"İsimler?" Büyücü, her kelimeyi yutarak dikkatle dinliyordu.

"Withers ve Burke. Hayır, bana da bir şey ifade etmedi. Ama bunu tanıyacaksın: Lime."

Mandrake'nin gözleri kocaman açıldı. "Rufus Lime mı? Lovelace'ın arkadaşı. *Şimdi* oldu. O hâlâ..."

"Evet. Her zamankinden daha balık suratlı. Paris'den yeni gelmiş galiba."

"Ya planları? Ayrıntı öğrenebildin mi?

"Somut bir şey yok açıkçası. Hepsi, bu iş için demonlar seçmekle meşgul, ne işiyse. Ama adamlar büyücü, zaten ne yapacaklardı ki? Halatlar ve zincirlerden epey bir bahsedildi. Ha, bir de minibüsler."

Burnunu kırıştırdı. "Minibüs mü?"

"Çıkar ortaya. Bir de bir deneyden bahsettiler. Daha önce başarıya ulaştığına dair kanıtlar istendi. Ama ne olduğu hakkında bir fikrim yok." Kulağımı kaşıdım. "Başka, başka...? Ha, Jenkins, yedi kişi olduklarını çünkü 'her sandalyeye bir adam' düşeceğini söyledi."

Mandrake homurdandı. "Konsey. Orada yedi kişiyiz. Bir isyan düzenliyorlar."

"Hep olan şey."

"Eh, enteresan, ama pek kesin bir şey yok." Mandrake eğlenerek bana baktı. "*Bunun* için mi azat edilmeyi bekliyorsun?"

"Dahası var. Jenkins yalnızca sıkıcı dostlarını ziyaret etmedi, biriyle daha buluştu. Üç tahmin hakkın var."

"Kimle?"

"Haydi, tahmin et. Of, hiç akıllı değilsin. Bir ipucu vereyim. Sakal. Hah, aferim."

"Cevap vermedim ki."

"Yo, ama yüzünün aldığı renkten doğru tahmin ettiğini anladım.[5] Evet, paralı asker şehre geri dönmüş, kaşlarıysa hatırladığından daha kıllı ve daha çatık. Bütün cesaretim ve kurnazlığımla yedi düvel botlarına yapışıp adamı parka kadar takip ettim, orada buluştuğu kişininse ancak ne idüğü belirsiz Hopkins olabileceğini tahmin ediyorum. Hayır, söylediklerinin tek kelimesini duymadım. Cinleri, beni orada yakaladı. Gerisini biliyorsun. Özümün yarısını, o parkla Richmond arasında bıraktım."

"Hepsi iyi güzel," diye bağırdı Mandrake, "de benim ne işime yarayacak? Harekete geçmeme yetecek kadar bilgi yok! Yarınki duruşmadan sağ çıkacaksam somut bir şeye ihtiyacım var... Hopkins... Anahtar onda. Tarif edebilir misin?"

Yelesiz aslan burnunu kaşıdı. "Garip. Çok zor... Çok silik bir tip gibi. Biraz kambur, galiba özelliksiz bir yüz, tıraşsız... Kumral mat saçlar, sanırım... Hımm... Neden başını ellerinin arasına aldın?"

Yüzünü tavana döndü. "Aah! Ümitsiz vaka! Bu işin sana verilmeyeceğini bilmeliydim. *Ascobol* çok daha iyi becerirdi."

---

[5] Kayıtlara geçmesi için sarıyla karışık çok ilginç bir beyaz olduğunu söyleyeyim. Hafif hardalımsı.

İncinmiştim. "Ah, öyle mi? O da gidip Hopkins'in nerede yaşadığını buluverirdi herhalde?"

"Ne?"

"Tam adresi bulup getirirdi, değil mi? Hayal edebiliyorum, kocaman şişko, tek gözlü bir dev, yağmurluk giyip melon şapka takmış, kafede çaktırmadan Jenkins'le paralı askere yanaşıyor, kahve ısmarlayıp konuştuklarını dinlemeye çalışıyor... Ah, evet, hiç göze batmazdı."

"Bırak şimdi bunları. Hopkins'in yerini biliyor musun? Söyle bana!"

"Ambassador Oteli'nde kalıyor," dedim. "Orada. Bir kaşık yaşamım kalmışken arada bir–iki şey de öğreniverdim işte.[6] Şimdi, ben... Dur, ne yapıyorsun?"

Büyücü bir anda ayaklanmıştı. Yüzünü yere çizili öteki pentagramlara dönüp boğazını temizleyerek yorgun, kızarık gözlerini ovuşturdu. "Tek şansım var Bartimaeus," dedi. "Tek bir şans ve bunu kullanacağım. Elimde somut bir şeyler olmazsa yarın bütün düşmanlarım üstüme saldıracak. Bağlanıp düğümlenmiş bir Hopkins'den daha somut bir şeyse çok az vardır."

Parmaklarını gerdirip büyülü sözcüklere başladı. Ayak bileklerimin etrafını soğuk bir rüzgar, havayı hüzünlü bir inilti sardı. Dürüst olmak gerekirse bu türden efektler *Uruk'da* bile bayat ve modası geçmiş bulunur, küçümsenirdi.[7] Gülmekten yere devrilmediği sürece hiçbir çağdaş büyücünün bu zırıltı nedeniyle yıldızından çıkması beklenemez. Sıkkın, başımı salladım.

---

[6] Teknik terimler: Bir öz ölçüsü.

[7] Ben bu güçlü rüzgar/nereden geldiği belirsiz inilti numarasını en son Humbaba diye bir devi, o zamanki sahibim Gılgamış arkasından yaklaşıp derisini yüzebilsin diye, çam ormanlarına kaçırmak için kullanmıştım. M.Ö. 2600'den bahsediyoruz yani. O zaman işe yaramasının tek nedeniyse Humbaba'nın bir köknar ağacından yalnızca bir—iki çam kozalağı daha kısa olmasıydı.

Kimin geldiğini anlamak için kahin olmak gerekmiyordu.

Çatlak bir yemek çanından çıkacak bir sesle ötedeki pentagramda beliren, tabii ki sarı saçlı, o devdi. Anında, sahibinin haklı olarak duymazdan geldiği, anlamsız bir ağlayıp sızlanma merasimine başladı. Beni görmemişti. Diz çöküp ellerini ovuşturarak kovulmak için yalvarana kadar bekledim, sonra kibarca öksürdüm. "Mendil ister misin Ascobol? Ayaklarım ıslandı."

Tek gözlü dev, yüzü alev alev bir utanç ve hoşnutsuzluk maskesi halinde, telaşla ayağa kalktı. "*Onun* burada ne işi var efendim? diye homurdandı. "*Onunla* çalışabileceğimi sanmıyorum, gerçekten de."

"Endişelenme," dedim. "Ben yalnızca emirlerini almanı izliyorum. Ondan sonra gideceğim. Değil mi 'efendim'?"

Mandrake, ikimizi de duymazlıktan geldi. Bu arada sihirli sözcüklere devam etmiş, enerjisini odadaki diğer pentagramlara yöneltmişti. Ucuz numaralar birbiri ardına devam etti. İrili ufaklı patlamalar, ciyaklamalar ve koşturan ayak sesleri; yumurta, barut ve metan kokuları. Bir çocuğun yaşgünü partisinde gibiydik. Bir tek aptal şapkalarımız eksikti.

Birkaç saniye içinde olağan süpheliler de bize katıldı, Mandrake'nin kurduğu takımın geri kalanı. Karma bir gruptu. İlk olarak ama sondan gelen Ascobol vardı, lüle lüle saçların arasından ters ters bana bakıyordu. Ondan sonra Cormocodran, mizah duygusundan yoksun bir inek, üçüncü seviyeden, Kelt Şafağı sırasında İrlanda'da bulunmuş; dişleri ve canlı çivit mavisi karışık paçalarıyla erkek yaban domuzu kılığını tercih etmişti. Onun ilerisinde Mwamba vardı, doğu Afrika'daki Abaluyia kabileleriyle çalışmış bir cin. Onunla biraz zaman geçirmişliğim vardı, diğerleri gibi bezdirici yorumlarla zaman harcamazdı. Bugün, en iyi kendisinin bilebileceği nedenlerle kalçalarına kadar çıkan deri çizmeler giymiş, dev bir dikenli kertenkele olmuştu. En ötede dikenleri, leş kokuları ve kötü kişiliğiyle pentagramının içine zor sığan Hodge duruyordu. Son aylarda beşimiz sık sık birlikte çalışmıştık ama ne yazık ki hiçbiri benim neşeli kişiliğime sahip değildi.[8] Sürekli sürtüşüp dalaşırdık. Şu anki ilişkimiz, en hafif tabirle gerilimli olarak tanımlanabilirdi.

Mandrake alnının terini sildi. "Sizleri," dedi, "son kez çağırıyor olmayı umuyorum." Bu biraz ilgi yarattı; kıpırtılar, öksürükler, diken hışırtıları duyuldu. "Eğer bugünkü görevi tamamlarsanız," diye devam etti, "bir daha hiçbirinizi çağırmayacağım. Umarım verdiğim bu söz, verilen emri harfi harfine yerine getirmeniz için yeterlidir."

Konuşan Cormocodran'ın sesi dişlerinin arasından gürledi. "Emir nedir?"

"Ambassador Oteli'nde kalan Hopkins isminde bir insan var. Onu tutuklayarak buraya, bu odaya getirmenizi istiyorum. Eğer ben yoksam dönünceye kadar yıldızlarınızın içinde bekleyin. Hopkins büyük ihtimalle büyücü, düşük seviyeli cinler çağırabilecek yandaşları olduğu kesin, yine de gördüğümüz kadarıyla sizlere sorun yaratabilecek güçte yaratıklar değil. Hopkins'den daha tehlikeli olan uzun boylu, sakallı bir adam. Büyücü değil ama büyülü saldırılara karşı bağışıklığı var. Bu kişi, otelde olabilir de olmayabilir de. Eğer oradaysa ve adamı yakalayıp öldürebilirseniz çok iyi olur. Ama esas Hopkins'e ihtiyacım var."

---

[8] Mwamba bir kelebek kadar uçarıydı, Cormocodran suskun ve yabani, Ascobol ve Hodge ise yalnızca dayanılmaz, insanı usandıracak kadar alaycılığa yatkın cinlerdi.

"Eşkaline ihtiyacımız olacak," diye tısladı Mwamba. "Hem de çok detaylı olmalı. Bana bütün insanlar aynıymış gibi geliyor."

Ascobol başını salladı. "Cidden de, değil mi? Hepsi temelde aynı biçimde, kollarıyla bacakları, kafaları hep aynı sayıda... Yine de, farklı olan ufak tefek birkaç şey var. Eğer ..."

Mandrake aceleyle elini kaldırdı. "Tamam. Neyse ki Bartimaeus, Hopkins'le karşılaşmış ve sizi yönlendirebilir."

Yerimden sıçradım. "Bir dakika! Öyle olmaz. Olanları anlatınca serbest kalacağımı söylemiştin."

"Kabul. Ama Hopkins tarifin çok basit, eksik. Bununla bir yere varamam. Ötekilerle git, Hopkins'i göster. O kadar. Bu halinle onu yakalamanı beklemiyorum. Geri dönünce azat edileceksin."

Ötekilere dönüp ek talimatlar vermeye başladı ama dişi aslan bir şey duymuyordu. Püsküllü kulaklarım sinirden çınlıyordu. O kadar öfkeliydim ki kendimi zor tutuyordum. Kibirli şey! Odanın içinde hâlâ yankılanan bir sözden nasıl da kolayca cayabiliyordu! Çok güzel, gidecektim. Başka şansım yoktu. Ama bir kez elime düşerse Mandrake bana ihanet ettiği zamanlar için çok pişman olacaktı.

Büyücü sözlerini bitirdi. "Başka soru var mı?"

"Siz bizimle gelmiyor musunuz?" diye sordu Hodge. Dikenli balık derisinden paltosunu düzeltiyordu.

"Hayır," diyerek alnını kırıştırdı Mandrake. "Maalesef tiyatroya gitmem lazım. Kariyerimden geriye kalan şey buna bağlı. Ayrıca"–bana bir bakış attı, gözlerindeki manayı okuyamadım– "belki *başka* bir randevum daha olabilir."

Aslan affetmez bakışlarla ona baktı. "Çok büyük bir hata yaparsın." Başımı çevirdim. "Haydi, o zaman," dedim ötekilere. "Takip edin."

18

Kitty, gün boyu keyifsizdi. Huysuz, dalgın ve aksiydi, hatta ustası fazla üstüne geldiği zamanlarda aniden parlayabiliyordu. Verilen işleri görev duygusuyla ama zevk almadan, kapıları çarpıp villanın odalarında paldır küldür yürüyerek ve bir seferinde –dar bir alanda yaptığı ani bir manevra yüzünden– özenle dizilmiş iki yüksek kitap sütununu devirerek yapıyordu. Ustası da kendi adına oldukça gerginleşmişti.

"Dikkatli ol Lizzie," diye bağırdı. "Sabrım yavaş yavaş tükeniyor."

Kitty divanın karşısında durdu. Alnı karaların karası bir kaş çatışla kırışmıştı. "Sizi memnun edemiyor muyum Bay Button?"

"Evet, edemiyorsun! Bütün gün bir ifrit kadar çirkin ve beş karış bir suratla haydut bir fil gibi pat küt evimde dolaştın! Seninle konuştuğumda saygısızca kaba cevaplar veriyorsun. Patavatsızlığın ve münasebetsizliğinle şoka uğramış haldeyim! Ayrıca bana demlediğin şu çay sinek çişi gibi. Böyle devam edemez. Neyin var senin kızım?"

"Hiçbir şeyim."

"Yine asık surat! Seni uyarıyorum, böyle devam ederse kulağından tuttuğum gibi seni dışarı atarım."

"Peki efendim," diyerek iç çekti Kitty. Sonuçta Bartimaeus'un ona sırt çevirmesi Bay Button'ın suçu değildi. "Özür dilerim efendim. Bazı sorunlar yaşadım da."

"Sorun mu?" İhtiyar adamın yüzündeki kızgınlık çizgileri yumuşadı. "Tatlım, söyleseydin ya. Anlat bana. Belki bir yardımım olur." Alnından bir telaş titreşimi gelip geçti. "Mali bir şey değildir inşallah?"

"Hayır efendim. Öyle bir şey değil." Kitty duraksadı. Adama doğruyu söylemesi mümkün değildi, ona yardım etmekteki bütün arzusunun, sabahın erken saatlerinde boşa çıktığını. Üç yıla yakın bir süreden sonra Bay Button ona güveniyordu. O aksi tavırlarına rağmen kendisine fazlasıyla değer verdiğini biliyordu. Ama yine de bir büyücüydü. "Gece işimle ilgili efendim," dedi. "Biliyorsunuz, bir barda çalışıyorum. İki gün önce bir demon baskınına uğradık. Meslektaşlarımdan biri öldürüldü."

"Baskın mı?" Bay Button'ın kaşları çatıldı. "Ne için?"

"Her zamanki şey efendim; muhalefeti ortaya çıkarmak, liderlerimize karşı olan insanları bulmak." Ustasının önündeki tabaktan bir parça baharatlı kek alıp halsizce ısırdı.

"Eh, Lizze, her devletin kendini korumaya hakkı olduğunu anlamalısın. Eğer böyle insanlara yataklık eden bir yerse o barda devam etmen ne kadar doğru bilemiyorum."

"Ama aslında değil efendim. Sorunda bu zaten. Halkın tek yaptığı savaş hakkında, polis hakkında, özgürlüklerinin kısıtlanması hakkında konuşmak. Yalnızca konuşuyorlar. Bu konuda hiçbir şey *yapacak* güçleri yok, siz de biliyorsunuzdur."

"Hımm."Bay Button kir tabakasıyla kaplı pencereden ekim ayının boş gökyüzüne baktı. "Mutsuz oldukları için halkı fazla suçlayamam. Savaş fazla uzun sürdü. Korkarım Bay Devereaux yapması gerekenleri yapmıyor. Ama elden ne gelir? Ben bile büyücü olduğum halde çaresizim! Güç, Konsey'de yoğunlaşmış durumda Lizzie. Geriye kalanlara izleyip işlerin iyiye gitmesini ummaktan başka bir şey kalmıyor. Vah, vah, arkadaşlarından biri öldürüldüğüne göre neden bu kadar hırçın olduğunu anlayabiliyorum. Kaybın için üzgünüm. Bir kek daha al."

"Çok naziksiniz. Teşekkürler efendim." Kitty, divanın koluna oturup söyleneni yaptı.

"Belki de bu öğleden sonra izin yapmalısın Lizzie," dedi Bay Button. "Ben, demon fihristiyle uğraşacağım için meşgul olacağım. Öyle çok demon var ki! Öteki Taraf'a zorlukla sığdıklarını sanırsın!"

Kitty'nin ağzı kek kırıntılarıyla doluydu. Ağzındakileri yuttu. "Affedersizin efendim, Öteki Taraf tam olarak *nedir*? Yani neye benzer?"

İhtiyar homurdandı. "Bir kaos bölgesi, sonsuz pisliklerden oluşan bir girdap. Doğru hatırlıyorsam, Dulac bunu 'çılgınlıkla dolu lağım çukuru' olarak adlandırmıştı. Böyle bir diyarın dehşetini hayal bile edemeyiz." Ürpermiş gibi yaptı. "Yoksa canımız bir parça kek daha ister."

"Demek orayı ziyaret eden büyücüler *oldu*?" diye sordu Kitty. "Yani neye benzediğini anlamak için yapmış olmaları gerekir."

"Ah. Nasıl söylesem." Bay Button omuzlarını silkti. "Tam olarak değil. Yetkililer, genelde güvenilir kölelerden aldıkları bilgileri kullanmıştır. Oraya gitmeyi göze almak tamamen ayrı bir konudur. Hem beden hem ruh için tehlikelidir."

"Öyleyse hiç yapılmadı mı?"

"Ah, denendi tabii. Dulac'ın efendisi Ficino mesela. Bir demonun gücüne ulaşmayı ummuştu. Onun yerine aklını yitirdi, kelimenin tam anlamıyla. Aklı oradan geri gelmedi. Bedenine gelince... Yo. Detaylar çok mide bulandırıcı."

"Of, lütfen efendim."

"Kesinlikle olmaz. Birkaç önemsiz deneme daha yapıldı ama başlarına gelen en iyi şey çıldırmak oldu. Yolculuğu başarıyla yaptığını söyleyen tek büyücü Batlamyus. *Apocrypha* isimli eserinde bazı ayrıntılar var ama ne kadar değerli oldukları şüpheli. Bir de işlemin ancak iyi bir demonun yardımıyla başarılabileceğini, Kapı'nın yaratılması için demonun isminin telaffuz edilmesi gerektiğini belirtiyor." Burnundan sesler çıkartarak güldü. "Bu fikrin gülünç olduğu aşikar. Kim hayatını bir demona teslim eder ki? Batlamyus, kendisi de büyük ihtimalle bu deneyin bedelini ödemiş. Kayıtların çoğuna göre sonradan fazla yaşamamış."

Güven. Bartimaeus da işte bundan bahsetmişti. Batlamyus ona güvenmişti. Sonuç olarak aralarındaki bağın hiçbir sınırı kalmamıştı. Kitty, cinin çemberden çıkması için nasıl da meydan okuduğunu hatırlayarak gözlerini tavana dikti. Yapmamıştı çünkü çıktığı anda parçalarına ayrılma olasılığı vardı. Güven yoktu. İki tarafta da.

İçini bir kez daha müthiş bir öfke sardı. Bunca yılı boş bir hayalin peşinden giderek harcamanın getirdiği öfke. Divanın kolundan aşağı kaydı. "Öğleden sonra cidden izin alsam, sorun olur mu acaba efendim?" dedi. "Sanırım biraz hava almaya ihtiyacım var."

Holden paltosunu alırken yeni alınmış raflara dizilmeye hazır, yakınlarda düzenlediği bir kitap yığınının yanından geçti.

Aralarında yakın Doğu'dan eski kitaplar vardı, şeyin de içinde olduğu. Durup kontrol etti. Evet. İşte oradaydı, üstten üçüncü, ince bir cilt. Batlamyus'un *Apocrypha* kitabı.

Kitty dudaklarını büzdü. Ne işe yarayacaktı ki? Bartimaeus Yunanca yazıldığını söylemişti, ondan yararlanamayacağını öne sürmüştü. Yürümeye devam etti ama holün yarısında tekrar durdu. Arkasına baktı. Eh, neden olmasın? Denemekten zarar gelmezdi.

Eski araştırma alışkanlıklarından kurtulmak zordu. Evden cebindeki kitapla ayrıldı.

O akşam bol bol vakti olan Kitty, Kurbağa Bar'a doğru yürüyordu. Yaptığı uzun yürüyüşün, içinde kontrolsüzce büyüyen hayal kırıklığını biraz olsun yatıştıracağını ummuştu ancak daha da artırmaya yaramıştı. Yanlarından geçtiği insanların yüzü asık ve sıkıntılıydı, omuzları düşmüştü. Yol boyunca ağır ağır ilerlerken başları öne eğikti. Sokakların üstünde araştırma küreleri dört dönüyor, Gece Polisi ana kavşaklarda kasım kasım kasılarak dolanıyordu. Bir–iki caddede barikatlar kuruluydu. Şehir merkezinde yaşanan karışıklıktan sonra yetkililer göz açtırmıyordu. Yanından birkaç seferden daha fazla beyaz polis minibüsleri geçmişti. Kulağına uzaktan gelen siren sesleri çalınıyordu.

Adımları yavaşladı, donuklaşan bakışları bir şey görmez oldu. Her şeyin boşunalığı omuzlarında ağır bir yük gibiydi. Kütüphanelere ve tozlu odalara kapanıp büyücülük oynayarak geçen üç yıl. Ve hepsi ne için? Hiçbir şey değişmemişti. Hiçbir şey *değişmeyecekti*. Londra'nın üzerine bir adaletsizlik cübbesi örtülüydü ve o da herkes gibi bu pelerinin altında boğuluyordu.

Konsey, neden olduğu acıyı umursamaksızın canı ne isterse yapıyordu. Ve bunu önlemek için elinden hiçbir şey gelmiyordu.

Barda da aynı kasvetli bir hava hakimdi. İçerisi toplanmış, iki gece öncesinin izleri önceden temizlenmişti. Barın sonunda demonun açtığı deliği dolduran yeni ve parlak bir ahşap parçası tezgaha tam uymasa da George Fox, kartpostal ve at nallarıyla gizlemeyi başarmıştı. Bütün kırık sandalye ve masaların yerine yenileri gelmişti. Kapının yanındaki yuvarlak yanık izi bir kilimle kapatılmıştı.

Fox, Kitty'i belli belirsiz selamladı. "Bugün bize fazladan iş var Clara," dedi. "Henüz... Yani Sam'in yerini alacak birini daha bulamadım."

"Evet, evet. Tabii." Kitty'nin sesi yumuşaktı ama içinde hiçbir yere yöneltemediği bir öfke kaynıyor, çığlık atmamak için kendini zor tutuyordu. Aldığı bezi, büyücü boynu gibi sıkarak işe koyuldu.

İki saat geçti, bar doldu. İnsanlar, masalarda bir araya toplanıp ya da barda dikilip sessizce sohbete daldı. Keyifsiz bir dart maçı başladı. Kitty, düşüncelere dalmış halde, barın arkasında içkileri dolduruyordu. Kapı açılıp içeri bir sonbahar esintisi girdiğinde o tarafa bakmadı bile.

Kurbağa'daki bütün konuşmalar, sanki bir düğmeye basılmış ya da pil bitmiş gibi aniden kesildi. Cümleler yarıda bırakıldı, dudaklara giden bardaklar yarı yolda kaldı, gözler yana kaydı, birkaç baş çevrildi. Bir dart oku, hedefin yanında duvara çakıldı. Bir masaya eğilmiş laklak eden George Fox doğruldu.

Kapıda genç bir adam vardı. Siyah paltosundaki yağmur damlalarını silkti.

Kitty, yeni geleni yanındaki müşterilerin başları arasından gördü. Ellerinin sarsılmasıyla tezgahın üstüne cin saçıldı. Ağzından anlamsız bir ses çıktı.

Genç adam eldivenlerini çıkardı. İnce uzun elini –asker traşlı ve yağmurdan parıl parıl– saçlarından geçirdi ve sessiz salona göz gezdirdi. "İyi akşamlar," dedi. "Buranın sahibi kim?"

Sessizlik. Hışırtılar. Sonra George Fox boğazını temizledi. "Benim."

"Ah, güzel. Biraz konuşalım lütfen." Alçak sesle rica edilse de ses tonunda otoriter ve kibirli bir hava vardı. Zaten genç adam baştan ayağa öyleydi. Paltosu, siyah şık ceketi, kırmalı beyaz gömleği, kaliteli deriden ayakkabıları. O da kendi tarzında, Kurbağa Bar için yüzü olmayan demon kadar yabancı bir tipti.

Düşmanca duygular ve korku dalga dalga barı sardı. Genç adam gülümsedi. "Sakıncası *yoksa.*"

George Fox öne çıktı. "Sizin için ne yapabilirim?"

Genç adam, Fox'tan yarım baş daha kısaydı. Fox yapılı, o inceydi. "Sanırım burada çalışan bir kız var," dedi. "Adı neydi?"

Barda duran bir–iki müşterinin gözü, tezgahın arkasındaki kabine sinmiş olan Kitty'e kaydı. Geçiş kapısı yakınındaydı. Oradan süzülebilir, mutfaktan geçip dışarı kaçabilirdi.

Bay Fox gözlerini kırpıştırdı. "Şey, Clara Bel. Tek kız o, Peggy gittiğinden beri..." Sesi gittikçe alçaldı, sakıngan bir düşmanlıkla sordu: "Neden? Niye soruyorsunuz?"

"Clara Bell, bu gece burada çalışıyor mu?"

George Fox duraksadı. Zaten tam genç adamın istediği cevap da buydu. "Güzel," dedi. "Getirin onu." Etrafa bakındı.

Kitty, barda duran müdavimlerin ardına gizlenmişti. Yavaş yavaş geçiş kapısına doğru ilerliyordu.

"Getirin onu," dedi genç adam yeniden.

George Fox yine kıpırdamadı. Yüzü kayadan oyulmuş gibi, gözleri kocaman açılmıştı. "Onu niçin arıyorsunuz?" diye tekrarladı duygusuzca. "Siz kimsiniz? Onunla ne işiniz var?"

"İsteklerimi ne açıklamaya," dedi genç adam, sesi yorgun çıkıyordu, "ne de bir seferden fazla belirtmeye alışkın değilim. Ben hükümetin adamıyım. Bu kadarı buradaki herkes için yeterli olmalı... Ah, üzgünüm! Hiç sanmıyorum..."

Çıkışa yakın oturan bir adam çaktırmadan yerinden kalkmış kapıya doğru seğirtiyordu. Açtı, çıkmaya yeltendi. Büyücü, bir şey söyleyip bir hareket yaptı. Adam gerisin geri içeri savrularak şöminenin yanına sert bir iniş yaptı. Kapı öyle şiddetli çarpıldı ki duvarlardaki pirinç levhalar zangırdadı.

"Clara Bell bulununcaya kadar buradan bir kişi bile çıkmayacak." Genç adam sabırsızca yere serilmiş vatandaşa baktı. "Sızlanmayı kes! Yaralanmış değilsin." Tekrar George Fox'a döndü. "Evet?"

Kitty geçiş kapısına ulaşmıştı. Müşterilerden birinin başını salladığını neredeyse fark etmeyecekti. "Haydi," diye tısladı adam. "Kaç."

Genç adam ayağını yere vurdu. "Bu bataklığa tek başıma gelmediğimi öğrenmek sizleri şaşırtmayacaktır. Kız otuz saniye içinde önüme getirilmezse pişman olmaya bile zaman bulamayacağınız emirler vereceğim." Saatine baktı.

George Fox yere baktı. Sonra tavana baktı. Yumruklarını sıkıp açtı. Etrafındaki yalvaran gözlere bakmamaya çalışıyordu. Yanaklarında yılların verdiği yorgunluğun izleri kazılıydı.

Ağzını açtı, kapadı...

"Tamamdır George." Kitty insanları ittirerek barın ucundan çıktı, paltosunu koluna atmıştı. "Bunu yapman gerekmiyor. Teşekkürler." Yavaşça masaların arasından yürüdü. "Evet, Bay Mandrake? Gidelim mi?"

Büyücü bir an cevap veremedi. Soluk yüzü, belki barın sıcağından, biraz kızarmış halde gözlerini kıza dikmiş bakıyordu. Kendini toparlayıp başıyla hafif bir selam verdi. "Bayan Jones! Şeref duydum. Benimle gelmenizin sakıncası var mı?" Yana çekildi. Kitty, sırtı dimdik, dosdoğru önüne bakarak yanından geçti. Mandrake, kapıya kadar peşinden gitti.

Genç adam arkasına dönüp sessiz bara baktı. "Gecenizi böldüğüm için özürlerimi sunarım." Dışarı çıktı, kapı kapandı. Neredeyse bir dakika boyunca ne kimse konuştu ne de bir ses çıktı.

"Yeni bir elemana ihtiyacın olacak George," dedi biri.

Avludaki araştırma küresi gitmişti. Geçiş yolunun ilerisindeki caddede bir–iki araba farı görüldü. Hafif yağmur çiseliyordu. Parmaklıkların arkasındaki karanlık nehre düşen damlaların sesini işitti Kitty. Yüzüne soğuk hava çarptı ve ıslak zerrecikler. Bu ani dokunuşlar, kendini canlı hissetmesini sağladı.

Arkasından gelen bir ses: "Bayan Jones. Arabam çok yakında. Oraya yürümemizi teklif ediyorum."

Sesi duyunca Kitty'nin içinde aniden keskin bir coşku filizlendi. Hissetmesi *gereken* korkunun yerine içinde yalnızca meydan okuma ve bir çeşit sevinç vardı. Mandrake'yi görmenin ilk sersemletici şokundan sonra oldukça sakinleşmişti zaten, sakinleşmiş ve her nedense tazelenmişti. Üç koca yıl boyunca yapayalnız ve diken üstünde bir yaşam sürmüştü. Şimdiyse o hayata ait tüm umutlar yıkıldıktan sonra bu şekilde yaşamaya bir saniye daha dayanamayacağını anlıyordu. Hareket istiyordu, sonuçları ne olursa olsun. Eski pervasızlığı, bastırılmış öfke dalgalarından bir sel gibi yeniden ona doğru akıyordu.

Döndü. Mandrake önünde duruyordu. *Mandrake*, Konsey'den biri. Sanki duaları kabul olmuştu.

"Peki ne yapacaksın?" diye mırıldandı. "Öldürecek misin beni?"

Genç adam gözlerini kırpıştırdı. Eski barın pencerelerinden vuran ışık hafif yüzünü aydınlatıyor, hastalıklı ve sarı bir ton veriyordu. Boğazını temizledi. "Hayır. Ben..."

"Neden olmasın? Vatan hainlerine yaptığınız şey bu değil mi?" Kitty, ilk iki sözcüğü tükürür gibi söylemişti. "Ya da canınızı sıkan herhangi birine? Demonlarınızdan biri iki gece önce buradaydı. Bir adam öldürdü. Ailesi olan biri. Devlete karşı hiçbir şey yapmamıştı. Ama yine de onu öldürdü."

Genç adam dişlerinin altından gücenmiş bir ses çıkardı. "Talihsiz bir olay. Ama benimle ilgisi yok."

"Hayır, demonları sizin yönetmeniz dışında." Kitty'nin sesi tiz ve sertti. "Onlar yalnızca köle. *Siz* yönetiyorsunuz."

"Şahsen ben değilim demek *istedim*. Benim bakanlığım yapmadı. Şimdi Bayan Jones..."

"Özür dilerim," dedi Kitty gülerek, "ama bu hayatımda duyduğum en acınası bahane. *Benim bakanlığım yapmadı*. Aa, oldu o zaman. Herhalde savaş da senin bakanlığın suçu değildir ya da Gece Polisi ya da Kule'deki zindanlar."

"Doğrusunu isterseniz, öyle." Mandrake'nin sesi sertleşmeye başlamıştı. "Şimdi, sesinizi tek başınıza kesebilecek misiniz

Bayan Jones? Yoksa yardımcı olmamı mı isterdiniz?" Parmağını şıklattı, avlunun en karanlık köşesinden bir gölge ayrıldı. "Bu Fritang," dedi Mandrake. "Kölelerimin en vahşisidir. Emrettiğim her şeyi..."

Kitty alaylı bir çığlık attı. "Tamam, tehdit et! Aynı bardaki insanları tehdit ettiğin gibi. Arkanda güç olmadan *hiçbir şey* yapmayı beceremezsin, değil mi? Geceleri nasıl uyuyorsun acaba?"

"Bunları *sen mi* söylüyorsun?" diye patladı Mandrake. "Hatırladığım kadarıyla Direnç de işine geldiği zaman güç kullanmaktan çekinmiyordu. Bir bakalım, can kaybı var mıymış? Çok sayıda insan öldürüldü, diğerleri sakatlandı ve..."

"*O* farklıydı. Biz *ideallerimiz* için..."

"Ee, ben de öyle. Bununla birlikte...." Büyücü derin bir soluk aldı. "Şu anda nezaketsiz davrandığımı kabul ediyorum." Elini salladı, bir kovma sözcüğü söyledi ve tehditkar gölge solarak yok oldu. "İşte. Artık korkmadan konuşabilirsin."

Kitty gözlerinin içine baktı. "Ben korkmamıştım."

Mandrake omuz silkti. Omzunun üzerinden barın kapalı kapısına bir göz attı sonra caddeye baktı. Kurbağa'daki otoriter ve becerikli tavrının aksine şimdi bir anda ikircikli, ne yapacağını bilmezmiş gibi görünüyordu.

"Ee?" dedi Kitty. "Birini tutuklayınca normalde neler olur? İşkence odası? Dayak? Ne olacak şimdi?"

Bir iç çekiş. "Seni tutuklamadım. En azından, öyle olması gerekmiyor."

"Öyleyse gitmekte özgür müyüm?"

"Bayan Jones," diye hırladı büyücü, "bir birey olarak buradayım, bir devlet adamı olarak *değil* ama bu isterik tavırlara bir son vermezseniz, durum her an değişebilir. Resmi olarak ölüsünüz. Dün hayatta olduğunuzu öğrendim. Gözümle görmek istedim."

Kitty'nin gözleri kısıldı. "Burada olduğumu kim söyledi? Demon muydu?"

"Hayır. Bunun önemi yok."

Kitty anladı. "Ah, Nick Drew."

"Önemi yok dedim. Sizi bulmak istemem şaşırtıcı gelmemeli; bir kanun kaçağını, bir Direnç üyesini."

"Hayır," dedi Kitty. "Aslında gırtlağımı çoktan kesmemiş olmanıza şaştım."

Büyücü içten bir can sıkıntısıyla bağırdı. "Ben bir bakanım, katil değil! Vatandaşlarımızın, siz ve arkadaşlarınız gibi teröristlerden korunmasına yardımcı olurum."

"Tabii, insanlar sizin elinizde *öyle* güvende ki," dedi Kitty alayla. "Delikanlılarımızın yarısı Amerika'da ölüyor, diğer yarısını sokaklarda hırpalamak içinse Gece Polisi ne güne duruyor, karşı çıkan herkese saldıran demonlar, banliyölerde kol gezen düşmanlarla casuslar. Mutluluktan ölüyoruz!"

"Biz olmasaydık, durum çok hem de çok daha kötü olurdu!" Mandrake'nin sesi yüksek ve gergin çıkmıştı. Bir mırıltıya indirgemek için gözle görülür bir çaba harcadı. "Gücümüzü, herkesi en faydalı şekilde yönetmek için kullanıyoruz. Halkın yönlendirilmeye ihtiyacı var. Tamam, dikenli bir yoldan geçiyor olabiliriz ama..."

"Sizin gücünüz kölelik üzerine kurulu! Nasıl olur da herhangi birinin yararına olabilir?"

Büyücünün yaşadığı şok çok gerçek gibiydi. "İnsanlar köleleştirilmiyor," dedi. "Sadece demonlar."

"Bu daha iyi, öyle mi? Bence değil. Yaptığınız her şey ahlaksızlıkla lekelenmiş."

Gelen yanıt güçsüzdü. "Öyle değil."

"Öyle ve bence bunu sen de biliyorsun." Kitty kaşlarını çattı. "Neden buradasın? İstediğin ne? Direnç, uzun zaman önceydi."

Mandrake boğazını temizledi. "Bana..." Paltosuna sarınıp nehre doğru baktı. "Bana, beni golemden kurtardığın söylendi. Beni kurtarmak için kendi hayatını riske atmışsın." Kitty'e bir bakış attı, kız umursamaz ifadesini bozmadı. "Ayrıca bunu yaparken öldüğün de söylenmişti. Hayatta olduğunu öğrendiğime göre doğal olarak gerçeği merak ettim."

Kitty kaşlarını çatmaya devam etti. "Ne istiyorsun? Ayrıntıları mı? Evet, yaptım, delirmiş olmalıyım. Golem, o zavallı kafanı sıkıp unufak etmeden onu durdurdum. Sonra da kaçtım. Bu kadar."

Gözlerini Mandrake'ye dikmişti. O da soluk ve yapay ışık altında gösterişsiz duran yüzüyle bakışlarını iade etti. Yağmur damlaları aralarına düştü.

Mandrake öksürdü. "Şey, ayrıntılar tamam. Teşekkürler. Ama aslında, merak ettiğim daha çok bunu *neden* yaptığındı." Ellerini ceplerine koydu.

"Bilmiyorum," dedi Kitty. "Gerçekten de bilmiyorum."

"Paltonu giy," dedi genç adam. "Islanıyorsun."

"Umurundaydı sanki." Yine de paltosunu giydi.

Mandrake, paltonun kollarıyla cebelleşen kızı seyretti. Düğmelerin iliklenmesi sona erince bir kez daha boğazını temizledi. "Eh, nedenlerin ne olursa olsun," diye başladı, "sanırım sana teşek..."

"Hayır," dedi Kitty. "Yapma. Duymak istemiyorum. Senden değil."

Büyücü alnını kırıştırdı. "Ama..."

"Düşünmeden yapmıştım ve doğrusunu istersen o günden beri pişmanlık duyuyorum, o iğrenç yalanlarla dolu dergilerini sokakta her görüşümde ya da oyuncuların senin yerine yalan söylediği o sahnelerin önünden her geçişimde. O yüzden bana teşekkür etmeyin Bay Mandrake." Ürperdi, yağmur durmadan hızlanmıştı. "Birine teşekkür etmen gerekiyorsa Bartimaeus'a et. Seni kurtarmam için beni teşvik eden oydu."

Bunun, Mandrake'yi irkilttiğini o karanlıkta bile görebildi. Vücudu kasıldı, sesi yumuşadı. "*O mu* teşvik etti? Buna inanmakta zorluk çekiyorum."

"Neden? Demon olduğu için mi? Ha, anladım. Mantıklı gelmiyor. Ama golemi nasıl durduracağımı bana o söyledi, kaçmaya çalıştığımda arkamdan bağırdı. O olmasaydı, ölmüştün. Ama ne önemi var ki? Yalnızca bir köle."

Büyücü bir süre sessiz kaldı. Sonra konuştu: "Sana Bartimaeus'u da soracaktım. Nedense senden hoşlanıyor. Niçin?"

Kitty'nin gülüşü içtendi. "Onunla aramızda hiçbir duygu yok."

"Yok mu? Öyleyse neden senin öldüğünü söyledi? Golemin seni öldürdüğünü anlattı bana. Bu kadar yıldır seni aramamamın nedeni bu."

"Öyle mi dedi? Bilmiyordum..." Kitty kara nehre baktı. "Eh," dedi, "belki ona birazcık saygılı davrandığım içindir! Belki onu köle yapmadığım için, belki de özü tükenene kadar yıllar yılı aralıksız hizmetimde tutmadığım içindir!" Dudağını ısırıp hemen büyücüye baktı.

Büyücünün gözleri karanlıktan bir şeridin altına gizlenmişti. "Peki sen," dedi duyulur duyulmaz bir sesle, "*bu* konuda *ne* bilebilirsin ki? Bartimaeus'u yıllardır görmedin. *Gördün mü?*"

Kitty nehrin duvarına doğru kaçtı. Büyücü ona doğru bir adım attı...

Havada ani bir tıslama ve yağmur damlaları suyun üstünde beliren bir şeyin üstünde cızırdayarak buharlaştı. Küçük bir küre, pembe ve parlak. Uzaktan, bir orkestranın çaldığı müzik sesi. Mandrake geri çekildi, sessiz bir küfür savurdu.

Kürenin içinde, parazit çatırtıları yüzünden arada kaybolan, toparlak bir yüz belirdi. Aynı şekilde, ara ara kesilen bir ses yayınlamaya başladı. "John! Buldum seni! Geç kaldın! Müzisyenler ısınmaya başladı bile! Hemen gel!"

Büyücü başıyla kısa bir selam verdi. "Quentin. Kusura bakma. Bir sorun çıktı."

"Kaybedecek zaman yok!" Yüz, bir an Kitty'e bakar gibi oldu. "Kız arkadaşını da getir. Bir koltuk ayırıyorum. On dakikan var John! On dakika!"

Küre cızırdadı, bulanıklaştı ve kayboldu. Karanlık yağmur doğrudan Thames'e yağmaya başladı.

Kitty ile Mandrake birbirine baktı. "Anlaşılan," dedi Mandrake, "bu konuşmaya daha sonra devam etmek zorunda kalacağız. Tiyatroyu sever misiniz Bayan Jones?"

Kitty dudaklarını sarkıttı. "Pek değil."

"Ben de." Caddenin yukarısını göstererek şık bir reverans yaptı. "Buna birlikte katlanmak zorundayız."

19

Ambassador Oteli'ne yaptığımız baskının planı, askeri bir kesinlik ve azami titizlikle yapılmıştı. Bir telefon kulübesindeki on dakikalık atışmadan sonra plan belirlenmiş oldu.

Sahibimizden ayrıldıktan sonra Londra üzerinde sığırcık kılığında hızla uçmuş, o talihsiz macerayı daha yeni yaşadığım parkın üzerinden de geçmiştik. Cam Saray, Çin tapınağı, o tekinsiz göl; hepsi de akşamın son ışıklarıyla soğuk soğuk pırıldıyordu. Aydınlatmaların çoğu kapalıydı. Her zamanki kalabalık yoktu ama çimlerin üstünde, orada burada belirsiz bir amaçla kımıldanan küçük halk grupları görülüyordu. Polis kordonları, koşturan iblisler, alışılmadık bir faaliyet vardı... Sonra St. James çevresindeki sokakların üstünden otele çark ettik.

Pahalı bir yerdi. Büyükelçilikler ve özel kulüpler arasında gri taşlardan zarif bir bina, yabancı diplomatların ve prensçiklerin şehirdeyken cüzdanlarını boşaltabilecekleri hem kaliteli hem de mahrem bir otel. Ayak takımından beş cini, özellikle de Hodge gibi pasaklı olanlarını, müşteri olarak kabul edebilecek türden bir mekan değildi. Pencerelerde parıl parıl parlayan mühürlerle yangın çıkışını saran nodüllerden oluşmuş bir kafes gördük. Limon yeşilinden görkemli üniforması içindeki kapıcının gözlerinde, lens takan birinin keskin bakışları vardı. Tedbiri elden bırakmamak gerekiyordu. Öyle elimizi kolumuzu sallayarak içeri giremezdik.

Telefon kulübesi tam karşıdaydı. Beş sığırcık, birer birer kulübenin arkasına uçtu. Beş fare, arkadaki bir delikten birer birer içeri atladı. Mwamba, nahoş izmaritleri süpürmek için kuyruğunu kullandı ve saygı çerçevesi içinde tartışmaya başladık.

"Tamam ekip," dedim şevkle. "Önerim şöyle..."

Tek gözlü bir fare karşı gelerek pençesini kaldırdı. "Bir saniye Bartimaeus," dedi. "Nasıl oldu da bir anda liderimiz *sen* oldun?"

"Yeteneklerimin tam dökümünü mü istiyorsun? Bu akşam bir ara Hopkins'i yakalamamız gerektiğini unuttun galiba."

"Eğer atıp tutmak bir yetenek olsaydı Bartimaeus, seni zevkle takip ederdik." Bu konuşan Cormocodran'dı. Zift yoğunluğundaki sesi kulübenin içinde bomba gibi patladı, titreşimler bıyıklarımı oynattı. "Maalesef yaşlı, yorgun ve işe yaramazsın."

"Muhteşem *kurbağa* kılığındaki maceralarını işittik," diye ekledi Hodge, pis pis sırıtarak. "Özünü yağmur gibi bütün şehre saçıp paçayı kurtarmak için sahibine koşturmuşsun."

"Bu pek de onun suçu sayılmaz ama, değil mi?" diye fikrini belirtti Mwamba, halden anlar bir tavırla. Bütün fareler arasında en zarif ve inandırıcı olan oydu. Ascobol tek gözlüydü, Hodge'un sırtında bir dizi zehirli diken vardı ve Cormocodran –her zamanki gibi– her şeyden çok tuğladan örülü küçük bir kenefe benziyordu. Bana gelince özüm yine yapacağını yapmıştı. Bacaklarımın etrafında, kimsenin fark etmeyeceği kadar küçük olmasını umduğum bazı belirsiz lekeler vardı.

"Olabilir ama böyle bir görevde bize ayak bağı olur," dedi Ascobol. "Şu görüntüsüne bakın. Nasıl da bulanık."

"Bizi yavaşlatır. Uçarken hep geride kalıyordu."

"Evet, ayrıca dövüşemez bile."

"Muhtemelen anında kremaya dönüşür."[1]

"Eh, tutup da onu yerden kazıyacak halim yok."

"Benim de. Bebek bakıcılığı yapmıyoruz burada."

"Güçlerim konusundaki yüce fikirlerinize rağmen," diye gürledim, "burada Hopkins'i *görmüş* olan bir tek ben varım. İstiyorsanız, bensiz gidin. Bakalım neler becereceksiniz?"

"Şimdi de alınganlık yapıyor," dedi düşünceli havalarda. "Egon balon gibi şişmiş. Dikkat et! Patlayıverir!"

Mwamba, kuyruğunu huzursuzca yere vurdu. "Zaman kaybediyoruz. Bartimaeus yıpranmış olabilir ama başlamadan önce onun görüşlerine ihtiyacımız var." Tatlı tatlı güldü, artık bir lağım faresi ne kadar tatlı gülebilirse. "Lütfen devam et Bartimaeus. Bize gördüklerini anlat."

Beni bilirsiniz. Kin tutan biri değilimdir.[2] Şöyle bir omuz silktim. "Aslında fazla bir şey görmedim. Hopkins'i gördüm ama çok kısa bir süre. Büyücü olup olmadığını söyleyemiyorum. Bence öyle. *Birisinin* beni kovalamak için bir folyotlar ve cinler çetesi kullandığı ortada."

"Bu, yalnızca bir görüş," dedi Mwamba. "Onun insan olduğundan emin misin?"

"Hopkins mi? Evet, yedi düzlemde birden kontrol ettim.

---

[1] Krema: Başka bir teknik terim. Ölümlü düzlemdeyken özün tamamen çöküşü anlamına gelir. Öteki Taraf'taysa elbette özümüz sürekli özgür dolaşım halindedir ve herhangi bir şekle bürünmesi gerekmez.

[2] En azından o anda yapabileceğim bir şey yoksa. Ama eski canlılığıma kavuştuktan sonra, er ya da geç Hodge, Ascobol ve Cormocodran ile yeniden karşılacaktım nasılsa. O zaman yaralı bir ayının vahşet dolu tüm yırtıcılığıyla hak ettikleri cezayı alacaklardı.

Hepsinde de insandı. Eğer onu gafil avlayabilirsek ele geçirebiliriz."

"Ah, onu ben tutarım," dedi Hodge, karanlık ve coşkulu bir sesle. "Sen merak etme. Tam ona uygun bir yerim var, halatların, zincirlerin gerekmediği bir yer. Tam burada... *Derimin altında.*" Sevgiyle kıs kıs güldü, ses azalarak kesildi.

Öteki dört fare birbirine baktı.

Ascobol konuştu: "Sanırım eski halat tekniğiyle yetineceğiz Hodge. Teklifin için teşekkürler. Tamam, devam edelim, Hopkins'in otelde kaldığını biliyoruz. Hangi oda, bir fikrin var mı?"

Omuz silktim. "Hiç bilmiyorum."

"Resepsiyon defterine bakmamız gerekecek. Ya sonra?"

Cormocodran'ın kıllı hantal bedeni kıpırdandı. "Yukarı fırlarız, kapıyı kırıp Hopkins'i haşat eder ve kayıplara karıştırırız. Basit, etkili, doyurucu. Sonraki soru?"

Başımı iki yana salladım. "Taktik olarak çok zekice ama biz merdivenleri çıkarken Hopkins haber alabilir. Gizli hareket etmeliyiz."

Cormocodran kaşlarını çattı. "Gizlilik bana uymaz."

"Ayrıca," dedi Mwamba, "Hopkins daha dönmemiş olabilir. Odaya sessizce girip bakmamız lazım. Eğer dışarıdaysa içeride pusuya yatarız."

Başımla onayladım. "Kılık değiştirmek zorunlu, Hodge'un durumunda buna bir dc banyo vc dczcnfcktc cdilmck cklcniyor. İnsanların koku alma duyuları var, biliyorsunuz."

Söz konusu fare, gücenmiş ve kızgın, kıpırdanarak zehirli dikenlerini birbirine sürttü. "Bu yana gel Bartimaeus. Özünü tatmak istiyorum."

"Öyle mi? Alabilecek misin sence?"

"Bundan daha kolay ve daha hoş bir şey olamaz."

Zeka, coşku ve hazırcevaplılığıyla göz kamaştıran tartışma böyle bir süre daha devam etti ama rakibimi son bir can alıcı hamleyle alt edemeden önce adamın tekinin telefon etmek için içeri girmesiyle bütün fareler kuyruğu kıstırıp kaçıştı.[3]

Yirmi dakika geçti. Ambassador Oteli'nin girişinde, kapıcı ritmik adımlarla bir o tarafa bir bu tarafa yürüyor, ısınmak için ellerini birbirine sürtüyordu. Hepsi de İpek Yolu'ndan gelmiş kumaşlardan giysilerle çok şık giyinmiş, biri kadın üçü erkek, bir grup konuk kapıya yaklaştı. Aralarında Arapçaya benzeyen bir dilde sessizce konuşuyorlardı. Kadının boynunda aytaşından bir gerdanlık vardı. Her birinin üzerinden servet, saygınlık ve sosyal özgüven akıyordu.[4] Kapıcı geriye çekilip onları selamladı. Dörtlü de kibar tebessümler ve baş hareketleriyle kapıcıyı selamladı. Merdivenleri çıkıp otelin fuayesine girdiler.

Maun bir tezgahın ardında oturan genç kadın gülümseyerek onlara baktı. "Yardımcı olabilir miyim?"

Erkekler içinde en yakışıklı olanı kadına yaklaştı. "İyi akşamlar. Biz Sheba Krallığı Büyükelçiliği'nden geliyoruz. Birkaç hafta içinde krallık ailesinden bir grup ziyaretçimiz olacak, oda kiralamak için otelinizi gezmek istiyorduk."

"Tabii efendim. Lütfen beni takip eder misiniz? Sizi yöneticimizle tanıştırayım."

---

[3] Örnek diyalog: "Ah, demek alabilirsin, öyle mi?" "Evet ahbap, hiç sorun değil!" "Yaa, demek öyle, ha?" "Evet, öyle!" Arka plandaysa diğerlerinin naraları ve kıllı popolarını birbirlerine tokuşturmalarından gelen sesler. Entellektüel ilgi ve yaratıcılık açısından eski Atina'daki müzakerelerle günümüz İngiliz parlamentosu arasında bir yerdeydi.

[4] Belki tek istisna, hâlâ takım elbisenin içine tıkılmış bir inek gibi görünmeyi beceren, Cormocodran olmak üzere.

Resepsiyon görevlisi ayağa kalkıp bir koridorda yavaşça ilerlemeye başladı. Dört Sheba'lı diplomat peşinden gitti, giderlerken içlerinden biri sıkılı yumruğunu açtı. Her yerinden çıkan bacaklar, dikenler ve kükürtlü kokularla, küçük ama mide bulandıran bir böcek havalanıp pervane gibi kanatlarla boş kalan masaya uçtu, kayıt defterini gözden geçirmeye başladı.

Otel yöneticisi ufak tefek, vatkaları gereğinden fazla büyük, orta yaşlı bir hanımdı. Kemik grisi saçları geriye taranıp cilalı balina kemiğinden bir tokayla tutturulmuştu. Konuklarını nazik bir mahcubiyet içinde karşıladı. "Sheba Elçiliği'nden misiniz?"

Kibarca bir reverans yaptım. "Doğru Hanımefendi. Anlayışınız kıyas kabul etmiyor."

"Şey, şimdi kız söyledi. Ama ben Sheba'nın bağımsız bir devlet olduğundan haberdar değildim. Arap Konfederasyonu'nun bir parçası zannediyordum."

Duraksadım. "Mmm, bu durum kısa süre içinde değişecek efendim. Çok yakında özerkleşiyoruz. Kraliyet ailesinden konuklar da zaten bu kutlamalar için geliyor."

"Anlıyorum... Aman Tanrım, özerkleşmek çok tehlikeli bir trend. Umarım Sheba, *bizim* imparatorluğumuz için bir örnek teşkil etmez. Eh, elbette size örnek bir oda gösterebilirim. Burası çok prestijli bir oteldir, eminim biliyorsunuz, özel ve fazlasıyla seçkin bir yerdir. Güvenlik sistemleri, devlet büyücüleri tarafından onaylanmıştır. Her oda için gerçek sanat ürünü demon bekçilerimiz vardır."

"Öyle mi? Her odaya bir tane mi düşüyor?"

"Evet. Özür dilerim, gerekli anahtarları almam lazım. Bir dakika bile sürmez."

Yönetici telaşla uzaklaştı. Bunun üstüne kadın diplomat bana döndü. "Seni *aptal*, Bartimaeus," diye homurdandı. "Sheba'nın hâlâ var olduğu üstüne yeminler etmiştin."

"Şey, en son hâlâ vardı."

"Tam olarak ne zamandı bu?"

"Beş yüzyıl önce falan... Tamam, tamam. Bu kadar afra tafra yeter."

Heybetli diplomat konuşmaktan çok gürledi. "Hodge'un işi fazla uzun sürdü."

"Okumayı cidden biliyor mu?" dedim. "Plandaki zayıf nokta bu olabilir."

"Tabii biliyor. Hişşt. Kadın geliyor."

"Anahtarı aldım beyler. Hanımefendi. Lütfen beni şu tarafa doğru..."

Yönetici hanım meşe kaplamalar, yaldızlı aynalar ve kaideler üstündeki gereksiz çanak çömlekle dolu loş bir koridorda seğirterek çeşitli kemerli kapıları işaret etmeye başladı. "Burası yemek salonu... Rococo tarzında dekore edilmiş ve Boucher'ın orijinal bir tablosuyla süslenmiştir; ileride mutfaklar var. Solumuzdaki büyük salon, demon kullanımına izin verilen tek yerdir. Bu salonun dışında demonlara izin vermiyoruz çünkü genel olarak hijyensiz, gürültücü ve mide bulandıran baş belası yaratıklar. Özellikle cinler. Bir şey mi dediniz efendim?"

Cormocodran bir öfke çığlığı atmak üzereydi. Yutkunarak bastırdı. "Yo, yo."

"Söyler misiniz," diye devam etti yönetici. "Sheba, büyücü bir devlet midir? Korkarım bilmem *gerekiyor* ama diğer ülkeler hakkında fazla eğitim almadım. *Kendi* ülkesi hakkında öğrenmesi gerekenler zaten insanın tüm vaktini alıyor, sizce de öyle değil mi? Bir de yabancı ülkelere zaman ayırabilmek çok zor, özellikle de bunların çoğu vahşi ve yamyam ülkelerse. Asansör burada. İkinci kata çıkacağız."

Yönetici ve diplomatlar, asansöre binip yüzlerini kapıya döndüler. Kapılar kolayca kapanırken pır pır bir ses duyuldu. Yönetici hanımın fark etmediği her yerinden omurgalar ve tuhaf salgılar çıkan, gürültücü bir böcek aralıktan içeri süzülüp Shebalı kadının koluna kondu ve kulağına doğru koşturdu. Bir şey fısıldadı.

Kadın bana dönüp mesajı iletti: "Yirmi üç numara."

Başımı salladım. Gerekli bilgiyi almıştık. Dört Shebalı diplomat birbirine kaçamak bakışlar attı. Tek vücut halinde, kalabalık asansördeki havanın ani değişiminden habersiz, kendi kendine otel saunasının sunduğu zevklerden bahseden minyon yöneticiye baktılar.

"Buna *zorunlu* değiliz," dedim Arapça. "Bağlasak da olur."

"Ciyaklayabilir," dedi kadın diplomat. "Hem nereye koyacağız?"

"Doğru."

"Haydi, o zaman."

Eski asansör zar zor yükseldi. İkinci kata geldi. Kapılar açıldı. Dört Shebalı diplomat, yanlarında uçan bir böcekle dışarı çıktı. İçlerinden en iri olanı cilalı balina kemiğinden bir tokayla dişini karıştırıyordu. İşini çabucak bitirip tokayı asansörün yanındaki dev bir saksının içine fırlattı ve diğerlerinin peşinden sessiz koridorda ilerledi.

Yirmi üç numaralı odanın kapısını görünce tekrar durduk.

"Ne yapıyoruz?" diye fısıldadı Mwamba.

Ascobol sabırsız bir ses çıkardı. "Kapıyı çalalım. İçerideyse kırıp yakalarız. Yoksa..." Beynine akan ilham selinden yorularak sustu.

"İçeri girip bekleriz." Bunu başımızın etrafında vızıldayan Hodge söylemişti.

"Kadın kapıda nöbetçi olduğundan bahsetmişti," diye uyardım. "Önce onu halletmemiz gerek."

"Ne kadar zor olabilir ki?"

Diplomatlardan oluşan grup kapıya ilerledi. Mwamba çaldı. Koridorun sağına soluna bakarak bekledik. Çıt yoktu.

Mwamba yeniden çaldı. Kapının ortasındaki yuvarlak bir panelde kıpırdanma oldu. Yerinden oynayan ahşap desenleri, dalgalanıp kıvrılarak bulanık bir yüz şeklini aldı. Yüz, uykulu uykulu gözlerini kırpıştırıp genizden gelen çatlak bir sesle konuştu. "Bu odada kalan kişi şu anda dışarıda. Lütfen daha sonra tekrar gelin."

Geriye çekilip kapının altını inceledim. "Bayağı dar yapmışlar. Buradan içeri sızabilir miyiz sizce?"

"Çekimserim," dedi Mwamba. "Duman haline gelirsek anahtar deliğinden olabilir."

Ascobol'dan kıkırtılar geldi. "Bartimaeus'un değişmeye *ihtiyacı* yok. Şu alt tarafına baksanıza çoktan gaza dönüşmüş bile."[5]

Cormocodran kaşlarını çatmış uzayıp giden bacaklarına bakıyordu. "Duman olmak bana *uyar mı* bilmem."

Kapıdaki nöbetçi biraz endişeyle bizi dinliyordu. "Bu odada kalan kişi şu anda dışarıda," diye ciyakladı tekrar. "Lütfen girmeye kalkışmayın. Engellemek zorunda kalırım."

---

[5] İncitici ve adice bir yorumdu ama içinde bir zerrecik de olsa gerçeklik payı vardı. Kurbağa halim kadar kötü durumda değilsem de geçen her dakika gücüm ve öz kontrolum biraz daha azalıyordu. Pantolon bölgesi biraz akışkandı.

Ascobol kapıya yaklaştı. "Sen ne cins bir varlıksın? İblis mi?"

"Evet efendim. Aynen öyleyim." Nöbetçi inanılmaz derecede gururlanmış görünüyordu.

"Kaç düzleme kadar görebiliyorsun? Beş? Çok güzel, beşinci düzlemde bize bir bak. Ne görüyorsun? Ha? Titremeye başladın mı?"

Kapıdaki yüz duyulur şekilde yutkundu. "Birazcık efendim... Ama sorabilir miyim, sağ tarafta süzülen şu bulut lekesi nedir öyle?"

"O Bartimaeus. Onu boş ver. Geriye kalanlarımız acımasız ve güçlüyüz. Odaya girmeyi talep ediyoruz. Ne diyorsun?"

Sessizlik, derin bir iç çekiş. "Bir emirle bağlıyım efendim. Sizi önlemem gerekir."

Ascobol bir küfür savurdu. "Öyleyse ölüm fermanını imzalıyorsun demektir. Biz güçlü cinleriz. Sense değersiz bir pisliksin. Ne yapmayı umuyorsun ki?"

"Alarmı çalıştırabilirim efendim. Çoktan yaptım zaten."

Hafif bir fokurtu, kaynayan çamurdan gelir gibi. Diplomatlar sağa sola bakındı. Koridorun her iki yanında halıdan çıkan birçok baş vardı. Her biri ragbi topu gibi oval, düz ve parlak, örümcek siyahıydı ve alt kısımlarına yakın iki soluk gözleri vardı. Hepsi halıdan kopup havaya yükseldi ve altlarında şeritler halinde kıpırdanan duyargalar belirdi.

"Bunu hemen, sessizce ve iz bırakmadan halletmemiz lazım," dedi Mwamba. "Hopkins, geldiğinde bir şeyler döndüğünü anlamamalı."

"Tamam."

Bir şekilde sinir bozan bir sessizlik içinde başlar bize doğru süzüldü.

Planlarını anlamak için durup beklemedik. Her birimiz kendi uzmanlık alanına uygun olarak harekete geçti. Mwamba, duvara sıçradı, çabucak tırmanıp tavana ulaşarak kertenkele gibi asıldığı yerden en yakınındaki başa spazmlar yolladı. Hodge, göz açıp kapayıncaya kadar şişip daha büyük bir böcek oldu, dönüp silkelendi ve düşmana sayısız zehirli ok fırlattı. Omuzlarından tüylü kanatlar çıkan Ascobol, havalanıp bir patlama yolladı. Cormocodran, erkek bir yaban domuzu oluverdi. Dişlerini yere indirip koca omuzlarını döndürerek kavgaya girişti. Bana gelince ben de en yakın saksının arkasına fırladım, yapabildiğim kadar bir kalkan oluşturup fazla göze batmamaya çalıştım.[6]

Büyük yaprakları yeniden düzenlerken bir yandan da uçan kafaların ne gibi bir tehdit oluşturabileceğini merak ediyordum. Çok geçmeden anladım. Bir ikisi yanımıza yaklaşır yaklaşmaz başlar geriye yattı, duyargalar açıldı ve içlerindeki tüplerden önüne gelen her şeyi yakıp geçen siyah sıvılar fışkırdı. Tam saldırırken yakalanan Cormocodran, acıyla bir çığlık attı, sıvı çarptığı yerden özünü yaktı, öz köpürüp yere saçıldı, bedeni delindi. Yine de işi bitmemişti. Dişleriyle saldırıp başlardan birini duvara yapıştırdı. Ascobol'un patlaması bir diğerini yakalayıp havada parçaladı. Duvarlara saçılan siyah sıvı acıdan kıvranan Cormocodran'ı sırılsıklam etti, benim sadık ve güvenilir saksımın içindeki bitkinin en üstteki yapraklarına bile serpiştirdi.

Mwamba, tavanda hoplayıp zıplayarak yalnızca ufak tefek siyah sıyrıklarla durumu kurtarmıştı. Yolladığı spazmlar hedefi buluyordu: Orada burada birçok kafa dönüp sarsılarak parça-

[6] Kavgaya karışmayı isterdim. Çok isterdim. Normalde bu kalamar kafalarla dövüşmek için başı çeken ben olurdum. Ama o anda yapacak halim yoktu. Ortalığa döküp saçacak özüm kalmamıştı.

landı. Hodge'un zehirli okları da aynı şekilde birkaçına saplandı. Şiştiler, sapsarı kesilerek halıya gömüldüler ve birer cerahat halini alıp yok oldular.

Kafalar, sürpriz şekilde hızlandı. Oraya buraya atılıp oklardan, spazmlardan ve patlamalardan kaçarak karşı saldırı için cinlerin arkasından dolanmaya çalıştılar. Bunu yapmalarına koridorun darlığı ve Cormocodran'ı ele geçirmiş gibi görünen bir çılgınlık engel oldu. Eriyip bulanmış başı ve dişleriyle kükreyerek saldırır, yumruklarını savurup duyargalardan yakalar ve kafaların üstünde tepinirken yağan sıvıdan etkilenmezmiş gibi görünüyordu. Böyle bir düşmanı gören başların hepsi onun tepesine üşüştü. Bir dakikadan kısa bir sürede sonuncusu da guluklayarak kayboldu. Savaş bitmişti.

Mwamba tavandan aşağı atladı, Ascobol yere indi. Ben saksının arkasından çıkıverdim. Koridoru inceledik. Yarın sabah gelen temizlikçiler, hangi düzlemde işlev görüyor olurlarsa olsunlar, tam bir sürpriz yaşayacaklardı. Duvarların yarısı siyaha bulanmış, tıslayıp köpürerek küçük derecikler halinde yere akıyordu. Koridor lekeler, yanık izleri ve pıhtılaşmış balçıktan bir kaleydoskoptu. Benim saksının ön tarafı bile feci şekilde yanmıştı, ters çevirip dünyaya güzel tarafını sergiledim.

"İşte!" dedim neşeyle. "Hopkins, bir şeyden şüphelenir mi sizce?"

Cormocodran kötü görünüyordu, yaban domuzunun başı zar zor seçiliyordu, dişleri kararmış, güzel dövmeleri toptan kaybolmuştu. Sarsak adımlarla çemberin içindeki iblisin gözlerini kırpıştırdığı yirmi üç numaralı odanın kapısına yaklaştı.

"Şimdi, dostum," dedi, "seni nasıl öldüreceğimize karar vermeliyiz."

"Bir saniye," diye haykırdı kapı nöbetçisi. "Bu türden zorbalıklara hiç gerek yok! Görüş ayrılığımız artık sona erdi!"

Cormocodran gözlerini kıstı. "Nedenmiş o?"

"Çünkü odada kalan kişi geri döndü ve işinizi onunla yüz yüze halledebilirsiniz. Size iyi günler." Ahşap deseni hareketlenip dağıldı, yüz gözden kayboldu.

Bir–iki saniye iblisin sözlerindeki gizemi çözmek için düşünüp taşındık. Yavaşça dönüp koridora bakmamız bir saniyemizi daha aldı.

Koridorun ortasında bir adam vardı. Koyu gri bir takım elbisenin üstüne giydiği kalın paltodan, sokaktan yeni geldiği belliydi. Başı açıktı ve saçları rüzgardan hafif dağılmıştı, ne genç ne yaşlı denebilecek bir yüzün üstüne kumralımsı bir tutam saç düşmüştü. Parkta gördüğüm adamdı: İnce uzun, güvercin göğüslü, tamamen silik bir tip. Sol elinde kitap dolu bir naylon torba vardı. Bu durumda bile adamdaki bir şey, son görüşümde olduğu gibi hafızamı zorluyordu. Acaba neydi? Hopkins'i daha önce hiç görmediğime yemin edebilirdim.

Yedi düzlemde birden ona baktım. Emin olmak zordu ama aurası çoğu insandan biraz daha güçlü gibiydi. Belki de yalnızca ışıklar yüzündendi. İnsan olduğu ortadaydı.

Bay Hopkins bize baktı. Biz ona baktık.

Sonra gülümsedi ve dönüp koşmaya başladı.

Biz de fırladık. Mwamba ve Ascobol önden, Hodge arkalarından, peşlerinden –bütün enerjimi toplamaya çalışarak– ben, ve son olarak zavallı Cormocodran en arkamızdan.[7] Köşeyi dönünce bir araya toplandık, asansörün olduğu boşlukta.

---

[7] Onu esas yavaşlatan aldığı yaralardı ama yediği son yemeğin de bunda payı olabilirdi. Yönetici kadını resmen çiğnemeden yutmuştu.

Aşağıdaki merdivende bir an için bir kol gördüm. "Aşağı! Çabuk! Biriniz değişiversin."

Bir parıltı. Mwamba, siyah–yeşil tüylü bir kuş olup merdiven boşluğuna daldı. Ascobol'un akbabası daha mantıksız bir seçimdi, o dar alanda uçmakta zorlanıyordu. Hodge küçülerek korkunç görünümlü bir karıncayiyen kılığında trabzanlara tırmandı. Pullarıyla korunmak için top gibi kıvrılıp kendini aşağı bıraktı. Ben ve Cormocodran o kadar hızlı olamazdık, elimizden geldiğince peşlerinden koşturduk. Zemin kata indik, döner kapılardan geçip başka bir koridora girdik. Durdum, arkamdan kör gibi gelen Cormocodran'ın çarpmasıyla yere serildim.

"Ne taraftan gittiler?"

"Bilmem. Kaybettik. Yo... dinle!"

Bağırış çağırış sesleri, dostların nerede olabileceğini anlamak için her zaman iyi bir işarettir. Yemek odası tarafından geliyordu. Biz o tarafa bakarken bir grup insan (müşteriler ve mutfak personelinden oluşan seçmece bir güruh) kemerli kapıdan patlayan bir sel gibi koridora döküldü. Bücürlerin geçmesini bekleyip salona koştuk. İçeri girdik, devrilmiş sandalyeleri, yerlere saçılmış çatal–bıçak ve kırık camları, bir çift kapıyı geçip otelin mutfağına daldık.

Ascobol etrafa bakındı. "Çabuk!" diye bağırdı. "Onu kuşatmışlar!"

Tek gözlü dev, bacaklarını açmış metal bir lavabonun önünde duruyor, işaret ediyordu. Solunda, iki tencere rafının arasındaki geçişi tıkayan Mwamba kuyruğunu hışırdatarak tembel tembel sağa sola sallıyor, uzun çatallı dilini gösteriyordu. Sağında, bir bıçak tezgahının üstüne zıplamış duran Hodge, aklından kötü şeyler geçirerek zehirli dikenlerini kaldırıp indiriyordu. Hepsi de gözlerini, kaçağın sığındığı köşeye dikmişti. Arkasında düz bir duvar vardı, ne bir kapı ne de pencere. Kaçış şansı yoktu.

Cormocodran'la ben de sıradaki yerlerimizi aldık. Ascobol araya doğru bir bakış attı. "Ses çıkarmadan gelmeyi reddediyor budala," diye tısladı. "Biraz korkutmamız lazım. Hodge biraz deli numarası yapmış ama bir arpa boyu yol alamamış. Haydi Bartimaeus, *biraz* daha korkunç bir şey beceremez misin? Canlan biraz."

Tek gözlü bir devden, domuz başlı bir savaşçıdan, dev bir kertenkeleyle pis pis sırıtan hain bir karıncayiyenden korkmayan bir adamın fazladan bir canavara ilgi göstermeyeceği söylenebilir ama ne demek istediğini anlamıştım. Shebalı bir diplomat, dünyadaki en dehşet verici şey değildi. Aklımdaki kılık repertuvarını didikleyip ovaların insanını yeteri kadar korkutmuş olan bir tanesini seçtim. Diplomat kayboldu. Onun yerine tüy ve hayvan kemikleriyle işli pelerinine sarınmış, uzun boylu, kötücül bir beden belirdi. Bedeni insandı ama başı (sarı alevden gözleriyle keskin ve siyah) yırtıcı bir kargaya aitti. Acımasız gaga açılarak yeryüzüne uğursuz bir gaklama gönderdi. Mutfaktaki tabak-çanak zangırdadı.

Başımı Ascobol'a doğru eğdim. "Nasıldı?"

"İdare eder." Beş korkunç cin hep birden avlarına doğru bir adım attı.

"O şeyi elinden atsan iyi olur," diye önerdi Mwamba sertçe. "Seni kıstırdık."

Ah evet. O şey. Ben de fark etmiştim. Hopkins'in kendini korumak için seçtiği tanıdık bir mutfak aletiydi. Ama beklenebileceği gibi korku içinde önünde tutmaktansa bir akademisyene uymayacak şekilde oynayıp duruyor, bir eliyle havaya fırlatıp öteki elinin iki parmağıyla ustaca yakalıyordu. Elindeki şey bir konserve açacağı ya da patates soyacağı, hatta bir kepçe ya da çorba kaşığı olsa o kadar garibime gitmezdi. Ama bunlardan hiçbiri değildi. Bir kasap satırıydı, hem de kocaman.

Satırı kullanma şekli bir–iki küçük jeton düşürdü.

"Bak bak," dedi Hopkins gülerek. "Alın size bir bilmece. Siz mi beni kıstırdınız, yoksa ben mi sizi?"

Bunu söylerken ayaklarını, sanki berbat bir Kelt dansına başlayacakmış gibi hafifçe yere vurdu ama onun yerine, ağzı kulaklarında, yavaşça havalanıp tepemizde yükseldi.

Bu beklenmedik bir şeydi. Hodge, bile hevesle kıkırdamayı kesmişti. Ötekiler hayret içinde birbirlerine bakakaldı. Ama ben değil. Ben ses çıkarmadan buzdan rahatsız edici bir parmak omuriliğimde acele etmeden ilerlermiş gibi, olduğum yerde donmuştum.

Anlamışsınızdır, o sesi tanıyordum. Hopkins'in sesi falan değildi. İnsan sesi bile değildi.

Konuşan Faquarl'dı.

20

"Şey, çocuklar," demeye cesaret ettim. "Sanırım bundan sonra dikkatli olmalıyız."

Bay Hopkins, havada durduğu yerden satırı yukarı attı. Satır dönerek parıltılar saçıp tavandaki lambalardan birinin etrafından dolandı ve tutacak yerinden tekrar uzattığı parmağının ucuna indi. Bana bakıp göz kırptı.

Ascobol gerilmişti ama bunu gizlemek için atıp tuttu. "Demek havalanabiliyor," diye hırladı. "Hokkabazlık da yapabiliyor. Aynı şeyleri, Hindistan'daki açlıktan ölen fakirlerin yarısı da yapabilir ve ben onlardan hiç kaçmadım. Haydi. Unutmayın, onu canlı yakalamamız lazım."

Bu dünyaya ait olamayacak bir çığlıkla lavabodan aşağı atladı. Karga başlı adam uyarmak için elini kaldırdı. "Bekle!" dedim. "Ters giden bir şeyler var. Sesi..."

"Seni korkak Bartimaeus!" Karıncayiyenden çıkan yaylım ateş oklarını ayağımın dibine sapladı. "Sen özünden geriye kalanı kurtarmaya çalışıyorsun. İyi, ilk bulduğun sandalyenin üstüne çıkıp ciyakla. Dört tane *kusursuz* cin, bu adamla başa çıkmaya yeter."

"Ama sorun da bu zaten," diye karşı çıktım. "Onun bir insan olduğundan emin değilim. Bu..."

"Tabii *ki* insanım." Bay Hopkins tepeden gururla göğsüne vurdu. "Birinci düzlemden yedincisine kadar etimle ve kanımla. Göremiyor musun?" Doğruydu. Nereden bakarsan bak insandı. Ama konuşan Faquarl'dı.

Dev kertenkele huzursuzca kuyruğunu salladı. Kuyruğun çarptığı fırın yere devrildi. "Durun," dedi. "Biz nece konuşuyoruz?"[1]

"Hmm... Aramice, neden?"

"Çünkü o da konuşabiliyor."

"N'olmuş? Akademisyen değil mi?" Ascobol gergin olduğu zamanlarda Sami dillerini haşat edebilirdi.

"Evet, ama biraz garip geldi..."

Hopkins havalı havalı saatine baktı. "Bakın, araya girdiğim için üzgünüm," dedi, "ama ben meşgul bir adamım. Bu akşam hepimizi ilgilendiren önemli bir işim var. Şimdi hep beraber çekip giderseniz canınızı bağışlarım. Bartimaeus'unkini bile."

Sekiz gözlü bir ocakta zavallı özünü dinlendiren Cormocodran bu sözler üzerine patlayarak hayata geçti. "Sen mi *bizi* bağışlayacaksın?" diye kükredi. "Bu arsızlığın için seni bir güzel boynuzlayacağım, hem de acımadan!" Tek ayağını yere sürtüp öne atıldı. Öteki cinler de ona uydu. Boynuzlar, dikenler, pullar ve çeşitli zırhlı malzemeden gelen genel bir şıngırtı duyuldu. Hopkins, satırı öylesine sağ eline geçirip parmaklarında çevirdi.

---

[1] İşler kızıştığında, biz cinler bazen hangi dilde konuştuğumuzu unutuveririz. Bu dünyada birlikte çalışırken du jour (işte, gördünüz mü?) uygarlığın kullandığı dili değil hepimizin daha iyi bildiği eski bir lisanı kullanmayı tercih ederiz.

"Durun, aptallar!" diye bağırdı karga adam. "*Duymadınız* mı? Beni tanıyor! Adımı biliyor! Bu..."

"Kaçınılmaz bir savaşı kenardan izlemek *hiç* sana göre değil Bartimaeus," dedi Hopkins neşeyle yaklaşan cinlere doğru alçalırken. "Normalde *çok* daha atiksindir, şimdiye kadar kullanılmayan bir yer altı mezarına falan kaçmış olman gerekirdi."

"O yer altı mezarı olayı feci şekilde yanlış yorumlanmıştır!" diye kükredim. "Daha önce de *sayısız* kereler açıkladığım gibi, o mezarı Roma'nın düşmanlarına karşı koruyordum çünkü onlar..." Tam burada sustum. Kanıt gelmişti. Barbar istilası sırasında nerede oyalandığımı bilen tek bir insan yoktu, değerli varlıklardansa bilen çok azdı.[2] Aslında, yüzyıllar boyu yollarımız her kesiştiğinde, olayı metronom sıklığında gündeme getiren tek bir cin vardı. Ve elbette, o cin de...

"Durun!" diye haykırdım, telaşla sağa sola hoplayarak. "Kesinlikle Hopkins değil! *Nasıl* olduğunu bilmiyorum ama bu Faquarl ve o..."

Artık çok geçti, tabii. Ortaklarım beni duyamayacak kadar fazla gürültü patırtı çıkarıyordu. Zaten *duysalar* bile duracaklar mıydı, şüpheliyim. Büyüklerine ve üstlerine saygıları olmayan Ascobol ile Hodge mutlaka kulak asmadan devam ederdi. Belki Mwamba biraz çelişkiye düşerdi.

Ama duymadılar ve hep birlikte çullandılar.

Eh, dörde karşı birdik. O sırada Londra'da bulunan en acımasız dört cine karşı Faquarl yalnızca bir mutfak bıçağıyla silahlanmıştı. Gülünç bir rekabetti.

Bir işe yarayacağını düşünsem ortaklarıma yardım ederdim.

---

[2] Beni bulduklarında Frisp ve Pollux denen iki folyot da vardı, sonradan olayı tanıdıkları iblislere anlatıp arkamdan konuştular. Ne yazık ki, aynı gece içinde hem iki folyot hem de olayı duyan iblisler çeşitli yöntemlerle katledildi. Bu tuhaf rastlantı, beni çok yıpratmıştı.

Onun yerine dikkatle kapıya doğru süzüldüm. İşin doğrusu, Faquarl'ı *bilirdim*. Yaptığı işte çok iyi olmanın getirdiği tüyler ürperten bir özgüveni vardı.[3]

Çabucak, hemen. Kargakafa omlet tavalarıyla dolu bir rafı geçmiş, tam pasta kalıplarına ulaşmıştı ki başından aşağı bir pul yağmuru yağdı. *Zırhlı* pullar yani daha demin karıncayiyene ait olan.

Bir saniye kadar sonra bir–iki şey daha pulları takip etti. Bazıları, çok üzgünüm ama, tanıdık şeylerdi.

Ancak mutfağın kapısına ulaşınca arkama bir göz atmaya cesaret edebildim. Odanın öteki ucunda hareketlerden, anlık parıltılardan, seslerden ve çığlıklardan oluşmuş bir girdap vardı. İçinden arada bir–iki el çıkıyor, masalar ya da küçük buzdolaplarından birini kapıp yeniden girdaba dalarak gözden kayboluyordu. Etrafa sürekli metal, ahşap ve öz parçaları saçılıyordu.

Gitme zamanı. Tanıdığım bazı cinler izlerini kaybettirmek için yoğun bir sis bırakır; kimileri peşlerinde mürekkep benzeri zehirli bir duman ya da bir–iki yanılsama bırakmayı tercih eder. Bense ışıkları kapattım. Mutfak ve yemek salonu karanlığa gömüldü. Dövüşen cinlerden çıkan onlarca renkte garip pırıltı dönerek duvarlara yapışıyordu. İlerideki, tek bir ışık sızıntısı koridorun çıkışını gösteriyordu. Tüylü pelerinime iyice sarınıp gölgelerin içine süzüldüm.[4]

---

[3] O yaşlı Jabor'un bir zamanlar olduğu gibi değildi yani zarar verilemeyen bir taş kafanın gücü yoktu onda. Düşmanlarına karşı parmağını kıpırdatmaya bile gerek görmeyen, korkunç ve yaratıcı sözcüklerle onları yenen, amansız Tchue gibi de değildi. Hayır, Faquarl bunların hepsiydi. Hayatta kalmak için güce ve zekaya eşit saygı gösteren doğal bir yeteneği vardı. O an için benim yaptığım da buydu: Öldürülmemek için zekamı kullanıp Faquarl'ın gücüne saygı gösteriyordum.

[4] Karga başlı görüntüm, ovalarla orman arasında yaşayan kabilenin totemine aitti. Bu insanlar kuşların sessizliği ve gizliliğine, zekası ve kurnazlığına değer verirlerdi. Pelerinde o bölgede yaşayan bütün kuşların tüyleri vardı: Onların gücünü kendiminkine emerek çimler ve taşlar üzerinde görünmeden yürüyebilir ayrıca kabilenin benzeri bir kostüm giyen maskeli şamanıyla konuşabilirdim.

Daha yemek salonunun yarısına gelmemiştim ki arkamdaki savaş sesleri tümden kesildi.

Her şeye rağmen iş arkadaşlarımın zafer çığlıklarını duymayı umarak durdum.

Hiç şansım yoktu. Sessizlik tüylü başıma çarptı.

Konsantre olup ufacık bir ses kırıntısı işitmek için kendimi *iyice* zorladım... Belki de biraz fazla zorlamıştım. Hafif bir ses duyduğumu hayal ediyor olmayı umdum, sanki karanlıkta bir şey havada süzülür gibiydi.

Hızlandım. Koşmaya çalışmanın anlamı yoktu, işin püf noktası gizlilikti. Kılığı ne kadar egzantrik olursa olsun Faquarl ile rekabet edecek durumda değildim. Yemek odasının kenarlarından ayrılmadan masalara, sandalyelere ve kırık dökük kap kacağa çarpmamak için azami özen gösterdim. Tüylü pelerinim öne eğdiğim başımı örtüyordu. Tüylü saçakların arasından endişeyle bakan sarı bir göz belirdi. Arkasını kontrol etti.

Mutfağa açılan kemerden hareketli bir karartı çıktı. Elindeki bir şeye ışık vurdu. Biraz daha hızlanınca çarptığım çay kaşığı duvarda çınladı.

"Kuzum Bartimaeus," dedi tanıdık bir ses. "Bugün *cidden* şaşkınsın. Karanlık bir insanı yanıltabilir ama ben seni tabak gibi görüyorum, o paçavraların altında, öyle kaçak gibi. Dur da biraz laflayalım. O küçük sohbetlerimizi özledim."

Kargabaş cevap vermeden kapıya doğru seğirtti.

"Hiç mi merak etmiyorsun?" Ses, şimdi daha da yaklaşmıştı. "Ne kılığına girdiğimi öğrenebilmek için *can atacağını* sanırdım."

Tabii, merak etmiştim, ama 'öğrenmek için can atmak' pek tarzım değildi. Zekice laf sokuşturulan sohbetlerse çok hoşuma gider ama öteki tek seçenek canımı kurtarmak için sıvışmak olduğunda, çene çalmanın da alemi yoktur. Karga başlı adam uzun bir adım atarak ellerini öne uzattı ve balıklama havuza dalar gibi öne sıçradı. Tüylü pelerini çevresinde uçuşarak siyah kanatlar haline geldi. Adam kaybolmuştu. Çaresiz bir karga, tüylerden bir şimşek gibi kapıya doğru atıldı...

Bir iç çekiş, bir çarpma sesi, acılı bir gaklayış. Karganın yolu tartışma götürmeyecek bir şekilde kesildi. Parlayan bir ışıkla birlikte titreyen, sarsılan, sonunda sabitlenen bir şey kanadının ucunu deldi ve bir et satırı şeklinde duvara çakıldı.

Hopkins'in bedeni biçimindeki şey, kayıtsız bir tavırla boş salonda süzüldü. Karga hafif sallanarak gagasında kırgın bir ifadeyle bekledi.

Bay Hopkins yaklaştı. Ceketinin tek omzu biraz yanıktı, tek yanağında hafif bir kesik vardı. Bunun dışında yara almamış görünüyordu. Hafif bir tebessümle beni süzerek bir metre kadar ötemde durdu. Herhalde çeşitli düzlemlerde ne durumda olduğumu inceliyordu; güçsüzlüğüm beni utandırdı, kendimi neredeyse çıplak hissediyordum. Boşta kalan kanadımın tüylerini duvara çarptım.

"İyi o zaman," diye bağırdım. "Bitir şu işi."

İfadesiz yüzden bir kaş çatışı geçti. "Seni şimdiden öldürmemi mi istiyorsun?"

"Onu demiyorum. Aklındaki pis espriyi. *Sallanmayı* eskiden de çok severmişim falan. Haydi, kendini zor tuttuğunu biliyorsun. Söyle de bitsin."

Akademisyen acı çekermiş gibi görünüyordu. "O kadar düşer miyim sandın Bartimaeus. Beni, özünün durumu kadar içler acısı olan, yeraltı seviyesindeki laf sokma standartlarına göre yargılıyorsun. Şu haline bak! Sünger gibi delik deşik olmuşsun. Sahibinin yerinde olsam, seni yerleri silmek için kullanırdım."

İnledim. "Büyük ihtimalle sırada bu vardır. Onun dışında her şeyi yaptım zaten."

"Eminim yapmışsındır. Bir varlığın bu kadar küçük düşürüldüğünü görmek üzücü, senin kadar fırdöndü ve sinir bozucu biri olsa da. Neredeyse acıyacağım." Burnunu kaşıdı. "Neredeyse ama acımıyorum."

Soluk gri gözleri inceledim. "Bu *sensin*, değil mi?" dedim.

"Tabii benim."

"Ama ya özün... Nerede...?"

"Tam burada, sevgili Bay Hopkins'imizin bedenine gizlenmiş durumda. Fark etmiş olabileceğin gibi bu *yalnızca* bir görünüm değil." Faquarl'ın sesi şöyle bir kıkırdadı. "Demin giydiğin o komik kuş kıyafeti neydi öyle? Kızılderili totemi mi? Çok salakça ve antika değerinde. Eh, ben oraları geçtim artık."

"Onun *gerçek* bedeninde misin?" diye sordum. "Iyk! İğrenç. Bunu sana kim yaptı Faquarl? Efendin kim? Hiçbir şey anlamadım."

"Efendim mi?" Havadaki adam kahkahalarla sarsıldı. "Kim olacak, Bay Hopkins tabii ve bunun için ona minnettarım. Öyle minnettarım ki istediği sürece onunla çalışabilirim." İçten gelen yeni bir kahkaha krizine tutuldu.[5] "Son görüşmemizden

---

[5] Bu kahkahaları Faquarl gibi oldukça önemli bir cinden duymak anlaşılmaz ve sinir bozucuydu. Biz yüksek seviyeli varlıkların da mizah duygusu vardır tabii, dünyada hizmet ederek geçirdiğimiz sayısız yıllara dayanabilmek için bir savunma mekanizması olarak kullanırız bunu. Normalde belli bir kategoriye girer: Soğuk, alaycı, gözleme dayanan, her zaman için büyücülerin zaafları üzerine kurulu bir mizah anlayışıdır. Böyle isteri krizleri geçirmeyiz, asla. (Tabii iblisleri bunun dışında tutuyorum, onlar can sıkıntısına bire bir soytarılar olmaktan öteye nadiren geçebilirler.) Durum böyle olduğu için Faquarl'ın bu neşesinde tuhaf bir kontrolsüzlük vardı, fazlasıyla kişiseldi.

beri çok şey oldu Bartimaeus," diye devam etti. "Nasıl ayrılmıştık, hatırlıyor musun?"

"Hayır." Hatırlıyordum.

"Beni ateşe vermiştin eski dostum. Üstüme bir kibrit çakıp çalılıklarda yanmaya terk etmiştin."

Karga satırın altında huzursuzca kıpırdandı. "Bu kimi kültürlerde bir sevgi ifadesi olarak görülür. Kimileri sarılır, kimileri öpüşür, kimileri de minik tahta parçalarıyla birbirlerini yakar..."

"Mmm. Eh, sen benden daha fazla insana kölelik yaptın Bartimaeus. Onları senden daha iyi kimse tanıyamaz. Yine de *biraz* can yakıcıydı..." Süzülerek yaklaştı.

"Çok da kötü atlatmış sayılmazdın," diye karşı çıktım. "Bir–iki gün sonra seni tekrar gördüm, Heddleham'daki mutfakta aşçılık oynuyordun. *Fazla* yanık görünmüyordun. Bu arada, mutfaklarla arandaki bu ilişki nedir senin? Hep oralarda takılıyorsun."[6]

Hopkins ya da Faquarl başını salladı. "En keskin silahlar mutfaklarda." Satıra bir fiske attı, karga bıçakla birlikte titreşip sarsıldı. "Şimdi de o yüzden buraya indim. Ayrıca yukarıdaki koridordan daha ferah. Kollarımı çalıştırmak için biraz geniş bir yere ihtiyacım vardı... Bu otelde her santimetrekare için para döküyorsun. Odamda *jakuzi* var, bu arada."

---

[6] Bu doğruydu. M.Ö. 700 civarında, Nineveh'deki saray mutfaklarından beri. Babilli büyücüler beni oraya diplomatik bir görevle yollamışlardı yani ziyafet sırasında Sennacherib'in yemeğine arsenik atmak için. Ne yazık ki, Suriyeli kral da suikastçileri yakalaması için Faquarl'ı görevlendirmişti: Dana yağından yapılmış lezzetli jöleme çok içerleyip beni koridorda kovalamıştı. Yemekli kavgaların ilkinde iyi nişanlanmış bir koyun buduyla onu yere devirip bir güzel sıvışıverdim. İlişkimiz bundan sonra sürekli kötüye gitti.

Başım bir anda ona döndü. "Dur bir dakika," dedim. "*Ben* seni İspartalı Faquarl olarak tanıyorum, Ege'nin belalısı. Koca Yunan ordularını topuklarıyla ezen, üzüm siyahı bir dev olduğunu gördüm. Şimdi ne oldun böyle? Banyo yapmayı seven güvercin göğüslü bir insan. Neler oluyor? Ne zaman böyle kafeslendin?"

"Yalnızca birkaç aydır. Ama *kafeslenmiş* falan değilim. Ambassador, çok lüks ve saygın bir kurum. Hopkins hayatın tadını çıkarmayı severdi, anlarsın ya. Ayrıca devlet casusları da buraya giremez, istediğim gibi girip çıkıyorum. Yaşam tarzımı değiştirmek için de bir neden göremiyorum."

Karga gözlerini çevirdi. "Otelden *değil*, bedenden bahsediyordum."

Kıkırtılar. "Cevap yine aynı Bartimaeus. İyi kalpli Bay Hopkins'in beni, nasıl desem, içine davet etmesinin üstünden yalnızca birkaç hafta geçti. Alışması biraz zaman aldı ama artık *fazlasıyla* rahatım. Ve dış görünüşe rağmen gücüm hiçbir şekilde azalmadı. Arkadaşlarının da biraz önce şahit olduğu gibi." Sırıttı. "Uzun zamandır bu kadar ağır yememiştim."

"Evet, şey." Rahatsızca öksürdüm. "Umarım bana da aynı şeyi yapmayı düşünmüyorsun. Seninle uzun bir geçmişimiz var. Harika bir birliktelik, bir sürü ortak deneyim."

Hopkins'in gözleri neşeyle parladı. "Böyle daha iyi Bartimaeus. Mizah duygun canlanıyor. Ama gerçekte seni mideye indirmeye niyetim *yok*."

Karga satırın ucunda oldukça kederli bir havayla sallanıyordu. Şimdiyse bu beklenmedik haber üstüne, bir anda kendine gelivermişti. "Öyle mi? Faquarl, sen çok hayırlı bir arkadaşsın! Senden özür dilerim, çalılıktaki olay ve tılsım yüzünden ettiğimiz kavgalar için, Heidelberg'de arkandan atıp seni avladığım o sarsıntı için, sene otuz üç" –duraksadım– "ki gördüğüm kadarıyla onun ben olduğumu bilmiyordun. Şey ve her şey için. Çok... Çok teşekkürler, şimdi şu satırı çıkarabilirsen ben de yoluma gideyim."

Silik yüzlü adam satırı çıkarmadı. Onun yerine eğilerek kargaya doğru yaklaştı. "Seni *bırakıyorum* demedim Bartimaeus. Yalnızca yemeyeceğim. Düşüncesi bile kötü! Bir tek özüne bakmak bile hazımsızlık nedeni. Ama gitmene de izin vermiyorum. Tam bu gece korkunç şekilde öleceksin..."

"Ah. Harika."

"Bulabildiğim en acı veren ve uzun süreli yöntemlerle."

"Bak, bu kadar uğraşmana gerek yok..."

"Ama önce sana bir şey söylemek istiyorum." Hopkins'in sırıtkan yüzü daha yaklaştı. "Sana yanıldığını söylemem gerek."

Hızlı çalışan aklım ve güçlü zekamla gurur duyarım ama bu sözler beni bile afallatmıştı. "Hı?"

"Sana," diyerek devam etti Faquarl, "cinlerin bir gün özgür olabileceği umudumu defalarca açmıştım. Senin benim gibi cinler. Neden savaşıyoruz? Çünkü lanetli insan sahipler bizi birbirimize karşı kışkırtıyor. Onlara neden itaat ediyoruz? Çünkü başka şansımız yok. Sana sayısız kereler bu kuralların değişebileceğini söyledim, sen de her seferinde bana yanıldığımı söyledin."

"*Tam* olarak öyle demedim. Dedim ki kesinlik..."

"O çifte sorundan kurtulma şansımızın hiç olmadığını söyledin Bartimaeus. Özgür irade ve acı sorunları. Ve o küçük şaşı gözlerinde yine aynı kararlılığı görüyorum! Ama yanılıyorsun. Şimdi bana bak, ne görüyorsun?"

Düşündüm. "İnsan biçiminde manyak bir katil? İnsan ve cinlerin en beterlerinin bir bileşimi? Hımm, biraz desteksiz atıyorum. Bana beklenmedik bir acıma ve güzel bir dostlukla bakan eski bir düşman?"

"Yo, Bartimaeus. Yo. Ben söyleyeyim. Acı çekmeyen bir cin görüyorsun. Özgür irade sahibi bir cin. Anlamaman beni şaşırtmıyor çünkü beş bin yıldır böyle bir mucize yaşanmadı!" Fazlasıyla insan olan bir eli uzatıp yavaşça tüylerimi karıştırdı. "Hayal edebiliyor musun, zavallı yaralı yaratık? Acı yok! Acı *yok*, Bartimaeus! Ah," diye içini çekti, "bu zihnimi nasıl açıyor *bilemezsin*."

Acı yok... Yorgun, sersemlemiş zihnimin gerisinde bir yerlerde, aniden bir görüntü belirdi: Gladstone'un iskeleti, hoplayıp zıplar, ortalıkta dört dönerken... "Bir seferinde bir ifrite rastlamıştım," dedim. "O da buna benzer bir şey söylemişti. Ama özü, insan kemiklerinin içinde hapsolmuştu ve delirdi. Sonunda yaşamaktansa ölüme kucak açtı."

Faquarl, Hopkins'in yüzünü tebessüme yakın bir şekle soktu. "Ah, Honorius'tan mı bahsediyorsun? Evet, onu duydum. Zavallı çocuktan çok ilham aldık! Özüm koruma altında, aynı onunki gibi, ama bu sözümü unutma Bartimaeus: *Ben* delirmeyeceğim."

"Ama bu dünyada olmak için çağırılmış olman gerekir," diye ısrar ettim. "Yani birinin emrini yerine getiriyorsun demektir..."

"*Hopkins* beni çağırdı, ben de emrini yerine *getirdim*. Artık özgürüm." Adamın içindeki cine dair ilk kez bir şey gördüğümü zannettim. Gözlerinin ta derinliklerinde küçük bir zafer kıvılcımı, neredeyse bir alev gibi. "Belki hatırlarsın Bartimaeus, son konuşmamızda bazı Londralı büyücülerin kayıtsızlıklarından bahsetmiştim, bir gün elimize fırsat verebilecek olan adamlardan."

"Hatırlıyorum," dedim. "Lovelace'dan bahsediyordun."

"Doğru, ama bir tek o değil. Neyse, haklı olduğum ortaya çıktı. Fırsat elimize geçti. Önce Lovelace kendini ele verdi. Darbe girişimi başarısız oldu, o öldü, bense..."

"Özgür kaldın!" diye haykırdım. "Evet! Bunun için bana şükretmelisin. Bana borcun var, kesinlikle."

"... Kendimi bir kasanın içinde denizin dibinde buldum, çağırmama bağlı ölüm sonrası bir madde yüzünden. Orada bütün zamanımı Lovelace'ı öldürene lanetler yağdırarak geçirdim."

"Ah, bu sahibim olmalı. Ona bu işi aceleye getirdiğini *söylemiştim* ama dinleyen *kim*...?"

"Şansım varmış ki hemen sonra Lovelace'ın beni ve yeteneklerimi bilen bir arkadaşı tarafından kurtarıldım. O günden beridir onunla çalışıyorum."

"Bu Hopkins olmalı," dedim.

"Eh, aslına bakarsan, *hayır*. Bu arada"–Faquarl saatine baktı– "bütün gece burada dikilip seninle dedikodu yapamam. Devrim bu gece başlıyor, tanıklık etmek için ben de orada olmalıyım. Sen ve budala arkadaşların beni fazlasıyla geciktirdiniz."

Karga umutla baktı. "Bu, bana söz verdiğin acılı ve uzun ölümü gerçekleştiremeyeceğin anlamına mı geliyor?"

"Benim olmayacak Bartimaeus ama senin dünya kadar zamanın olacak." Ellerini uzattı, boynumdan tutup kanadımdaki satırı çıkardı. Hopkins'in bedeni havaya yükselip yüzünü karanlık yemek salonuna döndü. "Bir bakalım," diye mırıldandı

Faquarl. “Evet... Olacak gibi görünüyor.” Masaların üstünden karşı duvara doğru süzüldük. Bir servis arabası garsonların bıraktığı gibi duruyordu. Arabanın ortasında yuvarlak kapaklı bir çorba kasesi vardı. Gümüşten.

Karga, celladının elinde kıvranıp debelendi. “Haaydi ama Faquarl,” diye yalvardım. “Sonradan pişman olacağın bir şey yapma.”

“Tabii ki yapmam.” Arabanın yanına alçaldı, beni kasenin üzerinde tuttu. Ölümcül metalin soğuk dalgaları mahvolmuş özümü gıdıkladı. “Sağlıklı bir cin böyle bir kubbenin altında haftalar boyu kalabilir,” dedi Faquarl. “Senin durumundaysa bir–iki saatten daha fazla dayanacağını sanmıyorum. Şimdi, bakalım neyimiz varmış...” Parmaklarıyla çabucak bir fiske atıp kapağı açtı. “Mmm. Balık çorbası. Leziz. Eh, hoşça kal Bartimaeus. Ölürken cinlerin esaretinin sona ermek üzere olduğunu bilmek sana teselli verecektir. İntikamımız bu gece başlıyor.” Parmaklar ayrıldı; karga, şık bir plop sesiyle çorbanın içine düştü. Faquarl el sallayıp kapağı kapadı. Karanlıkta yüzmeye başladım. Dört yanım gümüş. Özüm büzüşüp kabar kabar oldu.

Tek şansım vardı, tek bir şans: Faquarl gidene kadar biraz bekleyip kalan son enerji kırıntılarmı toplayarak kapağı fırlatıp açmaya çalışacaktım. Zor olacaktı ama mümkündü; üzerine bir tuğla falan koymadığı sürece.

Faquarl tuğlayla uğraşmadı. Bütün duvarı yıktı. Büyük bir gürültü ve çatırtı, korkunç bir çarpışma. Kase, her yerinden içe çöküp üstündeki moloz yığınının ağırlığıyla buruş kırış bir hurdaya döndü. Gümüş her yerden bastırdı, karga kıvranıp büküldü ama hareket edecek yer yoktu. Başım döndü, özüm kaynamaya başladı, bilincimi yitirdiğim için neredeyse şükran duyacaktım.

Gümüş bir çorba teknesinin içinde yanarak haşat olmak. Gitmenin daha kötü yolları da vardır. Ama fazla değil.

21

Nathaniel, limuzinin penceresinden geceye baktı; ışıklar, evler ve insanlar. Hepsi bir çeşit bulanıklık, sonsuza kadar değişen, baştan çıkarıcı ama yine de bir şey ifade etmeyen bir renk ve devinim seli halinde gelip geçiyordu. Bir süre yorgun bakışlarının değişken şekiller üzerinde dolaşmasına izin verdi, sonra –araba bir kavşakta yavaşlarken– camın üzerindeki kendi yansımasına odaklandı. Yeniden kendini gördü.

Pek de iç acıcı bir manzara sayılmazdı. Yüzü yorgunluktan çökmüş, saçları nemli, yakaları aşağı sarkmıştı. Ama gözlerinde hâlâ yanan bir kıvılcım vardı.

O gün daha önce böyle değildi. Üst üste yaşanan krizler (Richmond'da aşağılanması, kariyeri üstündeki tehditler ve geçmişte Bartimaeus tarafından ihanete uğradığını öğrenmesi) onu derinden sarsmıştı. Özenle yapılandırılmış John Mandrake kişiliği, Enformasyon Bakanı ve Konsey'in o neşeli, kendine güvenen üyesi kimliği etrafında çatırdamaya başlamıştı. Ama bardağı taşıran son damla, o sabah Bayan Lutyens tarafından reddedilişi olmuştu. Yoğunlaştırılmış küçümsemeyle dolu birkaç saniye içinde kadın sosyal konumuyla yarattığı zırhı delmiş, arkasındaki küçük çocuğu savunmasız bırakmıştı. Nathaniel, bu şoku neredeyse atlatamayacaktı. Özgüvenin yitmesiyle kaosun içine düşmüştü, günün geri kalanını kendini odasına kilitleyip öfkeden kudurmakla, sessizliğe gömülmek arasında gidip gelerek geçirmişti.

Ama kendini toparlamasını sağlayan, kendine acıma tuzağına düşmesini engelleyen iki şey daha olmuştu. İlki, pratik bir düzeyde, Bartimaeus'un gecikmiş raporunun bir cankurtaran halatı olmasıydı. Hopkins'in yerini bulmak, yarınki duruşmadan önce bir şeyler yapabilmek için son bir şans sunmuştu Nathaniel'a. Hopkins'i yakalayarak Farrar, Mortensen ve diğer düşmanlarını saf dışı bırakabilirdi. Böylece Devereaux hoşnutsuzluğunu unutabilir, Nathaniel yeniden prestijli bir konuma geçebilirdi.

Böyle bir başarı garanti değildi ama otele yolladığı cinlerin gücüne güveniyordu. Yalnızca yollamış olmak bile kendini yeniden canlanmış hissetmesine neden oluyordu. Sırtından geçen ılık bir his, arabanın sindiği köşesinde tüylerini ürpertti. Sonunda bir kez daha kararlı davranabilmiş, büyük oynayarak son birkaç günün uyuşukluğunu üzerinden atabilmişti. Kendini neredeyse çocukken hissettiği gibi hissediyordu, yaptıklarının cüretkarlığı ona heyecan veriyordu. Eskiden sık sık böyle hissederdi, siyasete atılmadan ve duygularına ket vuran John Mandrake rolü üstüne yapıştırılmadan önce.

Ve artık bu rolü oynamak istemiyordu. Evet, eğer talih yüzüne gülerse ilk başta politik geleceğini garanti altına alırdı. Ama öteki bakanlardan uzun süredir bezmiş, onların yozlaşmışlıkları ve çıkarcı açgözlülüklerinden midesi bulanmıştı. İçindeki bu nefreti hatırlayabilmesiyse ancak bugün, Bayan

Lutyens ve Kitty Jones'un gözlerindeki küçümsemenin kendisindeki yansımasını görebilmesiyle olmuştu. Yo, Konsey'in o çarkına yeniden kapılmayacaktı! Ülkeyi onların kötü yönetiminden kurtarmak için kararlı davranmak gerekiyordu. Pencereden sokaktaki insanların bulanık profillerine baktı. Halkın yönetilmesi gerekiyordu ve yeni bir lidere ihtiyaç vardı. Biraz huzur ve güvenlik sağlayacak birine. Gladstone'un Whitehall depolarında boş yere yatan Asa'sını düşündü.

Güç kullanması gerektiği için değil, elbette; en azından halka karşı değil. Kitty Jones bu konuda haklıydı. Kızın –makul bir yakınlıkta– oturup gözle görünür bir dinginlik içinde geceyi izlediği yere doğru bir bakış attı.

Enerjisini geri kazanmasının, içindeki kıvılcımın bir kez daha ateşlenmesinin ikinci nedeniyse bu kızdı ve onu bulduğuna çok memnundu. Saçları eskisinden daha kısaydı ama dili her zamanki kadar sivriydi. Barın önündeki tartışmada bütün yüzeyselliğini bir bıçak gibi kesip geçmiş, tutku dolu özgüveniyle Nathaniel'ı tekrar tekrar utandırmıştı. Yine de –garip olan da buydu– kızla konuşmaya devam etmeye fazlasıyla istekli davranmıştı.

Tabii bunda –gözleri karardı– Bartimaeus'un geçmişi hakkında zannettiğinden çok daha fazlasını bildiğini ağzından kaçırmasının da payı vardı. Bu çok garipti... Ama acelesi yoktu; oyundan ve –şansı yaver giderse– cinin zaferle geri dönüşünden sonra sorgulanabilirdi. Bartimaeus, kendisi de konuya bir parça ışık tutabilirdi. Bundan sonra kızla ne yapacağınıysa açıkçası bilmiyordu.

Nathaniel'ı daldığı düşüncelerden şoförün sesi çıkardı. "Tiyatroya gelmek üzereyiz efendim."

"Güzel. Ne kadar sürdü?"

"On iki dakika efendim. Uzun yoldan gelmek zorunda kaldım. Şehir merkezinde hâlâ barikatlar kurulu. Parklarda gösteriler var. Her yer polis kaynıyor."

"Tamam, şansımız varsa oyunun başını kaçırmışız demektir."

Kitty Jones, yolculuk boyunca ilk kez konuştu. Nathaniel, kızın özgüveninden bir kez daha etkilendi. "Tahammül etmek zorunda kaldığım bu oyun *nedir* peki?"

Nathaniel içini çekti. "Bir Makepeace galası."

"*Arap Kuğuları*'nı yazan adam değildir umarım?"

"Korkarım öyle. Başbakan oyunlarının hayranı, bu yüzden hükümetteki tüm büyücüler, Konsey üyelerinden üçüncü müsteşarlara kadar ne kadar hoşlanmasa da bütün acılara katlanıp oyunu izlemek zorunda. En öncelikli görevimiz budur."

Kitty alnını kırıştırdı. "Ne? Savaş sürerken ve insanlar sokaklarda isyan ederken bile mi?"

"O zaman bile. Bu gece yapmam gereken hayati işlerim var ama perde kapanana kadar hepsini bir kenara atmak zorundayım. Umarım çok ara vardır." Paltosunun cebindeki sihirli aynayı elledi, aralarda cinlerin neler yaptığını kontrol edecekti.

Çoğu hükümetin aldığı gecekondu yıkım tedbirleriyle en iyi kalite betonla yeniden yapılmış olan lokantalar, barlar ve tiyatrolarla dolu bir dönemeç olan Shaftesbury Bulvarı'na girdiler. Japonya'dan yeni bir buluş olan parlak neon ışıkları pembeler, sarılar, leylak renkleri, ateş kırmızılarıyla bulvardaki her kuruluşun ismini belirtiyor. Küçük büyücüler ve üst sınıf halktan kişiler, gözünü dört açmış Gece Polisi eşliğinde sokaklarda dolaşıyordu. Nathaniel, bir karışıklık var mı diye baktı ama insanlar sakin görünüyordu.

Limuzin yavaşladı, halatlarla ayrılmış bir bölümden altın rengi bir tentenin altına girdi. Barikatların ardında polis ve siyah cübbeli güvenlik büyücüleri duruyordu. Fotoğraf makinelerini sehpalarına yerleştirmiş birkaç fotoğrafçı önlerinde diz çöktü. Tiyatronun önü bir ışık seliydi, sokakla açık kapılar arasına kırmızı, şık bir halı serilmişti.

Halının üstünde ellerini çılgın gibi oynatan kısa boylu, toparlak bir adam vardı. Araba dururken Quentin Makepeace de öne atılıp yan kapıyı açtı.

"Mandrake! Sonunda gelebildin! Kaybedecek bir saniyemiz bile kalmadı."

"Üzgünüm Quentin. Sokaklar hınca hınç..." Oyun yazarının halktan biriyle yaptığı sefil deneye şahit olduğundan beri, Nathaniel adamdan iyice soğumuştu. Makepeace, zararlı bir mikroptu ve ondan bir an önce kurtulunmalıydı.

"Biliyorum, biliyorum. Haydi, in artık! Üç dakika içinde sahnede olmalıyım! Salonun kapıları kapatıldı ama özel locamda size yer ayırttım. Evet, evet; kız arkadaşına da. Hem senden hem benden çok daha güzel bir hanım, onun sıcaklığıyla biraz ısınabiliriz! Haydi, hop hop! İki dakika, geriye sayım başladı!"

Makepeace, bir dizi itip çekiştirme ve hızlandırıcı hareketle birlikte Nathaniel ile Kitty'i arabadan indirip halıdan geçirdi ve kapıdan içeri soktu. Fuayenin keskin ışıklarıyla gözlerini kırpıştırdılar. Reverans yapan görevlileri, sunulan yastıkları ve tepsi tepsi köpüklü şarabı savuşturdular. Duvarlarda oyunun reklamını yapan afişler asılıydı. Çoğunda sırıtan, göz kırpan ya da çeşitli açılardan huşu içinde görünen Quentin Makepeace'in resimleri vardı. Adam, dar bir merdiven aralığında durdu.

"Buraya! Özel locama. Ben hemen size katılıyorum. Şans dileyin!" Sonra briyantinlenmiş saçlar, parıldayan dişler, canlı ve ışıl ışıl gözlerden ufak bir girdap halinde dönüp gitti.

Nathaniel ile Kitty merdivenlerden çıktı. Tepede kapalı bir perde vardı. Perdeyi açıp saten drapelerle kaplı küçük bir locaya girdiler. Süslü püslü üç sandalye alçak bir trabzana bakıyordu, trabzanın altında ve üstünde sahne görülüyordu. Kapalı perdeler ardında yarı gizlenmiş orkestra parteri ve oraya buraya bakıp duran başlarla dolu koltuklardan bir deniz. Işıklar azaltılmıştı. Kalabalık, ormanda esen bir rüzgar gibi uğulduyor, çukurundaki orkestra uyumsuz sesler çıkarıyordu.

Oturdular, Kitty en uçtaki sandalyeye, Nathaniel yanına. Eğilip kızın kulağına fısıldadı. "Bu sizin için bir şeref olmalı Bayan Jones. Kuşkusuz bu salonda halktan tek kişisiniz. Karşıdaki şu locayı görüyor musunuz? Bir okul çocuğunun görgüsüz hevesiyle aşağı sarkan şu adamı? O başbakanımız. Yanında, sevgili Savaş Bakanımız, Sayın Mortensen oturuyor. Göbekli olan İçişleri'nden Collins. Aşağıdaki locada, kaşlarını çatmış oturan Sholto Pinn, meşhur mağaza sahibi. Solunda bir kedi gibi esneyen Güvenlik Bakanımız Whitwell. Polis Merkezi'nden Bayan Farrar'sa yanlarındaki locada..."

Sustu. Jane Farrar, sanki bakışlarını hissetmiş gibi o koca karanlık uçurumun öteki tarafından gözlerini ona dikmişti. Nathaniel, başıyla alaycı bir selam vererek şöyle bir el salladı. Geçen dakikalar gözükara heyecanını daha da artırmıştı. Her şey yolunda giderse Ascobol ve ötekiler Hopkins'i çok geçmeden ele geçirmiş olacaktı. Bakalım Farrar, yarın *bununla* nasıl başa çıkacaktı? Gözle görünür bir çalımla başını yeniden Kitty Jones'a doğru eğdi. "Sizin Direnç'in hâlâ aktif olmaması çok yazık," diye fısıldadı. "Buraya atılacak iyi hedeflenmiş bir bomba bütün hükümeti vururdu."

Bu doğruydu. Aşağıdaki koltukların tümü küçük bakanlar, eşleri, yardımcıları, müsteşarları ve özel danışmanlarıyla doluydu. İnsanlar kendi yerlerini rakiplerininkiyle kıyaslarken uzatılan saplantılı boyunları, dürbünlerin parıltılarını görebiliyordu. Kurabiye kağıtlarının hışırtılarını duyuyor, kalabalıktan yükselen heyecan dalgasını hissediyordu. İkinci ve üçüncü düzlemlerde sahiplerinin omuz seviyesinde hoplayıp zıplayan, göğüslerini ve pazularını imkansız boyutlarda şişirip yan komşularına hakaretler yağdıran birçok küçük iblis vardı.

Orkestranın gürültüsü azaldı. Son bir keman gıcırtısı duyuldu ve sesler kesildi.

Seyirci salonundaki ışıklar karardı. Sahnedeki perdeyi ortasından aydınlatan bir spot yandı.

Sessizlik.

Bir davul ritmi, trampet bölümünden coşkulu bir tempo. Perde, arkadan tutulup yana çekildi.

Arasından kırışık yeşil kadifeden frak ceketiyle göz kamaştıran Makepeace sahneye çıktı. Kollarını, bebeklerine sarılacak bir anne gibi iki yana açarak seyircinin alkışlarını kabul etti. Localara iki, salona bir reverans yaptı. Ellerini kaldırdı.

"Bayanlar baylar, çok naziksiniz, çok naziksiniz. Lütfen!" Tezahürat kesildi. "Teşekkürler. Oyun başlamadan önce özel bir anonsum var. En son naçizane çalışmamı böyle seçkin bir kitleye sunmak bir ayrıcalık, yo, bir onurdur. İnce zevk konusunda muhteşem sezgisiyle son söz sahibi olan Sayın Rupert Devereaux başta olmak üzere tüm devlet büyüklerimizin tam kadro mevcut olduğunu görüyorum." Çoşkulu tezahürata yer açan sağduyulu bir ara. "Kesinlikle öyle. Ve Wapping'den Wesminster'a oyununu, onun örnek yaşamından ilham alarak kaleme aldığım bu küçük denemeyi yazmamın nedeni sevgili Rupert'a karşı hepimizin duyduğu sevgiydi. Program kitapçığından da okuyacağınız gibi sadece rahibeler yatakhanesinde geçen sahne kurmacadır. Geriye kalan hayretler verici, mucivezi, müthiş olaylar tamamen gerçeğe dayanmaktadır. Umarım birçok şey öğrenir, bu arada da eğlenirsiniz!" Hafif bir reverans, geniş bir tebessüm. "Tüm yapımlarımda olduğu gibi fotoğraf çekilirken flaş kullanılmamasını rica ediyorum. Oyuncuların dikkatini dağıtabilir. Ayrıca bu gece sahnede yer alacak özel efektler, gönüllü demonlardan oluşan bir ekip tarafından büyüyle gerçekleştirilecektir. Bu ilüzyonlardan en çok zevki ancak lens kullanmadığınız takdirde alabilirsiniz. Bir düğün sahnesinin güzelliğini arkada havai fişekleri atan birkaç koca popolu iblisi görmekten daha güzel berbat edecek hiçbir şey yoktur." Kahkahalar. "Teşekkür ederim. Bir de gösteri süresince özel demonların kovulmasını rica edebilir miyim? Konsantrasyonu bozmamaları için. İyi akşamlar. Dilerim unutamayacaklarınızdan biri arasına girer!"

Geriye doğru bir adım, bir perde hışırtısı. Spot söndü. Tüm salonda hafif bir hışırtı ve tıkırtı duyuldu. Çantalardan ya da ceplerden çıkarılıp açılan, doldurulup hemen geri kapatılan lens kutularının sesi. Büyücüler sert emirler yağdırdı. İblisleri parlayıp küçülerek gözden kayboldu.

Nathaniel, lenslerini çıkartırken kıpırdamadan sahneyi izleyen Kitty Jones'a bir göz attı. Kız aptalca bir şeye kalkışacak *gibi* görünmüyordu ama Nathaniel yine de risk aldığını biliyordu. Fritang'ı kovmuştu ve öteki işe yarar demonlarının hepsini

Hopkins'in peşinden yollamıştı. O anda elinde hazır bir köle yoktu. Kız, eski haline dönerse ne yapacaktı?

Bir davul ritmi, aşağıdaki karanlıkta hızlı keman nağmeleri. Uzaktan çalan borular. Askeri bir marş çabucak neşeli bir dans müziğine dönüştü. Perdeler açılarak kırk yıl öncesinin Londra'sına ait çok güzel çizilmiş bir sokak manzarasını gözler önüne serdi. Bahçeli yüksek evler, Pazar tezgahları, geride boyanmış mavi bir gökyüzü, arka planda Nelson Sütunu, tellere bağlanmış oraya buraya uçuşan tombul güvercinler. Bir grup seyyar satıcı çocuk, arabalarını iterek her iki taraftan sahneye girdi, ortada buluşup doğu Londra aksanıyla atıştılar ve müziğin ritmine uyarak kalçalarına vurmaya başladılar. İlk şarkının başlayacağını anlayan Nathaniel'ın kalbi sıkıştı. Umutsuzluk içinde cebindeki sihirli aynayı düşünerek arkasına yaslandı. Belki de hemen sıvışıp neler olduğuna bir...

"Fena başlangıç sayılmaz, ha, John?" Makepeace sanki yerdeki bir kapıdan sıçramış gibi yanında bitivermiş, sandalyesine yerleşirken alnındaki teri siliyordu. "İyi numara. Sahneyi mükemmel kuruyor." Kıkırdadı. "Deveraux, kendini kaptırdı bile. Bak nasıl gülüp el çırpıyor!"

Nathaniel gözlerini karanlığa dikti. "Senin gözlerin daha iyi. Ben seçemiyorum."

"Cici ve itaatkar bir çocuk gibi lenslerini çıkarmışsın da ondan. Tak da öyle bak."

"Ama..."

"Onları geri tak evlat. Benim locamda farklı kurallar geçerli. Sen genel talimatlardan muafsın."

"Ama ya ilüzyonlar?"

"Ah, gördüklerin seni yeterince eğlendirecek. Güven bana." İçten bir kıkırtı.

Bu adam kaprisli bir budalaydı! Nathaniel, gerginlikle şaşkınlık arası bir hisle lenslerini taktı. İkinci ve üçüncü düzlemleri görünce salondaki karanlık hemen azaldı ve en uzaktaki büyücüleri bile görmeye başladı. Makepeace'in dediği gibi Devereaux aşağı sarkmış, gözleri sahneye çivilenmiş, müziğin ritmine uygun olarak başını sallıyordu. Öteki büyücüler, çeşitli düzeylerdeki bıkkınlık ve sıkkınlık ifadeleriyle kaçınılmaz olana teslim olmuşlardı.

Sahnedeki doğu Londralı satıcılar dağılarak geleceğin başbakanına yol açtılar. Nathaniel'ın Richmond'da gördüğü soluk benizli, zayıf çocuk şimdi sahneye giriyordu. Bir okul kazağı, gömlek, kravat ve kıllı bacaklarını huzursuz edici derecede teşhir eden bir şort giymişti. Yanakları, bir çocuğun canlılığını kazandırabilmek için iyice rujlanmışsa da hareketleri tuhaf şekilde cansızdı. Kartondan bir posta kutusunun yanında beceriksizce durup titrek sesli bir söyleve girişti. Nathaniel'ın yanındaki Makepeace karanlıkta hoşnutsuzca gıdakladı.

"Bobby tam bir başbelası olduğunu kanıtladı," diye fısıldadı. "Provalarda devamlı öksürük nöbetleri geçirmeye başladı, sonra da iyice bitkin düştü. Verem olduğunu zannediyorum. Onu canlandırmak için koca bir yudum kanyak vermek zorunda kaldım."

Nathaniel başını salladı. "Geceyi çıkarabilecek kadar gücü var mı sence?"

"Sanırım. Uzun bir oyun değil. Söylesene, Bayan Jones oyunu beğendi mi?"

Nathaniel'ın gözleri, yarı karanlığın mahremiyetinde, yanında oturan kıza kaydı. Kızın zarif profilini, saçlarının hoş pırıltısını seçti, yüzü derin bir can sıkıntısıyla buruşmuştu. Nathaniel, tüm sıkıntısına rağmen gördüğü yüz ifadesiyle sırıttı. O...

Sırıtışı dondu, sonra yok oldu. Bir sessizlikten sonra tekrar Makepeace'e eğildi. "Söyler misin Quentin," dedi, "bu hanımın Bayan Jones olduğunu *tam olarak* nasıl bilebildin?"

Adama baktı. Makepeace'in küçük gözleri karanlıkta parıldadı. Bir fısıltı: "Ben daha *neler* biliyorum evlat. Ama hişt! Şimdi sus! Oyunun doruk noktasına geliyoruz!"

Nathaniel irkildi, alnını kırıştırdı. "*Hemen* mi? Bu kadar kısa bir oyun olması ne kadar güz... ilginç."

"Biraz hızlandırmak zorunda kaldım, Bobby'nin hastalığı sağ olsun. Ana tiradı mahvedecekti, nefesi yetmiyor. Ama... şimdi sus. Lenslerin gözünde mi? Güzel. O zaman seyret."

Nathaniel, gözlerini sahneye çevirse de ilgi çekici bir şey göremedi. Orkestra tekrar çalmaya başlamıştı. Posta kutusundan destek alan çocuk solo bir şarkı söylemeye çabalıyor, genizden gelen zırlaması sürekli öksürüklerle kesiliyordu. Sahnede ondan başka kimse yoktu. Ev dekorlarından birkaçı yanlardan gelen esintiyle sallandı. Mandrake, boşuna doruk noktası olabilecek sihirli bir ilüzyon bekledi. Ne ikinci ne üçüncü düzlemde bir şey olmadı. Makepeace ne demek istemişti acaba?

Gözüne ikinci düzlemde bir hareket dalgası çarptı. Sahnede değil uzakta, tiyatronun en arkasında, en dipteki sıranın ardında. Aynı anda Makepeace de avcuyla onu dürtüp işaret etti. Nathaniel, şaşkın gözlerle baktı, bir daha baktı. Karanlığın en yoğun olduğu yerlerde lobiye açılan üç çıkış kapısını anca seçebiliyordu. Çok sayıda minik demon, bu kapılardan içeri süzülmeye başlamıştı. Çoğu iblisti (Yalnız bir–ikisi [hafif daha büyük gövdeleri, daha gösterişli ibikleri ve tüyleriyle] büyük ihtimalle folyot türündendi.) ve hepsi de küçük ve sessizdi.

Ayakları ve toynakları, pençeleri ve kıskaçları, duyargaları ve vantuzlu uzantılarıyla ses çıkarmadan halının üzerinde ilerlediler. Gözleri ve dişleri cam gibi parlıyordu. Usta ellerinde halatlar ve bezler vardı. Ellerin sahipleri hoplayıp sıçradı, oraya buraya atlayarak dağıldı, arka sıralardan hedeflerine doğru hızla atıldı. Liderleri koltuklara sıçrayıp zaman harcamadan oturanların üzerine çullandılar. Her gruba iki–üç iblis düşüyordu. Paçavralar ağızlara tıkıldı, eller tutulup halatlarla bağlandı. Başlar geriye çekilip gözler bağlandı, arka sıralardaki büyücüler birkaç saniye içinde esir alınmıştı. Bu arada iblisler dalga dalga önlere ilerliyor, bir öndeki sıraya, sonra onun önündeki sıraya atlıyorlardı. Kapılardan akan demon seliyse bitmeyecekmiş gibi görünüyordu. Baskın, o kadar ani olmuştu ki seyircilerin çoğu çıt çıkmadan ele geçmişti. Birkaçı ufak çığlıklar atmayı başarsa da kemanların gıcırtısı, klarnet ve viyolonsellerin yüksek perdeden acıklı nağmeleri sesleri bastırmıştı. Demonlar, boynuzları pırıldayarak, gözlerinden ateşler saçarak, ince ve siyah bir dalga halinde sıralar üstünde ilerlerken önlerdeki büyücülerin gözleri sahneye kenetlenmişti.

Nathaniel'ın lensleri vardı. Salonun karanlığı lensler sayesinde azaldığından her şeyi gördü. Ayağa fırlamaya çalışsa da soğuk çelikten bir şey gırtlağına dayanmıştı. Makepeace çabucak fısıldadı: "Aptalca bir şey yapma evlat. Hayatımın doruk noktasına şahit oluyorsun! Sence de bu en üst düzeyde sanat, değil mi? Otur, rahatla, keyfine bak! Eğer kılını kıpırdatırsan kelleni top gibi salonda zıplatırım."

Salonun neredeyse yarısı etkisiz hale gelmişti ve iblisler sel gibi içeri akmaya devam ediyordu. Nathaniel'ın gözleri karşı localara kaydı, üst düzey büyücüler de lenslerini çıkarmıştı ama onların bakış açısı da kendisininki gibi avantajlı bir konumdaydı. Nasılsa görecek, nasılsa harekete geçeceklerdi... Çenesi dehşet içinde aşağı sarktı. Perdeler arasından süzülerek her locaya aşağıdakilerden çok daha büyük dört–beş demon, düğüm düğüm kaslardan örülü uzun ince beyaz gövdeleriyle büyük folyot ve cinler girdi. İmparatorluğun en büyüklerinin arkasından saldırdılar: gülücükler saçarak ellerini müziğe uyduran Devereaux, koltuklarına gömülmüş, ellerini kavuşturmuş kafa sallayan Mortensen ve Collins, saatine bakan Whitwell, elindeki dosyaya bir şeyler not alan Malbindi hepsi gafil avlandı. Pençeli yumruklarda halatlar yükseldi, ağız tıkaçları ve ağlar özenle hazırlandı ve demonlar, sırtlarında yükselen bir dizi dev mezartaşı gibi kıpırdamadan öylece durdular. Sonra sanki duyulmayan bir emir almış gibi üstlerine çullandılar.

Malbindi, keman nağmelerine karışan tek bir çığlık atabildi ancak. Kemikli kollar arasında debelenen Whitwell, parmak uçlarından bir inferno yollamayı becerebildi. Büyü bir saniye sürdü, ağzı tıkanıp bağlandı, büyülü sözcükler yarıda kesildiği için alev titreşerek söndü ve kadıncağız ağların arasında kayboldu.

Mortensen, üç iri folyota yiğitçe karşı koydu, Mandrake, müzik sesleri arasından adamın demonunu çağırdığını duydu. Ama diğer seyirciler gibi o da uslu bir çocuk gibi demonunu kovmuştu, çağırma bir işe yaramadı. Yanındaki Collins çıt çıkarmadan yakalandı.

Şarkı bitmişti. Büyük Britanya ve imparatorluk Başbakanı Sayın Devereaux ayağa kalktı. Gözleri yaşlarla doluydu, finali deliler gibi alkışlamaya başladı. Aynı locada arkasında duran üç özel koruması da oldukça etkilenmiş ve derileri yüzülmüş görünüyordu. Yakasından bir gül çıkarıp sahnedeki çocuğa fırlattı. Arkasından bir demon yaklaştı, demonu fark etmeyen Deveraux bis için tezahürat yapıyordu. Sahnedeki oyuncu yere eğildi, gülü alıp ani bir enerji fazlasıyla başbakanın locasına doğru salladı. O anda başbakanın arkasında dev gibi duran yaratık gölgelerden öne çıktı. Çocuk ciyakladı, ayakta bayıldı, sallanarak sendeledi ve sahneden tepe taklak düşerek bir tubanın ağzına devrildi. Şaşkınlıkla geri çekilen Deveraux demona çarptı. Arkasına dönüp ağlamaklı bir ses çıkardı ve etrafına siyah kanatlar sarındı.

Nathaniel için tüm bunlar göz açıp kapayıncaya kadar olmuştu. Aşağıda, iblisler dalgalar halinde en ön sıralara doğru ilerlemeye devam ediyordu. İnsanlara ait tüm ağızlar tıkanmış ve bağlanmıştı. Hepsinin omzunda zaferle zıplayan bir demon vardı.

Panik çindeki gözleri Farrar'ın locasına kaydı. Kızın koltuğunda oturan sırıtık demonun omzunda sımsıkı bağlanmış bir şey kıvranıp duruyordu. Başka bir yere baktığında gözleri gerçek bir direnç çabası gösteren tek büyücüyle karşılaştı.

Locasında düşüncelere dalmış olan Sholto Pinn, lenslerini çıkarmamıştı çünkü zaten lens kullanmıyordu. Makepeace'in talimatlarına takmayıp monoklünü tek gözünde sımsıkı tutmaya devam etmişti. Arada çıkarıp mendiliyle siliyordu. İşte iblislerin sıraları sarması da böyle bir temizlik esnasında gerçekleşmişti. Yine de onları iş üstünde yakalamak için tam zamanında takabilmişti.

Bir küfür savurdu, bastonunu alıp arkasına döndü ve parmak ucunda locasına giren üç dev gölgeyle yüz yüze geldi. Hiç düşünmeden bastonunu kaldırıp bir plazma yolladı. Gölgelerden biri miyavlarak toza dönüştü; diğer ikisi kaçıştı, biri tavana, biri yere yapışmıştı. Baston yeniden ateşlendi. Tavandaki gölge vuruldu, yaralı ve inleyerek düşüp sandalyelerden birinin üstüne yığıldı. Ama yerdeki gölge, daha o düşerken öne atılmıştı. İhtiyarın bastonundan tuttu ve çekiç gibi kullanarak adamcağızı yere çaktı.

Makepeace olanları karşıdaki locadan, alnını hoşnutsuzca kırıştırarak izlemişti. "Hep böyle olur," dedi düşünceli düşünceli. "Hiçbir sanat eseri mükemmel olamaz, hep bir kusur vardır. Yine de Pinn'i bir kenara koyarsak bence bu iş tamamdır."

Oyun yazarı, bıçağı Nathaniel'ın boğazından ayırmadan ayağa kalktı ve olanları daha iyi görebilmek için öne eğildi. Nathaniel, başını çaktırmadan acılar içinde bir parça çevirdi, gözleri Kitty'ninkilerle karşılaştı. Lensleri olmayan kız olup bitenleri en sonlara doğru Pinn'in plazması patladıktan ve zafere ulaşmış demonlar birinci düzlemde birer birer belirmeye başladıktan sonra fark edebilmişti. Gözlerini kocaman açmış Nathaniel'a bakıyordu, sonunda Makepeace'i ve elindeki bıçağı da görebildi. Şaşkınlık ve şüphe içinde inanamayarak bakakaldı.

Nathaniel, gözlerini kızdan ayırmadı. Dudakları sessiz yakarışlar sıralıyordu, kaşlarıyla gerçekleşmesi zor yardımlar diliyordu. Eğer bıçağı bir anlığına bile olsa gırtlağından ayırabilirse o zaman Makepeace'in üstüne çıkıp elinden alabilirdi. *Haydi...* Eğer elini çabuk tutarsa çıldırmış adamın dikkati başka yerdeyken...

Kitty, Makepace'e sonra bir kez daha Nathaniel'a baktı. Alnı kırıştı. Nathanel'ın yanaklarından terler süzülüyordu. Yararı yoktu, yardım etmeyecekti. Neden etsindi ki? Ona değer bile vermiyordu.

Makepaeace belden aşağı salona sarkmış, gördüğü her yeni rezalette kendi kendine kıkırdayıp duruyordu. Vücudu sarsıldıkça bıçak Nathaniel'ın boğazına biraz daha gömülüyordu.

Sonra Kitty'nin başını belli belirsiz salladığını ve atlamaya hazırlanarak gerildiğini gördü. Dudaklarını ıslatarak o da hazırlandı...

Kitty Jones öne atıldı. O anda yeşil bir enerji topu kıza çarparak patladı, Kitty'nin sırtı trabzana çarptı, trabzan çarpışın etkisiyle çatırdayıp ikiye ayrıldı. Üzerinde zümrüt rengi bir alev oynaştı. Kollarıyla bacakları sarsıldı, saçından dumanlar çıktı. Başı ve kolları aşağıdaki salona sarkarak yere serildi. Görmeden bakan gözleri yarı aralık kaldı.

Makepeace'in sol elinden yeşil alevler ve dumanlar yükseliyordu ama öteki elindeki bıçak Nathaniel'ın boğazından ayrılmadı. Gözleri üzüm kurusu kadar küçülmüştü, dişleri sıkılmıştı. "Sersem kız," dedi. Bıçağı biraz oynattı, Nathaniel'ın çizilen çenesinden kan aktı. "Kalk ayağa."

Nathaniel, sesini çıkarmadan ayağa kalktı. Emir, tüm salonda yüzlerce kez tekrarlandı. Büyük bir hışırtı sesiyle salondaki tüm esirler de iblislerden gelen türlü çeşit tokat ve çimdiğin teşvikiyle görmeden ve kıskıvrak bağlanmış halde ayağa kalktı. Yaşadıklarının ağırlığına dayanamayıp bilincini yitiren birkaç kurbanın bedeniyse bir–iki demonun desteğiyle ayağa dikilmişti. Cinlerin daha güçlü büyücülerle uğraştığı yukarıdaki localarda hiçbir şey şansa bırakılmamıştı. Hepsi de kalın siyah ağlarla sarmalanmış, sosis gibi sıkıştırılmışlardı.

Nathaniel sonunda konuşabildi. "Hepimizi felakete sürükledin."

"Hiç de değil John. Yeni bir çağın başlangıcına tanıklık ediyoruz! Ama artık perde indi ve benim de yönetici ekibe katılmam lazım. Burada biz ayrıyken mantıksız davranmamanı sağlayacak biri daha var." Başıyla locanın arkasına bir işaret yaptı. Perde aralandı. Siyah pelerin giymiş uzun boylu birinin öne çıkmasıyla paralı askerin varlığı tüm mekanı doldurdu.

"Sanırım birbirinizi iyi tanıyorsunuz," dedi Makepeace, bıçağı frağının iç cebine koyarken. "Eminim, konuşacak çok şeyiniz vardır. Gereksiz tehditler savurarak seni küçük düşürecek değilim John. Ama bir tavsiyem olacak." Merdivenlerin önünden arkasına baktı. "Oradaki zavallı Kitty gibi ölümü seçme, daha sana gösterecek çok şeyim var."

Sonra gitti. Nathaniel, yerde yatan bedene bakarak ayakta durdu. Aşağıda, bir tek sürünen ayak sesleri ve demon cıvıltılarıyla kesilen ürkünç bir sessizlik içinde İngiliz hükümeti hızla yok oldu.

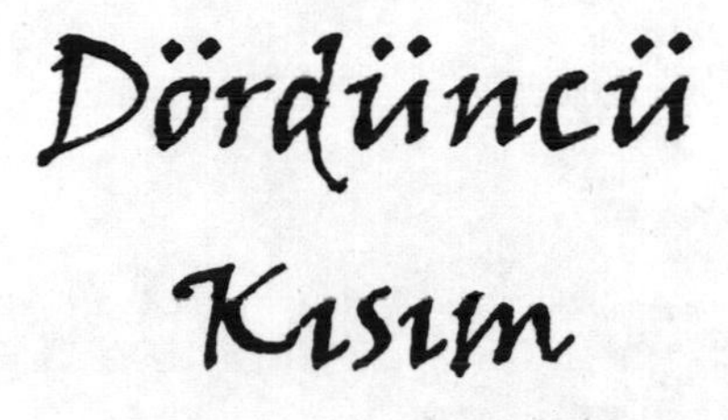
Dördüncü
Kısım

İskenderiye
M.Ö. 124

Mısır'da tehlikeli zamanlardı. Güney'den akıncılar, akarsuları geçip sınırdaki kasabaları kılıçtan geçirmişti. Bedevi kabileleri, çölün etrafından geçen ticari kervanlara zarar veriyordu. Denizde barbar korsanlar gemileri avlıyordu. Danışmanları, yurtdışından yardım bulmasını tavsiye etse de yaşlı, gururlu ve yorgun kral bunu reddediyordu.

Batlamyus, saraydaki düşmanlarını susturmak için gecikmiş bir çabayla yeteneklerini onların hizmetine sunmuştu. Bunun anlamıysa kendisinin de memnuniyetle itiraf ettiği gibi, bendim.

"Bu onur kırıcı durum için beni affetmelisin," demişti, gidişimden bir gece önce terasta otururken. "Affa ve Penrenutet'le karşılaştırıldığında sen sevgili Rekhyt, hizmetkarlarım arasında en güçlü olanısın. Ülke için harikalar yaratacağından eminim. Ordu kumandanlarının emirlerini yerine getir ve gereken yerlerde kendi başına kararlar al. Yaşayabileceğin zorluklar için şimdiden özür dilerim ama uzun vadede bu senin de çıkarına olacaktır. Şansımız varsa başarıların sayesinde kuzenimin ajanları tepemden çekilir ve ben de araştırmalarımı rahat rahat bitiririm."

Soylu bir çöl aslanı kılığındaydım, kükreyişim de buna uygun olarak kısık sesli ve derinden oldu. "İnsanların ne kadar alçak olabileceğinden haberin yok. Kuzenin, sen ölene kadar rahat etmeyecektir. Casuslar her adımımızı izliyor. Bu sabah banyoda rahiplere ait iki iblis yakaladım. Biraz konuştuk. Sonuçta artık senin için çalıştıklarını söyleyebiliriz."

Çocuk başını salladı. "Bunu duymak sevindirici."

Aslan geğirdi. "Evet, benimkini güçlendirmek için kendi özlerini bağışlayacak kadar nazik davrandılar. Öyle şaşkın görünme. Kendi dünyamızda zaten hepimiz biriz, sana söylemiştim."

Her zamanki gibi, Öteki Taraf'dan şöyle bir bahsetmek yetmişti. Efendimin gözlerinde uzak kıvılcımlar parladı, yüzü hülyalı ve düşünceli bir ifadeye büründü. "Rekhyt, dostum," dedi, "bana çok şey anlattın ama hâlâ öğrenmek istediklerim var. Sanırım birkaç haftalık çalışma yeterli olacaktır. Affa'nın uzak ülkelerden şamanlarla deneyimleri olmuş, onların bedenlerini terk etme yöntemlerini öneriyor bana. Sen dönünce... Neyse, bekleyip görelim."

Aslanın kuyruğu terasın taş zemininde ritim tuttu. "*Bu* dünyanın tehlikelerine konsantre olman gerek. Kuzenin..."

"Sen yokken Penrenutet beni korur, merak etme. Şimdi... Bak, gözcü kulenin ateşini yakıyorlar. Filo aşağıda toplandı. Gitmelisin."

Sonra, efendimle hiçbir iletişim kuramadığım, yoğun bir çalışma dönemi başladı benim için. Mısır filosuyla denize açılıp barbar sahillerinde gerçekleşen bir savaşta korsanlara karşı dövüştüm.[1] Sonra ordularla birlikte Teb çölüne yürüyüp Bedevileri pusuya düşürerek çok sayıda esir aldım. Dönüş yolunda bir grup çakal başlı cin tarafından yolumuz kesilse de güç bela onları da yendim.[2]

Dinlenmek için zaman harcamadan güneye gidip aşağı Nil'in dağ insanlarından intikam almak üzere kralın ana ordusuna katıldım. Buradaki çarpışmalar iki ay sürdü ve tarihe (köpüren suların üstündeki bir kaya parçası üstünde yirmi folyotla dövüştüğüm) uğursuz Nehir Savaşları olarak geçti. Kayıp büyüktü ama günü kurtarmıştık ve bölgeye yeniden barış gelmişti.[3]

Çok zor sınavlar atlatmıştım ama özüm güçlüydü ve sorun etmiyordum. Aslına bakarsanız, efendimin araştırmaları –insan cin eşitliğini sağlama isteği– tüm şüpheciliğime rağmen içimde bir yerlere dokunuyordu. Bundan bir şey çıkabileceğini ümit ediyordum için için. Yine de onun adına korkuyordum. Dünyevi şeylere karşı toptan ilgisiz, etrafındaki belalara karşı duyarsızdı.

Dağ şehrini işgalimiz sırasında bir gece, çadırımın içinde bir baloncuk cisimlendi. Camsı yüzeyinde Batlamyus'un bulanık ve uzak yüzü belirdi.

---

[1] Bu arada ana korsan kalesini de düşürüp yüzlerce esiri serbest bırakmıştık. Batmakta olan iki geminin tepesinde gözü dönmüş bir ifritle tek başıma savaştığımdan bu olay benim için özellikle önemlidir. Yanan kürekler arasında birbirimizi takip etmiş, donanmanın ortasında karşılaşıp kırık gemi direkleriyle bir eskrim maçı yapmıştık. Şanslı bir hamleyle beynini dağıtıp, hâlâ için için yanarak bezelye yeşili sulara gömülüşünü izlemiştim.

[2] Aralarında kırmızı tenli olanı öne çıkıyordu. Jabor, genel kargaşaya yol açtıktan sonra kumtaşından bir dizi mağaraya çekilip tünel çatısının üstüne çöktürülmesiyle tarafımdan saf dışı edilmişti.

[3] Yani Mısırlılar için barış. Tecavüzler, yağmalar, adam öldürmeler hâlâ devam ediyordu ama bize karşı değil, bizim tarafımızdan. Bu yüzden sorun yok demekti.

"Tebrikler Rekhyt. Kutlamaların yolda olduğunu işittim. Başarılarının şöhreti şehre ulaştı bile."

Başımla selam verdim. "Kuzeninizin sesi kesildi mi?"

Efendim iç çekiyormuş gibi göründü. "Maalesef halk, bunu *benim* zaferim olarak görüyor. Ne kadar karşı gelsem de damlara çıkıp benim adımı bağırıyorlar. Kuzenim, pek memnun değil."

"Hiç şaşırmadım. Sizin yapmanız gereken... Çenenizdeki nedir öyle? Yara izi mi?"

"Hiçbir şey. Sokakta yürürken biri bana ok attı. Penrenutet, beni yana çekti ve kurtuldum."

"Oraya geri geliyorum."

"Daha değil. Çalışmayı tamamlamak için bir haftaya daha ihtiyacım var. Yedi gün sonra dön. Bu arada, istediğin yere gidebilirsin."

Yüzüne bakakaldım. "Gerçekten mi?"

"Özgür iradenin olmadığından yakınıp duruyorsun. İşte şimdi bunu deneme şansın var. Bu dünyanın verdiği acıya biraz daha tahammül edebilirsin eminim. İstediğini yap. Yedi gün sonra görüşürüz." Baloncuk buharlaşıp kayboldu.

Bu teklif o kadar beklenmedik olmuştu ki dakikalar boyunca yapabildiğim tek şey, çadırın içinde boş boş dolaşıp yastıkları düzeltmek ve parlak pirinçten eşyalar üstündeki yansımama bakmak oldu. Sonra bir anda söylediklerini tam olarak idrak ettim. Dışarıya çıktım, kampa son bir göz attım ve bir çığlık atarak havalandım.

Yedi gün geçti. İskenderiye'ye döndüm. Efendim beyaz bir tünik giymiş, çalışma odasında duruyordu, ayağında sandalet yoktu. Yüzü eskisinden daha ince, göz altları yorgunluktan morarmıştı ama beni eski neşesiyle karşıladı.

"Tam zamanında!" dedi. "Dünya nasıldı?"

"İçinde çok fazla su olsa da büyük ve güzel. Doğudaki dağlar yıldızlara kadar uzanıyor, güneydeki dağlar toprağı yutuyor. Dünyanın yapısı sonsuz değişkenlikte, düşünecek çok şeyim oldu."

"Bir gün onları da dinleyeceğim. Ya insanlar? Onlardan ne haber?"

"Popodaki sivilceler gibi ayrı gruplar halindc yaşıyorlar. Çoğu büyü olmadan da işini halledebiliyor, sanırım."

Batlamyus sırıttı. "Gözlemlerin müthiş. Şimdi sıra bende." Beni bir kapıya götürüp ardındaki sessiz odayı gösterdi. Yerde hiyeroglifler ve büyülü harflerle süslü –normalden daha büyük– bir çember vardı. Yanında, yine yerde tütsüler, tılsımlar, hepsi de efendimin karınca duası yazısıyla doldurulmuş papirüs yığınları ve mum tabletler duruyordu. Yorgun argın gülümsedi. "Ne düşünüyorsun?"

Ben, pentagramın sınırlarını ve söz dizimlerini incelemekle meşguldüm. "Özel bir şey yok. Standart bir çember."

"Biliyorum. Bütün o karmaşık güçlendirmelerle mühürleri denedim Rekhyt ama hiçbiriyle rahat hissetmedim. Sonra aklıma geldi. Normal güvenliklerimizin hepsi hareketi *sınırlamak* amacıyla oradalar. Biliyorsun, cini dışarıda tutup güvenimizi sağlamak için. Ben bunun tam tersi bir etki istiyorum, serbestçe hareket etmem lazım. O yüzden eğer *bunu* yaparsam"(Çemberin sınırını belirten kırmızı çizgiyi ayak baş parmağıyla dikkatlice sildi.) "ruhumun çıkışına olanak sağlar. Şu küçük delikten. Bedenimse burada kalır."

Kaşlarımı çattım. "Pentagramı niye kullanıyorsun ki zaten?"

"Aha! Güzel soru. Dostumuz Affa'ya göre uzak yerlerdeki şamanlar, alemlerimiz arasındaki sınırda cinlerle buluşup konuşmak için belli sözcükler söyleyip bedenlerini kendi iradeleriyle terk ediyorlarmış. Çember kullanmıyorlar. Ama *onlar* alemler arasındaki sınırı, senin o sürekli bahsettiğin elementlerden oluşan duvarları– geçmeye çalışmıyor. Ama *ben* bunu istiyorum. Bence, seni çağırdığım zaman çemberin gücü nasıl seni doğrudan bana çekiyorsa sözcükler tersine çevrildiğinde de aynı çember, beni duvarlardan geçirip tersi yöne doğru itebilir. Bu bir odaklanma mekanizması. Anladın mı?"

Çenemi kaşıdım. "Şey... Pardon, Affa ne dedi demiştiniz?"

Efendim gözlerini semaya kaldırdı. "O önemli değil. Ama şurası *önemli*. Normal çağırmayı kolayca tersine çevirebileceğimi zannediyorum ama bir kapı *açılsa* bile öteki tarafta bana güvenle rehberlik edecek bir şeye ihtiyacım var. Beni dolaştıracak birine."

"Burada sorun var," dedim. "Öteki Taraf'da dolaşacak bir *yer* yoktur. Ne bir dağ ne de bir orman. Bunu size defalarca anlattım."

"Biliyorum. Sen oradan geldin." Çocuk yere çömelip her Mısırlı büyücüde bulunan ıvır zıvırdan bir yığını karıştırmaya başladı: Skarablar, mumyalanmış kemirgenler, yeni moda piramitler gibi. Eline küçük bir ankh[4] alıp bana doğru uzattı "Sence bu demirden mi?"

---

[4] Ankh: Tepesi damlaya benzeyen, T şeklinde bir tılsım. Yaşam sembolü. Büyünün yaygın olduğu firavunlar zamanında, çoğu ankhın içinde hapsedilmiş varlıklar vardı ve bu yüzden güçlü koruyuculardı. Batlamyus'un zamanındaysa yalnızca sembolik değerleri kalmıştı. Ama gümüş gibi çelik de cinleri geri püskürtmeye birebirdir.

Özlere zarar bir soğukla huzursuzca arkaya eğildim. "Evet. Kesin şunu sallamayı."

"Güzel. Korunmak için bunu üstümde taşıyacağım. Ben yokken iblis falan gelirse diye. Şimdi, yine sana gelirsek Rekhyt, benim için yaptığın tüm hizmetler için teşekkür ederim, sana borçluyum. Biraz sonra seni kovacağım. Bana olan bağımlılığın, naçizane, sona erecek."

Geleneksel bir selam verdim. "Teşekkürler sahip."

Eliyle susturdu. "Artık bu sahip olayını bırak. Öteki Taraf'a gittiğinde isminin söylenmesini bekle. *Gerçek* isminin demek istiyorum.[5] Sihirli sözcükleri bitirdikten sonra üç kez adını çağıracağım. Eğer istersen bana cevap verebilirsin. Sanırım nereye gitmem gerektiğini anlamak için bu kadarı yeterli olacaktır. Kapıdan geçip sana geleceğim."

O ikircikli bakışımla ona baktım. "Öyle mi dersin?"

"Öyle." Çocuk bana gülümsedi. "Rekhyt, bunca zaman sonra artık beni görmekten sıkıldıysan çözümü çok basit. Çağrıma cevap vermezsin."

"Bana mı bağlı?"

"Elbette. Öteki Taraf senin alanın. Eğer beni çağırmayı uygun *görürsen* fazlasıyla şeref duyarım." Yüzü heyecandan kızarmıştı, göz bebekleri kedi gibi kocamandı, zihninde öteki tarafın muhteşemliğini yaşamaya başlamıştı bile. Pencerenin önündeki bir kaseye gidişini izledim. İçinde su vardı. Yüzünü ve boynunu yıkadı.

"Teorilerinizin hepsi iyi güzel de," demeye cüret ettim, "sınırı geçerseniz, bedeninize neler olacağını anlattılar mı size? Siz, öze ait bir varlık değilsiniz."

---

[5] Bartimaeus, gerçeği bu. Unuttuysanız diye söylüyorum, Batlamyus, nezaket icabı, bu ismi asla söylemezdi.

Gün ortası keşmekeşi ve karmaşasının şehrin üzerine görünmez bir peçe gibi örtüldüğü damlara bakarak yüzünü kuruladı. "Bazen," diye mırıldandı, "bu dünyaya da ait olmadığımı düşünüyorum. Bütün hayatım, kütüphanelere kapanıp dünyevi zevkleri tatmadan geçti. Geri döndüğümde Rekhyt, ben de senin gibi uzaklara gideceğim..." Dönüp ince ve esmer kollarını gerdi.

"Haklısın tabii. Neler olacağını bilmiyorum. Belki de çok acı çekeceğim. Ama hiç kimsenin göremediğini görmek için bence bu riske değer!" Kaseyi geçip pencerenin kepenklerini kapatarak ikimizi de soluk, loş bir ışığa bürüdü. Sonra odanın kapısını kilitledi.

"Belki de," dedim, "tekrar karşılaştığımızda kendini benim gücüme teslim olmuş bulacaksın."

"Büyük ihtimalle."

"Yine de bana güveniyor musun?"

Bir kahkaha attı. "Bunca zamandır başka ne yapıyordum? Seni, en son ne zaman bir pentagramın içine hapsettim? Şu haline bir bak, sen de en az benim kadar özgürsün. Göz açıp kapayıncaya kadar beni gırtlaklayıp gidebilirsin."

"Ah. Ya." Bunu hiç düşünmemiştim.

Oğlan ellerini çırptı. "Tamam, zamanı geldi. Penrenutet ve Affa çoktan kovuldular, başka bir görevim kalmadı. Şimdi, sıra sende. Pentagramın içine hoplayabilirsen seni serbest bırakacağım."

"Sizin güvenliğiniz ne olacak?" Kararmış odaya göz gezdirdim. Kepenklerden geçen ışık çizgileri duvarlara ve yerlere atılmış pençe izleri gibiydi. "Biz gittiğimizde düşmanlarınıza karşı savunmasız kalacaksınız."

"Penrenutet'in son görevi, benim görüntümü alıp eski anayoldan güneye doğru gitmekti. Herkes tarafından görülmeye özen gösterdi. Casuslar, onun kervanını takip etmekle meşgul. Görüyorsun ya sevgili Rekhyt, ben her şeyi düşündüm." Eliyle işaret etti. Çembere girdim.

"Biliyorsun, bu deneyle kendini riske atmak zorunda *değilsin*," dedim. Onun o dar omuzlarına, incecik boynuna, tüniğinin altından çıkan sıska bacaklarına bakıyordum.

"Bu bir deney değil," dedi. "Bir jest. Bir geri ödeme."

"Ne için? Kölelikle geçen üç bin yıl için mi? Bunca suçun yükünü neden siz omuzlarınıza alasınız? Sizden başka hiçbir büyücü böyle düşünmedi."

Güldü. "Öyle. Ben ilkim. Ve eğer yolculuğum iyi geçer, dönüp kayda geçirebilirsem arkamdan başkaları da gelecektir. O zaman insanlarla cinler arasında yeni bir çağ başlayacak. Zaten çoktan bazı notlar aldım Rekhyt, kitabım dünyadaki tüm kütüphanelerde yer alacak. Ben göremem ama kimbilir, belki de *sen* görürsün."

Hevesi beni de ikna etti. Başımı salladım. "Haklı olduğunu umut edelim."

Cevap vermedi, bir tek parmaklarını şıklatıp kovmayı okudu. Giderken gördüğüm son şey arkamdan bakan o yüzüydü, güvenli ve huzurlu.

22

Kitty, gözünü kör eden bir ışık ve kaburgalarında keskin bir acıyla uyandı. Kıpırtısız yatarak saniyeler geçerken başının zonkladığını ve ağzının kupkuru olduğunu fark etti. Bilekleri ağrıyordu. Berbat bir yanık kumaş kokusu ve tek elinde ağır bir baskı vardı.

İçini panik sardı. Kollarıyla bacaklarını zorlayarak başını kaldırmaya kalkıştı. Yaptıklarının ödülü, bütün vücudunu saran bir sancı ve içinde bulunduğu durumla ilgili bazı ipuçları oldu. Bilekleri bağlıydı, sert bir şeyin üstünde oturmuştu ve yanındaki biri üstüne eğilmiş yüzüne bakıyordu. Elindeki baskı bir anda kayboldu.

Bir ses. "Beni duyuyor musun? İyi misin?"

Kitty, tek gözünü biraz araladı. Bir karartı, yavaş yavaş şekillendi. Büyücü Mandrake yüzünde endişeyle karışık bir rahatlamayla iyice yaklaştı. "Konuşabilir misin?" dedi. "Kendini nasıl hissediyorsun?"

Kitty'nin sesi güçsüz çıktı. "Elimi mi tutuyordun sen?"

"Yoo."

"İyi." Artık ışığa alışmaya başlamıştı, iki gözünü de açıp

etrafa bakındı. Taş duvarlı, daha önce hiç görmediği kadar büyük ve yüksek tavanlı bir salonun köşesinde yerde oturuyordu. Kubbeli tavanı destekleyen büyük sütunlar vardı, yerde güzel kilimler seriliydi. Duvarlardaki bir çok girintide, eski elbiseleri içinde tasvir edilmiş büyük adamların ve kadınların heykelleri duruyordu. Kubbenin altında süzülen sihirli küreler, renklerden ve gölgelerden sürekli değişen desenler yaratıyordu. Salonun ortasında pırıl pırıl cilalanmış bir masa ve yedi sandalye vardı.

Masanın yanındaki adam bir aşağı bir yukarı yürüyordu.

Kitty, pozisyon değiştirmek için çabaladıysa da bileklerindeki bağlar yüzünden zorlandı. Sırtına batan bir şey vardı. Bir küfür savurdu. "Ah! Baksana..."

Mandrake, parmaklarına dolanmış ince beyaz iplerle birbirine bağlanmış ellerini kaldırdı. "Sola kaymaya çalış. Şu anda taştan bir ayakkabıya yaslanıyorsun. Dikkatli ol, çok kötü düştün."

Kitty kalçalarını oynatarak kayınca hissedilir derecede rahatladı. Başını eğip kendisine şöyle bir baktı. Paltosunun tek yanı kararmış ve yanmıştı, altından gömleğinin yırtık pırtık parçalarını ve Bay Button'ın iç cebinden sallanan, köşesi yanmış kitabını görebiliyordu. Kaşları çatıldı. Bu nasıl...?

Tiyatro! Bir çırpıda hatırladı: Karşı localardaki patlamalar, ışıkların açılması, alt sıralardaki demon denizi. Evet ve yanında Mandrake, solgun ve korkulu, boğazına bıçak dayamış kısa boylu şişko adamla beraber. Denemişti...

"Yaşadığına sevindim," dedi büyücü. Yüzü kararmışsa da ses tonu sakindi. Boynunda kurumuş kan vardı. "Esnekliğin etkileyici. Yanılsamaların ötesini de görebiliyor musun?"

Huzursuzca başını iki yana salladı. "Neredeyiz? Burası...?"

"Wesminster'daki Heykelli Salon. Konseyin toplandığı yer."

"Ama neler oldu? Neden buradayız?" Paniğe kapılmıştı, deliler gibi bağlarına asıldı.

"Sakin ol... İzleniyoruz." Mandrake, başını masanın yanındaki adama doğru uzattı. Kitty'nin tanımadığı biri, uzun ve çarpık bacaklı genç bir adam bir aşağı bir yukarı yürümeye devam ediyordu.

"*Sakin mi olayım*?" Kitty boğuk bir öfke çığlığı attı. "*Nasıl* cesaret edersin? Eğer serbest olsaydım..."

"Evet, ama değilsin. Ben de öyle. O yüzden bir dakika sus da sana olanları anlatayım." İyice yaklaştı. "O tiyatroda bütün hükümet esir alındı. Herkes. Makepeace, onları yakalamak için çok sayıda demon kullandı."

"Benim de gözlerim var, değil mi? Ben de gördüm."

"Peki, tamam. Her neyse, bazıları öldürülmüş olabilir ama çoğu, sanırım hayatta, yalnız ağızları tıkanıp bağlanmış oldukları için bir şey çağıramıyorlar. Hepimizi toplayıp tiyatronun arkasına götürdüler, bir dizi minibüs bizi bekliyordu. Herkesi içlerine tıkıştırdılar, bakanlar biftek parçaları gibi üst üste yapıştırılıp tek bir minibüse kondu. Minibüsler, tiyatrodan ayrılıp buraya geldi. Tiyatro dışından kimse henüz olaya uyanmadı. Tutsakların nereye götürüldüğünü bilmiyorum. Yakınlarda bir yerde kilit altında olmalılar. Makepeace de şimdi onları ziyaret ediyor sanırım."

Kitty'nin başı ağrıyordu. Söylenenleri anlamak için kendini zorladı. "Yani bunu"–kaburgalarına baktı–"bana o mu yaptı?"

"O yaptı. İnferno. Yakın menzilden. Sen beni"–solgun yüzü hafif kızardı–"kurtarmaya çalışırken. Ölmüş olman gerekirdi, aslında öldüğünü sandık ama paralı asker tam beni götürürken inleyip kıpırdandın, o yüzden seni de aldı."

"Paralı asker mi?"

"Sakın sorma."

Kitty bir süre sessiz kaldı. "Yani Makepeace, hükümeti ele mi geçiriyor?"

"Geçirdiğini zannediyor gibi." Büyücü alnını kırıştırdı. "Adam tamamen çıldırmış. Yönetici sınıf olmadan imparatorluğu nasıl idare etmeyi düşünüyor, bilmiyorum."

Kitty burnundan bir ses çıkardı. "Senin yönetici sınıfın pek işe yaramıyordu, kabullen artık. Belki o daha iyi becerir."

"Saçmalama!" Mandrake'nin yüzü karardı. "Senin en ufak bir fikrin..." Kendine zor hakim olabildi. "Özür dilerim. Senin suçun değil. İlk başta seni tiyatroya götürmemem gerekirdi zaten."

"Doğru." Kitty gözlerini salonda gezdirdi. "Ama kafamın basmadığı şey, neden bir tek ikimizi *buraya* getirdikleri."

"Benim de. Bir nedenle bizi ötekilerden ayrı tutuyorlar."

Kitty, konseye ait masanın yanında aşağı yukarı yürüyen adamı inceledi. Sinirli bir havası vardı, sık sık saatine bakıp salona açılan çifte kapıya göz atıyordu. "Çok da tehlikeli görünmüyor," diye fısıldadı. "Demonlarından birini kamçılayıp bizi buradan kurtaramaz mısın?"

Mandrake inildedi. "Bütün kölelerim görevde. Bir pentagrama ulaşabilsem buradan da kolayca çağırabilirim ama parmaklarım böyle bağlıyken hiçbir şey yapamam. Tokatlayabileceğim bir iblisim bile yok."

"Beceriksiz," diye tısladı Kitty. "Bir de kendine büyücü diyorsun."

Kaşlar çatıldı. "Bana zaman ver. Bütün demonlarım güçlüdür, özellikle Cormocodran. Şansım varsa bir fırsatını bulup..."

Salonun öteki ucundaki kapılar sonuna kadar açıldı. Masanın yanındaki adam, kendi etrafında dönerek yüzünü kapıya döndü. Kitty ve Mandrake başlarını uzattılar.

Küçük bir grup içeri girdi.

Girenlerden ilk birkaçı Kitty için tanıdık değildi. Yuvarlak, nemli gözleriyle bir kış dalına benzeyen ufak tefek bir adam; somurtkan, hafif pasaklı bir kadın; soluk ve parlak tenli, çıkık dudaklı, orta yaşlı bir bey. Arkalarından canlı adımlarla gelen, briyantinlenmiş kızıl saçları ve minik burnunun üstündeki gözlükleriyle uzun ince bir delikanlı. Dördünün de üstünde bastırılmış bir heyecan havası var gibiydi. Kıkırdayıp sırıtıyor, ani ve seri hareketlerle oraya buraya bakıyorlardı.

Masanın yanındaki çarpık bacaklı adam gruba katılmak için seğirtti. "Sonunda!" dedi. "Quentin nerede?"

"Burada, dostlarım!" Quentin Makepeace, göğsünü bir Çin horozu gibi şişirmiş, zümrüt yeşili frak ceketi arkasında uçuşarak kapıdan girdi. Omuzları daireler çiziyor, kolları kasıntı bir küstahlıkla sallanıyordu. Kızıl saçlı adamın sırtını sıvazlayıp kadının saçlarını karıştırdı, diğerlerine göz kırparak arkadaşlarının yanından geçti. Gözlerini, sahiplenen bir rahatlıkla salonda gezdirerek masaya doğru yaklaştı. Duvarın dibinde oturan Kitty ile Manrake'yi fark edince tombul parmaklı elini salladı.

Makepeace, konsey masasındaki koltukların en büyüğünü seçti, süslü oymalarıyla altın bir taht. Bacak bacak üstüne atarak oturdu, gösterişli bir havayla ceplerinin birinden koca bir puro çıkardı. Bir parmak şıklatışta puronun ucu yanarak alev aldı.

Kitty, yanındaki Mandrake'nin öfkeyle yutkunduğunu duydu. Kendisi de yapılan gösterinin yapmacıklığı dışında bir içeriğini göremiyordu. Tutsak olmasa, gördükleri onu eğlendirebilirdi.

Makepeace, purosuyla abartılı bir hareket yaptı. "Clive ve Rufus, dostlarımızı buraya getirebilir misiniz lütfen?"

Kızıl saçlı adam, arkasında kalın dudaklı yoldaşıyla yaklaştı. Tören mören yapmadan Kitty ile Mandrake'yi hoyratça ayağa kaldırdılar. Kitty, her iki suikastçinin de Mandrake'ye karşı kötü niyetli bir nefret duyduklarını sezdi. O bakarken daha yaşlıca olan adam, nemli dudakları hafif aralık, öne ilerleyerek tutsaklarına okkalı bir tokat attı.

Sonra elini ovuşturdu. "*Bu,* Lovelace'a yaptıkların için."

Mandrake hafifçe gülümsedi. "Daha önce hiç ıslak bir balıktan tokat yememiştim."

"Duydum ki beni *arıyormuşsun* Mandrake," dedi kızıl saçlı olan. "Ee, şimdi bana ne yapacaksın bakalım?"

Tahtın üstünden tatlı bir ses yükseldi: "Tamam çocuklar, tamam! John, bizim konuğumuz. Ben onu seviyorum! Onları buraya getirin demiştim."

Kitty'nin omzundan tutuldu, öne doğru itilerek Mandrake ile birlikte masanın önündeki kilimin üstüne sürüklendi.

Öteki suikastçiler de yerlerine oturdu. Bakışları düşmancaydı. Asık suratlı kadın konuştu. "Burada *ne işleri* var Quentin? Yapılacak daha önemli işlerimiz var."

"Mandrake'yi öldür gitsin," dedi balık suratlı büyücü.

Makepeace purosundan bir nefes çekti, gözleri neşeyle parıldadı. "Rufus, çok acelecisin. Sen de Bess. Doğru, John henüz birliğimizin bir parçası değil ama olabileceğine dair büyük umutlarım var. Onunla ikimiz uzun zamandır yandaşız."

Kitty, yan gözle genç büyücüye pis bir bakış attı. Tokatlanan yanağı morarmıştı. Cevap vermedi.

"Oyun oynayacak zamanımız yok." Bu koca, nemli gözleri olan minik adamdı; sesi genizden ve boğuk çıkıyordu. "Bize söz verdiğin gücü elde etmeliyiz." Gözlerini masaya indirdi, hem hırslı hem korkak bir havayla parmaklarını üstünde gezdirdi. Kitty'e hem zayıf hem korkak, aynı zamanda korkaklığının fazlasıyla farkında ve sinirli bir adam gibi geldi. Gördüğü kadarıyla suikastçilerin geri kalanı da ondan farklı değildi, tabii altın tahtından etrafa özgüven yayan Makepeace dışında.

Oyun yazarı purosunun ucundan İran halısına koca bir kül parçası silkti. "*Oyun* yok sevgili Withers," dedi gülerek. "Çok ciddi olduğumdan emin olabilirsiniz. Devereaux'nün ajanları, John'un uzun süredir –halk arasında– en popüler büyücü olduğunu rapor ediyor. Yeni konseyimize taze ve çekici bir yüz kazandırabilir; eh, *hepinizden* daha çekici olduğu ortada." Neden olduğu hoşnutsuzluğa sırıttı. "Üstelik, gerekli hırs ve yeteneğe de sahip. Uzun zamandır Devereaux'yü devirip her şeye yeni baştan başlamak için can attığını hissediyorum... Doğru, değil mi John?"

Kitty, tekrar Mandrake'ye baktı. Yüzü hâlâ düşüncelerini ele vermiyordu.

"John'a biraz zaman vermeliyiz," dedi Quentin Makepeace. "Kafasında hcr şcy açıklığa kavuşuncaya kadar. Vc çok gcçmeden istediğiniz güce ulaşacaksınız Bay Withers. Dostumuz Hopkins, elini biraz çabuk tutarsa biz de işimize devam edebiliriz." Kendi kendine kıkırdadı ve bu sesle –o ismi duyunca– Kitty adamı tanıyıverdi.

Sanki gözünün önündeki kalın bir peçe açılmıştı. Yeniden Direnç günlerine dönmüştü, üç yıl öncesine. Sıkıcı kütüphane memuru Clem Hopkins'in tavsiyesi üstüne, kullanılmayan bir tiyatrodaki randevuya gitmişti. Ve orada... Ensesine bir bıçak-dayanmış, görmediği bir adamla fısıltılı bir sohbet gerçekleşmişti. Verdiği bilgilerle hepsini manastıra ve yeraltı mezarının korkunç bekçisine gönderen o adamdı...

"Sen!" diye bağırdı. "O *sensin*!"

Bütün gözler ona çevrildi. O, kılını kıpırdatmadan durmuş altın tahttaki adama bakıyordu.

"Yardımsever adam *sendin*," diye fısıldadı. "Bizi aldattın."

Makepeace göz kırptı. "Ah! Sonunda beni tanıdın, ha? Hiç hatırlamayacaksın *sanmıştım*... Bense tabii ki seni Mandrake'yle görür görmez tanımıştım. Seni bu akşamki küçük gösterime çağırmak beni bu yüzden çok eğlendirdi."

Kitty'nin yanında duran John Mandrake, sonunda kıpırdandı. "Neler oluyor? Siz tanışıyor musunuz?"

"Öyle şaşkın durma John! Hepsi iyi bir amaç içindi. Ortağım Hopkins aracılığıyla –onunla birazdan tanışacaksın, şu anda tutsaklarımızla ilgileniyor– Direnç'in çalışmalarını uzun süre takip ettim. Onların, çabaladıklarını izlemek, onları yakalayamadıkça konseydeki aptalların yüzlerinde beliren öfkeyi görmek beni çok eğlendirmişti. Sözüm meclisten dışarı John!" Tekrar kıkırtılar.

Kitty'nin sesi duygudan yoksundu. "Gladstone'un mezarındaki canavardan haberin vardı ama sen ve Hopkins yine de Asa'yı almak için bizi oraya gönderdiniz. Arkadaşlarım sizin yüzünüzden *öldü*." Makepeace'e doğru küçük bir adım attı.

"Öf, *yeter*." Quentin Makepeace gözlerini çevirdi. "Siz halktan hainlerdiniz. Bense bir büyücüydüm. *Umurumda* olacağını sanmıyordun herhalde? Ayrıca daha fazla yaklaşma küçükhanım. Bu sefer büyüyle falan uğraşmam, gırtlağını kesiveririm." Gülümsedi. "Gerçekteyse aslında ben *sizin* tarafınızdaydım. Demonu yok edeceğinizi ummuştum. Sonra da Asa'yı sizden alıp kendim kullanacaktım. Aslında"(Purosunun külünü silkti, tekrar bacak bacak üstüne atıp seyircisine baktı.) "aslında sonuçlar karmaşık oldu: sen Asa'yı alıp kaçtın, ifrit Honorius da mezardan kaçtı. Honorius, *ne* yaygara koparmıştı ama! Gladstone'un kemikleri, içine hapsedilmiş bir demonla hop hop Londra damlarında! Muhteşem bir manzaraydı! Ama Hopkins'le bana da ilham..."

"Söylesene Quentin." Mandrake yeniden konuşmuştu, sesi yumuşaktı. "Bu Bay Hopkins'in golem işiyle de ilgisi var mıydı? Öyle miydi?"

Makepeace gülüp, cevap vermeden önce biraz sustu. Hayatı oynamakla geçiyor, diye düşündü Kitty. İflah olmaz bir gösteriş budalası, bunu da oyunlarından biri olarak görüyor.

"Elbette!" diye haykırdı Makepeace. "Benim denetimimde! Benim on parmağımda on marifet vardır. Ben bir *sanatçıyım* John, yaratıcılığım sınır tanımaz. İmparatorluk yıllardır acılar içinde çöküyor, Deveraux ve ötekiler kötü yönetimleriyle bizi rezil ettiler. Oyunlarımdan çoğunun Boston, Kalküta ve Bağdat'da perdelerini indirmek zorunda kaldığını biliyor muydun? Yoksulluk, huzursuzluk ve şiddet yüzünden. Bir de bu bitmeyen savaş! ... İşlerin değişmesi lazım! Eh, seneler boyunca kenardan izleyip oradan buradan girmeye çalıştım. İlk olarak iyi dostum Lovelace'ın isyan girişimini destekledim. O *koskoca* pentagramı hatırlıyor musun John? Benim fikrimdi!" Kıkırdadı. "Sonra zavallı Duvall geldi. Güç istiyordu ama vücudunda yaratıcı olan tek bir hücre yoktu. Yapabildiği tek şey tavsiyelerime uymaktı. Hopkins'in sayesinde kargaşa yaratmak için golemi kullanmaya teşvik ettim. Ve hükümet bununla meşgulken"(Bir kez daha Kitty'e gülücükler saçtı.) "Asa'yı neredeyse ele geçiriyordum. Bu arada, onu bu gece ele geçirmeye kesinlikle kararlıyım."

Kitty için çoğunun anlamı yoktu. Büyük altın koltuktaki nefret edilesi küçük adama, neredeyse içine işleyen bir nefretle bakıyordu. Sanki uzaklardan ona bakan ölmüş arkadaşlarının yüzlerini görüyordu. Makepeace, dile getirdiği her sözcükle onların anısına leke sürüyordu. Kitty konuşamazdı.

John Mandrake'ninse tam aksine neredeyse çenesi düşmüş gibiydi. "Bunların hepsi çok ilginç Quentin," dedi. "Asa, mutlaka işe yarayacaktır. Ama devlet nasıl yönetilecek? Bütün bakanlıkları boşalttın. Bu sorunlara neden olacaktır, ekibindeki bu muhteşem büyücülere rağmen." Yüzleri asılan suikastçilere gülümsedi.

Makepeace, kolay der gibilerden bir hareket yaptı. "Tutsaklardan bazıları, bağlılık yemini eder etmez serbest bırakılacak."

"Ya ötekiler?"

"İdam edilecek."

Mandrake omuz silkti. "Asa elindeyken bile senin için riskli bir durum olacağa benzer."

"Sayılmaz!" Makepeace, ilk kez sinirlenmiş görünüyordu. Koltuğundan kalkıp purodan geri kalanı bir kenara fırlattı. "İki bin yıldır yapılan ilk yaratıcı büyüyle gücümüzü artırmak üzereyiz. Aslına bakarsanız bunu sizlere gösterecek adam işte burada. Bayanlar baylar, karşınızda Bay Clem Hopkins!"

Uysal ve çekingen bir adam salona girdi. Kitty'nin onu son görüşünden beri dört yıl geçmişti, güzel bir yaz günü bir kafede otururken. O zaman hâlâ yeniyetme bir kız sayılırdı, adam çalıntı Asa hakkında sorular sorarken o muzlu sütle birlikte dondurmalı çörek yemişti. Sonra istediği bilgiyi alamayan Hopkins, Kitty'i kibarca bir kez daha aldatıp Mandrake'nin onu yakalamak için beklediği eve yollamıştı.

İşte böyle olmuştu. Yıllar geçip akademisyenin yüz hatları hafızasından silinirken gölgesi içinde büyümüş, salgın hastalık gibi zihninin gerilerine doğru yayılmıştı. Arada rüyalarına girip onunla alay etmişti.

Şimdiyse işte karşısındaydı, yüzünde hafif bir tebessümle Heykelli Salon'un halıları üstünde ilerliyordu. İçeri girişi suikastçiler arasında büyük heyecan yaratmış gibiydi, beklenti dolu bir hareketlenme oldu. Hopkins, masanın yanına gelip tam Kitty'nin karşısında durdu. İfadesiz yüzü, soluk gri gözleriyle kızı inceledi.

"Seni hain," diye hırladı Kitty. Hopkins'in kafası karışmış gibi hafiften kaşları çatıldı. Kızı tanıdığına dair en ufak bir tepki göstermedi.

"Haydi bakalım Clem," Makepeace adamın sırtını sıvazladı. "Genç Kitty'nin varlığı seni rahatsız etmesin sakın. Direnç günlerini hatırlatmak için sana ufak bir şaka yaptım. Aman yanına yaklaşmasına izin verme. Tam bir küçük cadıdır! Tutsaklar nasıl?"

Akademisyen hevesle başını salladı. "Oldukça güvendeler efendim. Bir yere gidemezler."

"Peki ya dışarıda? Her şey yolunda mı?"

"Merkezdeki parklarda hâlâ karışıklık var. Polis iş üstünde. Tiyatrodan ayrıldığımızı kimse bilmiyor."

"Güzel. O zaman harekete geçme zamanı. Dostlarım, bu gördüğünüz Hopkins bir *mucizedir*, tam bir mücevher. Siz ve ben nasıl nefes alıyorsak o da fikir üretiyor, rüyasında fikir görüyor, akşam yemeğinde fikir yiyor. O kadar yıl önce ifrit Honorius'un eşsiz özelliklerini fark eden de oydu. Doğru, değil mi Clem?"

Hopkins hafifçe gülümsedi. "Öyle diyorsanız, öyledir efendim."

"Hopkins'le ben, demonun Gladstone'un iskeletinde *yaşadığını* hemen fark ettik. Yalnızca bir kılık, öze ait bir yanılsama değildi. İskelet *gerçekti*. Demon kemiklerin kendisiyle birleşmişti. Aklımıza muhteşem bir fikir geliverdi. Neden *yaşayan* bir bedenin içine demon çağırmıyoruz yani bir büyücünün yaşayan bedenine? Büyücü, demonu kontrol edip gücünü kullanabilirse kimbilir ne işler başarırdı! Artık pentagramlarla tebeşirler ve sihirli harflerle uğraşmaya gerek kalmaz, ölümcül hatalar yapma olasılığı ortadan kalkardı! Hatta çağırma töreni bile kısa zamanda gereksiz hale gelirdi!"

Kitty, bu önermenin köktenci doğasını anlayabilecek kadar çok şey öğrenmişti Bay Button'dan, Mandrake'nin katıksız şaşkınlığını paylaşmak için yeterli bilgisi vardı. "Ama riskleri fazlasıyla büyük!" diyordu çocuk. "Çalışma odandaki o çocuk, kafasının içinde demonun konuştuğunu duyuyordu. Bu onu çıldırtabilirdi!"

"Yalnızca demonu bastırabilecek iradeye sahip olmadığı için." Makepeace artık sabırsızlanıyordu, hızlı hızlı konuşmuştu. "Bizim gibi zeki ve güçlü kişiliklere sahip insanlar, demonla rahatça uyum sağlayabilir."

"Hepinizin bu riske atılacağını söylemek istemiyorsun umarım?" diyerek karşı çıktı Mandrake. "Olamaz! Bu feci sonuçlara yol açabilir! Neler olabileceğini bilmiyorsunuz."

"Ah, biliyoruz, biliyoruz. Hopkins iki ay önce içine bir demon çağırdı John. Hiçbir yan etki yaşamadı. Değil mi Clem? Anlat onlara."

"Doğru efendim." Akademisyen, tüm dikkatin üstünde olmasından utanmış gibiydi. ""Oldukça güçlü bir cin çağırdım. İçime girdiğinde mücadele ettiğini hissettim, başımın içinde canlı bir solucan var gibiydi. Ama demonun kaçınılmaz olanı kabul etmesi için sadece konsantre olmam yetti. Şu anda tamamıyla sessiz. Nerede olduğunu bile zor anlıyorum."

"Ama onun gücüne ve bilgisine istediğin anda ulaşabiliyorsun, değil mi Hopkins?" dedi Makepeace. "Gerçekten olağanüstü bir şey."

"Göster bize!" diye fısıldadı kadın suikastçi.

"Evet, göster! Göster!" Slogan, masanın etrafında üst üste tekrarlandı. Yüzlerde şiddetli ve hırslı bir açlık parıldıyordu. Kitty'e, kötü ama –beslenmeyi bekleyen kuş yavruları gibi– çaresiz göründüler. İçi aniden iğrenme hissiyle doldu, oradan çekip gidebilmeyi diledi.

Makepeace'in gözleri pırıltılı kesikler gibi görünüyordu, akademisyene bir dirsek attı. "Ne dersin Hopkins? Biraz göstersek mi iştahlarını kabartmak için?"

"Sizin için uygunsa efendim." Akademisyen, geriye bir adım atıp konsantre olarak başını eğdi. Sonra görünürde hiç çaba göstermeden havaya yükseldi. Suikastçilerden çoğu yutkundu. Kitty Mandrake'ye göz attı, büyücü ağzını açmış olanları izliyordu.

Hopkins yerden iki metre kadar yükseldi, sonra süzülerek masadan uzaklaştı. Biraz uzaklaştıktan sonra elini kaldırıp salonun öteki ucundaki su mermerinden bir heykele doğru tuttu. Puro içen, kel kafalı ve bodur bir büyücünün heykeliydi. Mavi bir ışık çaktı, heykel bir kıvılcım yağmuru içinde patladı. Kızıl saçlı büyücü heyecanla uludu. Diğerleri ise ya ayağa kalkmış alkışlıyor ya da delice bir neşeyle masaya vuruyorlardı. Bay Hopkins daha da yükselerek tavana ulaştı.

"Onlara bir şey daha göster Hopkins!" diye haykırdı Makepeace. "Tam bir şov olsun!"

Bütün gözler yukarı kenetlenmişti. Kitty, bu fırsatı kullandı. Ağır ağır masadan geriye çekildi. Bir adım, iki... Kimse fark etmemişti. Herkes akademisyenin tavan yüksekliğinde akrobatik numaralar yapıp parmak uçlarından alev damlaları çıkarışını izliyordu...

Kitty dönüp koşmaya başladı. Salonun sonundaki çifte kapı açıktı. Kalın, yumuşak kilimler üstünde ayakları ses çıkarmıyordu. Elleri bağlı olduğundan garip bir koşu tutturmuştu ama birkaç saniye içinde kapıdan geçip duvarlarında altın kakmalı çerçeveleriyle yağlıboya tabloların asılı olduğu taş bir koridora çıktı... Sağa yöneldi, koridorun sonunda açık bir kapı daha vardı. Kitty kapıdan daldı. Durup bir küfür savurdu. Boş bir odadaydı, herhalde bir yöneticinin çalışma odası. Bir masa, bir kitaplık, yerde bir pentagram. Çıkmaz sokağa girmişti.

Hayal kırıklığı içinde bir nefes alarak dönüp geldiği yolu geri koştu. Koridordan çifte kapıya, başka bir köşeyi döndü...

... Son sürat ağır ve sert bir şeye çarptı. Yana devrilecekti, içgüdüsel olarak ellerini uzatıp düşüşü yavaşlatmak istediyse de elleri bağlı olduğundan yapamadı ve tüm ağırlığıyla taş zemine yığıldı.

Kitty, yukarı bakıp nefesini tuttu. Tepesinde bir adam dikilmişti, tavandaki kürelerle çerçevelenmiş, uzun boylu, sakallı bir adam. Kara kaşlarını çatmış, parlak mavi gözleriyle ona bakıyordu.

"Lütfen!" diye yutkundu Kitty. "Lütfen, yardım edin!"

Sakallı adam güldü. Eldivenli bir el ona doğru uzandı.

Heykelli Salon'da Bay Hopkins yere inmişti. Suikastçilerin yüzleri coşkuyla doluydu, adamlardan ikisi salonun ortasındaki kilimleri çekiyordu. Kitty, boğazı yarı sıkılmış, sakallı adamın havaya kalkmış elinde yakasından sarkarak içeri girerken durup kilimleri yere bıraktılar. Teker teker, hepsi dönüp ona baktı.

Kitty'nin omzunun üzerinden derin bir ses konuştu. "Peki bu kızı ne yapıyoruz? Onu sokağa kaçarken yakaladım."

Kızıl saçlı adam kafasını salladı. "Kahretsin. Çıktığını fark etmedik bile."

Makepeace hırçın bir kaş çatışla öne çıktı. "Bayan Jones, böyle kaprislerle uğraşacak zamanımız gerçekten *yok*..." Alnını kırıştırdı, omuz silkip geri döndü. "İlk başta varlığıyla beni eğlendirmişti ama açıkçası artık ilgimi çekmiyor. Onu öldürebilirsin."

23

Nathaniel, paralı askerin Kitty'i halının üstüne attığını gördü. Pelerinini arkaya atıp kemerine uzanarak pala gibi kıvrık uzun bir bıçak çıkardığını gördü. Saçlarından çekip boynunu uzatmak için başını kaldırdığını gördü...

"Dur!" Öne çıktı ve becerebildiği kadar otoriter bir sesle konuştu. "Dokunma ona! Onu canlı istiyorum."

Paralı asker duraksadı. Sabit ve donuk mavi gözleriyle Nathaniel'a baktı. Sonra yavaşça ve göstererek Kitty'nin başını geriye çekmeye ve bıçağı boynuna yerleştirmeye devam etti.

Nathaniel atıldı. "*Dur*, dedim sana."

Suikastçiler hafiften eğlenerek onları izliyordu. Rufus Lime'ın solgun, nemli yüzü buruştu. "Pek de üstünlük taslayacak bir durumda değilsin Mandrake."

"Tam tersine Rufus. Quentin, birliğinize katılmamı önerdi. Ve Bay Hopkins'in göz kamaştırıcı gösterisini izledikten sonra bu teklifi zevkle kabul ediyorum. Aldıkları sonuç fazlasıyla etkileyici. Yani artık sizden biriyim."

Quentin Makepeace, zümrüt yeşili frak ceketinin düğmelerini açmakla meşguldü. Kısılan gözlerinden durumu değerlendirmeye çalıştığı anlaşılıyordu, şüpheyle Nathaniel'a baktı. "Bizim küçük entrikamıza katılmaya mı karar verdin?"

Nathaniel da olabildiğince sakin bir şekilde adamın gözlerine baktı. "Evet öyle," dedi. "Planınız dahiyane, çok ustaca. Keşke geçen gün bana şu çocuğu gösterdiğinde daha dikkatli dinleseymişim. Ama şimdi bunu telafi etmeye niyetliyim. Bu aradaysa çok ciddiyim, kız hâlâ benim tutsağımdır Quentin. Onun için planlarım var. Benden başka kimse dokunmayacak."

Makepeace, yanıtlamadan çenesini kaşıdı. Paralı asker elindeki bıçağı biraz daha yerleştirdi. Kitty görmeden yere bakıyordu. Nathaniel, kalbinin küt küt attığını hissetti.

"Çok iyi." Makepeace aniden hareketlendi. "Kız senindir. Bırak onu Verroq. John, söylediklerinle hakkındaki iyi düşüncelerimi doğruladın. Ama dikkatli ol. Konuşmak kolaydır, yapmak daha zor! Az sonra seni serbest bırakıp kendi seçtiğin bir demonla birleşmeni izleyeceğiz. Ama önce kendi çağırmam için hazırlanmalıyım! Burke! Withers! Şu kilimleri kaldırın! Pentagramları hazırlamamız lazım!"

Emirlerine devam etmek için arkasına döndü. Paralı asker, hiçbir duygu ifadesi göstermeden Kitty'nin saçını bıraktı. Üstündeki düşmanca gözlerin farkında olan Nathaniel –özellikle Jenkins ve Lime gizlemedikleri bir kuşkuyla onu izliyorlardı– kızın yanına koşmadı. Kitty dizleri üstüne çökmüş, başı önünde, saçları öne düşmüş halde olduğu yerde kaldı. Manzara, Mandrake'nin içini sızlatmıştı.

Kitty Jones o gece ikinci kez ölümle burun buruna gelmişti, bunun sorumlusuysa kendisiydi. Kızı *o* bulmuştu, sessiz sakin yeni yaşamından çekip kendisiyle birlikte gitmeye *o* zorlamıştı, sırf bencilce merakını tatmin etmek için.

Tiyatroda, İnferno ile vurulduğunda, Nathaniel kızın öldüğünü sanmıştı. Duyduğu üzüntü dayanılmazdı, suçluluk duygusuyla neredeyse kendini salıverecekti. Paralı askerin sert uyarılarına karşın kendini kızın yanına atmış ve ancak o zaman nefes aldığını fark etmişti. Kitty'nin bilinçsiz kaldığı sonraki bir saat boyunca utanç duygusu yavaş yavaş artmıştı. Ne kadar akılsız ve yüzeysel olduğunu yavaş yavaş anlamaya başlamıştı.

Son birkaç gündür Mandrake isminden, yıllar boyu ikinci teni haline gelmiş olan o rolden kendini soyutlamaya başlamıştı zaten. Ama ancak tiyatroda yaşananlardan sonra bu soyutlama gerçek bir ayrılık halini almıştı. Kişiliğini yöneten kemikleşmiş iki kilit –hükümetin yenilmezliğine ve kendi amaçlarının değişmez yüzünden duyduğu inanç– saniyeler içinde açılıvermişti. Büyücüler yenik düşmüştü. Kitty vurulmuştu. İkisi de Makepeace'in yüzünden olmuştu ve Nathaniel'ı asıl dehşete düşüren şey, o duygusuz, başkalarına karşı kayıtsız yüzde kendi yüzünün yansımasını görmekti.

Makepeace'in işlediği suçun alçaklığı ilk başta doğası gereği gözlerini kör etmişti. Darbenin teatral ve gösterişli havası, bedene çağırılan demonların tuhaf sapkınlığı, deha ve yaratıcılıktan bahseden budalaca sözler sefil gerçeği görebilmesine engel olmuştu. Makepeace güce oynayan o hırslı, duygusuz, küçük adamlardan biriydi sadece. Lovelace'dan, Duvall'dan ya da (Bunu düşünmek Nathaniel'ın omuriliğinde buz gibi bir elin dolaşmasına neden oluyordu) daha o gece, arabada oturmuş Asa'yı alıp savaşa son vermekle ilgili, kendi kurduğu hayallerden hiçbir farkı yoktu. Ha evet, bunu doğru nedenlerle halka yardım edip imparatorluğu kurtarmak için yapacağını *söylemişti* kendine ama böyle bir idealizmin sonu nereye varırdı?

Kitty gibi insanların yere serilmiş cesetlerine.

Nathaniel'ın hırsı ne kadar çıplak ve göz önündeydi kimbilir! Makepeace bunu görmüştü. Farrar da. Bayan Lutyens anlamış ve sırtını dönüp gitmişti.

Kitty'nin kendini *bu kadar* aşağılamasına şaşmamalıydı... Heykelli Salon'da kızın vücudunu süzerken onunla aynı horgörüyü paylaşmaya başlıyordu.

Ama sonra kız uyandı ve kendini aşağılama hissi de o rahatlamayla yerini yeni bir kararlılığa bıraktı.

Suikastçiler meşguldü. Salonda oraya buraya koşturup çağırma için gerekli ıvır zıvırı taşıyorlardı: Mumlar, kaseler, tütsüler ve çiçekler. Salonun ortasındaki ağır halılar çekilip öylesine bir kenara yığılmış, altlarından sedef ve lacivert renginde çok güzel çizilmiş birkaç pentagram ortaya çıkmıştı. Tekinin içinde Makepeace bir tek gömleğiyle kalmış somurtarak işaretler yapıyor, tiz sesli emirler yağdırıyordu.

Kitty Jones, hâlâ diz çökmüş haldeydi.

Nathaniel yürüyüp yanına diz çökerek yumuşak bir sesle konuştu. "Kitty, ayağa kalk." Bağlı ellerini kıza uzattı. "Haydi. Tamam. Otur şuraya." Kızılağaçtan bir koltuğu yana çekip oturmasına yardım etti. "Biraz dinlen. İyi misin?"

"Evet."

"Öyleyse bekle. Seni bu işten kurtaracağım."

"Nasıl olacak bu?"

"Güven bana." Masaya dayanarak durumu değerlendirdi. Paralı asker kollarını kavuşturup kapıda durmuş, durmadan onlara bakıyordu. Kapıdan kaçmanın yolu yoktu. Suikastçilerse dikkatsizdi, Makepeace'in neden onları seçtiğini anlamak zor değildi. Zayıf, istenmeyen, kıskançlık ve kinin pençesine düşmüş, bu fırsatı tepmeyecek ama kendisi için de asla tehdit oluşturmayacak olanları toplamıştı. Yazarın kendisiyse ayrı konuydu, o zorlu bir büyücüydü. Nathaniel, demonları olmadan bir şey yapamazdı.

Makepeace... Aptallığına bir kez daha lanet etti. Devlet içindeki yüksek mevkili bir hainin varlığından *yıllardır* şüpheleniyordu, hem Lovelace hem Duvall olaylarıyla ilişkisi olan biri. O gün Heedleham Hall'a yüce varlık Ramuthra'yı çağırmak için dört büyücü gerekliydi. Dördüncüsü hiç görülmemişti, tek karelik üstü açık bir araba görüntüsü dışında. Pilot gözlükleri, kırmızı sakal... O kadar. Makepeace kılık mı değiştirmişti? Artık anlamak zor değildi.

Golem olayı sırasında oyun yazarının kaçak Kitty'nin yerini o denli kolayca bulabilmesi Nathaniel'ı şaşırtmıştı. Demek Hopkins sayesindeydi, Makepeace'in Direnç içindeki bağlantısı. Nathaniel dişlerini gıcırdattı. Makepeace onu nasıl da kolayca aldatmış, yanına çekip bir piyon gibi kullanmıştı. Neyse, bu konu daha kapanmamıştı.

Taşlaşmış bir yüzle liderinin emirlerini yerine getirmek için telaşla koşturan Hopkins'i izledi. Demek onca zamandır aradığı gizemli akademisyen buydu! Alçağın bedeninde bir demonun gücü akıyordu, bu şüphe götürmezdi. Ama Nathaniel onları yanına getirmeyi bir başarabilse bu yumuşak başlı ufak adam Cormocodran, Ascobol ve ötekilerle boy ölçüşemezdi. Ne yazık ki, Makepeace burada pis işlerini çevirirken beceriksiz cinler de kilometrelerce uzaktaki Ambassador Otel'de boş yere onu bekliyordu!

Nathaniel'ın kaşları, hayal kırıklığı içinde düğüm oldu. Ellerine dolanmış ipleri zorladı. Yapabileceği tek şey Makepeace'in serbest bırakıp bir pentagrama girmesine izin vermesini beklemekti. *O zaman* yapacağını yapardı. Hemen kölelerini çağırır ve hainlerin işini bitirirdi.

"Arkadaşlar, ben hazırım! Gel Mandrake, Bayan Jones, siz de seyircilere katılmalısınız!" Makepeace en yakınlarındaki çemberin içinde duruyordu, kollarını kıvırmış, yakasını açmış, kahramanca bir duruşla elleri kalçalarında, beli öne kaykılmış, bacakları ata binmeye yetecek kadar açık bekliyordu. Suikastçiler saygılı bir mesafede bir araya toplandı, paralı asker bile koca adımlarıyla bir parça yaklaşacak kadar ilgi gösterdi. Nathaniel ve Kitty birlikte pentagrama yaklaştılar.

"Zaman geldi!" diye bağırdı Makepeace. "Yıllardır uğrunda çalıştığım ana yaklaşıyoruz. Bastırılmış duygularımla patlamamamı, dostlarım, yalnızca olacakları görme isteğim engelliyor!" Enerjik ve abartılı bir kol hareketiyle cebinden dantelli bir mendil çıkarıp hafifçe gözlerine dokundu. "Bu noktaya gelebilmek için ne kadar ter, ne kadar gözyaşı döktüm?" diye haykırdı. "Kim bilebilir? Ne kadar kan...?"

"Vücut salgılarından bahsetmeyi bırakıp," diye tersleyerek sözünü kesti Rufus Lime, "artık başlasan daha iyi olmaz mı? Mumların bazıları bitmek üzere."

Makepeace, ateş saçan gözlerle adama baksa da mendili cebine koydu. "Tamam. Arkadaşlar, Hopkins'in vasat güçteki bir demonu boyunduruğu altına almadaki başarısından sonra" (Hopkins'in yüzünde her anlama gelebilecek hafif bir tebessüm belirdi.) "kendi sahip olduğum hatırı sayılır yeteneği daha büyük bir varlığın ehlileştirilmesi için kullanmaya karar verdim." Ara verdi. "Hopkins, bu akşam Londra Kütüphanesi'nden eski

İran'daki varlıkların isimlerini listeleyen bir kitap getirdi. Orada bulduğu bir ismi kullanmaya karar verdim. Dostlarım, şimdi burada, gözlerinizin önünde, bu büyük demonu kendi bedenime çağıracağım, ismi... Nouda!"

Nathaniel, küçük bir hayret çığlığı attı. *Nouda mı?* Adam çıldırmıştı. "Makepeace, "dedi. "Eminim şaka yapıyorsun. Bu işlem, bu kadar güçlü bir varlık olmadan da yeterince riskli zaten."

Yazar sıkıntıyla dudaklarını büzdü. "Şaka yapmıyorum John, yalnızca hırslıyım. Bay Hopkins, bana kontrol etmenin çok basit olduğunu garanti etti ve benim iradem *fazlasıyla* güçlüdür. Umarım bunu beceremeyeceğimi ima etmeye çalışmıyorsundur."

"Ah, yo," dedi Nathaniel çabucak. "Kesinlikle." Kitty'e doğru eğildi. "Bu adam budala," diye fısıldadı. "Nouda *korkunç* bir varlıktır, kayda geçenlerin en korkuncu. Persepolis'i talan etmiş..."

Kitty de ona doğru eğilip fısıldadı. """Biliyorum. Darius'un kendi ordusunu yok etti."

"Evet." Nathaniel başını salladı. Sonra gözlerini kırpıştırdı. "Ne? Sen nereden biliyorsun?"

"John!" Makepeace'in sesi alıngandı. "Bu kadar koklaşma yeter! Şimdi sessizliğe ihtiyacım var. Hopkins, ters giden bir şey olursa işlemi tersine çevir ve Aspery'nin İptali'ni kullan. Tamam. Herkes sussun."

Quentine Makepeace, gözlerini kapatıp başını göğsüne eğdi. Kollarını kaldırıp parmaklarını gerdi. Sonra çenesini kaldırdı, gözlerini açtı ve yüksek, berrak bir sesle sihirli sözcükleri söylemeye başladı.

Nathaniel kulak kesilip dinledi. Önceki gibi bu da Latince basit bir çağırma büyüsüydü ancak gelecek olan varlığın gücü bağı desteklemek için çeşitli söz kilitleri ve birbiri üzerine katlanan dönüşlü alt cümleciklerle güçlendirilmesini gerektiriyordu. İtiraf etmek gerekirse Makepeace iyi okumuştu. Dakikalar boyunca hiç detone olmadı ve yüzünden akan terler dikkatini dağıtmadı. Salonda çıt çıkmıyordu. Nathaniel, Kitty, suikastçiler, hepsi gözlerini dikmiş Makepeace'i seyrediyordu. İçlerinde en heveslisi Bay Hopkins'di; ağzı açık öne doğru eğilmiş adamın yüzünde aç bir ifade vardı.

Yedinci dakikada salon soğudu. Ağır ağır değil, sanki aniden bir düğmeye basılmış gibi, bir anda. Herkes titremeye başladı. Sekizinci dakikada kokuların en tatlısı duyuldu, nergis ve kırlangıç otu karışımı bir koku. Dokuzuncu dakikada Nathaniel, Makepeace'in yanında bir şey fark etti. Üçüncü düzlemdeydi; puslu, büyüyüp küçülen, ışığı içine emen bir şey, bir uzayıp bir genişleyen, karanlık, boynuzlu bir kütle, yayılıp yıldızın sınırlarına dayanan kolları vardı. Nathaniel yere baktı, çemberin kakmalı kenarlarının bir parça oynadığını sanmıştı. Yeni gelenin silüeti seçilemiyordu. Yeni dostunun varlığından habersiz, sihirli sözcükleri sıralamaya devam eden Makepeace'in üzerinde bir kule gibi yükselmişti.

Makepeace, verdiği emrin doruk noktasına, demonu içine hapsedeceği yere gelmişti. Haykırarak emri verdi. Karanlık şekil göz açıp kapayıncaya kadar gözden kayboldu.

Makepeace sustu. Kıpırdamadan durdu. Seyircisini delip geçen gözleri, sanki uzaklardaki bir şeye bakar gibiydi.

"Hopkins," dedi Rufus Lime boğuk bir sesle. "Kov onu... Hemen!"

Makepeace, koca bir çığlık atıp sıçrayarak hayata döndü. Bu çok ani olmuştu. Nathaniel bağırdı, herkes yerinden sıçradı, paralı asker bile geriye doğru bir adım attı.

"Başardım!" Makepeace çemberin dışına sıçradı. "Başardım! Zafer! Anlatamam size..."

Suikastçiler sakınarak yaklaştı. Jenkins gözlüklerinin üstünden ona baktı. "Quentin... Bu doğru mu? Nasıl hissediyorsun?"

"Evet! Nouda burada! Onu içimde hissediyorum! Ah, bir–iki saniye için dostlarım, aramızda bir çekişme oldu, itiraf ediyorum. Huzursuz edici bir etkisi vardı. Ama bütün gücümü kullanıp onu sertçe yönlendirdim. Sonra demonun geri çekilip itaat ettiğini hissettim. İçimde ve benim hizmetimde. Efendisinin kim olduğunu biliyor! Neye mi benziyor? Anlatması zor... Tam olarak acı verici sayılmaz... Onu, başımın içindeki sert ve sıcak bir kömür parçası gibi hissediyorum. Ama itaat ettiğinde öyle bir enerji akımı hissettim ki hayal bile edilemez!"

Bunun üstüne, bütün suikastçiler inceliksiz bir kutlamaya girişti ve neşeyle ciyaklayarak hoplayıp zıplamaya başladı.

"Demonun gücü Quentin!" diye bağırdı Lime. "Onu kullansana!"

"Daha değil arkadaşlar." Makepeace susmaları için elini kaldırdı, salon sessizleşti. "Eğer istesem, bu salonu yerle bir eder," dedi, "içindeki her şeyle birlikte toza çevirebilirim. Ama sizler de aynı şeyi yaptıktan sonra eğlenmek için yeterince zamanımız olacak. Pentagramlarınıza gidin! Demonlarınızı çağırın! O zaman kaderimizi avuçlarımızın içine almış olacağız! Gladstone'un Asası'na el koyup Londra'yı dolaşacağız. İlk görevimiz onlara haddini bildirmek olacak."

Suikastçiler, hevesli çocuklar gibi çemberlerine koşturdu. Nathaniel, Kitty'i kolundan tutup bir köşeye çekti. "Biraz sonra," diye tısladı, "bu çılgınlığa katılmam için beni de çağıracaklar. Katılacakmış gibi yapacağım. Sakın telaşlanma. Son dakikada pentagramı en güçlü cinlerden bir grubu çağırmak için kullanacağım. Şansımız varsa Makepeace'le öteki aptalları yok ederler. Hiçbir şey olmasa bile kaçma şansı yakalamış oluruz!" Bir zafer kazanmış gibi sustu. "Çok etkilenmiş görünmüyorsun."

Kitty'nin yorgun gözleri kan çanağına dönmüştü. Yoksa ağlamış mıydı? Farkında bile değildi. Kız omuzlarını silkti. "Umarım haklı çıkarsın."

Nathaniel huzursuzluğunu bastırdı. Aslında, kendisi de endişeliydi. "Görürsün."

Tüm salonda çağırmalar başladı. Rufus Lime gözlerini sımsıkı kapatmış, balık ağzını açmış, vıraklayarak kendi sözcüklerini mırıldanıyor; Clive Jenkins, minik burnundaki gözlükleri çıkartıp endişeli elleri arasında tutmuş, tekdüze bir sesle hızla sözcükleri sıralıyordu. Nathaniel'ın isimlerini hatırlayamadığı diğerleri farklı duruşlarda öne eğilmiş, ayağa dikilmiş, titreyip kekeleyerek kendi çağırmalarını ve gerekli hareketleri yapıyorlardı. Hopkins ve Makepeace onaylayan tavırlarla aralarında dolaşıyordu.

"John!" Konuşan Makepeace'di, zevkten şöyle bir titreyerek yanlarına sıçradı. "Ah! Nasıl bir enerji bu! Yıldızlara kadar sıçrayabilirim!" Yüzü ciddileşti. "Bizden çekinmiyorsun, değil mi evlat? Neden bir çemberde değilsin?"

Nathaniel ellerini kaldırdı. "Belki bağlarımı çözersen?"

"Ah, doğru. Ne kadar düşüncesizim. İşte." Parmaklarını bir kez şıklattı ve ipler, birden leylak rengi bir alev alarak yok oldu. Nathaniel ellerini bağlarından kurtardı. "Şu köşede boş bir pentagram var John," dedi Makepeace. "Kendin için hangi demonu seçtin?"

Nathaniel hemen iki demon uydurdu. "Etopya metinlerinden iki cin arasında kararsız kaldım: Zosa ve Karloum."

"Sade olsa da ilginç bir seçim. Bence Karloum olsun. Tamam, haydi bakalım."

Nathaniel başını salladı. Dikkatle onu izleyen Kitty'e yandan çabucak bir bakış attı, sonra en yakındaki boş çembere doğru yürüdü. Fazla zamanı yoktu. Göz ucuyla Jenkins ve Lime'ın üzerinde uçuşan garip, bulanık şekiller gördü. Aptalların ne çağırdığını Tanrı bilirdi ama eğer şansı varsa içlerine giren köleleri kontrol altına almaları biraz uzun sürerdi. O zamana kadar Cormocodran ve Hodge işlerini bitirmiş olurdu.

Çemberinin içine girdi, boğazını temizleyip etrafına bakındı. Makepeace dikkatle onu izliyordu. Kuşkulandığına şüphe yoktu. Nathaniel kendi kendine hafifçe sırıttı. Eh, kuşkuları mümkün olan en teatral şekilde doğrulanmak üzereydi.

Hazırlık için kısa bir süre daha –cinleri geldiğinde çok çabuk hareket etmesi, seri ve kesin emirler vermesi gerekti– ve Nathaniel işe girişti. Şık bir hareket yapıp beş güçlü demonun ismini sıraladı ve yandaki çemberi işaret etti. Gerçekleşecek patlamalar, duman ve cehennem ateşi, aniden belirecek vahşi, ürkünç bedenler için kendini hazırladı.

Çemberin ortasına sefil bir gaklamayla küçük ve zayıf bir şey düşerek ağaçtan düşen bir meyve gibi etrafa saçıldı. Belirli bir şekli yoktu ama güçlü bir balık kokusu yayıyordu.

Ortasından bir yumru kabardı. Cılız bir ses duyuldu. "Kurtuldum!" Yumru döndü, Hopkins'i fark etmiş gibiydi. "Ooo."

Nathaniel, sesini çıkarmadan yumruya bakakalmıştı.

Quentin Makepeace de görmüştü. Yaklaşıp inceledi. "Ne acayip! Sanki bir çeşit pişmemiş yemek gibi. Üstüne biraz bilinç sosu var. Ne dersin Hopkins?"

Bay Hopkins yaklaştı, Nathaniel'a bakan gözleri kıvılcım saçıyordu. "Korkarım pek masum bir şey değil efendim. Bu akşam erken saatte beni kaçırmaya kalkışan zararlı bir cinin artıkları. Yanındaki birkaç demonu daha çoktan mideye indirdim. Korkarım sahip Mandrake, bizi gafil avlamaya çalışıyordu."

"Öyle mi?" Quentin Makepeace üzüntü içinde doğruldu. "Aman Tanrım. Bu, işleri oldukça değiştirir. Senin için her zaman büyük umutlarım vardı John. Gerçekten birlikte iyi iş çıkaracağımızı düşünmüştüm. Yine de sorun değil. Hopkins ile birlikte güvenebileceğim dört *sadık* dostum daha var." Çağırmalarını bitirmiş, sessizce çemberlerinde duran suikastçilere baktı. "Bu bana yeter. Eğlenceye senin ve şu yaratığının ölümünü izlemekle başlayacağız... Gulp!" Elini ağzına götürdü. "Özür dilerim, korkarım –hıck!– hazımsızlık çekiyorum. Tamam, şimdi..." Tekrar bir geğirti, bir hıçkırık daha, gözleri dışarı fırladı. "Bu çok garip. Ben..." Dili dışarı sarktı. Vücudu sarsıldı, dizleri bükülüp düşecek gibi oldu.

Nathaniel şok içinde geri çekildi. Makepeace'in vücudu aniden kıpırdanmaya başladı. Sanki bir yılan gibi, kemikleri az önce sıvı haline gelmiş gibi kıvrılıp bükülüyordu. Sonra duruldu, kaskatı kesildi. Oyun yazarı kendine gelmiş gibiydi. Kısacık bir an için gözlerinden panik dolu bir bakış gelip geçti, dili sözcükleri gevelemeye çalıştı: "Bu..."

Çılgınca bir sarsıntıyla sonraki sözcükleri yuttu. Birbirine dolanmış iplere bağlı bir kukla gibi hareket etmeye başladı.

Başı aniden yukarı kalktı. Sabit bakan gözleri cansızdı.

Ve ağzından kahkahalar dökülüyordu.

Etrafını çevirmiş kendi çemberlerinde duran Lime, Jenkins ve öteki suikatçiler de kahkahalara katıldı. Bedenleri, liderlerini taklit eder gibi sarsılmaya ve kıvrılmaya başladı.

Dört bir yanında kahkahalar patlarken Nathaniel olduğu yere çivilenmiş gibi kalakaldı. Kibar ya da hoş kahkahalar değildi ama özellikle kötü, açgözlü, zafer dolu veya acımasız kahkahalar da değildi. Öyle olsa bu kadar tüyler ürpertici olmazdı zaten. Yo, boş, uyumsuz ve tamamen yabancı kahkahalardı. İçinde bildik, insani hiçbir duygu yoktu.

Aslında, insan sesleri bile değildi.

24

Beni kurtaran şey çorba oldu. Yoğun ve kremalı balık çorbası gümüş kasenin içini doldurmuştu. İlk başta, gümüşten duvarların üstüme çökmesiyle özüm hızla erimeye başladı. Ama işler beklenmedik şekilde iyiye gitti. Faquarl yanımdan gider gitmez, gümüş sayesinde bilincimi yitirdim yani karga bedenim çözündü. Bulaşık suyundan pek farkı olmayan, yağlı, sıvı bir kütle haline gelip çevremdeki çorba tarafından gümüşten yalıtıldım. Çok da iyi olduğumu söyleyemeyeceğim ama özüm Faquarl'ın zannettiğinden çok daha yavaş dağılıyordu.

Farkındalık titreşimleri gelip geçti. Bir an eski Mısır'da Batlamyus'la konuştuğumu sandım, bir sonraki an morina ve kalkan parçalarının yanımdan geçişini izliyordum. Arada Faquarl'ın demeci zihnimden geçiyordu: *İntikamımız bu gece başlıyor.* Birileri için uğursuz bir haberdi. Eh, ne halleri varsa görsünlerdi. Yorgundum. Göreceğimi görmüştüm. Sessiz bir yerde tek başıma ölmekten memnundum.

Sonra bir anda çorba kayboldu, gümüşün buz gibi baskısı da peşinden. Kaseden kurtulmuştum.

Sahibimle (Evet, başka kim olacaktı zaten) baş edebilirdim. Ama sonra manzarayı görmek için jöle gibi arkama döndüğümde, bir de kimi göreyim? Şöyle söyleyeyim: Hayattaki baş düşmanınız sizi sonunuzun ölüm olacağı bir yerde tuzağa düşürmüşse ve siz her şeye rağmen bu durumdan kahramanca kurtulmuşsanız, en sonunda kaçmışken görmek isteyeceğiniz son şey *aynı* baş düşmanınızın gözlerinden ateşler saçarak, sinir içinde, hoşnutsuzca size bakmasıdır.[1] Yalnız bu da değil! Üstelik güçsüz, jöle kıvamındasınız ve istiridye suyu gibi kokuyorsunuz. Bu koşullar altında zafer duygunuz rüzgara kapılıp gidiverir.

Ama iş bununla da bitmiyordu. Mandrake ve Faquarl dışında salonda bir sürü insan daha vardı ve ne olduklarını görmek için tam zamanında gelmiştim.

Salonda Öteki Taraf'a açılan beş kapı vardı ve bu hummalı faaliyetin etkisiyle özüm ürperdi. Beş pentagramın içinde beş insan vardı. Birinci düzlemde yalnız görünüyorlardı. İkinci ve üçüncü düzlemlerde, yanlarında dalgalar halinde yükselen orantısız gölgeler vardı. Daha yüksek düzlemlerdeyse bu gölgeler, çok sayıda duyargalar, uzantılar, gözler, dikenler ve çatallı dişlere sahip tehlikeli bir yakınlıkta kıvrılıp bükülen ürkünç kütlelere dönüşüyordu. Kütlelerin her biri bakışlarım altında küçülerek alçaldı ve bekleyen insanların içine girdi.

İlk birkaç saniye boyunca kontrol insanların elinde gibiydi. Gözlerini kırpıştırıp kıpırdandılar, başlarını kaşıdılar ve (eski dostum Jenkins'in durumunda) gözlüklerini taktılar. Farklı görünen tek şey auralarındaki, garip bir şeyler döndüğünü ima eden, o olağanüstü parıltıydı. Buna aldanmadım, tabii. Faqu-

---

[1] Başka bir can düşmanı olsa yine bu kadar kötü olmayabilirdi.

arl'ın Bay Hopkins'e yaptıklarını gördükten sonra insanların uzun süre dayanacağını sanmıyordum.

Zaten dayanamadılar.

Arkamdaki düzlemlerden gelen bir titreşim. Pikabın üstündeki bir amip gibi dönüp başka bir insan gördüm, fazlasıyla fırfırlı bir gömlek giymiş, kısa boylu, toparlak bir adam. İşte o zaman cidden endişelendim. Aurası *dev* gibiydi, dünya dışından renkler ve kötü niyetli bir canlılıkla, güneş patlaması gibi parlıyordu. Bir şeyin çoktan içine yerleştiğini anlamak için alim olmak gerekmiyordu.

Konuştu ama dinlemiyordum. Aurası bir anda, yalnızca bir kez, nabız gibi attı, sanki ta derinlerindeki bir fırının kapısı sonuna kadar açılmıştı. Ve kısa boylu, toparlak adam aklını yitirdi.

Faquarl'ın tüm itirazlarına rağmen bir insanla birleşme fikri oldukça iğrençtir. Her şeyden önce nerede olduğunuzu anlayamazsınız. Daha sonra, özünüzü böylesine berbat, ağır ve dünyevi bir bedenle birleştirmek estetik açıdan kabul edilemez bir şeydir, düşüncesi bile midenizi bulandırmaya yeter. Sonra, bir de şu küçük kontrol sorunu vardır. Bir insan bedenini nasıl kullanacağınızı öğrenmek zorunda kalırsınız. Faquarl'ın Hopkins'le deneyimi olmuştu. Ama yeni gelenler henüz bilmiyordu.

Altı büyücü (kısa boylu, toparlak adam ve çemberlerdeki diğerleri) tek vücut halinde kahkahalar attı, vücutları seğirip sarsıldı, tökezledi, kollarını mümkün olan her yöne doğru attı ve yere serildiler.

Faquarl'a baktım. "Ooo, çok korkunç. Cinlerin intikamı başlıyor."

Kaşlarını çattı, liderlerine yardım etmek için diz çöktü ve kapının yanındaki bir hareketlenme dikkatini çekti. Normalde bir granit kayanın tüm kırılganlığını ve yumuşak hislerini yansıtan yüzündeki gözler şok içinde kocaman açıldı. Belki kereste gibi sırt üstü serilmiş, kollarıyla bacakları çaresizlik içinde kıvranan büyücülerin yarattığı manzaradan. Belki de kapıdan giriş ücreti alamayacağının kafasına dank etmesinden. Artık her nedendiyse oradan gitmeye karar verdi. Kapıya doğru ilerledi...

Faquarl, havaya sıçrayıp paralı askerin yanına indi. Sıskacık omuzlarını şöyle bir silkti, paralı asker salonda uçup bütün ağırlığıyla heykellerden birine çarptı. Zorlanarak ayağa kalkıp bir bıçak çıkarttı, Faquarl göz açıp kapayıncaya kadar tekrar üstüne çullandı. Hareketlerden oluşan bir top dönmeye başladı, yumruk sesleri duyuldu, sanki tencere fabrikasında kavga çıkmış gibi. Hançer döne döne yere düştü. Paralı asker yere yığılıp nefes almaya çalıştı. Faquarl sırtını dikleştirdi, Bay Hopkins'in kravatını düzeltip salonun ortasına doğru yürüdü.

Sırıtarak ve onaylayan gözlerle onları izliyordum. "Aferim. Ben bunu yıllardır yapmak istemiştim."

Faquarl omuz silkti. "İşin sırrı büyü yapmamakta Bartimaeus. Adamın esnekliği çok fazla, neredeyse bizim enerjimizden besleniyor gibi. Ölümlü bir bedende olmakta işe yarıyor. Ayrıca *sen de* kurtulduğunu sanma. Az sonra sana geri döneceğim." Artık tuhaf uluma ve çığlık sesleriyle yerde sürünen kısa boylu, toparlak adama doğru seğirtti.

Belki de kendime yediremediğimden ama artık bir jöle parçası olmaktan sıkılmıştım. Olağanüstü bir çabayla balçıktan bir piramit halinde yükseldim. Bu daha mı iyiydi? Hayır. Ama daha şık bir şey deneyemeyecek kadar tükenmiştim. Balçık piramidi Mandrake'yi arandı. Benim durumum kötüydü ama onunki de pek parlak sayılmazdı.

Hayretler içinde bir masanın yanında Kitty Jones'la birlikte durduğunu gördüm.[2]

İşte *buna* şaşardım. Bu bilinmeyenli denklemde kızı hiçbir yere koyamıyordum. Dahası, Mandrake Kitty'nin ellerini bağlayan ipleri çözmeye çalışmakla meşguldü. Acayip! Yani bu, Faquarl/Hopkins birleşmesi olayından bile daha garipti. İkisi de pek iyi görünmüyordu ama sürekli bir şeyler konuşup kapıyı gözlüyorlardı. Paralı askerin talihsizliğine rağmen tedbiri elden bırakmıyor, aceleci davranmıyorlardı.

Bir balçık yığını kadar ağır, yerde kayarak onlara yaklaşmaya başladım. Ama daha çok az ilerlemiştim ki bütün salon sarsıldı, taş zemin çatırdadı ve heykeller duvarlara devrildi. Sanki deprem olmuş ya da bir anne anka kuşu yere iniş yapmış gibiydi. Gerçekteyse bunun suçlusu hâlâ yerde yatan kısa boylu, toparlak adamdı. Yan yatmayı becermişti ama şimdi de yalnız bacaklarını kullanarak ayağa kalkmaya çalışıyor, saat yönünde ağır ağır dönmekten başka bir şey beceremiyordu. İçindeki her neyse gitgide sinirlenerek elini hırsla yere vuruyor, her vuruşta salonu yerinden sarsıyordu.

Faquarl yanına koşturmuş, ayağa kaldırmaya çalışıyordu. "Ayağı dümdüz yere basın Efendi Nouda. Tamam! Ağırlığınızı bana verin. İşte oldu. Dengenizi sağlayın. Şimdi kalkabilirsiniz. Başardık! İşte ayaktayız!"

Nouda... Balçıktan piramit tepesini yana eğdi. Doğru mu duymuştu acaba? Tabii ki değil. Tabii ki hiçbir büyücü Nouda gibi bir varlığı içine çağıracak kadar kendini beğenmiş, gö-

---

[2] Hayret verici olan Kitty Jones bölümüydü. Masa değil. Ama o da çok iyi cilalanmıştı.

zü kara, *kör cahil* olamazdı. Onun nelere kadir olduğunu tabii ki herkes bilirdi.[3]

Demek öyle değilmiş. Faquarl sarsak bedeni bir sakat gibi yürütmeye çalışıyor, sakinleştirici sözlerle cesaret veriyordu. "Çok az kaldı Efendi Nouda. Şurada bir sandalye var. Ellerinizi değil, ayaklarınızı hareket ettirmeye çalışın. İşte böyle, çok iyi gidiyorsunuz."

Adamın sarkık ağzından koca bir ses çıktı. "Kimdir konuşan?"

"Benim, Faquarl."

"Ah, Faquarl!" diye haykırdı koca ses. "Yalan söylememişsin. Tam anlattığın gibi! Bu nasıl bir sevinç! Acı yok! Baskı yok! İnsan dünyasınının ve beni bekleyen lezzetli bedenlerin kokusunu alıyorum. Bir tek koordinasyon eksikliği canımı sıkıyor. *Bu* konuda beni uyarman gerekirdi."

"Çok az sürüyor, çok az," diye şakıdı Faquarl. "Hemen alışacaksınız."

"Ne garip kaslar böyle, nasıl çalıştığını anlayamıyorum! Dönüp durmaktan başka işe yaramayan eklemler, her yerimde tendonlar! Kanın o tekdüze hışırtısı, bana ait olması ne tuhaf! Kendimi delik deşik edip hepsini içmek isterdim!"

"Ben olsam bu isteği bastırırdım efendim," dedi Faquarl ça-

---

[3] Ah. Tamam. Şimdi, durum şöyleydi. Daha önce de bir–iki kez belirtmiş olabileceğim gibi, temel olarak beş düzeyde varlık vardır: Dayak manyağı iblisler, kayda değmez folyotlar, cinler (Onlar, içlerinde bir–iki cevherin de bulunduğu, muhteşem bir sınıftır.), gereğinden fazla abartılmış ifritler ve aşırı derecede benmerkezci meridler. Bunların üstündeyse daha güçlü varlıklar vardır, doğaları gereği karanlık, nadiren çağırılan, hatta isimleri bile nadiren telaffuz edilen varlıklar. Nouda da bunlardan biriydi ve dünyaya geldiği bir–iki seferinde arkasında kan ve gözyaşı bırakmıştı. Onu çağıranlar yalnızca en berbat yöneticilerdi: Asurlular (Nineveh savaşında binlerce Medesliyi mideye indirmişti.), Deli Timur (Delhi yağmalanırken, Nouda da esirlerin başını 30 metre havaya uçurmuştu.) ve Aztekler (Nouda'yı dakikada bir çağırırlardı, sonun da Montezuma'nın çağırma sözcüklerinde bir açık yakalayıp Tenochtitlan'ı talan etti ve İspanyollar karşısında savunmasız bıraktı.). Doymak bilmez bir müşteriydi, başka bir deyişle dost canlısı olmak gibi bir eğilim göstermeyen, sürekli aç bir müşteri.

bucak. "Pek hoşunuza gitmezdi. Tadını çıkartacağınız birçok insan bedeni olacak, merak etmeyin. Tamam, geldik. Şu tahta oturun. Biraz dinlenin." Geri çekildi. Makepeace'in bodur ve toparlak bedeni altın tahta kuruldu. Başı sağa sola sallanıyor, kollarıyla bacakları atıyordu. Kitty ve Mandrake masanın öteki ucunda saklandılar.

"Bölüklerim nerede, sevgili Faquarl?" dedi koca ses. "Bana söz verdiğin ordu nerede?"

Faquarl boğazını temizledi. "Tam bu salonda efendim. Onlarda, sizin gibi, yeni durumlarına alışmaya çalışıyorlar." Omzunun üstünden arkaya baktı. Beş büyücüden üçü hâlâ yerde yatıyordu, biri oturmuş saçmasapan sırıtıyor, beşincisi resmen ayağa kalkmış, kollarını değirmen gibi döndürüp, ayakları halıya takılarak salonda gelişigüzel dolaşıyordu.

"Fena görünmüyor," dedim. "Bir gün bu salonu fethetmeyi bile becerebilirler."

Faquarl hazırlanarak bana döndü. "Ha, evet. Seni *unutmuştum*."

Yuvarlak, sarsak kafadaki gözler görmeden bana döndü. "Kiminle konuşuyorsun Faquarl?"

"Bir cinle. Kulak vermeyin. Yanımızda fazla uzun kalmayacak."

"Hangi cinmiş bu? Planımızı destekleyen biri mi?"

"Bartimaeus, inançsızın biri."

Kollardan biri kalktı, büyük ihtimalle yanına çağırmak için yaptığı spazma benzeyen bir hareket. Koca ses gürledi: "Yanıma gel cin."

Balçıktan piramit duraksadı ama yapacak bir şey yoktu. Ne karşı koyacak ne de sıvışacak gücüm vardı. Arkamda nahoş bir iz bırakarak yaralı bir salyangozun tüm canlılığıyla altın tahta doğru yollandım. Yapabildiğim kadar bir reverans yaptım.

"Sizin gibi güçlü ve şöhretli bir varlıkla tanışmak bir onurdur," dedim. "Rüzgara kapılmış bir yapraktan farksız olsam da bütün gücüm sizindir."[4]

Sarsak baş bir kez sarsıldı, vahşice dönen gözler beni seçti. "Büyük de olsak küçük de hepimiz Öteki Taraf'ın çocuklarıyız. Özün bol olsun."

Faquarl öne çıktı. "Şey, ben olsam bunu dilemezdim," dedi. "Bartimaeus ayışığı kadar dönek, bir tay kadar uçarıdır. Bununla da hava atar. Ben de tam..."

Yüce varlık bodur elini havaya kaldırırken büyük ihtimalle ufak bir hareket olmasını ummuştu ama el deli gibi dönüp masayı ikiye ayırdı. "Kibar davran Faquarl. Yüzyıllar boyu kölelik yaptıktan sonra *hepimizin* kişiliği biraz yozlaşıyor."

"Bilmiyorum," dedi Faquarl şüpheyle. "O biraz fazla yozlaşmış."

"Öyle de olsa. Biz birbirimizle savaşmayız."

Balçık piramidi hevesle başını salladı. "Doğru. Duydun mu Faquarl? Dinle de öğren."

"Özellikle," diye devam etti koca ses, "bunun gibi zavallı durumdaki bir cinle. Şuna bir bak! Özünü darmadağın etmek için bir bebek geğirtisi yeter. Sana çok kötü davranmışlar Bartimaeus. Bunu yapanı bulup birlikte mideye indireceğiz."

Çaktırmadan Kitty'i de yanına katmış, geri geri kapıya doğru yanaşan sahibime baktım.[5] "Bu çok cömert bir teklif Efendi Nouda.

---

[4] Bu cümlelerdeki espri, sivri dil ve alaycılık yoksunluğuna dikkatinizi çekerim. O anda zor durumda olsa da Nouda'nın tek bir bakışıyla beni atomlarıma ayırabileceğinden kuşkum yoktu. En iyisi kibar davranmak diye düşündüm.

[5] Kıza davranış şekli biraz... Neyse, şöyle anlatayım: Kıza yardım etmesinin ne işe yarayacağını anlayabilmek zordu. Kuşkusuz bir sürü gizli nedeni de vardı, eğer nereye bakacağınızı bilirseniz.

Faquarl biraz şüphelenmiş gibiydi. "Sorun şu ki," dedi, "Bartimaeus yaptığımız işi onaylamıyor. Bu kabın içine yerleşmemi daha önce"(Hopkins'in göğsünü işaret edip etkileyici bir ara verdi.) "'iğrenç' olarak niteledi."

"Ee, şu haline bak," diye bağırdım. "Berbat bir şeyin içinde hapis..." Nouda'nın ürkünç aurasını bir kez daha farkedip kendimi hakim oldum. "Dürüst olmak gerekirse Efendi Nouda, yaptığınız işin ne olduğundan tam olarak emin değilim. Faquarl iyice açıklamadı."

"Bunun çaresi kolay ufak cin." Nouda çene kaslarının konuşmakla bir şekilde ilişkisi olduğunu keşfetmiş gibiydi. Konuşurken ağzı gelişigüzel –bazen kocaman bazen değil– açılıp kapanıyor, her iki durumda da söyledikleriyle alakası olmayan hareketler yapıyordu. "Asırlar boyunca insanların elinde acı çektik. Şimdi acı çektirme sırası bize geldi. Faquarl'ın ve şu anda bedenini giydiğim budala büyücünün sayesinde şans yüzümüze güldü. Dünyaya kendi özgür irademizle geldik ve bununla ne yapacağımıza kendimiz karar vereceğiz." Dişleri aç bir havayla birbirine çarptı. Bu *hareketi* resmen bilerek yapmış gibiydi.

"Saygısızlık etmek istemem ama," demeye cesaret ettim, "yalnızca yedi kişisiniz ve..."

"İşin zor kısmı çoktan *halloldu* Bartimaeus." Faquarl paltosunu düzeltti. "Benim sayemde. Makepeace'i bu tuzağa çekmek yıllar aldı. Her zaman fazlasıyla hırslıydı ama Honorius'u Gladstone'un iskeletinde görene kadar, bunu ne şekilde kullanacağımı bilmiyordum. Makepeace'in zayıflığı yeniliğe karşı olan kibirli tutkusuydu, yaratıcılık söz konusu olduğunda gözü hiçbir şey görmüyordu. Honorius'dan sonra o ve Hopkins canlı bir bedene cin çağırmakla ilgilenmeye başladılar. Ben de sezdirmeden onları kışkırttım. Zamanı geldiğinde Hopkins deney için gönüllü oldu, çağırılan cinse bendim. Bundan sonrası kolay oldu. Hopkins'in zekasını yok ettim ama bunu Makepeace'den gizledim. Şimdiyse hem kendini hem birçok arkadaşını bizim için feda etmiş durumda."

"Şimdilik yedi kişiyiz," dedi Nouda, "ama kısa sürede destek kuvvet alacağız. Yalnızca daha fazla insan bedenine ihtiyacımız var."

"Ve Makepeace sayesinde fazlasıyla bedene sahibiz," diye ekledi Faquarl.

Yüce varlık şaşırmış görünüyordu. "Nasıl?"

"Hükümetin tamamı yakınımızdaki bir salonda istif edilmiş, hazır bekliyor. Büyücünün hafızasını sindirdiniz Efendi Nouda. Hatırlayamazsınız.

Nouda yanındaki sandalyeyi deviren vahşi bir kahkaha attı. "Doğru, bu beyinleri kullanmanın bir yararı yok... Demek, her şey yolunda! Özlerimiz koruma altında! Hiçbir bağımız yok! Çok geçmeden yüzlerce varlık dünyaya dağılıp karşımıza çıkan herkesi yiyeceğiz!"

Eh, herhalde ben de bunun turistik bir gezi olacağını düşünmemiştim. Mandrake ile Kitty'i gözlüyordum, neredeyse kapıya gelmişlerdi. "Tek bir soru," dedim. "Bütün herkesi öldürdükten sonra geriye nasıl döneceksiniz?"

"Geriye mi?" dedi Nouda.

Faquarl da Nouda'nın izinden gitti. "Nasıl *geriye*?"

"Şey..." Balçıktan piramit omuz silkmeye çalışsa da pek beceremedi. "Öteki Taraf'a. Buradaki işinizi bittikten sonra."

"Planımızda böyle bir şey yok, küçük cin." Nouda'nın başı

ani bir hareketle bana döndü. "Dünya çok büyük. Değişken ve eğlenceli bir yer. Burası artık bizim."

"Ama..."

"Nefretimiz o kadar uzun süredir beslendi ki artık Öteki Taraf'da bile dindirilemez. Kendi yaşadıklarını düşün. Senin için de durum aynı olmalı." Ani bir çığlık. Nouda şaşkınlıkla yerinden sıçrayarak tahtın arkasını ortadan ikiye ayırdı. "Bu ses de nedir böyle?"

Faquarl sırıttı. "Bartimaeus'un efendisi, sanırım."

Bağırış çağırışlar... Mandrake, her zamanki beceriksizliğiyle kapıya ulaşamamıştı tabii ki. Onun yerine, Jenkins'in artık biraz tutarlı hareket etmeye başlayan bedeni tarafından Kitty ile ikisinin yolları kesilmişti. Belli ki içindeki varlık çabuk öğreniyordu.

Nouda'nın sesi ilgilenmiş gibiydi. "Onu buraya getirin."

Bu biraz zaman aldı, Jenkins'in dizleri henüz kırılmıyordu. Ama sonunda Jenkins'in elleri boyunlarında iki insan yaka paça tahtın önünde durdular. Hem Mandrake hem Kitty bitkin ve bozguna uğramış görünüyordu. Omuzları düşmüş, giysileri yırtık pırtıktı, Kitty'nin paltosu boydan boya yanmıştı. Balçıktan piramit farkına varmadan şöyle bir içini çekti.

Nouda soluk, yarı pişmiş bir tebessüm denedi. Oturduğu yerde heyecanla kıvrılıp büküldü. "Et! Kokusunu alıyorum! Ne haz verici bir aroma."

Mandrake'nin gözlerinde meydan okuyan kıvılcımlar parladı. "Bartimaeus," diye bağırdı. "Hâlâ senin efendinim. Bize hemen yardım etmeni emrediyorum."

Faquarl ve Nouda buna yürekten güldüler, ben gülmedim. "O zamanlar geçti," dedim. "Sesini kessen iyi edersin."

"Sana *emrediyorum*..."

Jenkins'in dudaklarından genizden gelen bir kadın sesi döküldü. "*Sen* misin Bartimaeus?"

Balçık irkildi. "Naeryan! Seni Bizans'dan bu yana görmemiştim!"

"*Beni* dinle! Sana emrediyorum..."

"Bu balçıklı şey de ne Bartimaeus? Çok sivri görünüyorsun."

"Ya, daha iyi günlerim de oldu. Ama sana ne demeli? Kızıl saçlar, gözlük, yalnızca iki bacak... Bayağı bir ödün vermişsin, değil mi?"[6]

"Sana emrediyorum... Hemen..." Nathaniel'ın başı öne düştü. Başka bir şey söylemedi.

"Buna değer Bartimaeus!" dedi Naeryan. "Nasıl olduğunu tahmin edemezsin. Bu beden çok berbat ama öyle bir özgürlük kazandırıyor ki! Bize katılacak mısın?"

"Evet!" Nouda'nın koca sesi araya girdi. "Katıl bize! Sana uygun bir büyücü buluruz. Seni hemen çağırmaya zorlarız."

Balçık mümkün olduğunca yükseldi. "Her ikinize de teşekkürler. Bu çok cömert ve nazik bir teklif. Ama korkarım geri çevirmek zorundayım. Bu dünyadan ve onunla ilgili her şeyden artık çok sıkıldım. Özüm bana acı veriyor, tek dileğim Öteki Taraf'ın huzuruna mümkün olduğu kadar çabuk dönmek."

Nouda biraz bozulmuş görünüyordu. "Bu garip bir karar."

Faquarl hevesle söze daldı. "Dediğim gibi: Bartimaeus hem dönek hem de sapkındır. Onu yok etmek için tek bir spazm yeterli!"

---

[6] Bu doğruydu: Naeryan'ın normal şekli mürekkep mavisiyle siyahı karışımı bir gövde, delici bakışlara sahip ve sürekli yer değiştiren üç göz ve örümcek benzeri birçok kolla bacaktan oluşurdu.

Makepeace'in gırtlağından koca bir hırıltı koptu, havada ısı dalgaları titreşti. Faquarl'ın üstündeki giysiler çatırdayarak alev aldı. Nouda havayı içine geri çekti. Alevler söndü. Makepeace'in gözleri parladı.[7] "Dikkatli ol Faquarl," dedi, "iyi niyetli danışmanlığın ukalalık sınırlarını aşmasın. Cin gitmekte serbesttir."

Balçık reverans yaptı. "Minnettarlığım sonsuz Efendi Nouda. Eğer sesimi duymak sizi henüz sıkmadıysa son bir dileğim olacak."

"Dünyadaki saltanatımın başlayacağı," dedi Nouda, "böyle zaferli bir günde, dost varlıklardan en güçsüz, en önemsiz olanın bile dileklerini yerine getireceğim. Bu da sensin, kuşkusuz. Elimden gelen bir şeyse dileğin gerçekleşecek. Konuş."

Balçık başını daha da eğdi. "Bu iki insanın canlarını bağışlayın Efendi Nouda. Dünya, sizin de dediğiniz gibi, çok büyük. Yiyecek çok insan var."

Bu biraz tepki yarattı. Faquarl tiksintiyle burnundan sesler çıkardı, Naeryan şaşkınlık içinde cıkcıkladı. Nouda'ya gelince o da dişlerini öyle güçlü birbirine çarptı ki tahtın üstündeki birkaç tombul melek yere düşüverdi. Gözleri ateş saçtı, parmaklarıyla masayı tereyağı gibi oydu. O anda mutluluktan ölmediğini söyleyebilirim. "Sana söz verdim cin ve bunu bozamam," dedi koca ses. "Ama beni aldattın. Mideme bir şeyler girmesi lazım. Bu ikisi için sabırsızlanıyordum, özellikle de kız için. Oğlan ekşi ve sinirli görünüyor, eminim tadı da mum gibidir ama kız inanılmayacak kadar lezzetli görünüyor. Ve sen onları bağışlamak zorunda bıraktın beni! Sanırım Faquarl haklıymış. *Sen* hastasın."

---

[7] O gözlerin derinlerinde bir yerde, Öteki Taraf'a ait korkunç enerjilerin dönüp durduğunu bir an için görebildim. Ölümlü bedenin böyle bir varlığı taşımaya daha ne kadar devam edebileceğini düşünmekten kendimi alamadım.

Bunları kendisini bilerek ve isteyerek insanların dünyasına hapseden birinden duymak çok ilginçti ama karşı gelmedim. Başımı iyice eğmekle yetindim.

"Pöh!" Nouda ellerinden destek alıp ayağa kalkmaya çalışıyordu. Makepeace'in bedeni üstünkörü bir koordinasyonla aniden hafif ayağa kalktı. "Bir insana bağlanmak... Ah, sen bir ahlaksızsın! Hain! Seni yok etmeyi nasıl da isterdim... Ama yo, yeminimi bozamam. Defol git! Yıkıl karşımdan!"

Öfkemi belli etmedim. "Bir çeşit bağımız *var*," dedim sessizce, "ama şimdilik sınırlı ölçülerde. İşte bu yüzden gidiyorum." Balçık piramidi bembeyaz bir yüzle konuşulanları dinleyen Mandrake'ye döndü. "Kov beni."

Tepki vermesi birkaç saniye sürdü, o zaman da ancak Kitty'nin sertçe dürtmesiyle verebildi. Konuştuğunda üç kez dili sürçtü ve baştan başlamak zorunda kaldı. Sesi bir fısıltının üzerine hiç çıkmadı, benden tarafa hiç bakmadı. Kitty ise tam tersine ben yükselir, titreşip bulanıklaşır ve gözden kaybolurken gözlerini benden ayırmadı.

Onları en son, cinlerin arasında yapayalnız birbirine sokulmuş, kambur ve kırılgan iki şekil olarak gördüm. Ne mi hissettim? Hiçbir şey. Yapabileceğimi yapmıştım. Nouda'nın yemini onu bağlıyordu, hayatlarını bağışlayacaktı. Bunun ötesinde, başlarına ne geleceği beni ilgilendirmezdi. İşte gidiyordum, üstelik tam zamanında. Canımı kurtardığım için şanslı sayılırdım.

Evet, yapabileceğimi yapmıştım. Artık bunun için tasalanmam gerekmiyordu. *Özgürdüm*.

Özgür.

Baksanıza, bütün gücüm yerindeyken bile Nouda'nın yanında hâlâ önemsiz bir zerreciktim. Daha ne yapabilirdim ki?

25

Kitty'e göre Bartimaeus'un gidişini izleyen anlar en kasvetli ve korkunç anlardı. Son umut ışığınının da ortadan kaybolmasıyla birlikte cinlerin dikkati hemen başka bir yere odaklandı. Hopkins başını çevirdi, altın tahtın üstündeki Makepeace'in donuk gözleri dönerek Kitty'e çevrildi. Demonun bakışlarındaki vahşeti, solgun yüzün altında gizli ve acımasız zekayı hissetti. Kasap satırının altında bir et parçası olmanın nasıl bir his olduğunu iyi biliyordu.

Büyük demon, insan bedenini idaresi altına almış gibiydi. Seğirmeleri ve sarsaklığı azalmış, koltuğuna rahatça yayılmıştı. Salonun başka yerlerinde, aşamalar halinde aynı işlem gerçekleşiyor, suikastçilere ait bedenler deneme kabilinden ayağa kalkmış, ufak seğirmeler ve sarsıntılarla, kör–topal salonu arşınlıyordu. Kolları dönüp duruyor, sıçrayıp iki büklüm oluyor, oldukları yerde dönüyorlardı. Ağızları açıktı. Bütün salonu karmakarışık lisanlar, zafer dolu kahlahalar ve hayvan çığlıkları doldurmuştu. Kitty ürperdi, gördükleri hem insani olan her şeyin hem de demonlarda (en beter olanlarında bile) daha önce gözlemlediği asaletin bir karikatürüydü.

Jenkins'in bedenindeki demon arkasından konuştu. Kitty söylenenleri anlamadı. Hopkins başını salladı, bir cevap verdi ve koltukta oturan büyük demona döndü. Aralarında uzun bir konuşma geçti. Kitty ile Mandrake, hiç kıpırdamadan durup beklediler.

Sonra Hopkins'in bedeni hareket etti, hareketin aniliği Kitty'nin korkuyla sarsılmasına neden oldu. Onlara bakıp takip etmelerini işaret etti. Kesik hareketler ve tutulmuş bacaklarla peşinden gidip hoplayıp zıplayan demonların ve sessizce bir köşeye büzüşmüş olan sakallı adamın yanından salonu geçtiler, koridora çıktılar. Sola giden geçide girdiler, bir sürü dönemeçten dönüp yeraltına inen geniş taş merdivenlerin başına geldiler, birçok kapısı olan bir yere indiler. Kitty'e geçtikleri ilk kapının ardından iniltiler duyuluyormuş gibi geldi. Demon yürümeye devam etti, az sonra durdu, bir kapıyı açıp içeri girmelerini işaret etti. Tek bir ampulle aydınlanan, penceresiz, bomboş bir odaydı.

Demonun sesi sertti. "Efendi Nouda'nın ettiği yemin yüzünden merhametli olmak zorundayız. Sen" (Kitty'den bahsediyordu.) "büyücü olmadığına göre sıradan bir köle olacaksın. Ancak *sen*" (buysa Mandrake'ydi) "daha büyük bir onur elde edeceksin. Şafak sökmeden önce bizden birine ev sahipliği yapacaksın. Öyle surat asma. Kölelik yaptırdığın onca varlığı düşün! Senin için varılan bu hüküm sayesinde günahlarından arınacaksın. O zamana kadar burada kalıyorsunuz. Şu anda yaptıklarımızı görmeniz gerekmiyor." Kapı kapandı, anahtar döndü. Ayak sesleri uzaklaştı.

Kitty, bastırılmış şok ve korkuyla vücudunun titrediğini hissetti. Dudağını ısırıp duygularını bastırmaya çalıştı. Yararı yoktu, şimdi zamanı değildi. Mandrake'ye baktığında, şaşırarak gözlerinde yaşlar biriktiğini gördü. Belki kendisi gibi o da duygularını bastırmakta zorluk çekiyordu. Büyücü, kısık bir sesle, sesli düşünürmüş gibi konuştu: "Demonlar dünyaya girdi... Bağları olmadan. Bu bir felaket..."

Yo. Şimdi *zamanı* değildi. "Felaket mi?" dedi Kitty. "Garip, benim baktığım yerden, işler iyiye gidiyor gibi."

"Bunu nasıl...?"

"Demonlar beni köle olarak kullanmayı düşünüyor. Hoş değil, doğru. Ama daha yarım saat önce şişko büyücü arkadaşın beni *öldürtmeye* kalkışmıştı. Kendi adıma bunu önemli bir gelişme olarak görüyorum."

John Mandrake yanaklarını şişirdi. "Makepeace, benim arkadaşım *değildi*. O aklını kaçırmış, acımasız, kendini beğenmiş bir manyaktı. Ve ben olsam bu kadar iyimser olmazdım," diye devam etti sıkıntıyla. "*Nouda* seni öldürmemek için söz vermiş olabilir ama bu ötekilerden birinin öldürmeyeceği anlamına gelmez. Bu açığı fark etmemelerine şaştım. Genelde bu tür belirsizliklerin üstüne atlarlar. Evet, çok geçmeden seni yiyeceklerdir, inan bana."

Kitty'nin içinden buz gibi bir öfke kabardı, bir adım atıp Mandrake'ye okkalı bir tokat attı. Çocuk yanağını tutarak şok içinde geriye doğru sendeledi. "*Bu* ne içindi?"

"Ne için mi?" diye bağırdı Kitty. "Her şey için! Beni kaçırıp bu pisliğe bulaştırdığın için! Salak hükümetin bir üyesi olduğun için! Savaş için! Büyücü olduğun için! Demonları köleleştirip dünyayı istila etmeye kışkırttığın için! Tam ve katıksız bir aptal olduğun için!" Bir nefes aldı. "*Ve* demin söylediğin şey için. Şimdi de moralimi bozmaya çalıştığın için. Özellikle de bu. Benim ölmeye niyetim yok."

Sustu ama bakışlarıyla Mandrake'yi bıçaklamaya devam etti. Mandrake gözlerini kırpıştırdı, elini kısacık saçlarından geçirdi, gözlerini kaçırdı, sonra yeniden ona baktı. Kitty gözlerinin içine bakmaya devam etti.

"Pekala," dedi büyücü. "Özür dilerim. Sana, hem geçmişte hem şimdi– yaptıklarım için özür diliyorum. Seni rahat bırakmalıydım. Bu işe seni de bulaştırdığım için pişmanım. Ama bunları söylemenin ne yararı var? Durumu değiştirmez ki. Demonlar, dünyada başıboş dolaşıyor ve onları durduracak gücümüz yok. O yüzden ister burada ister o barda ol, uzun vadede pek bir şey değişmeyecekti."

Kitty başını iki yana salladı. "Yanılıyorsun. Özür dilemen yararsız değil ve eğer bunu göremiyorsan sen bir aptalsın. Makepeace'in beni öldürtmesine engel olduğun için sana minnettarım. Şimdi sızlanmayı bırak da neler yapabiliriz onu düşün."

Mandrake ona baktı. "Bir dakika, o hakaret bombardımanının içine gizlenmiş bir teşekkür mü vardı yoksa?"

Kitty dudaklarını sarkıttı. "Varsa bile küçücük bir şeydi. Şimdi, sen büyücüsün ama elinde hiç köle yok mu yani? Bir iblis falan da mı yok?"

"Hayır. Kölelerimin hepsi öldü. Bartimaeus hariç. *O da* bizi terk etti."

"*O,* hayatımızı kurtardı."

Mandrake içini çekti. "Evet." Dikkatle Kitty'e baktı. "Ve bunu *benim* için yaptığını sanmıyorum. Neden...?" Gözleri birdenbire kocaman açıldı. "Dur biraz, bende *bu* var." Elini ceketine daldırıp metal diski çıkardı. "Hatırlarsın herhalde."

Kitty'nin umutla sıçrayan kalbi kurşun gibi dibe çöktü. "Öff. Sihirli aynan."

"Evet. İçindeki iblis üçüncü şahısları gözetleyebilir ve onlarla konuşabilir ama bir şey yapamaz. Ne bizi ne de öteki büyücüleri kurtaramaz..." Susup düşünmeye çalıştı.

"Gözetlemek işe yarayabilir..." Kitty şüphesini gizleyemiyordu. "Söylediklerine güvenebilirsen. O bir köle. Bu kadar kötü muameleden sonra neden sana gerçeği söylesin ki?"

"Ben, çoğuna göre kibar ve duyarlı bir sahibim. Hiçbir zaman..." Sabırsız bir ses çıkardı. "Öff, bu çok saçma. Çene çalmak bizi bir yere götürmez. Demonların ne yaptığına bakalım."

Diski kaldırıp elini yüzeyinde gezdirdi. Kitty, her şeye rağmen etkilenerek diske yaklaştı. Cilalı pirinç yüzey dalgalanır gibi oldu. Sanki denizin derinliklerinden gelir gibi bulanık ve uzak, yuvarlak bir şekil belirdi. Yükselerek yaklaştı, kederlerin en deriniyle buruşmuş, küçük ve tatlı bir bebek yüzü şeklini aldı.

"Yine mi sahip!" diye mızmızlandı bebek. "Yalvarırım size! Yine o zalim kızgın iğneler ve cehennem kömürleriyle cezalandırmayın beni! Elimden geleni yapacağım, yemin ederim! Ah, ama sizin o gaddar adaletinize, sert disiplininize boyun eğmek zorundayım. Başka şansım var mı ki, heyhat...?" Acıklı ve bitmek bilmeyen bir burun çekişle sözlerini bitirdi.

Mandrake, çaktırmadan Kitty'e bir göz attı. "Demek," dedi Kitty sertçe, "kibar ve duyarlı bir sahipsin..."

"Ah! Yok canım! Abartıyor! Melodram yaratmaya bayılır!"

"Bu zavallı, masum bebeciğe..."

"Seni yanıltmasına izin verme. O aşağılık, alçak... Of, ne uğraşıyorum ki? İblis! Buraya yakın bir salonda birkaç güçlü varlık bulacaksın, insan bedenlerine girip kılık değiştirdiler. Ne yapıyorlar? İzle ve fazla oyalanma, yoksa seni yakalayıp ızgara yaparlar. Sonra yine bu binadaki devlet büyücülerini bul. Yaşıyorlar mı, ölmüşler mi? Ne durumdalar? Onlarla iletişim kurabilir miyiz? En son Whitehall sokaklarındaki duruma bir bak. Ortalıkta devlet güçleri var mı? Bu kadarı yeterli. Şimdi git."

Ağlamaklı bir çığlıkla disk karardı. Kitty, suçlayan tavırlarla kafasını salladı. "Böyle bir şeyi hapsettikten sonra nasıl bir vicdana sahip olduğunu *iddia* edersin? Tam bir ikiyüzlülük."

Madrake kaşlarını çattı. "Şimdi bunları boş ver. Bir şeyler yapmamı istedin. Ben de yaptım." Üstüne aniden bir telaş gelmişti, odayı arşınlamaya başladı. "Demonlar çok zorlu, özellikle Nouda... Ya merid ya da daha güçlü bir şey. Bedeni kontrol etmeyi öğrendiğinde gücü korkunç olacak. Ona nasıl karşı koyabiliriz? Hükümet serbest kalabilse onu yok etmek için yeterli sayıda demon çağırabilirdik. Ama hepsi tutsak. Peki elimizde ne kalıyor?"

Sihirli aynasına baktı, içi hâlâ boştu. "Bir seçenek var," diye devam etti, "ama önündeki engeller çok fazla."

"Nedir?"

"Gladstone'un Asası bu binada. Nouda'yla boy ölçüşebilir. Ama büyüyle korunuyor. Ona ulaşmanın bir yolunu bulmam gerek."

"Ondan önce de Nouda'yı geçmen gerek," dedi Kitty.

"Ve onu kullanabilecek kadar güçlü müyüm gibi bir ufak bir sorun daha var."

"Evet. Geçen sefer değildin."

"*Tamam*. Biliyorum. Şimdi o zamankinden daha güçlüyüm. Ama yorgunum da." Diske tekrar baktı. "Nerede kaldı bu iblis?"

"Herhalde bakımsızlıktan bir hendeğe düşüp ölmüştür. Mandrake," dedi Kitty, "büyücü Batlamyus'u biliyor musun?"

Çocuk kaşlarını çattı. "Tabii. Ama sen nasıl...?"

"Ya onun *Apocrypha*'sı? Hiç duydun mu?"

"Evet, evet. Kitaplığımda var. Ama..."

"Batlamyus'un Kapısı nedir?"

Mandrake, boş gözlerle ona baktı. "Batlamyus'un Kapısı mı? Kitty, bu akademisyenlerle büyücüleri ilgilendiren bir sorun, halktan birine göre değil. Neden soruyorsun?"

"Çok basit," dedi Kitty, "eski Yunanca okuyamıyorum da ondan." Elini yırtık pırtık paltosuna sokup Bay Button'ın kitabını çıkardı. "Okuyabilseydim, kendim de anlardım. Sense, sanırım, sahip olduğun bütün ayrıcalıklarla bunu yapabilirsin ve zaten çoktan yapmışsındır. Nedir bu kapı? Öteki Taraf'a nasıl geçiliyor? Ayrıca bana soru sormayı bırak, zamanımız yok."

Mandrake uzanıp infernonun çarptığı yerden hafifçe yanmış olan küçük, ince kitabı aldı. Pirinçten boş diski, Kitty'e verip özenli parmaklarla sayfaları gelişigüzel çevirerek sütunlarda göz gezdirmeye başladı. Omzunu silkti. "Bu, ancak edebi değeri olabilecek bir kitap. Bazı bölümlerdeki kibirlilik çok şirin ve idealistçe, tabii dikbaşlı ve sapkınca da denebilir. Bazı önermeleri... Neyse, Batlamyus'un Kapısı normal çağırma işleminin tersine çevrilerek büyücünün ya da ona ait bir element, ruh veya bilincin, bir süreliğine demonların yaşadığı derinliğe geçebileceği varsayımına dayanan bir yöntem. Yazar, yani İskenderiyeli ünlü Batlamyus, kendisinin bunu yaptığını iddia etse de böylesine korkunç bir taşın altına elini neden koymak isteyeceği tam bir muamma. Yeterli mi? Ah, pardon, bu bir soruydu."

"Hayır. Yeterli değil. Tam formülü nedir? Onu vermiş mi?"

Mandrake, sinir içinde ellerini başına vurdu. "Kitty! Sen keçileri mi kaçırdın? Yapılacak daha önemli..."

"*Anlat!*" Kitty, sıkılmış yumruklarla Mandrake'nin üzerine yürümeye başladı.

Mandrake geriye sendeledi. O sendelerken Kitty'nin elindeki sihirli ayna da titreşip vınlamaya başladı. Geri dönen bebeğin yüzü korkmuş ve nefes nefese kalmış görünüyordu. Birkaç saniye konuşmadan ciğerleri patlayacakmış gibi hırıltılı soluklar aldı. Kitty, acıyarak kafasını salladı. "Kölen geldi. Zavallı yavrucak, resmi olarak ölmüş sayılır."

Bebek gürültüyle geğirip ağdalı bir sesle fısıldadı. "Bu sürtük de kim?"

Nathaniel, gösterişli bir şövalye ruhuyla aynayı elinden aldı. "Bize bir tek gördüklerini anlat."

"Hiç hoş bir manzara değildi patron." Bebek, fesat dolu bir parmakla burnunu karıştırdı. "Bunun bana vereceğin son iş olduğunu düşünmekte haklı mıyım? Bir hücreye tıkılmış, binlerce yıldır can attıkları intikamı almak için hazırlanan dizginsiz demonlarca çevrili olduğun gerçeğini göz önüne alırsak? Merak işte."

Kitty sabırsızca dişlerini gıcırdattı. Mandrake ona baktı. "Ne dersin? Cehennem kömürleri mi?"

"Hiç fark etmez."

Bebek, endişe içinde homurdanarak hızla konuşmaya başladı: "Emirlerini harfiyen yerine getirdim, açığımı bulamazsın. Önce, yüce varlıklar. Ah, çok güçlülerdi, geçtikleri yerde düzlemler yamuluyor. Yedi kişiler; hepsi de gerçek şekillerini gizleyen insan bedenleri giymişler. Ortada Nouda oturmuş, seri emirler yağdırıyor. Ötekiler dediklerini yapmak için koşuşturuyor.

Yandaki salonlarda Whitehall bürokratlarına ait cesetler, bovling lobutları gibi devrilmiş yatıyor. Yandaki bir odadan..."

Mandrake bu ümitsiz laf kalabalığını yarıda kesti. "Dur. Demonlar nasıl hareket ediyor? Bedenlerin içinde rahatlar mı?"

"Genel olarak hayır. Kolları bacakları kırıkmış gibi hareket ediyorlar. Ama yine de özgürlük şarkıları söylüyorlar. Keşke onlara katılabilsem," dedi bebek özlemle. "Kemiklerine zil takıp davul çalardım. Dahasını ister misin?"

"Gördüklerini, evet. Boş tehditleri, hayır."

"Yandaki bir odadan içeri sürekli bir sümsük insanlar sürüsü akıyor. Kolları bağlı, ağızları mühür ve keten bezlerle tıkanmış. Yüce varlıklar, bunları uçurumdan geçen keçiler gibi güdüyor. Teker teker salonun ortasına getirilip ağızları açılıyor ve Efendi Nouda'nın tahtı karşısında duruyorlar. O da onlara ültimatom veriyor."

"Şu insanları," dedi Mandrake, "tarif etsene."

Bebek burnunu çekti. "Çok zor... Bir tavşan kabilesini birbirinden ayırabilir misiniz?" Düşündü. "Kiminin çenesi yoktu, kimininse birden fazlaydı."

Kitty ile Mandrake bakıştılar. "Bunlar hükümet üyeleri."

"Nouda, hepsine seçim şansı tanıyor. Belli bir yöntemi kullanarak içlerine birer demon çağırmak zorundalar. Faquarl denen cin, Nouda'nın tahtı yanında duruyor, elindeki ağır bir kitaptan çağıracakları isimleri veriyor. Kabul edenler, işlemi gerçekleştiriyor. Etmeyenler imha ediliyor."

Mandrake dudağını ısırdı. "Genel tavır nedir?"

"Şimdiye kadar her büyücü zihnini teslim etmeyi kabul etti. Daha onurlu bir şekilde gitmektense en rezil şekilde aşağılanmaya boyun eğmeyi tercih ediyorlar."

Kitty duvarı tekmeledi. "Nouda vakit kaybetmiyor. Ordusunu kurmaya başlamış işte."

"Bunu yaparken de ona karşı koyabilecek bütün insanları ortadan kaldırıyor," dedi Mandrake. "İblis, başka yerlerde durum nasıl?"

Bebek omuz silkti. "Bakış açısına bağlı. Benimkine göre çok parlak. Bu binada hayatta kalan çok az insan var. Dışarıda, şehir merkezinde, hükümetin tepkisizliğinden çılgına dönmüş büyük halk kalabalıkları toplanmış. Whitehall'da kurtadamlardan iki bölük, parlamento bölgesini korur gibi yapıyor. Birkaç büyücü, deliler gibi yöneticileriyle iletişim kurmaya çalışıyor ama neye yarar."

"Aha! Hâlâ işbaşında olan büyücüler var!" Mandrake, hevesle başını salladı. "Düşük rütbeliler galaya katılmadı. Belki onlar bize yardım edebilir... Ne türden demonları var?"

"Halk geçerken çöp tenekelerinin arkasına sinen çeşit çeşit folyotlar."

Mandrake homurdandı. "Umut yok. İblis, haberlerin iyi değil ama iyi iş becerdin." Bağışlayıcı bir hareket yaptı. "Eğer hayatta kalırsam özgürlüğüne kavuşacaksın."

"Sonsuza kadar buradayım demektir." Disk karardı.

"O zaman, dışarıdan yardım gelmeyecek," dedi büyücü yavaşça. "Asa olmalı, eğer ele geçirebilirsem. Eğer çalıştırmayı becerebilirsem..."

Kitty koluna dokundu. "Bana Batlamyus'un Kapısı'nı anlatıyordun. Tam olarak nasıl bir yöntem? Yapılması kolay mı?"

Mandrake, öfkeli ve hayret dolu gözlerle kolunu çekip kurtardı. "*Neden* bu konuda ısrar ediyorsun?"

"Batlamyus, kapıyı cinlere barış elini uzatmak için kullandı.

Bu, bir uzlaşma ve iyi niyet ziyaretiydi. Eğer yardım bulacaksak bizim de bunu yapmamız gerek, hem de hemen."

"Eğer ne...? Aman Tanrım." Mandrake küçük bir çocukla konuşur gibi konuştu. "Kitty, demonlar bizim *düşmanımızdır*. Bin yıllardır bu böyle. Evet, güçleri işimize yarar ama ellerine fırsat geçtiğinde bize zarar verirler. Bu gece de kanıtlandığı gibi! En küçük fırsatta dünyayı işgal ediyorlar!"

"*Bazıları* ediyor," dedi Kitty. "Hepsi değil. Bartimaeus kalmayı kabul etmedi."

"Ne olmuş? Bartimaeus bir hiç. Burada fazla uzun tuttuğum, iğne ipliğe dönmüş, vasat bir cinden başka bir şey değil."

"Öyle de olsa bize sadık. Tabii bana. Hatta belki sana bile."

Büyücü kafasını salladı. "Saçmalık. Sadakati, her çağırmada değişiyor. Daha birkaç gün önce başka bir efendiye hizmet etti, herhalde rakiplerimden biriydi. Ama bunun konuyla ilgisi yok. Asa'yı almak için..."

"Onu ben çağırdım."

"... buradan çıkmam lazım. Sen dikkatlerini dağıtırsın... Dur bir dakika. Ne?"

"Onu *ben* çağırdım."

Mandrake'nin gözleri cam gibiydi, durduğu yerde sallandı. Dudaklarından karaya vurmuş bir balık gibi garip baloncuk sesleri çıkardı. "Ama... ama sen..."

"Evet," diye haykırdı Kitty. "Ben halktan biriyim. Çok iyi bildin. Ama artık bunun pek bir önemi yok, değil mi? Etrafına bir bak. Her şey ters yüz oluyor: Büyücüler devleti çökertti, demonlar gönüllü olarak kendi cinsinden olanları çağırıyor, halk sokakları ele geçirdi. Artık eski kurallar geçerli değil Mandrake ve yalnızca buna uyum sağlayanlar ayakta kalacak. Benim niyetim bu. Ya senin?" Kapıyı gösterdi. "Faquarl, her an gelip seni Nouda'nın karşısına çıkartabilir. O zamana kadar oturup çene yarıştırmak mı istersin? Evet, sizin sanatınızı biraz öğrendim. Bartimaeus'u çağırdım. Onunla işbirliği yapmak istedim ama o reddetti çünkü ona güvenemedim. Bizden şüphe duyuyor, anlıyor musun? Geçmişte bir tek kişi ona sonuna kadar güvenmiş, o da Batlamyus'muş."

Mandrake'nin gözleri yerinden fırladı. "Ne? Yani aynı Batlamyus...?"

"Ta kendisi. Kapıyı kullandı, bir jest yaptı. Bartimaeus, hâlâ kimin görünümünü alıyor zannediyorsun? Ah, hiç fark etmedin mi? Bunca yıl eğitim gör ve gözünün önündeki şeyi fark edeme." Üzüntüyle başını salladı. "Bartimaeus'u çağırdığımda," diye devam etti, "yaptığı jest yüzünden Batlamyus için her şeyi yapabileceğini söyledi bana. '*Aramızdaki bağın sınırı yoktu.*' Aynen böyle dedi. Ve biraz önce giderken ne dediğini sen de duydun, değil mi?"

Büyücünün yüzünden onlarca duygu geçip yerini tarafsız bir uysallığa bıraktı. Başını iki yana salladı. "Duymadım."

"Bizimle de bir bağı olduğunu ama 'sınırları' olduğunu söyledi. Nouda'ya dediği buydu. Ve giderken bana bakıyordu. Görmüyor musun? Eğer onu takip edebilirsem..." Parıldayan gözleri, artık Mandrake'yi görmüyordu. "Bartimaeus'un ismini sihirli sözcüklerin bir parçası olarak söylemem gerektiğini biliyorum ama bunun dışında en ufak bir fikrim yok. Sen bana kitapta ne yazdığını söyleyene kadar." Gülümsedi.

Büyücü yavaşça derin bir nefes aldı. Sonra kitabı açıp sayfayı buldu. Bir an sessizce okudu. Konuştuğunda sesi tekdüze çıkıyordu. "İşlem çok basit. Büyücü pentagrama uzanıyor, transfer sırasında yere düşmemek için ya oturması ya da yatması gerek. Mum ya da sihirli harfler gerekli değil, tam tersine büyücünün bedenine dönüşünü hızlandırmak için bu tür koruyucular minimumda tutulmalı. Batlamyus, işleme yardımcı olması için çemberin sembolik olarak kırılmasını öneriyor... Ayrıca olumsuz etkilerden korunmak için demir bir şeyin (mesela bir ankh) ya da biberiye falan gibi bildik otlardan birinin elde tutulmasını öneriyor. Tamam, sonra büyücü gözlerini kapatıyor ve zihnini tüm dış uyaranlara kapatıp normal çağırmayı tersinden okuyor. Kendi gerçek ismi demonunkiyle yer değiştiriyor ve bütün emirler tersine çevriliyor; 'gelmek' yerine 'gitmek' gibi. En son 'iyi niyetli' bir demonun (Batlamyus buna 'kefil' diyor.) İsmi üç kez tekrarlanıyor. Kapının açılması için bu demonun karşılık vermesi gerekli. Her şey yolunda giderse adam bedeninden ayrılıyor, kapı açılıyor ve içinden geçiyor. Batlamyus nasıl ve nereye olduğunun ayrıntılarını yazmamış." Gözlerini kaldırdı. "Tatmin oldun mu?"

Kitty burnunu çekti. "Büyücünün erkek olması gerektiği varsayımını çok beğendim."

"Bak, sana yöntemi anlattım. Dinle, Kitty," (Mandrake boğazını temizledi) "kararlılığın ve cesaretin beni etkiledi, gerçekten ama bu imkansız bir şey. Neden kimse Batlamyus'un izinden gitmedi sanıyorsun? Öteki Taraf, yabancı, korkunç ve normal fizik kanunlarından ayrılmış bir yer. Sana zarar verebilir, hatta ölebilirsin. Ve diyelim ki başardın, diyelim onu buldun, hatta bir şekilde yardım etmeyi de kabul etti ama Bartimaeus yalnızca bir cin. Nouda'nın yanında onun gücünün lafı bile olmaz. Çok soylu bir düşünce ama başarıya ulaşma şansı kesinlikle çok az." Öksürdü, gözlerini kaçırdı. "Kusura bakma."

"Sorun değil." Kitty düşündü. "Peki senin planın, şu Asa. Onun başarıya ulaşma şansı nedir, söyler misin?"

"Ah, bence..." Mandrake gözlerine baktı, duraksadı. "Kesinlikle çok az."

Kitty sırıttı. "Kesinlikle. Zaten ilk başta büyük ihtimalle Nouda'yı atlatamayız. Ama eğer..."

"İkimiz de elimizden geleni yapalım." O zaman Kitty'e güldü, ilk kez. "Eh, eğer *deneyeceksen* sana iyi şanslar dilerim."

"Size de iyi şanslar Bay Mandrake."

Anahtar şıngırtıları, metalik bir gıcırtı. Kapının dışındaki sürgü açılıyordu.

"Bana böyle demen gerekmez," dedi büyücü.

"İsmin bu."

"Hayır. Benim ismim Nathaniel."

Kapı teklifsizce sonuna kadar açıldı. Kitty ile büyücü geriye çekildi. İçeri siyah paltolu, yenilmez biri girdi. Paralı asker duygusuzca gülümsedi.

"Sıranız geldi."

26

Garip ama Nathaniel'ın ilk tepkisi bir rahatlama hissiydi. Paralı asker sonuçta bir insandı. Çabucak konuştu. "Yalnız mısın?"

Sakallı adam, soluk mavi gözlerini ondan ayırmadan kapıda dikildi. Cevap vermedi. Nathaniel bunu evet olarak aldı. "Güzel," dedi. "O zaman bir şansımız var. Aramızdaki farkları unutup birlikte kaçmamız gerek."

Paralı asker konuşmadı. Nathaniel konuşmaya devam etti. "Demonlar, hâlâ yavaş ve hantal. Sıvışıp savunma güçleri toplayabiliriz. Ben önemli bir büyücüyüm, diğer bakanlar buralarda bir yerde bağlı yatıyor. Onları serbest bırakmayı başarırsak işgalcilere karşı savaşabiliriz. Senin, şey, yeteneklerin de gerçekleşecek çarpışmalarda paha biçilmez değerde olacaktır. Geçmişte işlediğin cinayetlerle öteki şiddetli suçlar eminim affedilecektir. Hizmetlerin için ödül bile alabilirsin. Haydi bayım, ne diyorsun?"

Paralı asker hafif tebessüm etti. Nathaniel, gülücükler saçtı. "Efendi Nouda," dedi adam, "sizi bekliyor. Gecikmesek iyi ederiz." Odaya girip Nathaniel'la Kitty'i kollarından tutarak kapıya doğru sürükledi.

"Sen delirdin mi?" diye bağırdı Kitty. "Demonlar, hepimizi tehdit ediyor, sen de onlara *gönüllü* olarak hizmet mi ediyorsun?"

Dev adam kapıdan geçerken durdu. "Gönüllü olarak değil," dedi o derin ve yumuşak sesiyle. "Ama gerçekçi olmam lazım. Demonların gücü her geçen saniye artıyor. Şafak sökmeden bütün Londra ateşler altında, karşı gelenlerse ölmüş olacak. *Ben* yaşamak istiyorum."

Nathaniel, çelikten yumruğun altında debelendi. "Her şey bize karşı ama kazana*biliriz*. Çok geç olmadan bir daha düşün."

Sakallı yüz yaklaştı, dişleri sıkılmıştı. "*Siz* benim gördüklerimi görmediniz. Quentin Makepeace'in bedeni, ellerini şişko göbeğinde birleştirmiş, o altın tahtta oturuyor. Gülüyor da gülüyor. Senin değerli hükümetinin büyücüleri teker teker önüne getiriliyor. Bazılarının geçmesine izin veriyor, demon çağırmak için pentagrama giriyorlar. Bazıları hoşuna gidiyor. Yanına çağırıyor. Çaresiz tavşanlar gibi tahtına yaklaşıyorlar. O öne eğiliyor..." Paralı askeri ağzı tak diye kapandı, Kitty ile Nathaniel geriye kaçtılar. "Sonra yeleğini silkip gülerek arkasına yaslanıyor. Ve çevresindeki demonlar kurt gibi uluyor."

Nathaniel yutkundu. "Hoş değil. Yine de sendeki şu botlarla, şüphesiz..."

"Ben, yedi düzlemi de görüyorum," dedi adam. "O salondaki gücü görüyorum. Buna karşı koymak intihar demektir. Ayrıca güçle birlikte kazanç da gelecek. Demonlar insan yardımcılara gereksinim duyuyor, burada anlamadıkları çok şey var. Onlara hizmet ettiğim takdirde bana bir servet vadettiler ve aynı seçeneğe bu kız da sahip olacak. Kimbilir, belki de Efendi Nouda'ya hizmet ederek, ikimiz birlikte yükselebiliriz..." Eldivenli elini uzatıp Kitty'nin boynuna dokundu. Kız, bir küfür savurarak geri çekildi. Nathaniel, içinden yükselen kör öfkeyi zorlukla bastırdı.

Paralı asker başka bir şey söylemedi. Eldivenli eller yakalarına yapıştı. Sertçe ama gereksiz yere kaba kuvvet kullanmadan kapıdan geçirilip koridora çıkarıldılar. Yaşanan curcunanın toplu gürültüsünü koca bir bağırış çağırış, uyumsuz feryat figan sesleri olarak uzaktan duydular.

Nathaniel oldukça sakindi. Durum o kadar karanlıktı ki artık korku gereksiz hale gelmişti. Başlarına gelebilecek en kötü şeyle karşı karşıyalardı, ölüm kaçınılmaz görünüyordu, yine de endişelenmeden bununla yüzleşebiliyordu. Kitty ile son konuşmalarında içinde bir şey ateşlenmişti, tüm zayıflıkları yanıp kül olmuş gibi geliyordu Nathaniel'a. Bartimaeus'un geçmişi hakkında açıkladıkları hâlâ başını döndürüyordu ama kriz yaklaşırken ona ilham veren Kitty'nin kendisiydi. Batlamyus'un Kapısı ile ilgili umutlarını anlatması pek de önemli değildi. Bir rüya, bir hayalet, aklı başında bütün büyücülerin bunca zamandır görmezden geldiği bir peri masalıydı bu. Onu esas büyüleyen şey konuşurken gözlerinde beliren o bakıştı. O gözlerde heyecan parlıyordu, merak ve inanç parlıyordu. Nathaniel'ın uzun zamandır neredeyse unuttuğu duygulardı bunlar. Şimdiyse sonunda, Kitty sayesinde hatırlamıştı ve bu yüzden kıza minnettardı. Kendini arınmış, gelecek olanı kucaklamaya neredeyse hazır hissediyordu. Kitty'e bir göz attı, yüzü solgun ama kararlıydı. Onun yanında zayıf duruma düşmemeyi umuyordu.

Giderlerken gözleri oraya buraya kayıyor, Whitehall koridorlarının tanıdık ortamını kaydediyordu. Yağlı boya tablolar, oyuklarında duran alçı büstler, ahşap kaplamalı duvarlar ve iblis ışıkları. Hazine dairesine inen merdivenleri ve uzaktan olsa da Asa'yı geçtiler, Nathaniel içgüdüsel olarak o yöne doğru çekildi. Yakasındaki el iyice sıktı. Son köşeyi de döndüler.

"İşte," diye fısıldadı paralı asker. "Göreceğiniz manzara tüm hayallerinizi sona erdirecek."

Onlar yokken demonlar bayağı iş bitirmişti. Bir asırdır konseyin sakin toplanma yeri olan Heykelli Salon, yeni sahipleri tarafından değiştirilmişti. Her yerde bir hareket, bir keşmekeş, düzensiz bir gürültü vardı. Nathaniel'ın duyuları kısa bir süre uyum sağlamakta zorlandı.

Yuvarlak masa ve koltuklar, salonun ortasından kaldırılmıştı. Masa şimdi en uçtaki duvara dayanmış, üstüne altın taht konmuştu. Yüce demon Nouda, geçici bir tokluk hissiyle tahtın üstüne kurulmuştu. Tek bacağı, tahtın kolundan sarkmış, öteki önüne uzatılmıştı. Makepeace'in gömleği dışarı çıkartılmış, şişkin göbeğin üstünden sarkıyordu. Gözleri cam gibiydi. Dudakları doğal olamayacak bir şekilde gergin, güzel bir yemekten yeni kalkmış biri gibi yorgun gülümsüyordu. Masanın üstünde birkaç ne olduğu belirsiz paçavra ve elbise vardı.

Hopkins'in bedeninde gizlenmiş Faquarl, masanın yanındaki kızılağaçtan koltuğun üstüne çıkmış ayakta duruyordu. Olayları yöneten kişi oydu. Elindeki açık bir kitaptan aşağıdaki gruba hızla emirler yağdırıyordu.

Beş eski suikatçiye ait bedenler (Nathaniel; Lime, Jenkins ve sıska Withers'ı tanıdı.) artık demonlar tarafından daha ustaca yönetiliyordu. Evet, hâlâ sürekli sendeleyip tökezliyor, kollarıyla bacakları ani ve kesik hareketlerle seğirip atıyordu ama artık ne yere düşüyor ne de duvara çarpıyorlardı. Bu sayede artık salondan dışarı çıkmayı göze alabiliyor (sihirli aynadaki iblisin de rapor ettiği gibi) hükümetin seçkin üyelerini hücrelerinden çıkarıp salona getirebiliyorlardı. Büyük küçük büyücüler, gruplar halinde dönüşüme uğruyordu.

Sol tarafta, Lime ve Withers, hâlâ bağlı elleriyle birbirine sokulmuş bekleşen, belki yirmi kadar büyücüye gözcülük ediyordu. Çok uzakta değil, Nouda'nın tahtına çok yakın bir pentagramda tutsaklardan birinin bağları çözülmüştü. Serbest kalan kadın, titrek bir sesle ölümcül çağırma törenini gerçekleştiriyordu. Nathaniel'ın tanımadığı, herhalde başka bakanlıklardan biriydi. O bakarken kadın kasılarak sarsıldı. Gelen demon bedenini ele geçirirken çevresi parıldadı. Faquarl bir işaret yaptı. Jenkins'in bedenindeki demon Naeryan, kadını alıp yavaşça salonun öteki ucundaki duvara götürdü ve orada...

Nathaniel'ın saçları diken diken oldu. Orada, yeni sahipleri bedenlerinin sınırlarını keşfederken devletin her kademesinden iki düzineyi aşkın büyücü de debeleniyor, oraları buraları seğiriyor ve kahkahalar atarak yere devriliyordu. Büyülü enerji patlamaları ara sıra duvarlara çarpıyordu. Salon çeşitli yabancı dillerde mırıltılarla, sevinç ve acı karışımı tuhaf çığlıklarla doluydu. Peki ya aralarındaki o başı seğiren, elleri bir kukla gibi kalkıp düşen, kırmızı ve parlak yüzü aklını yitirmiş gibi bakan şey neydi öyle? Nathaniel ürperdi.

Başbakan Rupert Devereaux...

Olup biten her şeye rağmen, adamın olduğu ve temsil ettiği her şeye karşı içinde yeni yeni uyanmaya başlayan nefrete rağmen, Nathaniel gözlerinin yaşlarla dolduğunu hissetti. Bir an için yeniden on iki yaşında bir çocuk oldu, Westminster'da kalabalığa karışmış, hayatında ilk kez Devereaux'yü görürken. Göz kamaştırıcı, çekici, *kendisinin* olmak için can attığı her şeyi temsil ederek...

Devereaux'nin bedeni yerinden sıçradı, başka bir bedene çarpıp kıvranıp duran bir yığının içine daldı. Nathaniel dehşet içinde kalmıştı, dizlerinin tutmayacağını sandı.

"Yürü bakalım!" Paralı asker aceleyle itekledi. "Sıraya geç."

"Dur." Nathaniel hafif arkasına döndü. "Kitty..."

"O seninle aynı kaderi paylaşmıyor, belki de buna şükretmelisin."

Nathaniel Kitty'e bakmaya devam etti, bir an göz göze geldiler. Sonra vahşice tutsaklar topluluğunun içine itildi. Lime'ın bedeni döndü, Nathaniel'ı gördü. Gözlerinin derinliklerinde yeşil ışıklar vardı. Gevşek ağzından dalların birbirine çarpmasına benzer keskin bir ses çıktı: "Faquarl! Bartimaeus'un arkadaşı burada! Bundan sonra onu mu istiyorsun?"

"Elbette Gaspar. Öne geçebilir. Bu berbat yaratıktan sonra o gelsin. Efendi Nouda, sanırım bunun tadına bakmak istemezsiniz."

Koca ses yükseklerden gürledi: "Bir firavun cesedi bile bundan daha etlidir. Yana döndüğü zaman görünmüyor bile. İşlemi tamamlayın da bitsin."

Nathaniel'ın gözleri, pentagramın içindeki şekle kenetlendi. Eski ustası Jessica Whitwell bir deri bir kemik, dağınık beyaz saçlı başını kaldırmış tahta bakıyordu. Withers'ın bedenindeki demon bağlarını yeni çözmüştü, yumrukları sıkılıydı.

"Pekala." Faquarl kitabına başvurdu. "Yirmi sekiz numara. Bir bakalım. Senin için ifrit Mormel'i seçtim. Onur duymalısın. Çok soylu bir varlıktır."

Bayan Whitwell, tahttaki adama bakmaya devam etti. "Bizim için neler planlıyorsunuz?"

"Yüce Nouda ile konuşabileceğini mi sandın!" diye bağırdı Faquarl. "Sen ve senin türün yüzyıllardır bize kölelik yaptırdınız, hiç saygı göstermeden. Ne planlayacağımızı *zannediyordun*? Bu intikam, beş bin yıldır kuluçkaya yatmış bekliyordu! Dünyanın ele geçirmediğimiz yeri kalmayacak."

Bayan Whitwell küçümseyen kahkahalar attı. "Bence biraz fazla iyimsersin. Şu halinize bak, zavallı bedenlerin içinde hapsolmuşsunuz, düz çizgide yürümekten bile acizsiniz."

"Bizim rahatsızlığımız yalnızca geçici," dedi Faquarl. "Sizinki kalıcı olacak. Çağırmaya başla."

Jessica Whitwell alçak sesle konuştu. "Diğerlerinin hepsine seçim hakkı verdiniz. Benimki sorulmadı."

Faquarl kitabını indirdi, gözleri kısıldı. "Eh, sanırım öteki bütün alçaklar gibi sen de yaşamayı ölüme tercih edersin, yaşamın başkasına ait olsa bile."

"Yanlış tahmin!"

Bayan Whitwell ellerini kaldırıp karmaşık bir işaret çizdi, iki sözcük haykırdı. Sarı bir ışık patlaması, kükürt bulutu. Başının üstünde rahatsız gri bir ayı görünümündeki ifriti belirdi. Whitwell bağırarak bir emir verdi, bedeninin etrafında parlak mavi bir kalkan yükseldi. İfrit, şaşalamış Faquarl'a bir patlama gönderdi. Büyü başına çarpıp sandalyesinden devirerek duvara yapıştırdı.

Suikastçilerin bedenindeki demonlardan bir yaygara koptu. Naeryan parmağını uzattı. Jenkins'in elinden çıkan zümrüt yeşili bir mızrak Whitwell'e doğru uçtu. Kalkan mızrağı emdi. Whitwell çoktan dönmüş çıkışa doğru koşuyordu. Lime'ın bedenindeki demon Gaspar yolunu kesmek için öne atıldı. Nathaniel ayağını uzatıp çelme taktı, tökezleyen demon dengesini sağlayamayarak yere serildi.

Nathaniel da dönüp koşmaya başladı, başının üstünden ayı ifritin peş peşe altın tahta yolladığı patlamalar geçti.

Kitty neredeydi? İşte! Ama paralı asker kolundan tutmuştu. Debelenip tekmelese de kurtulamıyordu.

Nathaniel hızla ona doğru koştu...

Yer sarsıldı, sendeleyerek yere düştü ve bir an için arkasına baktı.

Tahttaki beden ayaklanmıştı. Soluk alevlerden bir buluta sarınmıştı. Parmaklarında enerjiler çatırdıyordu, kararmış yüzündeki gözler gümüşten oyuklardı. Tek elini ileri uzatmıştı. Elden gelen güç (parmakların her birinden çıkıp dönerek kavisler çizen beş yıldırım) heykelleri yere devirmiş, tavanın sıvalarını dökmüştü. Yıldırımlar gelişigüzel atılmıştı. İki tanesi zarar vermeden yere çakıldı, biri yeni çağırılmış demon kalabalığına doğru giderek birçok insan bedenini yok etti. Dördüncüsü Whitwell'in kalkanına çarptı, paramparça edip kadını oracıkta öldürüverdi. Ayı ifrit gözden kayboldu. Whitwell'in adımı havada, yüz üstü taş zemine düşüp kaldı.

Beşinci yıldırım, paralı askerin ayaklarının dibine çarpıp adamı bir tarafa Kitty'i bir tarafa uçurdu.

Nathaniel ayağa kalkmıştı. "Kitty!"

Salondaki demonlardan gelen çeşitli uluma, kükreme, havlama ve fil sesleri kendi sesini bastırdı. Hepsi de kafaları karışmış ve paniğe kapılmış halde diz kapaklarını fazla yukarı kaldırıp bacaklarıyla garip hareketler yaparak insan bedenlerini oraya buraya koşturuyor, birbirlerine çarpıp gelişigüzel patlama ve infernolar yolluyorlardı. Henüz işlem görmemiş birkaç büyücü; bağlı elleri, tıkalı ağızlarıyla arada kalmış, kocaman açılmış gözlerle olup biteni izliyordu. Salonu duman, ışıklar ve koşturan vücutlar sarmıştı.

Nathaniel, bu keşmekeş içinde Kitty Jones'un düştüğü yere ulaştı. Kız görünürde yoktu. Başının üstünden büyülü bir akım geçerken geri çekilip son bir kez etrafa bakındı. Yok, gitmişti.

Daha fazla beklemeden sağa sola sallanan iki demonun arasından eğilerek geçip çifte kapıya yöneldi. Heykelli Salon'dan çıkarken Faquarl'ın kargaşanın üstünde yükselen sesini duydu. "Arkadaşlar, sakin olalım! Sakin olalım! Kriz geçti! Çağırmalara devam etmemiz lazım. Sakin olun..."

Koridorlardan rahatça geçip hazine dairesine inen merdivenlere ulaşmak Nathaniel'ın bir dakikasını bile almadı. Tedbiri falan boş verip tırabzandan atlayarak merdivenlerden son hızla ikişer ikişer indi. İndi, indi... Hava serinledi, yukarıdan gelen tüm sesler uzaklaşarak kesildi, artık kendi tıkanan nefesinden başka bir şey duymuyordu.

Üçüncü kat merdivenleri de indikten sonra depoların girişine geldi. İki gün önce (yoksa üç müydü?) buraya Enformasyon Bakanı olarak gelmiş, kendini beğenmiş bir memur eşliğinde hazine odasına bakmıştı. Şimdiyse bu anı, başka bir yaşama aitmiş gibi geliyordu. Memurun masası şimdi boştu. Aceleyle terk edilmiş gibi bir hali vardı; üstündeki kağıtlar darmadağın olmuş, kalemin biri yere düşmüştü.

Salonun sonu toprak bir geçide açılıyordu. Kırmızı karolardaki çizgi, güvenli bölgenin başlangıcını gösteriyordu. Nathaniel onlara doğru yürüdü, geçmek için tam ayağını kaldırmışken bir küfür savurup olduğu yerde kaldı ve cebini elledi. Dikkat! Az kalsın tuzağı tetikleyecekti. Çizginin ötesinde büyülü hiçbir şeye izin yoktu! Sihirli aynayı masanın üstüne bıraktı, saçlarını düzeltip seramiklere doğru ilerledi.

Keşke Asa'yı koruyan salgın da bu kadar kolayca geçilebilseydi. Nasıl olacağı hakkında hiçbir fikri...

Nathaniel durup arkasına baktı... Salonun öteki ucunda, merdivenlerin dibinde paralı asker duruyordu. Elindeki kıvrık bıçak parladı.

27

Kitty kapıyı kapattı.

Heykelli Salon'un gürültüsü kulaklarında çınlıyordu, kopan yaygara koridora çıktıktan sonra kalın ahşap kaplamanın ardından bile duyulabiliyordu. Bir süre hareket etmeden kulağını kapıya dayadı. Her şeyden çok o korkunç sakallı adamın takip etmesinden korkuyordu. Adamdaki bir şey, kalabalık demon sürüsünden bile daha fazla dehşetle dolduruyordu içini.

Dinledi. Görebildiği kadarıyla dış koridorda hareket eden bir şey yoktu.

Elinin altında ağır bir anahtar vardı. Biraz zorlanarak ve sağladığı vasat güvenliğin fazlasıyla farkında olarak kapıyı kilitledi. Sonra dönüp odaya baktı.

İçerisi, aynı başarısız kaçış girişiminden hatırladığı gibiydi: Birinin çalışma odası, çok az eşyayla döşenmiş. Duvarın birinde boydan boya bir kitaplık vardı, karşısında koca kağıt yığınlarıyla kaplı bir masa. Ve en önemlisi, yan köşede yılların bürokratik kullanımından aşınıp çizilmiş iki pentagram ve çember.

Kitty'nin yalnızca bir tanesine ihtiyacı vardı.

Pentagramın tasarımı basitti, Bay Button için sık sık hazırladıklarına benziyordu: Geleneksel yıldız, çifte çember, Latince yazılmış normal kilitler. Bir yükseltinin üstüne çizilmişti ve odanın boyutları yüzünden fazla büyük sayılmazdı. Başka bir yerden –odayı çabucak araştırdı– masanın çekmecelerine dizilmiş bildik büyücü malzemelerini buldu. Tebeşirler, kalemler, yanık mumlar, çakmaklar, kavanoz kavanoz ot ve tütsüler. İhtiyacı olan şey otlardı. Soğukkanlılıkla çıkartıp en dış çemberin yanına yerleştirdi.

Çok uzak olmayan bir yerden büyük bir patlama duyuldu. Kitty sinirle yerinden sıçradı, kalbi küt küt attı, kapıya doğru baktı...

Konsantre ol. Ne yapması gerekiyordu?

Mandrake'nin, yo, Nathaniel'ın *Apocrypha*'daki bilgilerden yaptığı özet çok seri ve sindirilmesi güç olmuştu ama Bay Button'la geçirdiği zaman boyunca Kitty bu tür şeylere alışmıştı. Hafızası yeterince esnekti.

Şimdi... Geleneksel bir pentagram. Muma gerek yok. Tamam, buraya kadar iyiydi.

Ama bedenini koruması gerekiyordu. Yani otlara ve demire ihtiyacı vardı. Sarı kantoron otu ve üvez ağacından çubuklar, bunları birbirine karıştırdı ve karışımı üstünkörü parçalara ayırıp aralıklarla yıldızın içine yerleştirdi. Demire gelince *bu* biraz daha zordu. Gözünü bir an için boş yere odada gezdirdi. Belki de onsuz yapması gerekecekti...

Anahtar. Demirden miydi? Kitty'nin hiçbir fikri yoktu. Eğer demirdense onu koruyabilirdi. Değilse de zararı olmazdı. Anahtarı kapıdan aldı.

Başka? Evet... Nathaniel, çemberin kırılmasından bahsetmişti, büyücünün bedenine dönmesini sağlayan sembolik bir hareket. Çok iyi, bunu yapabilirdi. Eğilip anahtarın ucuyla çembere derin bir çizik attı. Normal bir çağırma için bu ölümcül bir hataydı. Ama Kitty'nin planladığı bu değildi.

Ayağa kalktı. Tamam. Başka bir hazırlığa gerek yoktu.

Bir tek, rahatlığı gibi ufak bir konu dışında. Masanın arkasındaki sandalyede çok kullanılmaktan yıpranmış bir minder buldu, yastık olarak yıldızın içine yerleştirdi.

Masanın arkasındaki duvarda küçük bir ayna asılıydı, kapıdan dönüp önünden geçerken aynada kendini gördü. İşte o zaman Kitty şöyle bir durdu.

Kendi yüzüne bakmayalı eper zaman olmuştu, en son ne zaman bakmıştı, hatırlamıyordu. İşte oradaydı: Gür siyah saçlar, koyu renk gözler (ve şişkin torbalar), alaycı dudaklar, tek gözünün üstünde şişmeye devam eden bir morartı. Kuşkusuz biraz vaktinden önce olgunlaşmıştı. Ama hâlâ genç, hâlâ iyi durumdaydı.

Peki ya planladığı şeyi başarırsa? Batlamyus'un izinden gitmeye kalkışan büyücülerin başına korkunç şeyler gelmişti. Bay Button, ayrıntılara girmemişti ama delilik ve sakatlıkla ilgili karanlık ipuçları vermişti. Batlamyus'un kendisine gelince kapısını yarattıktan sonra fazla uzun yaşamadığını biliyordu. Ve Bartimaeus yüzünün...

Kitty, bir küfür savurarak aynaya sırtını döndü. Sonuçta nasıl bir risk altına giriyor olursa olsun yanıbaşında gerçekleşen şeyle boy bile ölçüşemezdi. Denemeye karar verdi ve konuyu kapattı. Yapabileceği başka bir şey yoktu. Sulugözlülük bir işe yaramazdı. Öyleyse.

Öyleyse pentagramın içine yatacaktı, o kadar.

Zemin sertti ama başını koyduğu yastık rahat gelmişti. Otlardan gelen koku burun deliklerini dolduruyordu. Anahtarı alıp yumruğunun içinde sıktı. Derin bir nefes...

Aklına sonradan gelen bir şeyle sarsıldı. Başını kaldırıp bacaklarına baktı ve can sıkıcı bir gerçeği fark etti. Boyu çember için fazla uzundu, ayakları iç çemberin dışına taşıyordu. Belki sorun olmazdı ama belki de olurdu. Kitty yan yatıp dizlerini göğsüne çekerek yatakta yatarmış gibi kıvrıldı. Aşağıya çabucak bir bakış... Tamam, artık rahat ve derli topluydu. Rahat ve hazır.

Ama ne için hazır? İçini birden bir şüphe sardı. Bu da rüyalarından biriydi işte, Bartimaeus'un dalgasını geçtiği gülünç hayallerden biri. İki bin yıldan fazla zamandır hiç kimsenin başaramadığı bir şeyi kendisinin başarabileceğini düşünmek, kendini beğenmişlikten başka bir şey değildi. Kendini ne zannediyordu ki? Büyücü bile değildi.

Ama belki de bu bir avantajdı. Bartimaeus denemesini istiyordu, bundan *emindi*. Onları terk ederken söylediği son sözler Batlamyus'la ilgili söylediklerini yankılıyordu: "Bir çeşit bağımız var... Ama şimdilik sınırlı ölçülerde." *Şimdilik*... Bu ona ve yalnızca ona yapılmış üstü örtük bir davetten başka neydi ki? Batlamyus sınır tanımamıştı. Kurumsallaşmış bütün büyücü geleneklerine karşı gelip onları alt üst ederek Öteki Taraf'a geçmişti. Ve onun yaptığını yapabilmek için temel çağırma bilgisinden fazlasına ihtiyacınız yoktu, *Apocrypha*'daki tarifler çok açıktı. En önemli kısım, sonunda demonun adının söylenmesiydi. Kitty hepsini yapabilirdi. Ama sorun şuydu: Acaba işe yarayacak mı?

Anlamanın tek yolu vardı.

Gözlerini kapatıp kaslarını gevşetmeye çalıştı. Oda çok sessizdi, kapıdan hiç ses gelmiyordu. Çağırma törenine başlama zamanı mı? Yo, hâlâ eksik olan bir şey vardı... Neydi o? Bir saniye sonra anahtarı tutan elini çok fazla sıktığını ve anahtarın tenine battığını fark etti. Bu, ne kadar korktuğunun bir göstergesiydi. Birkaç saniye konsantre olup parmaklarını gevşetti... Artık metali gevşek tutuyordu. Daha iyi...

Aklına bölük pörçük anılar geldi, eski otoritelerin Öteki Taraf hakkında yazdığı şeyler: *Bir kaos bölgesi, sonsuz pisliklerden oluşan bir girdap, çılgınlıkla dolu lağım çukuru...* Hepsi de çok sevimli ifadeler. Sonra Bay Button'ın özlü sözü: *Oraya gitmeyi göze almak hem beden hem ruh için tehlikelidir.* Aman Tanrım, peki ona neler olacaktı? Eriyecek miydi, yanacak mıydı? Gördükleri...? Evet, ama ne görürse görsün Nouda ve sarsak kırmalarından (insan bedenine girmiş demonlarından) daha kötü ya da iğrenç olamazdı. Ve Bay Button'ın otoriteleri, Öteki Taraf'ı ziyaret etmemişti bile! Söylenenlerin hepsi tahmini şeylerdi. Ayrıca Batlamyus canlı olarak geri *dönmüştü.*

Aklından tersine çağırmanın sözcüklerini geçirdi, sonra geciktirmek yeni korkuları davet etmekten başka bir işe yaramayacağından yüksek sesle tekrarladı. Bildiği kadarıyla hepsi doğruydu; demonunki yerine kendi ismini söylemiş, fiilleri tersine çevirmişti. Bartimaeus'un ismini üç kere üst üste söyleyerek de bitirmişti.

Tamam.

Sessiz odada öylece yattı.

Saniyeler geçti. Kitty, artan hayal kırıklığını bastırdı. Sabırsızlanmanın alemi yoktu. Geleneksel çağırmalarda sözcüklerin Öteki Taraf'a ulaşması için zaman gerekirdi. Ne duymaya çalıştığını bilmeden dinledi. Gözleri kapalıydı. Karanlıktan ve ışığın zihninde kalan anısına ait titreşimlerden başka bir şey görmüyordu.

Hâlâ bir şey yok. Herhalde işlem gerçekleşmeyecekti. Kitty'nin umutları yıkıldı, kendini bomboş ve biraz hüzünlü hissetti. Aklından ayağa kalkmak geçti ama oda sıcaktı, başı yastığında çok rahattı ve bütün gece olanlardan sonra biraz dinlenmekten memnundu. Düşüncelerini kendi akışına bıraktı. Annesiyle babasını merak etti, acaba ne yapıyorlardı, bu olaylar onları nasıl etkileyecekti? Oradan uzakta, Avrupa'da olan Jakob nasıl tepki gösterecekti? Nathaniel, salondaki büyük yangından kurtulmuş muydu? Kendini, onun kurtulmuş olmasını isterken yakaladı.

Kulağına uzak bir ses geldi, berrak bir zil sesi. Belki demonlardı, belki de ellerinden kurtulan birileri şehri uyarmak istiyordu...

Nathaniel, onu paralı askerin bıçağından kurtarmıştı. Çocukla ağız dalaşı yapmaktan hoşlanmıştı, birçok konuda, en çok da Bartimaeus'la ilgili gerçeklerle yüzleşmeye zorlamak. Şaşırtıcı derecede iyi karşılamıştı. Bartimaeus'a gelince... Onu son görüşünde ne halde olduğunu hatırladı, dünyanın etkisinden yıpranmış ve bitkin, biçimsiz ve mahzun bir balçık yığını şeklinde. Peşinden gitmek yanlış mıydı acaba? Herkes gibi cinin de dinlenmeye ihtiyacı vardı.

Çan çalmaya devam ediyordu. Şimdi düşününce tuhaf bir sesti. Şehirdeki çoğu çan gibi alçak ve gümbürtülü değil, sanki kristale vurulur gibi yüksek ve berrak bir ses. Ayrıca, tekrar tekrar çalmak yerine hafif ulaşılmaz olarak kalan, duyulur duyulmaz, tek ve sürekli, berrak bir titreşimdi. Yakalayabilmek için kendini zorladı... Önce uzaklaştı, sonra yükseldi ama baştan çıkarıcı olsa da ne sesi olduğunu anlayabilmek hâlâ imkansızdı. Nabzının, sessiz soluklarının, göğsü inip kalkarken giysilerinden gelen hafif hışırtının arasında bir yerde kaybolmuştu. Yeniden denedi, aniden büyülendi. Çan tepesinde bir yerde, çok uzakta gibiydi. Sesin kaynağına yaklaşmayı isteyerek duymaya çabaladı. Öteki bütün sesleri bloke etmeye çalıştı. Çabalarının karşılığını da aldı. Azar azar, sonra ani bir hamleyle çan sesi netleşti, boğukluğu ortadan kalktı. Artık ikisi başbaşaydı. Çan, sanki kırılmanın eşiğindeki değerli bir şey gibi durmaksızın çalıyordu.

Peki görülebilir miydi? Kitty gözlerini açtı.

Ve aynı anda birçok şey gördü. Dört bir yanda karmaşık bir taş yapı, uzanıp giden üç boyutlu küçük duvar ve zeminler, ayrılan, birleşen, kavis çizen, biten. Aralarında merdivenler, pencereler ve açık kapılar vardı. Hızla içlerinden geçerken hem çok yakın hem de nasılsa çok uzaktı. Aşağıya göz attığında kıvrılıp yatmış bir kız bedeni gördü, uyuyan bir kediyi andırıyordu. Taş yapının şurasına burasına dağılmış diğer şekiller donuk, oyuncak bebeğe benzer şekillerdi. Çoğu uykuda ya da ölmüş gibi yüzükoyun yatan, bir araya toplanmış erkekli kadınlı gruplar. Onların çevresinde belirsiz şekillerde, ne insan ne de tamamen başka bir şey olan tuhaf, bulanık şeyler duruyordu. Nasıl bir doğaya sahip olduklarını ayırt edemiyordu, sanki her biri kendi kendini iptal eder gibiydi. Hepsinin altında, uzaktaki bir koridorda, koşma pozisyonunda sabitlenmiş, omzunun üzerinden arkaya bakan bir genç gördü. Arkasında *hareket eden* bir heykelcik vardı, bacakları ağır, çizmeleri zemini kaplayan, eli bıçaklı bir adam. Ve ikisinin de çevresinde uzak ve belirsiz, farklı şekiller...

Kitty tüm bunlara karşı, tarafsız bir merak duysa da asıl ilgisi başka bir yere yönelmişti. Çan sesi eskisinden daha netti, çok yakın bir yerden geliyordu. İyice konsantre oldu ve hafifçe şaşırarak taşlardan ve şekillerden oluşan o küçük, hoş kafes örgünün bozulup sanki aynı anda dört bir yana doğru çekilir gibi bulandığını gördü. Önce oldukça berraktı, sonra bulanarak puslu bir görünüm aldı, ondan sonra puslu görüntü de kayboldu.

Kitty; her yönden gelen bir hızlanma hissetti, fiziksel bir duyarlık değildi çünkü bir bedeni olduğunun ayırdında değildi zaten, daha çok kavramsal bir duyarlıktı. Etrafında belli belirsiz dört engel gördü: Yukarı doğru yükseliyor, aşağı doğru iniyor ve sonsuza kadar uzanıyorlardı. Biri karanlık ve katıydı, acımasız ağırlığı altında ezmekle tehdit ediyordu; bir diğeri kızgın bir sıvıydı, içine alıp sürüklemek için hevesle kabardı. Üçüncü engel, bir kasırganın görünmez kargaşasıyla üstüne saldırdı, dördüncüsü sönmez ateşten geçilmez bir duvardı. Dördü birden sadece bir an için üstüne çullandı, sonra geri çekildi. Gönülsüzce pes ettiler ve Kitty kapıdan öteki tarafa geçti.

28

Takip eden şeyleri, çaresiz bir katılımcı olarak değil de bir gözlemci gibi uzaktan gözlemleyerek Kitty'nin hayrına olmuştu. Aksi takdirde hemen, o anda çıldırırdı. Zaten bedensizlik hissi gördüklerine rüyamsı bir özellik veriyordu. Onu yöneten temel duygu meraktı.

Kendini ne başı ne sonu olan, hiçbir şeyin durağan ya da sabit olmadığı bir devinim girdabının içinde –şey, *içinde* olmak pek uygun değildi– bir *parçası* olarak buldu. Sürekli biçimlenen, hızlanarak akışan ve kendi içlerinde çözünen ışıklar, renkler ve dokulardan oluşan sonsuz bir okyanustu ama verdiği his ne bir sıvı kadar yoğun ve katı ne de bir gaz kadar geçirgendi. Bir şey denebilirse maddeden geçici saçakların sonsuza kadar ayrışıp birleştiği, her ikisinin karışımı bir şeydi.

Orantı ve yön duygusunu saptamak imkansızdı, zamanın akışını da. Hiçbir şey olduğu gibi kalmadığı ve hiçbir desen bir kez daha tekrarlanmadığı için bu kavramların kendisi bile boş ve anlamsız geliyordu. Bu, Kitty için fazla önemli değildi ancak *benliğini* konumlandırmaya, içinde bulunduğu ortama göre durumunu ayarlamaya kalkıştığında biraz telaşlandı.

Hiçbir sabit noktaya, ben olarak adlandırabileceği hiçbir özelliğe ya da biricikliğe sahip değildi. Aslında aynı anda birçok yerde, girdabın izlerini çeşitli açılardan izler gibiydi. Bunun etkisi fazlasıyla bir kaybolmuşluk hissiydi.

Tek bir renk zerreciğine sabitlenip takip etmeye çalıştı ama bu uzaklarda rüzgara kapılmış bir ağacın üstündeki tek bir yaprağı takip etmekten daha kolay değildi. Renklerin her biri oluşur oluşmaz dağılıp eriyor, diğerlerine karışıyor, kendisi olma sorumluluğunu üstünden atıyordu. Görmeye çalışmak, Kitty'nin başını döndürüyordu.

İşleri daha da kötüleştiren bir başka şey fark etti. Genel döngü içinde, cazırdayan ampul ışığı altında bir görünüp bir kaybolan fotoğraflar gibi bir var olup bir yok olan, gelişigüzel görüntüler. O denli uçuşkan ki tam olarak göremiyordu bile. Ne olduklarını anlamaya çalıştı ama çok hızlı hareket ediyorlardı. Bu, içini hayal kırıklığıyla doldurdu. Ona bir şey anlatıyor olabileceklerini sezmişti.

Bilinmeyen bir zaman aralığından sonra o amacın ne olduğuna dair hiçbir fikri olmasa da oraya bir amaçla geldiğini hatırladı Kitty. Bir şey *yapmak* için istek duymuyordu. Temel güdüsü tam olduğu gibi kalmak, gelip geçen ışıklar arasında süzülmekti... Yine de bu sonsuz değişimdeki bir şey onu rahatsız ediyor, kendinden ayrı tutuyordu. Biraz düzen kurmak, bir süreklilik sağlamak istedi. Ama kendisi bile süreklilikten yoksunken bunu nasıl başarabilirdi?

Gönülsüzce belirsiz bir uzaklıkta girdap yapan turuncu ve kestane rengi bir öbeğe doğru hareket etmeye niyetlendi. Şaşırarak hareket edebildiğini gördü ama aynı anda birçok zıt yöne doğru görüşü odaklandığında renk kümesi öncekinden daha yakın değildi. Her deneyişte aynı sonuca ulaştı: Hareketleri değişken ve gelişigüzeldi, sonuçlarını önceden kestirebilmek imkansızdı.

Kitty, ilk kez hafif bir endişe duydu. Işıkların arasında kıvrılıp açılan birçok karanlık kaynama noktası fark etti. Bunlar hiçlik ve yalnızlığa, sonsuzluk içinde tek başına olmaya dair eski ve dünyevi korkuları çağrıştırdı.

Bu hiç de iyi değil, diye düşündü Kitty. *Bir bedene ihtiyacım var.*

Artan bir kaygıyla etrafında akıp duran amansız devinimi, orada burada belirip kaybolan görüntüleri, cazırdayan ışıkları ve duyarsız renk izlerini izledi. Neşeyle dans eden mavi–yeşil bir tutam renk dikkatini seçti.

Kıpırdama! diye düşündü öfkeyle.

Hayal mi görmüştü, yoksa akan renk tutamından bir parça bir an yavaşlayarak yolundan mı sapmıştı? O kadar çabuk olmuştu ki emin olamıyordu.

Kitty öylesine bir renk öbeği daha seçti ve durup kendisine katılmasını diledi. Anında tatmin edici bir sonuç aldı. Büyükçe bir uzantı, eğrelti otunun kıvrık ucuna benzer bir şekilde, renksiz ve cama benzer bir görünümde maddeleşerek cisimlendi. Konsantrasyonunu dağıttığında öbek de dağılarak genel akıntıya karıştı.

Kitty tekrar denedi, bu kez bir madde demetinin daha yoğun, daha katı bir şey olmasını diledi. Bir kez daha başardı ve iyice yoğunlaşarak camsı yumruyu orantısız kare şeklinde tuğlaya benzer bir şekle sokabildi. Vazgeçtiğinde tuğla yeniden çözünerek yokluğa karıştı.

Çevresindeki maddenin değişkenliği, Kitty'e daha önce gördüğü bir şeyi hatırlatıyordu. Neydi bu? Zihni zorlanarak da olsa bir anıyı yakaladı: cin Bartimaeus, şekil değiştiren. O dünyaya geldiğinde, seçimleri her zaman akışkan olsa da bir şekle girmek zorunda kalıyordu. Şimdi durum tersine döndüğüne göre belki o da aynı şeyi denemeliydi.

Kendine bir şekil verebilirdi... Ve bu fikirle birlikte ziyaretinin nedenini de hatırladı. Evet, bulmaya geldiği şey Bartimaeus'du.

Kitty'nin endişesi yatıştı, heveslenmişti. Hemen işe girişip kendine bir beden yapmaya başladı.

Ne yazık ki düşünmek, yapmaktan daha kolaydı. Bir kez daha niyetlenerek akan enerjilerden bir tutamı insan bedenine benzer bir şekle sokmakta zorlanmadı. Balona benzer bir çeşit kafası, kütük gibi bir gövdesi ve birbiriyle orantısız iki koluyla iki bacağı vardı. Hepsi de donuk ve şeffaf olduğundan arkadan geçen renk ve ışıklar, yüzeylerine uygun bir şekilde kırılmış olarak görünüyordu. Ama Kitty bu kuklayı daha ayrıntılı ve eksiksiz bir şey haline getirmeye çalıştığında her şeye aynı anda konsantre olamadığını fark etti. O bacakları şekillendirip orantılarken başı eriyen tereyağı gibi düşüyor. Bir telaş başını tamir edip bir de yüz eklemeye çalışırken alt tarafı sarkıp akıyordu. Aceleyle elde ettiği gelişmeler, heykeli tamamen bozup sonunda iğne başı kadar bir kafayla koca kalçalı bir baloncuk haline getirene kadar böyle sürüp gitti. Kitty, hoşnutsuzluk içinde baloncuğa baktı.

Ayrıca idare edilmesinin de fazlasıyla karmaşık olduğu ortaya çıktı. Öne arkaya hareket ettirmeyi becerse de (şiddetli enerjilerin arasında fırtınada uçan bir kuş gibi süzülüyordu.) Kitty kollarıyla bacaklarını birbirinden bağımsız olarak hareket ettiremediğini gördü. O bunu yapmaya çalışırken bedenin maddesi, iğden çıkan iplik gibi, elleri ve ayaklarından akmaya başladı. Bir süre sonra bıkkınlıkla vazgeçerek şeklin eriyip yokluğa karışmasına izin verdi.

Bu yenilgiye rağmen fikir prensipte hoşuna gitmişti ve hemen tekrar işe koyuldu. Seri olarak kendine çeşitli yeni bedenler yaratarak kullanım kolaylıklarını test etti. Sopaya benzeyen ilki –daha çok bir çocuk resmine benziyordu– öncekinden daha az madde içeriyordu. Kitty çözünmesine engel olmayı başardı ama ortamdaki şiddetli enerjilerin bedeni bir çayır sineği gibi buruşturduğunu gördü. Önündeki keşifçi duyargasıyla yılansı bir sosise benzeyen ikincisi, daha dayanıklı ama estetik açıdan zayıftı. Girdap yaparak dönen maddeden bir top olan üçüncüsü çok daha güçlü ve idaresi çok daha kolaydı, onunla kaosun içinde sakince süzülerek oldukça fazla yol aldı.

İşin püf noktası kollarla bacakların olmaması, diye düşündü Kitty. *Küre iyi. Kendi düzenini kabul ettiriyor.*

Şeklin, çevresindeki ortama kesinlikle bir etkisi vardı çünkü Kitty çok geçmeden topunun geçtiği yerlerdeki dokunun hafif değiştiğini fark etti. O zamana kadar renk öbekleri, pırıltılı ışıklar ve kesik kesik görüntüler tamamıyla bağımsız ve tepkisiz, gidebilecekleri her yöne doğru gelişigüzel akıyorlardı. Ama şimdi (belki de küreyi yaratmayı başardığı o yeni kararlılık nedeniyle) varlığının farkında gibiydiler. Girdapların birdenbire daha belirgin ve amaçlı hale gelen devinimlerinde hissediyordu bunu. Yönlerini bir parça değiştirmeye, aniden atılarak topa yaklaşmaya, sonra kuşkulanmış gibi uzaklaşmaya başlamışlardı. Bu sürekli tekrarlandı, öbekler ve görüntüler hem güç hem sayı olarak durmadan arttı. Yalnızca sorgular gibiydiler ama bu bir yüzücünün etrafına toplanan köpek balıklarına ait olabilecek uğursuz bir dikkatti ve Kitty'nin hoşuna gitmiyordu. Topun hızını yavaşlattı ve iradesini dikkatle kullanarak –artık özgüveni artıyordu– kendini dönen maddeye kabul ettirdi. Sabit küreyi merkez odağı olarak alıp dışa doğru baskı yaparak en yakınındaki cüretkar öbekleri geri ittirdi, öbekler çözünerek dağıldı.

Bunun yarattığı rahatlama kısa süreli oldu. Kitty, güçlü niyeti için tam kendini kutlarken camsı bir tutam, amipin yalancı ayağı gibi, birden ana kütleden ayrılarak küreyi kenarından ısırıp koca bir parça kopardı. Kitty, hasarı tamir etmeye çalışırken öteki taraftan atılan başka bir tutam bir ısırık daha aldı. Kitty çılgınlar gibi tutamları geri itti. Ana kütle, etrafında nabız gibi atarak titreşti. Gelişigüzel biraraya gelen ışık kümeleri bir şey ima eder gibi yanıp söndüler. Kitty, ilk kez gerçekten korktu.

Bartimaeus, diye düşündü. *Neredesin?*

Sözcük maddede bir tepki yaratmış gibiydi. Sabit görüntülerden oluşan bir patlama, eskisinden daha güçlü ve belirgin olarak yanıp söndü. Bir–iki tanesi ayrıntılarını yakalayabileceği kadar uzun sürdü: Şekiller, sesler, gelişigüzel gökyüzü manzaralarından kareler, bir seferinde belli bir bina, sütunlar üstünde bir dam. Şekiller, insanlara aitti ama giysileri bilinmedik tarzlardaydı. Belirip kaybolan resimler, Kitty'e geçmiş olayları anımsattı. Uzun zamandır unutulmuş anılar davetsiz misafirler gibi zihnine üşüştü. Ama bunlar *kendi* anıları değildi.

Girdaplar içinde dönüp duran karmaşanın içinde, ta uzakta gerçekleşen bir devinim patlaması, sanki bu düşüncesini yanıtlarcasına, yeni bir resim haline geldi ve bu kez kaybolmadı. Kırık bir kameranın objektifinden bakar gibi bölük pörçük bir görüntüydü ama gösterdiği şey çok açıktı: Annesiyle babası, el ele tutuşmuş ayakta dururken. Kitty izlerken annesi eğri büğrü elini salladı.

Kitty! Bize geri dön.

Gidin başımdan... Kitty şaşkınlık ve yılgınlıkla karşılık vermişti. Bunun bir oyun olduğu çok açıktı ama öyle olması hoşuna gitmesini sağlamıyordu. Konsantrasyonu dağıldı. Küreye olan hakimiyeti ve net bir düzene sahip olduğu tek alan yalpalayarak sendeledi. Küre birdenbire çökerek düştü, madde tutamları her yerden sinsice yaklaşmaya başladı.

Kitty, seni seviyoruz.

Kaybolun! Tutamları bir kez daha geri itti. Annesiyle babasının görüntüsü titreşerek kayboldu. Taviz vermez bir kararlılıkla küreyi eski şekline soktu. Kontrolün onda olduğunu, kendisi olduğunu hatırlatacak tek şey olduğu için ona gitgide bağımlı hale geliyordu. Her şeyden çok onsuz kalıp yeniden akıntıya kapılmaktan korkuyordu.

Başka resimler de görünüp kayboldu. Hepsi birbirinden farklı, çoğu ne olduğunu kavramak için fazla hızlı. Bazıları, algılanabilir olmaktan çok uzak olsalar da, onun için tanıdık olmalıydı. Anlaşılmaz bir huzursuzluk ve yoksunluk hissi yaratıyorlardı. Bir ışık sağanağı, bir resim daha, çok uzaktan, bastonuna dayanmış yaşlı bir adam. Arkasından hızla saldıran bir karanlık katmanı.

Kitty, yardım et! Geliyor!

Bay Pennyfeather...

Beni bırakma! Şekil omzunun üstünden arkaya bakıp dehşet içinde çığlık attı... Görüntü kayboldu. Neredeyse hemen peşinden bir tane daha belirdi. Peşinden seğirten karanlık ve çevik bir şeyden kaçarak sütunlar arasında koşan bir kadın. Gölgeler arasında beyaz bir parıltı. Kitty, tüm enerjisini küreye yoğunlaştırdı. Görmezden gel! Bunlar hayalden başka bir şey değildi, içi boş ve anlamsız. Hiçbir şey ifade etmiyorlardı.

Bartimaeus! Tekrar o ismi düşündü, bu sefer yalvararak. Yüzen ışıklar ve sürüklenen renk öbekleri arasında isim tekrar devinim yarattı. Çok yakınında, kristal berraklığında, hüzünle gülümseyen bir Jakob Hyrnek belirdi.

Her zaman fazla bağımsız olmaya çalıştın Kitty. Neden vazgeçmiyorsun? Gel ve burada bize katıl. Dünyaya dönmemek en iyisi. Dönersen çok üzülürüz.

Neden? Sormaktan kendini alamamıştı.

Zavallı küçüğüm. Göreceksin. Artık eskisi gibi değilsin.

Jakob'ın yanında başka bir görüntü belirdi, çimenlik bir tepede duran, uzun boylu, esmer bir adam.

Neden buraya gelip bizi rahatsız ediyorsun?

Uzun, beyaz bir başlık takmış, kuyudan şu çeken bir kadın.

Buraya gelmekle büyük aptallık ettin. Burada istenmiyorsun.

Yardım istemek için geldim.

Alamayacaksın. Kadın görüntüsü kaşlarını çatıp kayboldu.

Esmer adam tepeyi çıkmak için sırtını döndü.

Neden bizi rahatsız ediyorsun? diye sordu tekrar, omzunun üstünden. *Varlığınla bizi yaralıyorsun.* Işıklar titreşti, o da kayboldu.

Jakob Hyrnek üzüntüyle gülümsedi.

Pes et büyücü. Kendini unut. Zaten eve dönemeyeceksin.

Ben büyücü değilim.

Doğru, artık bir hiçsin. Onlarca tutam ve öbek çevresini sardı, çatırdayıp vızıldayarak birçok girdaba bölünüp uzaklara sürüklendi.

Bir hiç... Dikkati dağılınca kar gibi eriyen küresine baktı. Yüzeyinden geriye kalan şeyde küçük tanecikler uçuşuyordu. Rüzgara kapılmış gibi dağılıp dans ederek çevresindeki sonsuz girdaba karıştılar. Eh, doğruydu tabii, o bir *hiçti.* Maddesi, çapa atacak yeri olmayan bir varlık. Durum farklıymış gibi davranmanın anlamı yoktu.

Ve bir konuda daha haklılardı: Eve nasıl döneceğini bilmiyordu.

İradesi zayıfladı. Bozulmasına izin verdiği küre bir topaç gibi dönerek hiçliğe karıştı. Kitty sürüklenmeye başladı...

Belirsiz bir uzaklıkta titreşerek yeni bir görüntü belirdi.

Selam Kitty.

Kaybol.

Ben de beni çağırdığını sanmıştım.

29

Nathaniel'la paralı asker neredeyse otuz saniye boyunca salonun iki ucundan sessizce birbirine baktı. İkisi de kıpırdamadı. Paralı askerin elindeki bıçak da hareketsizdi, boş eli kemerine yakın bir yerde havada duruyordu. Nathaniel, dikkatle ama umutsuzluk içinde adamı izliyordu. O ellerin ne kadar hızlı çalışabildiğini daha önce görmüştü. Ve o anda tamamen savunmasızdı. Önceki karşılaşmalarında yanında Bartimaeus olmuştu hep.

İlk önce paralı asker konuştu. "Seni geri götürmek için geldim," dedi. "Demon seni canlı istiyor."

Nathaniel bir şey demedi. Kıpırdamadı. Bir strateji belirlemeye çalışıyordu ama korkudan beyni uyuşmuştu, aklına gelen her fikir buzun o gıcırtılı miskinliğiyle kayıp gidiyordu.

"Sanırım potansiyel ev sahiplerinin çoğu öldürülmüş," diye devam etti adam. "Nouda mümkün olduğu kadar çok genç beden kurtarmaya hevesli. Evet? Yoksa daha şerefli bir ölümü mü tercih edersin? Sana bir güzellik yapabilirim."

"Bizim" –Nathaniel'in sesi kalın çıkıyordu, dili ağzı için fazla büyük gibiydi– "dövüşmemiz gerekmiyor."

Gür bir kahkaha. "*Dövüşmek* mi? Sanki biraz da olsa eşit durumda olduğumuzu düşünür gibisin."

"Hizmetimde kalan bir köle var," diye yalan söyledi Nathaniel. "Çabuk karar ver, saldırmasın. Düşmana karşı hâlâ birlikte çalışabiliriz. Bu senin de çıkarına, görmen lazım, sana devlet hazinesinden çok iyi bir ödeme yaparım. Sayamayacağın kadar altın! Sana lord ünvanıyla birlikte mülk ve arazi verebilirim, vicdansız kalbin ne arzuluyorsa senin olabilir. Bir tek benim yanımda savaş yeter. Burada, bu depolarda, kullanabileceğimiz silahlar var..."

Paralı asker yanıt olarak yere tükürdü. "Ne arazi ne de ünvan istiyorum! Tarikatım bu türden basitlikleri yasaklar. Altın, evet! Ama onlara hizmet edersem *bunu* demonlar da verecek zaten. Ve... Sakın bir şey söyleme! Ne diyeceğini biliyorum! Peki ya Nouda Bütün Londra'yı, hatta bu arada bütün Avrupa'yı yok ederse? İsterse bütün dünyayı yakıp yıksın, umurumda değil! İmparatorluklara, bakanlara ya da krallara hiçbir inancım yok. Kaos gelsin! Ben yükseleyim. Şimdi, cevabın nedir? Burada mı öleceksin?"

Nathaniel'ın gözleri kısıldı. "Cevabım arkandan parmak uçlarında geliyor. Öldür onu Belazael! Bitir işini!"

Bağırırken paralı askerin arkasındaki merdivenleri göstermişti. Adam eğilip saldırıya hazırlanarak arkasına döndü ve merdivenlerin boş olduğunu gördü. Bıyık altından bir küfür savurarak bu kez elinde parlayan gümüş bir diskle yeniden döndü ve Nathaniel'ın da dönüp depolara giden koridora doğru koştuğunu gördü. Kolunu kaldırdı, diski fırlattı...

Nathaniel eğilip tek bir umutsuz hareketle koşup kaçmaya çalıştı. Yerdeki bir çıkıntıya takılıp dengesini kaybederek yere düştü...

Gümüş disk havada parıldadı, Nathaniel'ın başının düşmeden önce bulunduğu yerde duvara çarparak aksi yöne sekti ve koridora düştü.

Nathaniel elleriyle dizleri üstüne düşmüştü, çabucak ayaklandı ve gümüş diski de kaparak koşmaya devam etti. Şöyle bir arkasına baktı.

Paralı asker uzakta, sinirden asılmış bir suratla salondan koridora doğru yürüyordu. Acele etmiyordu, çizmelerinin etrafında nabız gibi atan renkler ve dumanlar vardı. Attığı ilk adım normal bir insanınkinin üç katıydı, ikinci adımda Nathanel'ın dibinde bitti. Bıçağını kaldırdı. Nathaniel haykırarak yana çekildi...

Koridorun taş duvarlarından buhar kadar sessiz, gri bir gölge belirdi. Paralı askerin belinden kıvrım kıvrım bir kol dolandı, başka bir kol boğazına sarıldı. Adam haykırırken başı geriye çekildi. Bıçağını kaldırıp sapladı. Gölge inlese de boğazına iyice sarıldı. Gölgeden çıkan uğursuz mavi bir parıltı, paralı askerin tüm bedenini kapladı, adam öksürüp tükürdü. Duvarlardan ve yerden çıkan yeni gölgeler çizmelerinin ve pantolonunun etrafına sarındı, uçuşan pelerini ele geçirdiler. Asker bıçağını sağa sola savurdu, topuğunu yere vurdu, yedi düvel botları havalandı. Tek bir adımda koridorda iyice ilerleyip uzaktaki bir dönemeçte durdu. Ama mavi parıltı hâlâ başının üstündeydi, gölgeler üstüne sülük gibi yapışmıştı ve taşlardan çıkıp hızla üstüne saldırmaya devam ediyorlardı.

Nathaniel, destek almak için duvara yaslandı. *Çizmeler* işe yaramıştı tabii, paralı asker koridora girer girmez botlardan gelen aura tuzağı tetiklemişti. Gölgeler anında çizmelerin sahibine saldırmıştı. Sorun, bunun büyülü bir saldırı olmasıydı ve geçmişteki acı deneyimlerinden bildiği gibi adamın büyüye karşı esnekliği inanılmaz boyutlardaydı.

Yine de gölgelerin işe karışmasıyla soluklanmak için biraz zaman kazanmıştı. Hazine dairesi ileride bir yerdeydi, paralı askerin debelenip kurtulmaya çalıştığı yeri geçtikten sonra. Başka çaresi yoktu. Nathaniel gümüş diski dikkatle kavrayarak –kenarları çok keskindi–koridorda ilerledi, birçok kapıyı ve yan geçiti geçerek adamın durduğu dönemece yaklaştı.

O ana kadar üstüne o kadar çok gölge yapışmıştı ki Nathaniel adamı zar zor seçebiliyordu. Yılan gibi kıvrılan bir yığın bedenin altında gizlenmiş durumdaydı. Yalnızca ağırlıkları bile dizleri üstüne çökmesine yetmişti, boğucu parıltıdan morarmış sakallı yüzü, arada sırada ortaya çıkıyordu. Yarı boğazlanmış gibiydi ama bıçağını savurmaya devam ediyordu. Eriyen özden küçük akıntılar taş zemini talaş gibi kazıyordu.

O da gümüşten, diye düşündü Nathaniel. *Bıçağa uzun süre dayanamazlar. Er ya da geç kurtulacak.*

Bu nahoş bilgiyle kamçılandı. Dönemece geldi, diski havada tutup sırtını duvardan, gözleriniyse dövüşçülerden ayırmadan geçti. O bunu yaparken bile gölgelerden biri tek vuruşta ikiye ayrılarak yere serildi. Nathaniel daha fazla oyalanmadı, fazla zamanı yoktu.

Koridoru geçip toprak geçite girdi. Geçidin en sonunda küçük ızgaralı çelik kapı vardı; hazine dairesinin girişi.

Nathaniel bir koşu kapıya gitti. Dönüp geldiği yöne baktı. Uzaktan gelen itiş kakış, zoraki solumalar, dünya dışı inlemeler. *Şimdi paralı askere takma*. Ne yapması gerekirdi?

Kapıyı inceledi. Oldukça sıradan görünüyordu. Gözetleme ızgarasının kapağı, basit bir kulp; bunun dışında başka bir işaret ya da iz yoktu. İçinde bir tuzak olabilir miydi? Bu mümkündü ama görevli memur böyle bir şeyden bahsetmemişti. İçerideki hazineyi koruyan bir salgın vardı, bu kadarını biliyordu ama nasıl tetiklenecekti? Belki de bir tek kapıyı açmak yeterliydi bunun için...

Nathaniel'ın eli, kulbun üstünde dolaştı. Yapsa mıydı acaba? Omzunun üstünden arkaya baktı. Yapacak bir şey yoktu, o Asa'yı alması *lazımdı*. Yoksa ölecekti. Kulbu tuttu, çevirip çekti...

Bir şey olmadı. Kapı yerinden oynamamıştı.

Nathaniel bir küfür savurup kulbu bıraktı. Kilitliymiş...

Beynine işkence etti. Görünürde anahtar deliği yoktu. Büyülü bir mühür olabilir mi? Eğer öyleyse parolayı asla bulamazdı.

Aklına aptalca bir fikir geldi. Kulbu yeniden çevirdi. Bu sefer *itti*.

Ah. Kapı sonuna kadar açılıvermişti. Bir süre sallanmasına izin verdi. Nefesini tuttu...

Salgın falan tetiklenmemişti. Herhalde hazine dairesinin tavanında hapsedilmiş tutsak bir iblisten gelen ışıklar otomatik olarak açıldı. Her şey iki gün önce gördüğü gibiydi. Üstünde yığılı duran değerli eşyalarla, ortadaki mermer kaide. Bunun dışında oda boştu, kaidenin etrafını saran zeytin yeşili karolardan kalın daire neredeyse kapıya kadar ulaşıyordu.

Nathaniel çenesini kaşıdı. Çok büyük olasılıkla yeşil seramik karolar bastığı anda salgın tetiklenecek ve birkaç saniye içinde korkunç biçimde can verecekti. Bu fikir hoşuna gitmiyordu. Ama nasıl korunabilirdi? Yeşil sınır üstünden atlanamayacak kadar uzundu, tırmanmak için kullanabileceği bir şey yoktu, uçamazdı da...

Kararsızlık yakasına yapıştı. Geri dönemezdi, durum fazlasıyla umutsuzdu ve Kitty başaracağına güveniyordu. Ama odaya girmek de ölüm demekti. Hiçbir savunma aracı yoktu, ne bir kalkan ne bir tılsım...

Uzaktaki kaidenin ortasında duran bir eşyaya gözü takıldı. Dökme altından zarif bir ovalin içine yerleştirilmiş yeşimtaşı, ahşap bir ayağa takılmış zincirinden aşağı sarkmış. Semerkant Tılsımı... Nathaniel, kolyenin neler yapabileceğini çok iyi biliyordu. Demon Ramuthra'nın gücünü geri püskürtürken görmüştü onu, ufak bir salgınla haydi haydi baş ederdi. *Koşsa* mıydı acaba, şöyle tabana kuvvet...?

Dudağını ısırdı. Yo... kaideyle arasındaki uzaklık çok fazlaydı. Tılsımı alana kadar *çoktan...*

Onu alarma geçiren bir ses değildi, arkasındaki koridor tamamen sessizdi. Ama bir sezgi, sırtındaki tüyleri ürperten ani ve keskin bir önseziyle arkasında döndü. Koridordaki manzara bağırsaklarını düğümledi, dizlerinin bağı çözüldü.

Paralı asker, bıçağı ve yumruk gücüyle bir tanesi hariç bütün gölgeleri üstünden sökmeyi başarmıştı. Ötekilerden kalan parçalar ayaklarının dibinde kıvranıyordu. Taşların içinden yeni gölgeler çıkmaya devam ediyordu, içlerinden birinin attığı mavi ışık askeri bir anlığına duvara yapıştırsa da deviremedi. Sırtına yapışmış boğmaya çalışan gölgeyi görmezden gelip öne doğru eğildi, çizmelerden önce birini, sonra ötekini ayağından fırlatıp attı. Yere çarpıp yan devrildiler.

Paralı asker çizmelerden uzaklaştı, gölgelerin ilgisi anında azaldı. Çizmelerin başına üşüşüp uzun parmaklarıyla dürterek koklamaya başladılar. Askerin sırtındaki gölgenin de dikkati dağılmıştı, parmaklarını gevşetti. Sırtını şöyle bir salladı, bıçağını savurdu ve gölgeye ne olsa beğenirsiniz? Birbirine kavuşmak için kıvranan iki parça halinde yere düştü.

Nathaniel olanları izlerken paralı asker de koridorda biraz gerilemişti. Şimdiyse gözü dönmüş halde ama yavaşça harap olmuş pelerini ve çoraplı ayaklarıyla yaklaşıyordu. Gölgelerin vahşi saldırısından zayıf düşmüş gibiydi. Yüzü harcadığı çabayla morarmıştı, attığı her adımda topallayıp öksürüyordu.

Nathaniel kapıda tek ayağı hazine odasının içinde, teki dışında duruyordu. Bir sağa bir sola, bir yeşil daireye bir paralı askere bakarken başı bir güvercin gibi oynadı. Panik içinde kalakalmıştı, artık ne şekilde öleceğine karar vermekten başka yapabileceği hiçbir şey yoktu.

Kendini toparladı. Bir tarafta ölüm *kaçınılmazdı.* Paralı askerin yüzündeki ifade acı vadediyordu. Diğer taraftaysa...

Tılsımın serin ışıltısı odanın diğer ucundan gözünü alıyor, ona yalvarıyordu. O kadar *uzaktı* ki... Ama en azından salgın elini çabuk tutardı.

Nathaniel, kararını verdi. Kapıdan uzaklaşıp hazine odasından çıktı, yaklaşan paralı askere doğru ilerledi.

Mavi gözler delip geçiyordu. Adam gülümsedi. Bıçak kalktı.

Nathaniel, topukları üstünde dönüp tekrar kapıya doğru fırladı. Arkasından gelen öfkeli böğürtüyü duymazdan gelip bir tek ileri odaklandı. Hız kazanıp yeşil çizgiye son sürat çarpmak çok önemliydi...

Omzunda acı dolu bir patlama, bir hayvan gibi haykırarak sendelese de koşmaya devam etti. Kapıdan geçip odaya girdi, önündeki yeşil karolar uzandıkça uzanıyordu...

Arkasında topallayan adımlar. Boğuk bir öksürük.

Yeşil karoların kenarı. Sıçrayıp mümkün olduğunca uzağa atladı...

Yere indi. Koşmaya devam etti.

Binlerce yılan tıslaması çepeçevre etrafını sardı, karolardan sarı–yeşil bir duman yükseldi. Kaide ilerideydi, üstündeki hazine parıldıyordu. Gladstone'un Asası, mücevher işli bir eldiven, üzeri kanlı eski bir keman, kadehler, kutular, küçük halılar. Nathaniel'ın gözleri Semerkan Tılsımı'na kenetlenmiş, attığı her adımda sarsılarak titriyordu.

Yeşil duman, soluk bir peçe gibi her şeyi sarmıştı. Nathaniel tenine bir şey battığını hissetti, his yoğunlaştı, aniden çaresiz bir acı halini aldı. Burnuna yanık kokusu geldi...

Arkadan bir öksürük sesi. Sırtına bir şey sürtündü.

Kaide. Ellerini uzatıp kolyeyi ahşap ayaklığından koparırcasına aldı. Sıçrayıp dizlerini kırdı, kaidenin üstüne yığılmasıyla mücevherlerle sihirli eşyalar etrafa saçıldı, yuvarlanarak kaidenin öteki ucundan yere dağıldı. Yanan gözlerini sımsıkı kapattı. Teni alevler içinde yanıyordu, uzaktan gelen ıstırap dolu bir çığlık duydu, kendi çığlığıydı.

Kolyeyi görmeden boynuna doğru çekti, Semerkant Tılsımı'nın göğsündeki temasını hissetti...

Acı gitmişti. Teni hâlâ yansa da sürekli artan bir işkence gibi değil, önceki acıdan kalan bir sızı gibiydi ama omzu hâlâ endişe verici bir yoğunlukta zonkluyordu. Bir fısıltı duydu, tek gözünü açtı. Dumanın dönerek çevresine toplanıp tenine değmeye çalıştığını ama sabit olarak kıvrılıp aşağı çekilerek tılsımın ortasındaki yeşimtaşının içine emildiğini gördü.

Nathaniel yattığı yerden başını kaldırdı. Tavanı, kaidenin önünde kalan bölümünü ve odayı kaplayan dumanı görebiliyordu. Bundan ilerisi görünmüyordu.

Öyleyse paralı...?

Bir öksürük. Kaidenin tam yanında.

Nathaniel hareket etti, hızlı değil ama olabildiğince çabuk. Omzundaki ağrı, ağırlığını sağ koluna vermesine engel oluyordu. Sol kolundan güç alarak dizlerinin üstünde durup yavaşça ayağa kalktı.

Kaidenin öteki ucunda, dalga dalga sarı–yeşil dumanla sarmalanmış paralı asker duruyordu. Bıçak hâlâ elinde, gözlerini Nathaniel'a dikmiş bakıyordu. Ama tüm ağırlığıyla kaidenin üstüne dayanmış, aldığı her nefeste öksürüp duruyordu.

Yavaş yavaş kendini toparladı. Kaideyi yavaş yavaş dolaşıp Nathaniel'a doğru yürümeye başladı.

Nathaniel geri çekildi.

Sakallı adam, sanki tüm eklemleri ağrıyormuş gibi, azami dikkatle yürüyordu. Pelerinini yiyen, siyah giysilerinde ve topallayan ayaklarındaki çoraplarda delikler açan salgın yokmuş gibi davranıyordu. Kaideden uzaklaştı.

Nathaniel'ın sırtı, odanın öteki ucundaki duvara çarptı. Daha fazla ilerleyemezdi. Elleri bomboştu. Gümüş diski koşarken bir yerlerde düşürmüştü. Artık savunmasızdı.

Yaklaşan şeklin çevresindeki salgın, her zamankinden daha koyuydu. Nathaniel sakallı yüzün belli belirsiz buruştuğunu gördü; belki kuşkudan, belki de acıdan. Esnekliği zayıflıyor muydu? Gölgelerin uzun saldırısıyla baş etmek zorunda kalmıştı zaten şimdi de salgın üstüne çullanmıştı... Cildi renk mi değiştirmişti? Sanki biraz sararmamış mıydı, biraz da kabarıklıklar oluşmuştu galiba...?

Vicdansız adımlar atılmaya devam etti, soluk mavi gözler Nathaniel'ı delip geçti.

Nathaniel sırtını iyice duvara yasladı. Eli içgüdüsel olarak tılsıma gitti, dokunduğu metal soğuktu.

Salgın bulutu birden hareketlenerek bir pelerin gibi paralı askerin etrafını sardı. Sanki aniden küçük bir delik, adamın zırhında zayıf bir nokta bulmuştu. Düşmanın bedenini saran bir kovan eşekarısı gibi soktu, soktu. Paralı asker yürümeye devam etti. Cildi eskimiş kağıt gibi çatladı. Altından beliren et elektrikli süpürgeyle emilir gibi içe çöktü. Simsiyah sakalın rengi soldu. Soluk mavi gözler, yıkıcı bir nefretle Nathaniel'a dikilmişti.

Yaklaştı, yaklaştı. Bıçağı tutan büzüşmüş eli, deriden bir kabuğun altındaki kemik yığınından başka bir şey değildi. Sakalı grileşti, sonra ağardı, yanak kemikleri yaban domuzunun dişleri gibi dışarı fırladı. Nathaniel'a sanki gülümsüyormuş gibi geldi. Tebessüm genişledi, inanılmaz uzunlukta dizi dizi dişleri göründü... Yüzünün derisi tamamen düştü, geriye yalnızca kısaltılmış beyaz sakalı ve soluk mavi gözleri olan parlak bir kafatası bıraktı, gözler alev gibi parlayarak aniden söndü.

Siyah giysiler içinde bir iskelet. Attığı adım toptan bir yıkıma dönüştü, düştü, parçalara ayrıldı, Nathaniel'ın ayakları dibinde paçavralardan ve kırık kemiklerden bir yığın haline geldi.

Salgının şiddeti azaldı, büyünün geriye kalanı da. Nathaniel sendeleyerek kaidenin yanına dönerken tılsımın içine doğru emildi. Nathaniel kaideye ulaştı. Lenslerin ardından hazineye baktı, eşyaların toplu aurası gözlerini ağrıttı. İçlerinde en canlısı Asa'ydı. Elini uzattı ve (bilinçdışından teni üstündeki küçük yaralardan oluşmuş tabakayı görerek) asayı aldı. Eskimiş ahşabın pürüzsüzlüğünü ve hafifliğini aynı anda hissetmişti.

Kendini bir zafer kazanmış gibi hissetmiyordu. Çok zayıftı. Asa elindeydi ama onu işler hale getirmenin düşüncesi bile bezginlik veriyordu. Omzundaki ağrı midesini bulandırıyordu. Katilin cesedine baktı. Yerde duran gümüşten kanlı bir disk. Yanında bir disk daha vardı, kendi düşürdüğü. Beli tutulmuş halde eğilip diski cebine koydu.

Asa, Tılsım... Başka? Kaidenin üstüne dizili eşyalara göz gezdirdi. Bazıları (ismini duydukları) o anda işine yaramazdı, geriye kalanların ne işe yaradıklarını bilmediği için tehlikeli olabilirlerdi ve en iyisi orada bırakmaktı. Daha fazla gecikmeden hazine odasından çıktı. Koridorlardan geri dönerken Asa ve Tılsım'ın güçlü auralarıyla harekete geçen gölgeler yolunu kesmeye çalıştı. Dondurucu mavi ışıltıları tılsım tarafından emildi, Nathaniel'ın üstüne saldıran her şey, kısa sürede yeşimtaşının içine çekiliyordu. Zarar görmüyordu. Yanlarından geçerken yedi düvel botlarını da aldı, birkaç dakika sonra kırmızı çizgiyi de geçmiş, giriş salonuna ulaşmıştı.

Sihirli aynası masanın üstündeydi.

"İblis, üç görevin var, sonra serbestsin."

"Şaka yapıyorsun herhalde. Bir tanesi imkansız bir şey olmalı, ha? Kumdan halat mı yapayım? Öteki Taraf'a köprü mü kurayım? Haydi çekinme. En kötü ihtimali söyle."

İblisin yokluğunda büyücü, Asa'dan destek alarak masaya yığılıp oturdu. Omzu zonkluyordu, yüzüyle elleri hâlâ yanıyordu. Soluğu nöbet geçirir gibi sık sık kesiliyordu.

İblis geri geldi. Yüzü yeni yıkanmış gibi pırıl pırıldı, serbest kalmaya ne kadar hevesli olduğunu gizlemiyordu. "İlk soru. Yüce varlıklar şu anda binayı terk etmek üzere. İzle." Derinlerden gelen bir resim: Nathaniel, Westminster'ın eskimiş ön cephesini tanıdı. Duvarda bir delik açılmıştı. Delikten hoplayıp sıçrayan bir kalabalık çıkıyordu: Garip, insani olmayan hareketlerle delikten atlayan, hükümetin hanımları ve beyleri. Patlamalar atılıyor, infernolar ateşleniyor, gelişigüzel büyülü atışlar orada burada patlayıp sönüyordu. Ortalarında Quentin Makepeace'in kısa boylu, toparlak bedeni vardı.

"İşte gidiyorlar," dedi iblis. "Kırk küsür falan, sanırım. Bazıları hâlâ ayakta durmakta zorlanıyor, yeni doğmuş buzağılar gibi. Eminim yakında alışırlar."

Nathaniel içini çekti. "Peki."

"İkinci soru, patron. Merdivenleri çıkınca soldan üçüncü kapıda, gizlenmiş silahlar bulacaksın. Üçüncü soruysa..."

"Evet? Nerede o?"

"Yukarıda, sağa dön, Heykelli Salon'u geç. Tam karşındaki kapı. İşte, istersen gösterebilirim." Bir resim belirdi, Whitehall'dan bir yöneticinin odası. Yerde, bir pentagramın içinde, hiç kıpırdamadan yatan bir kız.

"Yaklaş," diye emretti Nathaniel. "Ona biraz daha yaklaşabilir misin?"

"Tamam. Ama hoş görünmüyor. *Aynı* kız, evet. O değil sanma. *İşte*. Görüyor musun? İlk başta emin olamadım ama elbiselerden tanıdım..."

"Of, *Kitty*," dedi Nathaniel.

30

Sen de pek acele etmedin, diye düşündü Kitty.

Ne demek istiyorsun? Daha yeni geldin.

Saçmalama! Zamanın başlangıcından beri burada sürükleniyorum. Hepsi etrafıma toplanıp bana gitmemi söylediler, ben bir hiçmişim, ne aradığımı zannediyormuşum, ben de onlara inanmaya başlamıştım Bartimaeus. Sen gelmeden önce tam vazgeçmek üzereydim.

Vazgeçmek mi? Geleli ancak birkaç saniye oldu. Dünya zamanıyla yani. Bu tarafta zaman aynı şekilde işlemiyor. Daha döngüsel. Sana açıklamayı denerdim ama hey! Buradasın işte, önemli olan da bu. Geleceğini hiç sanmıyordum.

O kadar da zor olmadı. Galiba bana yardımcı olduğun için.

Sandığından daha zordur. Batlamyus'dan beri bunu başaran ilk kişisin. Bunun için kendinden ayrılabilme becerisi gerekir ki bu büyücüler için imkansız bir şeydir en azından şu halleriyle. Başaramayanlar aklını yitirir.

Şimdi sorun yaratıyor, şu ayrılık. Kendim olmama hali.

Neden kendine bir görünüm yaratmıyorsun? Odaklanabileceğin bir şey. Daha iyi hissedersin.

Çoktan birkaç tane yaptım! Bir tek top şekli işe yaradı ama bu, bana biraz öfkelenmelerine neden oldu.

Öfkeli değiliz. Sence ben öfkeli miyim?

Kitty, uzakta titreşen görüntüyü inceledi. Esmer tenli, uzun boylu, uzun bir başlık takmış ve uzun, beyaz bir elbise giymiş, görkemli bir kadındı. Ebruli bir tahta oturmuştu. Güzel ve huzurlu bir yüzü vardı.

Hayır, diye düşündü Kitty, *hiç değilsin. Ama farklısın.*

Ondan bahsetmiyorum. O ben değilim... Yalnızca bir anı. Ben *her yerdeyim. Hepimiz her yerdeyiz. Burası Kapı'nın sizin tarafınızda olduğu gibi değil. Burada varlıklar arasında hiçbir fark yok. Hepimiz biriz. Ve artık sen de bunun bir parçasısın.*

Değişik renk ve dokuda tutamlar, söylenenleri onaylar gibi, her tarafta oynaştı. Kadının görüntüsü kayboldu, yeniden başkaları belirdi. Kitty, sanki bir böceğin gözünden bakar gibi, her birini onlarca kez görebiliyordu ama çoğalan şeyin görüntüler değil, kendisi olduğunu biliyordu.

Bundan pek hoşlanmadım, diye düşündü.

Bu görüntüler anılara ait, bazıları senin anıların bile olabilir. Başını döndürmek biraz zor, biliyorum. Batlamyus da zorlanmıştı ama kendine bir şekil yarattıktan sonra rahatladı. Oldukça da artistik bir şekildi, neredeyse kendine benzetmişti. Neden bir kez daha denemiyorsun?

Top yapabilirim.

Bir topla konuşmaya niyetim yok. Kendine biraz güvenin olsun.

Kitty, kendini toparlayıp iradesini dalga dalga akan maddeye uyguladı. Önceki gibi, insan bedenine benzeyen bir şekil yaratmayı becerdi. Jöle gibi koca bir kafası, eteğe benzer üçgen bir yığıntıyla biten uzun ince bir bedeni, iki tane sopa gibi kolu ve daha çok kütüğe benzeyen bir çift bacağı vardı. Çok hantal görünüyordu.

Maddeden oluşmuş birçok duyarga özenle bedeni inceledi.

Şurası nedir?

O kolu.

Ah, tamam. Çok rahatladım. Hmm... Kendini böyle mi görüyorsun Kitty? Gerçekten özgüven sorunlarımız var anlaşılan. Sana bir ipucu vereyim: gerçek bacakların bu kadar da kalın değil. Ayak bileklerinin orada, en azından.

Çok zor, diye düşündü Kitty. *Ancak bu kadar yapabiliyorum.*

Kendine bir yüz yap hiç olmazsa ve Tanrı aşkına güzel bir şey olsun.

Kitty, iyice uğraşıp bir çift domuza benzer göz, uzun bir cadı burnu ve bitkin bir tebessümle yamulmuş bir ağız yapmayı başardı.

Eh, Leonardo değilsin ya.

Yakınlarda bir yerde kısa bir görüntü belirip kayboldu. Duvara bakan sakallı bir adam.

Eğer, diye düşündü Kitty hırsla, *bu karmaşanın dışında bakabileceğim bir şey olsaydı, belki yapabilirdim.* Büyük çaba harcayarak yapay bedeninin tek kolunda dönüp duran maddeyi silkmeyi başardı.

Kıvrılıp bükülen duyargalardan bazıları dehşete düşmüş gibi alay ederek geri çekildi.

Siz insanlar çok tutarsızsınız. Sürekliliği ve düzeni sevdiğinizi iddia edersiniz ama dünya koca bir karmaşadan başka nedir ki? Nereye baksan kaos, şiddet, anlaşmazlık ve kavga var. Burası çok daha barışçıl bir yer. Ama belki sana biraz yardım edebilirim. İşini biraz kolaylaştırayım. Şu sevgili bedeninin kontrolünü elinden bırakma şimdi. O kolcağızlarının düşmesini istemem, kusursuzluğunu bozar sonra.

Akan maddenin yakındaki bölümleri, Kitty'nin bakışları altında bir dönüşüm geçirdi. Titreşen ışık öbekleri uzadı, genişledi ve katmanlar halinde katılaştı. Girdaplar ve spiraller dümdüz uzadı, diğerleriyle birleşip yeniden bölünerek doğru açılarda kollara ayrıldı. Bedeninin çevresinde saniyeler içinde odaya benzer bir şey şekillendi. Camsı bir zemin, dört bir yanında kare sütunlar, onların ötesinde, bir boşluğa inen basamaklar, sonra hiçlik. Tepede yine yarı saydam bir dam vardı. Çatının ötesinde, sütunların arasında ve zeminin altında Öteki Taraf'ın amansız devinimi kesintisiz devam ediyordu.

Fiziksel mekan yanılsaması, Kitty'nin birden etraftaki boşluktan korkmasına neden oldu. Mankeni, yüzeylerden mümkün olduğunca uzakta, odanın merkezine büzüştü.

Nasıl oldu?

Şey... İyi. Ama ya sen?

Buradayım. Beni görmen gerekmiyor.

Ama daha iyi olurdu.

Ah, peki o zaman. Ev sahipliğimi iyi yapayım

Küçük salonun öteki ucundaki sütunların arasından bir şekil belirdi. Yaşını belli etmeyen yüzüyle o esmer çocuk. Dünyadayken çekiciydi ama orada muhteşem güzel görünüyordu, yüzünden neşe ve huzur akıyor, teni ışıklar ve renkler içinde parıldıyordu. Zeminde sessiz adımlar atarak Kitty'nin jöle kafalı, sopa gövdeli, kütük kalçalı bedeninin tam karşısında durdu.

Teşekkürler, diye düşündü Kitty acı acı. *Şimdi çok daha iyi hissediyorum.*

O beden ne kadar sensen, bu görüntü de o kadar bana ait. Aslında, sen de benim kadar bu görünümün bir parçasısın. Öteki Taraf'da ayrılık yoktur.

Sen gelmeden önce öyle hissedilmiyordu. Bana burada istenmediğimi söylediler, onları yaralıyormuşum.

Yalnızca bize bir düzen dayattığın için, çünkü düzen sınırlanmak demektir. Burada hiçbir sınır olmamalı. Hiçbir şey kesin, hiçbir şey tanımlanmış olamaz. İster korkuluk gibi hantal bir beden, ister süzülen bir top ya da böyle bir "ev" olsun – çocuk kolunu kayıtsızca salonda gezdirdi– *buraya yabancıdır ve uzun süre var olamaz. Ne şekilde sınırlanırsak sınırlanalım bu bize acı verir.*

Çocuk, Kitty'den uzaklaşarak iki sütunun arasından gelip geçen ışıklara baktı. Korkuluk peşinden sendeledi.

Bartimaeus...

İsimler, isimler, isimler! Sınırlamaların en büyüğü. En kötü lanet. Her biri bir kölelik fermanı. Burada hepimiz biriz, isimlerimiz yok. Ama büyücüler ne yapıyor? Çağırma sözcükleriyle bize ulaşıyorlar. Söyledikleri bizi dışarı çekiyor, parçalar halinde feryat figan buradan çıkıyoruz. Duvardan geçen her parça tanımlanmış oluyor: Bir ismi ve kendine ait güçleri oluyor ama özden de ayrılıyorlar. Sonra neler oluyor? Sahibimiz, hassas özümüze zarar vermesin diye sirk maymunları gibi, onu memnun etmek için her dediğini yapıyoruz. Buraya döndüğümüzde bile hiçbir zaman güvende değiliz. Bir isim verildikten sonra özümüz tükenene kadar tekrar tekrar çağrılabiliriz.

Dönüp Kitty'nin yanılsamasının sırtına pat pat vurdu.

Burada her şeyin bir olmasından o kadar huzursuzsun ki, kendi arzunla özgürce akmaktansa (eminim bozulmazsın) bu ucube gibi çirkin şeye yapışmayı tercih ediyorsun. İşte, dünyaya geldiğimizde de bizim için tam tersi oluyor. Bir anda bu akışkanlıktan alınıp acımasız bir tanımlar dünyasında tek başımıza ve savunmasız kalıveriyoruz. Şekil değiştirmek, biraz avuntu verse de acıyı uzun süre engelleyemiyor. Bazılarımızın buna gücenmiş olmasına şaşmamak lazım.

Kitty, bu tek taraflı konuşmayı duymazdan gelmişti. Yarattığı şeyin bayağılığından kendisi de o kadar rahatsızdı ki çaktırmadan başını oranlamaya, sıskacık gövdesini şişirmek için maddenin birazını aşağı akıtmaya çalışıyordu sürekli. Burnunu da biraz küçültmeyi başarmıştı, ağzını da küçültüp yamukluğu biraz düzeltmişti. Evet... Böyle kesinlikle daha iyiydi.

Çocuk gözlerini çevirdi.

İşte tam da bundan bahsediyorum! Bu şeyin bir şekilde sen olduğu fikrini aklından çıkaramıyorsun. O bir kukladan başka bir şey değil. Bırak şunu.

Kitty, yaratığın ensesinden biraz saç çıkartmaya çalışmaktan vazgeçti. Tüm dikkatini, yüzü bir anda ciddileşen aydınlık çocuğa verdi.

Buraya neden geldin Kitty?

Çünkü Batlamyus öyle yapmıştı. Kendimi kanıtlayıp sana güvendiğimi göstermek istedim. Bunu başardıktan sonra onun kölesi olmaktan mutluluk duyduğunu söylemiştin. Eh, ben köle istemiyorum ama yardımına ihtiyacım var. İşte bu yüzden geldim.

Çocuğun gözleri yıldızlarla dolu siyah kristallerdi.

Sana ne şekilde yardım etmemi istiyorsun?

Biliyorsun. Şu de... Şu varlıklar serbest kaldı. Londra'ya saldırıp insanları öldürmeyi planlıyorlar.

Daha yapmadılar mı? diye sordu çocuk çok normal bir şeymiş gibi. *Çok yavaşlarmış.*

Bu kadar acımasız olma! Kitty'nin yaratığı, o heyecanla kollarını yukarı savurup salonun içinde yalpaladı. Çocuk şaşkınlıkla geri çekildi. *Londra'daki insanların çoğu masum! Büyücülerin varlığını senden daha fazla istemiyorlar artık! Senden onlar adına rica ediyorum Bartimaeus. Nouda ordusunu kurduğunda acı çekecek insanlar onlar.*

Çocuk hüzünle başını salladı.

Faquarl'la Nouda hasta. Çok fazla çağırıldığımızda bazılarımızın başına gelir. Kölelik bizi yozlaştırır. Vahşi, duygusuz ve kindar oluruz. Buradaki mucizeler ve hazlardan çok sizin dünyanızı ele geçirmiş olan zavallı ve küçük hesaplarla uğraşırız. İnanması zor ama doğru.

Kitty, yanıp sönen ışın demetlerine ve devinim halindeki sonsuz öze baktı.

Burada yaptığınız şey tam olarak nedir? diye sordu.

Bunun yapmakla ilgisi yok. Olmakla ilgili. Anlamayı bekleme. Sen insansın, yalnızca yüzeydekileri görür ve kendini onlara kabul ettirmeye çalışırsın. Faquarl, Nouda ve diğerlerini oldukları gibi göremiyorsun. Onlar, şu anda kendilerini duydukları nefretle tanımlıyorlar. O kadar güçlü bir nefret ki aslında intikam alarak ondan kurtulmaya çalışıyorlar. Bir yönden sizin dünyanızın değerlerine karşı son bir şartlı teslimiyet bu yaptıkları. Hey, o şeyi gitgide daha iyi idare etmeye başladın...

Öteki Taraf'ın enerji kuvvetinden korunmaya başladıktan sonra Kitty, mankenini daha kolay hareket ettirmeye başlamıştı. Küçük salonda bir ileri bir geri kasılarak yürüyor, seyircisine selam verir gibi balon kafasını ve kollarını sallıyordu. Çocuk, hoşuna gitmiş gibi başını salladı.

Biliyorsun, bu gerçek varlığında da bir aşama sayılır neredeyse.

Kitty bunu duymazdan geldi. Korkuluk, çocuğun yanında durdu.

Batlamyus'un yaptığını ben de yaptım, diye düşündü. *Kendimi sana kanıtladım. Sen de çağrıma cevap verdin, yaptığımı onayladın. Şimdi bu de... Faquarl'la Nouda'nın yaptığını durdurmak için yardımına ihtiyacım var.*

Çocuk gülümsedi.

Yaptığın fedakarlık gerçekten çok büyük ve Batlamyus'un anısına bu jeste karşılık vermekten mutluluk duyarım. Ama bunun önünde iki engel var. İlk başta beni dünyadan tekrar çağırman gerekir ki şu anda bunu yapabilecek durumda değilsin.

Neden? diye sordu Kitty. Çocuk tatlı, neredeyse dostça bir ifadeyle bakıyordu.

İkinci sorun, diye devam etti çocuk, *bu talihsiz zayıflığım. Enerjimi tam olarak toplayacak kadar uzun süre burada kalmadım daha. Nouda'yı bırak, Faquarl'ın o koca baş parmaklarından birinde bile benden fazla güç var şu anda. Sonunda ölümün garanti olduğu bir köleliğe pek istekli değilim. Üzgünüm ama durum böyle.*

Bu kölelik olmayacak. Daha önce de söyledim. Manken, çekinerek kolunu çocuğa uzattı.

Ama ölümcül olacak.

Kitty'nin mankeni kolunu indirdi. *Peki. Ya Asa'yı ele geçirirsek?*

Gladstone'unkini mi? Nasıl? Kim kullanacak? Sen yapamazsın.

Nathaniel, şu anda ona ulaşmaya çalışıyor.

Hepsi iyi güzel de bakalım o... Dur bir dakika! Çocuğun aydınlık görüntüsü bulandı, idaresinde olduğu zeka şok içinde geri çekilmiş gibi görüntü kaydı, bir an sonra tekrar eskisi kadar kusursuz görünüyordu. *Şunu iyice anlayalım. Sana ismini mi söyledi?*

Evet. Şimdi...

Bu çok iyi... Çok iyi! Yıllardır bana azap çektirdi, baklayı ağzımdan çıkartmayayım diye, şimdi de kalkmış karşısına çıkan herkese söylüyor, öylesine! Başka kim biliyor? Faquarl? Nouda? İsmini neonlarla yazdırıp şehirde geçit töreni mi yaptı? Sorarım sana! Ve ben bir kişiye bile söylemedim!

Seni çağırdığımda ağzından kaçırmıştın.

Şey, onun dışında.

Ama düşmanlarına söyleyebilirdin, değil mi Bartimaeus? Gerçekten isteseydin, ona zarar vermenin bir yolunu bulabilirdin. Ve sanırım bunu Nathaniel da biliyor. Onunla biraz konuştum.

Çocuk düşünceli görünüyordu. *Hımm. Sizin o konuşmalarınızı bilirim ben.*

Her neyse, o Asa'yı bulmaya gitti, ben seni bulmaya geldim. Birlikte...

Uzun lafın kısası hiçbirimizin savaşacak hali yok. Artık yok. Sen yapamazsın, ilk başta. Mandrake'ye gelince Asa'yı son kullanmaya kalktığında kendi kendini nakavt etmişti. Bu kez başarabileceğini nereden biliyorsun? Onu son gördüğümde tükenmişti... Bu arada, benim özüm de o kadar zorlanmış durumda ki bırak işe yaramayı, dünyada bir şekil yaratmayı bile beceremem. En başta cisimlenmenin vereceği acıya büyük ihtimal-

le dayanamam zaten. Faquarl, bir konuda haklıydı. Acı duyacağı için endişelenmesi gerekmiyor. Yo, gerçeklerle yüzleşelim Kitty... Sessizlik. *Ne? Ne var?*

Manken, ampul gibi kafasını yana eğmiş ilgiyle çocuğu izliyordu. Çocuk huzursuzlandı.

Ne? Sen ne...? Ah. Yo. Hiç yolu yok.

Ama Bartimaeus, böylece özün korunur. Acı hissetmezsin.

I–ıh. Olmaz.

Ve eğer gücünü onunkiyle birleştirirsen, belki de Asa...

Hayır.

Batlamyus *olsa ne yapardı?*

Çocuk sırtını döndü. Yanındaki sütuna gidip merdivenlere oturarak hiçliğe bakmaya başladı.

Batlamyus, bana her şeyin nasıl olabileceğini gösterdi, dedi sonunda. *Arkasından birçok kişinin geleceğini zannediyordu ama iki bin yıldır onun izinden giden tek insan sen oldun Kitty. Bir tek sen. Onunla eşit olarak yıllarca sohbet ettik. Ben zaman zaman onun paçasını kurtardım, karşılığında o da biraz dünyanızı keşfetmeme izin verdi. Ta Fezzan vahasına ve Aksum'un sütunlu salonlarına kadar gittim. Zağros dağlarının beyaz doruklarında, Hejaz çöllerinin kurak taşlı vadileri üstünde uçtum. Atmacalarla ve sirüs bulutlarıyla birlikte denizin ve toprağın üstünde yükseklerde, çok yükseklerde süzüldüm ve eve döndüğümde bu yerlerin anısını da beraberimde getirdim.*

Konuşurken salondaki sütunların ilerisinde küçük görüntüler titreşerek dans etti. Kitty, tam seçemese de gördüğü harikalara ait kareler olduğundan pek şüphesi yoktu. Mankenini yollayıp merdivenlerde çocuğun yanına oturttu, bacakları hiçliğin içinde sallandı.

Yaşadığım bu deneyim, diye devam etti çocuk, *çok yorucuydu. Özgürlük hissi bana evimi hatırlatıyordu, bir yandan da gördüklerim çok ilgimi çekmişti. Hissettiğim acı, asla bir baskı yaratmıyordu çünkü istediğim anda buraya dönebilirdim. Alemler arasında nasıl da dans etmiştim! Batlamyus'un bana verdiği muhteşem bir hediyeydi ve bunu hiçbir zaman unutmadım. Onunla iki sene geçirdim. Sonra öldü.*

Nasıl? diye sordu Kitty. *O nasıl öldü?*

Önce cevap gelmedi. Sonra:

Batlamyus'un bir kuzeni vardı, Mısır tahtının varisi. Sahibimin gücünden korkuyordu. Defalarca ondan kurtulmaya çalışmıştı ama biz (ben ve öteki cinler) onu durdurmayı. Kitty, dönerek devinen madde içinde her zamankinden daha net tekrarlayan görüntüler gördü. Ellerinde kıvrık kılıçlarla bir pencerenin pervazına tünemiş şekiller, gece vakti teraslarda uçuşan demonlar, bir kapıyı bekleyen askerler. *Onu İskenderiye'den alabilirdim, özellikle buraya yaptığı yolculuktan sonra daha da zayıf düşmüştü. Ama çok inatçıydı, gitmeyi reddetti, Romalı büyücüler şehre gelip kuzeni tarafından kaleye yerleştirildikten sonra bile.* Boşlukta kesik kesik görüntüler: Sivri burunlu üçgen yelkenliler, bir fener kulesinin altında gemiler, kahverengi sade pelerinleriyle bir rıhtımda bekleyen altı adamın soluk görüntüsü.

Çoğu sabah, diye devam etti çocuk, *şehirde dolaştırılmak efendimin hoşuna giderdi, pazarlardan gelen koku (baharatlar, çiçekler, reçine, hayvan postları) havada süzülürdü. Bütün dünya İskenderiye'deydi, o da bunu biliyordu. Ayrıca herkes onu severdi. Cin arkadaşlarımla onu tahtırevanında taşırdık.* Kitty, burada sırıklarla kaldırılan, perdeli bir koltuğun görüntüsünü yakaladı. Koltuğu taşıyan esmer köleler. Arkada tezgahlar ve kalabalık, parlak şeyler, mavi gökyüzü.

Görüntüler göz kırparak kayboldu, merdivenin üstündeki çocuk susmuştu.

Bir gün, diye devam etti, *onu aktarlar pazarına götürmüştük. En sevdiği yerdi, oradaki kokular en keyif veren kokulardı. Nasıl da aptallık etmişiz, daracık sokaklar, hıncahınç insan doluydu. Çok ağır ilerliyorduk.* Kitty üstüne ahşap kutular dizilmiş, uzun ve alçak bir sehpa gördü, kutuların içinde rengarenk baharatlar vardı. Bir fıçı ustası kapısının önünde bağdaş kurup oturmuş, metal bir yuvarlağa çiviler çakıyordu. Başka görüntüler de gelip geçti: Beyaz badanalı evler, kalabalığın etrafında dolaşan keçiler, koşar adım donmuş çocuklar sonra yeniden o koltuk ve kapalı perdeleri.

Pazarın ortasına geldiğimizde yukarıdaki çatılarda hareket eden bir şey fark ettim. Tuttuğum sırığı Penrenutet'e verdim, bakmak için kuş olup havalandım. Damın üstünde...

Sustu. Öteki Taraf'ın dokusu şurup gibi koyulaştı, yanıp sönen ışık demetleriyle aydınlanarak ağır ağır ve öfkeyle dönmeye başladı. Görüntülerden biri biraz daha uzun kaldı: Göz kamaştırıcı güneş ışığıyla kemik rengine boyanmış uzayıp giden teraslar. Gökyüzünde silüet halinde karanlık şekiller: Açılmış koca kanatlar, gerilmiş uzun kuyruklar, pullu zırhlar üzerinde orada burada parlayan ışık. Kitty artık korkunç şeyler görüyordu: Yılan başı, kurt burnu, dişlerini göstererek sırıtan derisiz bir yüz. Görüntü kayboldu.

Romalı büyücüler bir sürü cin çağırmıştı. Aralarında ifritler de vardı. Her taraftan saldırdılar. Biz dört cindik. Ne yapabilirdik ki? Cesurca savaştık. O sokakta, insanların arasında, onun için cesurca dövüştük.

Hızla değişerek gelip geçen bulanık görüntülerden son bir karmaşa, duman, patlamalar, dar bir geçit boyunca çatırdayan mavi –yeşil enerjiler. Çığlık atan insanlar, yüzünde deri olmayan demonun, gövdesindeki bir deliğe pençesini geçirmiş, gökyüzünden düşüşü. Perdeli koltuğun yanında duran başka cinler: Biri hipopotam kafalı, biri yılancıl gagalı.

İlk ölen Affa oldu, diye devam etti çocuk. *Sonra Penrenutet, sonra da Teti. Ben bir kalkan atıp Batlamyus'u kaçırdım. Duvarı yarıp geçtim, takip edenleri öldürüp gökyüzüne uçtum. Bir kovan arı gibi peşimizden geldiler.*

Sonra ne oldu? diye sordu Kitty. Çocuk, yeniden sessizleşmişti. Boşlukta görüntü kalmamıştı.

Bir patlamayla vuruldum. Yara aldım. Uçamıyordum. Küçük bir tapınağa girip barikat kurdum. Batlamyus, kötü durumdaydı yani eskisinden de kötü demek istiyorum. Duman yüzünden falan oldu zannettim. Düşman tapınağı sarmıştı. Kaçış yolu yoktu.

Ya sonra?

Bundan bahsedemem. Bana son bir armağan verdi. Konunun özü budur.

Çocuk, o zaman omuzlarını silkti. İlk kez Kitty'nin mankenine baktı.

Zavallı Batlamyus! Türlerimiz arasında barış için yaptıklarının örnek olacağını sanıyordu. Yolculuk kayıtlarının yüzyıllar boyunca okunup izinden gidileceğine, alemler arasında birlik olacağına inanmıştı. Bana böyle söyledi, tam burada! Eh, ne kadar aydın ve kendinden emin olsa da yanılmıştı. Kendisi öldü, fikirleri de unutulup gitti.

Kitty'nin yaratığı kaşlarını çattı. *Yanı başında ben varken bunu nasıl söylersin? Nathaniel kitabını okudu, Bay Button da ve...*

Apocrypha'nın var olan bölümlerini. Gerisini yazmaya zamanı olmadı. Ayrıca Nathaniel gibi insanlar okusa da asla inanmadılar.

Ben inandım.

Evet. İnandın.

Eğer geri gelip Londra'yı kurtarmamıza yardım edersen Batlamyus'un başladığı işi tamamlamış olacaksın. İnsanlarla cinler birlikte çalışacak. O da bunu istememiş miydi?

Çocuk gözlerini boşluğa dikti. *Batlamyus, benden hiçbir talepte bulunmadı.*

Ben de bulunmuyorum. Ne istersen yaparsın. Ben yardımını istiyorum. Etmek istemezsen sen bilirsin.

Eh! Çocuk ince, esmer kollarını gerdi. *Benim için pek doğru bir karar değil ama Faquarl'a yaptıklarını ödetmek hoş olurdu. Ama Asa'ya ihtiyacımız olacak. Asa olmadan hiçbir şey yapamayız. Ayrıca uzun kalmayacağım, özellikle öyle bir kafesin içine...*

Teşekkürler Bartimaeus! Kitty'nin mankeni kapıldığı minnettarlıkla sopa gibi kollarını uzatıp çocuğun boynuna sarıldı. Balon kafası bir an için çocuğun esmer, ince yüzüne değdi.

Tamam, tamam. Sevgi gösterisine gerek yok. Sen yapacağını yaptın. Şimdi sanırım sıra bende.

Çocuk sertçe ama duygularına hakim olmaya çalıştığını gizleyemeden kendini kola benzeyen şeylerden kurtarıp ayağa kalktı.

Geri dönsen iyi olacak, dedi. *Çok geç olmadan.*

Manken başını suçlarcasına eğerek çocuğa bakıp öfke içinde ayağa fırladı.

Tam olarak ne demek istiyorsun? Bunu söyleyip duruyorsun. Ne fedakarlığı?

Bildiğini sanmıştım. Özür dilerim.

Ne? Açıklamazsan sana bir tokat atacağım.

Nasıl? Ellerin yok ki.

Veya... Veya seni aşağı iteceğim. Söyle şunu.

Gerçek şu ki Kitty, Öteki Taraf insanlara pek uygun değildir. Benim özüm, dünyada nasıl azap çekiyorsa senin özün de burada.

Yani?

Yani bedeninden kendi iradenle çıktın. Çok uzun zaman olmadı, bu senin avantajına. Batlamyus çok daha uzun kalıp sormuştu da sormuştu. Senden iki kat daha uzun süre kaldı. Ama...

Ama? Haydi artık.

Manken ileri atıldı, kollarını ve başını saldırgan bir şekilde öne uzatmıştı. Çocuk, en son basamağa geri çekilip boşluğa düşecekmiş gibi sallandı.

O şeyi idare etmekte nasıl da ustalaştığını görmüyor musun? İlk başta umutsuz durumdaydın. Dünyevi bağlarını unutmaya başladın bile. Batlamyus geri döndüğünde hemen hemen her şeyi unutmuştu. Yürüyemiyordu, kaslarını zar zor hareket ettirebiliyordu... Beni yeniden çağırmak için bile bütün gücünü kullanması gerekti. Üstelik hepsi bu da değil. Sen buradayken dünyadaki bedenin can çekişiyor. Onu çok da suçlayamazsın, değil mi? Çünkü terk edildi. Hemen dönsen iyi edersin Kitty. Hemen.

Ama nasıl? diye fısıldadı. *Nasıl yapacağımı bilmiyorum ki.* Korku üstüne çöreklendi. Mankeni, ampul kafalı o yaratık, basamaklarda keder içinde kalakaldı. Çocuk gülümsedi, yukarı çıkıp alnından öptü.

Çok kolay, dedi Bartimaeus. *Kapı hâlâ açık. Ben, seni kovabilirim. Sakinleş. Görev tamamlandı. Sen üstüne düşeni yaptın.*

Geri çekildi. Manken, çocuk ve sütunlu salon bir patlamayla tutamlar ve öbekler haline geldi. Kitty, ışıklar ve dönen renkler arasında, Öteki Taraf'ın girdabına kapıldı. Her tarafında ölümün hafifliğiyle sürüklendi, sürüklendi.

Beşinci Kısım

İskenderiye
M.Ö. 124

Sütunların arasındaki merdivenlerden paldır küldür yuvarlandık. Önümüzde eskiyerek yeşillenmiş bronz bir kapı vardı. İterek açtım ve tanrıya adanmış tapınağın içine daldık. Serin, rutubetli, penceresiz. Kapıyı tekrar itip eski bir sürgüyü çekerek kapattım. Daha sürgüyü çekerken arkadan bir şey çarptı.

Özenli davranmak adına kapıya bir mühür koydum, sonra tavana yolladığım ışın demeti orada vızıldayıp titreşerek içeri pembemsi bir ışık yaydı. Odanın öteki ucundan metal bir sakallı adam heykeli, ciddi bir hoşnutsuzlukla bize bakıyordu. Kapının arkasından ve tapınağın çevresinden kanat çırpışları duyuldu.

Efendimi ışın demetinin altına yatırıp aslan burnumu yaklaştırdım. Solunumu düzensizdi. Giysilerinden kan sızıyordu. Yara bere içindeki yıpranmış yüzü, çürük meyve gibi kırışıklarla doluydu, rengi kalmamıştı.

Gözleri açıldı, tek kolu üstünde doğruldu. "Kıpırdama," dedim. "Gücünü boşa harcama."

"Güce ihtiyacım yok Bartimaeus," dedi, gerçek ismimi kullanarak. "Artık yok."

Aslan homurdandı. "Böyle şeyler söyleme," dedim. "Buna taktik derler. Biraz dinleniyoruz. Bir dakika sonra ikimizi de buradan kurtaracağım."

Öksürdü. Kan geldi. "Açıkçası, senin o uçuşlarından birine daha dayanabileceğimi sanmıyorum."

"Hah, devam et. Tek kanatla çok daha ilginç olacak. Sen, tek kolunu çırpabilir misin?"

"Hayır. Ne oldu?"

"Hep şu aptal yele yüzünden! Yandan gelen cini göremedim. Bizi pusuya düşürdü, beni bir patlamayla avladı! Bir daha böyle gür yeleler kullanmayacağım."

Eski, düz duvarın tepesinde bir yerden hafif rendeleme sesleri geldi. Açılan aralıktan sızan ışıkta birçok gölge gezindi. Tepemizdeki dama ağır bir şey sert iniş yaptı.

Batlamyus, bıyık altından sessizce bir küfür savurdu. Aslan kaş çattı. "Ne?"

"Pazarda parşömenimi düşürdüm. Öteki Taraf hakkında aldığım notlar."

İçimi çektim. Etraftaki hareketliliği hissedebiliyordum. Pençelerin taştaki trik traklarını, damdaki kiremitlere sürtünen pulları, Latince fısıltıları duyabiliyordum. Binadaki tüm yüzeylere dev sinekler gibi yapışmaları geliyordu gözümün önüne. "Büyük talihsizlik," dedim, "ama şu anda en acil sorunumuz bu değil."

"Yazacaklarımı daha bitirmedim," diye fısıldadı. "Odamda yalnızca bölük pörçük parçalar kaldı."

"Batlamyus, bu önemli değil."

"Ama öyle! Bu her şeyi değiştirecekti. Büyücülerin çalışma şeklini değiştirecekti. Köleliğine bir son verecekti."

Aslan ona baktı. "Açık olalım," dedim. "Benim köleliğim ve hayatım bundan... Of, yaklaşık iki dakika sonra sona erecek."

Alnını kırıştırdı. "Öyle değil Bartimaeus."

Duvarlarda boğuk darbe sesleri yankılandı. "Evet öyle."

"Ben kurtulamam ama *sen* yapabilirsin."

"Bu kanatla mı? Şaka yapıyor... Haa... Anladım." Aslan başını iki yana salladı. "Hiç şansın yok."

"Teknik olarak ben senin sahibinim, unutma. Gidebileceğini söylüyorum. *Gideceğini* söylüyorum."

Yanıt olarak ayağa kalktım, küçük tapınağın ortasında durup meydan okuyarak kükredim. Bina yerinden sarsıldı, birkaç saniye için dışarıdaki tüm faaliyet durdu. Sonra dört nala tekrar başladı.

Dişlerimi pis pis birbirine vurdum. "Bir – iki saniye sonra," dedim, "içeri girmiş olacaklar ve girdiklerinde Uruklu Bartimaeus'un gücünden korkmayı öğrenecekler! Yani... Kimbilir? Daha önce altı cinle aynı anda baş ettiğim olmuştu."

"Peki dışarıda kaç tane var?"

"Ah, yirmi falan."

"Tamam. Konu kapanmıştır." Titreyen kollarla kalkıp oturdu. "Şu duvara yaslanmama yardım et. Haydi! Haydi! Yerde yatarken mi ölmemi istiyorsun?"

Aslan söyleneni yaptı, sonra ayağa kalktı. Yüzümü kapıya dönüp gardımı aldım, ortası yoğun bir ateşle kızarmış ve biraz kabarmaya başlamıştı. "Bir daha sorma," dedim. "Bir yere gitmiyorum."

"Ah, zaten *sormuyorum* Bartimaeus."

Ses tonundaki bir şey, kendi etrafımda dönmeme neden oldu. Batlamyus'u, elini kaldırmış, bana yan yan sırıtırken yakaladım.

Ona doğru atıldım. "Sakın...!"

Parmaklarını şıklatıp kovma sözcüklerini söyledi. Daha sözcükleri söylerken kapı bir erimiş metal sağanağı içinde patladı ve uzun boylu üç şekil odaya daldı. Batlamyus şöyle bir el salladı, sonra başı yavaşça duvara düştü. Düşmana doğru dönüp pençe atmaya çalıştım ama cismim çoktan duman gibi geçirgen olmuştu. Çaresizlik içinde ısrar etsem de onu korumayı başaramadım. Çevremdeki tüm ışıklar kayboldu, bilincim beni terk etti, Öteki Taraf'a doğru çekildim. Öfke içinde, istemeden de olsa, Batlamyus'un son armağanını kabul ettim.

31

İlk önce korkunç bir daralma hissi geldi. Bir anda uyanınca sonsuz boyutlar hep birden tek bir noktaya indirgenmişti. Yeniden bedeninin sınırlarına sıkıştırılmış, o hantal ağırlığıyla iç içe geçmişti. Bir an boğulacakmış gibi oldu, o berbat canlı canlı gömülme hissi, sonra nasıl nefes alınacağını hatırladı. Karanlıkta uzanıp içindeki ritimleri dinledi: Kanın akışı, içeri dışarı hareket eden hava, midesi ve bağırsaklarında oluşup lıkırdayan baloncuklar. Daha önce ne kadar *gürültülü* olduğunu hiç fark etmemişti, ne kadar ağır ve ne kadar yoğun paketlenmiş olduğunu. Şaşırtıcı derecede karmaşık ve idare edilmesi imkansız gibi geliyordu şimdi. O bedeni hareket ettirmek fikri anlaşılmaz geliyordu.

Kol ve bacaklarının dış görünümüne ait belirsiz bir anıyla karmaşa yavaş yavaş çözüldü. Dizleri neredeyse bel hizasına kadar çekilmiş, ayağı hafifçe diğer ayağının üstüne atılmış, elleri göğsüne yakın bir yerde birbirine geçmişti. Bunu gözünde canlandırdı ve beliren görüntüyle birlikte bedenine karşı bir şefkat ve minnet duygusu sel gibi boşanarak üstüne aktı. İçini ısıttı, farkındalığı arttı. Üstünde yattığı yüzeyin sertliğini, başını koyduğu yastığın yumuşaklığını hissetti. Nerede olduğunu hatırladı ve nereden geldiğini.

Kitty gözlerini açtı. Her şey bulanıktı. Süzülen ışık çizgileri ve gölgeler bir an için aklını çeldi, Öteki Taraf'da süzülmeye devam ettiğini zannetti... Sonra kendine gelip konsantre oldu, çizgiler ağır ağır, isteksizce, zorlanarak durdu ve sandalyede oturan birinin görüntüsünü ortaya çıkardı.

Sandalyedeki çocuk, müthiş yorgun görünüyordu. Başı öne düşmüş, ayaklarını yanlara doğru uzatmıştı. Kitty, hırıldayan soluduğunu duydu. Gözleri kapalıydı.

Çocuğun boynunda bir zincir vardı, ucundan sarkan yeşil–siyah taş oval bir altın parçasına gömülüydü. Göğsüyle birlikte o da ritmik olarak kalkıp iniyordu. Bacaklarının arasında çaprazlamasına duran ahşaptan uzun bir asa vardı. Tek eliyle asayı gevşekçe tutmuş, öteki eli koltuğun kenarından sarkmıştı.

Bir süre sonra çocuğun ismini hatırladı. "Nathaniel?"

Sesi o kadar alçaktı ki gerçekten bir şey söylemiş miydi, yoksa yalnızca söylediğini mi hayal etmişti, emin olamıyordu. Yine de işe yaramış gibiydi. Bir homurtu, bir ağız şapırtısı. Büyücünün bacakları elektrik çarpmış gibi sarsıldı. Asa yere düştü, sıçramayla balıklama dalış arası bir hareketle Kitty'nin yanında diz çöktü.

Kitty gülümsemeye çalıştı. Ama çok zordu. Yüzü acıyordu. "Selam," dedi.

Büyücü cevap vermedi. Bakmaya devam etti.

"Demek Asa'yı aldın," dedi, sonra "Boğazım kupkuru. Hiç su var mı?"

Hâlâ cevap yok. Cildinin, şiddetli bir fırtınadan çıkmış gibi, kızarık ve alazlanmış olduğunu fark etti. Gözlerini dikmiş büyük bir ilgiyle ona bakıyor, yine de söylediği her şeyi duymazdan gelmekte ısrar ediyordu. Kitty huzursuzlandı.

"Çekil önümden," diye tısladı. "Kalkacağım."

Karın kaslarını gerdi, tek kolunu oynatıp doğrulmak için parmaklarını yere bastırdı. Boğuk bir tıngırtıyla elinden bir şey düştü. İçini bir bulantı dalgası sardı, kasları sıvılaşmış gibiydi.

Kitty'nin başı yastığa geri düştü. Güçsüzlüğündeki bir şey onu korkutmuştu. "Nathaniel..." diye söze girişti. "Neler...?"

Çocuk ilk kez konuştu. "Bir şeyin yok. Biraz dinlen."

"Kalkmak istiyorum."

"Bence kalkmasan daha iyi."

"*Yardım etsene!*" Öfkesi, ani bir dehşet hissine kapılmasına neden olan endişeden kaynaklanıyordu. "Burada böyle yatamam. Nedir bu? Neler oldu bana?"

"Biraz kıpırdamadan yatarsan birşeyin kalmaz..." Ses tonu ikna edici olmaktan uzaktı. Kitty tekrar denedi, kendini yukarı ittirdi ve bir küfür savurarak tekrar devrildi. Büyücüyle bir ağızdan küfürler sıraladılar. "Tamam! İşte. Ben sırtından tutmaya çalışayım. Sen sakın bir şey *yapma*. Bacakların... İşte! Ne demiştim sana? Bir kez olsun *benim* dediğimi yapsan." Kitty'i koltuk altlarından tuttu, kaldırıp ters çevirdi ve sandalyeye doğru sürükledi. Bacakları arkasından süründü, ayakları pentagramın çizgilerini kazıdı. Kitty ne olduğunu anlamadan kendini sandalyenin üstüne yığılmış buldu. Büyücü, nefes nefese karşısında durmuştu.

"Şimdi mutlu musun?" diye sordu.

"Pek sayılmaz. Ne oldu bana? Neden yürüyemiyorum?"

"Bunlar benim yanıtlayabileceğim sorular değil." Çizmelerine (kocaman, çatlamış deriden çizmeler) sonra boş çembere baktı. "İçeri girdiğimde Kitty," dedi, "oda buz gibiydi. Nabzına baktım atmıyordu, nefes de almıyordun, orada uzanmış öyle yatıyordun. Bu sefer *gerçekten de* öldüğünü sandım. Ama..." Gözlerini kaldırdı. "Ee. Anlat bakalım. Sen gerçekten...?"

Kitty bir süre konuşmadan Nathaniel'a baktı.

Büyücünün yüzündeki gerginlik çözülerek yerini boş bir şaşkınlığa bıraktı. Ağır ağır nefes alarak masaya yarı oturdu, yarı çöktü. "Anlıyorum," dedi. "Anlıyorum."

Kitty boğazını temizledi. "Birazdan anlatacağım. Önce bana şu aynayı ver, olur mu?"

"Bence vermesem..."

"Hayal gücümü kullanmaktansa," dedi Kitty çabucak, "bakmayı tercih ederim. Onun için çabuk ol. Yapacak işlerimiz var."

Fikrinden vazgeçmeyecekti.

"Sonuçta," dedi en sonunda, "Jakob'ın Kara Gülle'yle yaşadıklarından pek de farkı yok... Ve o yaşamaya devam etti."

"Doğru." Büyücünün elleri yorulmaya başlamıştı. Aynayı yeniden ayarladı.

"Saçları boyayabilirim."

"Evet."

"Gerisine gelince nasılsa yaşlanacaktım."

"Evet."

"Elli yıl kadar sonra."

"Bunlar yalnızca kırışık Kitty. Yalnızca kırışıklar. Birçok insanda var. Ayrıca kaybolabilirler de."

"Öyle mi dersin?"

"Evet. Seni ilk bulduğumdan bu yana bayağı düzeldiler zaten."

"Sahiden mi?"

"Evet. Neyse, esas bana bak. Kabartıları görüyor musun?"

"Ben de onları soracaktım."

"Salgın yaptı. Asa'yı alırken."

"Ah... Ama beni esas korkutan bu *zayıflık* Nathaniel. Ya bir daha hiç...?"

"Yapacaksın. Ellerini nasıl oraya buraya oynatıyorsun baksana. Beş dakika önce bunu bile yapamıyordun."

"Öyle mi? Ah. Güzel. Sen böyle deyince kendimi biraz daha güçlü hissetmeye *başladım.*"

"İşte bu kadar, gördün mü?"

"Ama bu o kadar zor ki," dedi Kitty, "aynaya bakıp da bambaşka bir yüz görmek. Her şeyin değiştiğini görmek."

"Her şey değil," dedi Nathaniel.

"Öyle mi?"

"Evet. Gözlerin. Onlar hiç değişmemiş."

"Ah." Kitty şüpheyle aynaya baktı. "Değişmemişler mi sence?"

"Eh, sen şaşı bakmaya başlamadan önce öyleydiler. İnan bana." Aynayı indirip masanın üstüne koydu. "Kitty," dedi, "sana söylemem gereken bir şey var. Demonlar, Londra'ya dağıldı. Seni bulduktan sonra. Gladstone'un Asası'nı kullanmaya çalıştım ama" –İçini çekti– "başaramadım. Sorun sihirli sözcükler değil. Artık eskisinden daha bilgiliyim. Ancak iradem kabul ettirecek fiziksel güce sahip değilim. Ve Asa olmadan Nouda'nın karşısına çıkamayız."

"Nathaniel..."

"Hayatta kalmış ve ele geçirilmemiş başka büyücüler de *olabilir*. Daha araştırmadım. Ama onları ve cinlerini müttefik olarak yanımıza alsak da Nouda çok güçlü. Asa tek umudumuzdu."

"Değildi." Kitty sandalyesinde öne eğildi. (Nathaniel'ın dediği doğruydu, artık biraz daha kolay hareket ediyordu. Ama her şey rahatsızlık verici ve ayarı bozulmuş, sanki kemikleri ve kasları kendinden bağımsız hareket ediyormuş gibiydi.) "Öteki Taraf'a eğlence olsun diye gitmedim," dedi ciddileşerek. "Sen Asa'yı aldın, ben de Bartimaeus'u buldum. Şimdi tek yapmamız gereken ikisini bir araya getirmek." Sırıttı.

Büyücü kızgınlıkla kafasını salladı. "Bu ne demek?"

"Ah. Hikayenin bu kısmı hiç hoşuna gitmeyecek eminim."

32

Kükürt bulutu, pentagramın ortasında kamburu çıkmış buhardan cılız bir sütun halinde büzüştü. Fıskiyeli bir çeşmenin müthiş gücüyle tavana doğru aktı. Buharın merkezinde iki ürkek sarı göz belirdi. Endişeyle kırpıştı.

Vazgeçsem mi diye düşünüyordum.

Siyah saçlı çocuk karşıdaki pentagramda Asa'ya dayanmış duruyordu. Hemen tanıdım. Tanımamak zordu. Tılsımın aurası bir güneş patlaması yoğunluğunda çemberime çarpıyordu. Özüm bu yakınlıktan ürküp sinmişti.

Kötü. Fazlasıyla zayıftım. Bunu kabul etmemem gerekirdi.

Biliyor musunuz, sanki büyücü de aynı şeyleri düşünüyormuş gibi geldi bana. Yüzü kesilmiş, sütün o hoş rengini almıştı.

Kendini toparlayabileceği kadar toparlayıp etkileyici görünmeye çalıştı. "Bartimaeus."

"Nathaniel."[1]

---

[1] İkimiz de sert, iddialı ve hırlayan sesler çıkarmaya çalışmıştık. İkimiz de tam becerememiştik. Onun sesi genellikle yarasalar ve köpek düdüklerinde görülen bir tizlikteyken ben çayının yanında salatalıklı sandviç isteyen bir kız kurusu gibi ses çıkarmıştım.

Boğazını temizledi, yere bakıp başını kaşıdı, garip bir melodi mırıldandı... Anlayacağınız adam gibi gözümün içine bakmamak için ne gerekiyorsa yaptı. Ben de *daha* iyi durumda sayılmazdım. Duman sütunu uğursuzca dalgalanmak yerine yükselen saçaklarını örgüye benzer hoş desenlerle birbirine dolamaya niyetli gibiydi. İş bize kalsa sonunda sanal bir hırka örmeye falan kalkışacaktım herhalde. Ama birkaç saniyelik rafine boş zaman faaliyetinden sonra bir ses kabaca araya girdi.

"Yapın şu işi *artık*!"

Kim olduğunu anlamak için falcı olmaya gerek yoktu. Büyücü ve duman öksürüp homurdanarak çemberleri içinde yana döndüler. İkisinde de gücenmiş ve yaralı bir yüz ifadesi vardı.

"Biliyorum, biliyorum," dedi Kitty. "Durumunuza özendiğimi söyleyemem. *Yapın* da bitsin. Harcayacak zamanımız yok."

Beklediğimden daha canlı göründüğünü itiraf etmem lazım. Tamam, biraz zayıf düşmüş görünüyordu, saçları ağarmış, cildi kırışıp yaşlanmıştı ama Batlamyus'un düştüğü *kadar* kötü bir durumda değildi. Ve gözleri bir kuşunkiler kadar ışıl ışıl, gördüklerinin ışığıyla parlıyordu. Derin bir saygı ve şefkat karışımı duygularla ona baktım.

"Tamam öfkelenme," dedim. "Yapacağız."

"Doğru," dedi Nathaniel. "Bu işler aceleye gelmez."

"Sen çok iyi bilirsin," diye kıkırdadı kız. "Sizi alıkoyan nedir?"

"Şey," diye başladı Nathaniel. "Sadece..."

"*Bana* sorarsan," dedim, katıksız bir ağırbaşlılıkla, "bu teklifi kabul ederken ev sahibimin fiziksel olarak makul bir durumda olacağını varsaymıştım. Şimdi, onu gördükten sonra şüphe duymaya başladım."

Büyücü gözlerinden ateşler saçarak bana baktı. "Bu ne demek oluyor böyle?"

"Eh, bir atı görmeden satın almazsın, değil mi? İncelemeye hakkım var. Dişlerini göster bakayım?"

"Kaybol!"

"Kusura bakma," dedim. "Berbat durumda. Ayakta bile duramıyor. Cildini salgın yakmış. Ayrıca omzu kanıyor. Her yerini kurtlar sarmıştır eminim."

Kız kaşlarını çattı. "Omzuna ne olmuş ki? Neresi?"

Nathaniel, boş ver der gibilerden bir hareket yapıp yüzünü buruşturdu. "Hiçbir şey. Sorun değil."

"Neden bana söylemedin?"

"*Çünkü,*" diye hırıldadı, "senin de sürekli tekrarladığın gibi, hiç zamanımız yok."

"Haksız sayılmaz," dedim.

"Aslında, bu işe devam etmek isteyip istemediğimden *ben de* emin değilim," diye devam etti büyücü, beni tatsız bakışlarla ödüllendirerek. "Bunun ne işe yarayabileceğini anlamıyorum. Binlerce konuda sonuna kadar alçak olmanın yanı sıra Asa'yı kullanmama yardım edemeyecek kadar da güçsüz. Kimbilir bana neler çektirir! Bu bir domuz sürüsünü yatak odana davet etmekle aynı şey."

"Öyle mi? Eh, ben de senin o dünyalık enkazının içinde hapsolmaya çok meraklı değilim," diye bağırdım. "Kimbilir içinde ne iğrenç akıntılar vardır. Bütün o balgamlar, katılaşan pislikler vee..."

"Kesin sesinizi!" diye bağırdı Kitty. Yaptığı yolculuğun ciğerlerini etkilemediğini söylemem lazım. "İkiniz de *sesinizi kesin!* Dışarıda, yaşadığım şehir talan ediliyor ve bu Asa'yı çalıştırmamız lazım. Bunu yapabilmek için aklımıza gelen tek şey *senin* bilgini Nathaniel, senin *enerjilerinle* Bartimaeus, birleştirmek. Tamam, ikiniz de biraz isteksiz olabilirsiniz ama..."

Nathaniel'a baktım. "Duydun mu? *Biraz* dedi."

"... Ama uzun sürmeyecek. En fazla birkaç saat. Sonra da Nathaniel, Bartimaeus'u sonsuza kadar kovabilirsin."

"Dur," dedi, "bu yaratığın aklıma zarar vermeyeceğine dair garanti istiyorum. Bu tam ona göre bir iş."

"Ya, *doğru*," diye haykırdım, "buradan kurtulmak için tek dönüş biletimi de yakayım, öyle mi? Sonsuza kadar *senin* zihninde kalacak değilim ahbap. Merak etme. O kovmaya ihtiyacım var. Bir şeye dokunmayacağım."

"İyi edersin."

Gözlerimizden ateşler saçarak birbirimize ne kadar zaman baktık bilemiyorum.

Kız ellerini çırptı. "Tamam. Birbirinize hava mı atacaksınız? Güzel. Sağlığıma, burada oturup iki salağın kavga edişini seyretmek için zarar vermedim. Şu işi *lütfen* yapabilir miyiz?"

Büyücü burnunu çekti. "Pekala."

Duman, somurtarak gözlerini semaya dikti. "Pekala."

"Böyle daha iyi."

Kızın hatırı olmasa bunu asla yapmazdım. Ama Öteki Taraf'ta bana Batlamyus adına rica ederken çok haklıydı. Onun da anında sezdiği gibi, bu benim zayıf noktamdı, kanayan yaram. Ve ne kadar denersem deneyeyim, iki bin yıldır sürdürdüğüm bu alaycılık ve inançsızlık kapanmasını sağlamamıştı. Bütün bu uzun ve yorgun zamanlar boyunca onun umuduna, cinlerle insanların bir gün birlikte çalışacağı, kötü niyet olmadan, ikiyüzlülük ve katliamlar olmadan birlikte çalışacağı umuduna ait anıyı içimde taşımıştım. Kabul edelim ki bu aptalca bir fikirdi ve bir an için olsun inanmamıştım aksini kanıtlayan o kadar çok şey vardı ki. Ama *Batlamyus* buna inanmıştı ve bu yeterliydi. Kitty, onun büyük jestini tekrarlayıp benimle buluşmaya geldiğinde bu inancın bir tek yankısı bile beni kazanmaya yetmişti.

Kız, onun bağını yenilemişti. Ve *bu* bir kez yapıldığında kaderim mühürlenmiş demekti. Kendi çıkarıma aykırı olduğundan ne kadar şikayet edip sızlansam da Batlamyus için kendimi alevlerle dolu bir kuyuya bile atardım ve aynı şey artık Kitty için de geçerliydi.

Ama size şunu söyleyeyim: Ateşli kuyu, asit fıçısı, çivili yatak, bunların hepsini yapmak üzere olduğum şeye tercih ederdim.

Çemberlerin birinde büyücü kendini göreve hazırlıyordu. Sihirli sözcükleri içinden tekrar ediyor, çağırmaya hazırlanıyordu. Ötekindeyse duman sütunu kafese konmuş bir kaplan gibi öne arkaya savruluyordu. Bir taraftan ötekine anında geçişimi sağlamak için her iki pentagramında sınırlarında delikler olduğunu fark ettim. Vay, nasıl da güven doluydular... Yüzümde bir tebessümle şarkılar söyleyerek oradan ayrılmadan önce dışarı fırlayıp ikisini birden mideye indirebilirdim. Ayrıca bir yanım bunu yapmaya can atıyordu, bir tek sahibimin yüzündeki ifadeyi görmek bile buna değerdi. Büyücü yemeyeli asırlar olmuştu.[2] Ama tabii, program dışı öğünler bugünlük Kitty'nin gündeminde yoktu. Üzüntüyle bu isteği bastırdım.

---

[2] Aslında bir–iki asır olmuştu. Çek sahiplerimden biri yağ tutmaya eğilimliydi. Kondisyon eksikliği yüzünden eleştirip yavaş yavaş bir meydan okuma duygusu geliştirmesini sağlamıştım. Bir gece pentagramının içindeyken ayak parmaklarına dokunamayacağını söyledim. Hareketi yiğitçe başardı ama bu arada da poposunu çemberin kenarından biraz çıkartıp bağlarımı kırmama da fırsat tanımıştı. Ve tabii ki biraz tombikti ama yine de bayağı bir lezzetliydi.

Ayrıca kendi durumum da ufak bir sorun yaratıyordu. Duman gibi basit bir şekli bile korumakta zorlanıyordum. Korunmaya ihtiyacım vardı, hem de hemen.

"Bugün bitsin," dedim. "Sakıncası *yoksa.*"

Büyücü, sinirli parmaklarını saçından geçirip Kitty'e baktı. "Bir daha oradan bana laf sokarsa onu hemen kovarım, Asa varmış yokmuş düşünmem. Söyle ona."

Kitty ayağını yere vurdu. "*Bekliyorum* Nathaniel."

Bir küfür, biraz yüz ovuşturma ve başladı. Çağırma sözcükleri biraz doğaçlamaydı sanki, alışkın olduğum zerafete ve inceliğe sahip değillerdi. Örneğin, "Şu lanet olasıca demon Bartimaeus'u kafesle ve acımasız bir kesinlikle sıkıştır." cümlesi biraz kaba sabaydı ve yanlış yorumlaya açıktı. Ama işe yaramış gibiydi. Duman sütunu bir an masum masum kendi çemberinde yükselirken bir sonraki an emilip kendi çemberimdeki delikten onun çemberindekine, sonra sahibimin başından içeri çekildikçe çekildi...

Kendimi olabilecek her şeye hazırladım. Gözlerini sımsıkı kapattığını gördüm...

Trank.

Bitti. Acı gitmişti. İlk olarak bunu hissettim. Başka da bir şey hissedemedim. Sanki bir perde ansızın çekilmiş ve karanlıktaki her şey aydınlanmış gibiydi. Buz gibi soğuk sular akan bir pınara daldırılmak gibi. Aylar süren kölelikten sonra Öteki Taraf'a dönmeye de *biraz* benziyordu. Özümde dolaşıp duran kare desenli acı kafesi yara kabuğu gibi düştü, kendimi aniden bütünlenmiş hissettim. Yenilenmek, yeniden yapılanmak ve yeniden doğmak gibiydi, hepsi aynı anda.

Özüm müthiş bir sevinçle dalgalandı, Sümerler zamanındaki ilk çağırılmalarımdan beri hissetmediğim bir duyguydu bu, o zamanlar enerjimin *her şeyle* baş edebileceğini zannederdim.[3] Son zamanlardaki güçsüzlüğümün, birikmiş acıyla ne kadar ilintili olduğunun farkında değildim. Acı gider gitmez eskisinden on katı daha cin gibi bir cin olmuştum. Faquarl ve ötekilerin bu işi bu kadar sevmesine şaşmamak gerekti.

Bir zafer çığlığı attım.

Sanki bir şişeye hapsolmuşum gibi, tuhaf şekilde yankılandı.[4]

Bir saniye sonra bir çığlık *daha* attım, nedense çok yüksek çıktı ve her taraftan yankılandı. Kulaklarımı sağır etti. Dikkatim dağılınca içinde bulunduğum ortamda uyandım. Beni örten ve dünyadan koruyan şeye. Fazla abartmadan söylersek insan etiydi.

Nathaniel'ın bedeni, daha doğrusu.

Faquarl'ın kasesindeki çorba, beni çepeçevre saran ölümcül gümüşten birazcık korumuştu ama Nathaniel'ın bedeni bu konuda çok daha iyiydi. Özüm içine gömülmüştü; kemiklerine, kanına ve kas diyebileceğim ipliksi küçük şeylere. Tepeden tırnağa kadar her yerine yayılmıştım. Kalbinin atışını, damarlarındaki sonsuz akıntıyı, ciğerlerinin fısıldayan hırıltısını

---

[3] Bu fazla uzun sürmemişti, tabii. "Ah, Bartimaeus, Bereketli Hilal'i sular mısın?","Fırat'ın şuradaki ve şuradaki yönünü değiştirir misin lütfen?", "Baksana, hazır elin değmişken taşkın alanına birkaç milyoncuk buğday tohumu da ekiversene. Sağ ol." Ur'a döndüğümde o müthiş sevinçten eser kalmamıştı. Yo, hayır. Sırtım beni öldürüyordu.

[4] İnanın bana, şişe akustiği hakkında her şeyi bilirim. Altıncı yüzyılın çoğunu Kızıl Deniz'de dalgalanan, mantarının üstüne balmumu dökülmüş bir susam yağı kavanozunun içinde geçirdim. Bağırışlarımı kimse duymadı. Sonunda yaşlı bir balıkçı beni serbest bıraktı artık o kadar ümitsiz durumdaydım ki birçok dileğini gerçekleştirmek zorunda kalmıştım. Kavanozdan buharlar saçan dev bir patlamayla çıktım, bir–iki şimşek attım ve arzusunu sormak için eğildim. Zavallı ihtiyar kalp krizinden oracıkta öldü. Bu hikayenin bir ana fikri olmalı ama ben herhalde hiç anlayamayacağım.

hissedebiliyordum. Beyni boyunca ileri geri uçuşan elektrik akımlarını ve (daha belirsiz olarak) temsil ettikleri düşünceleri görüyordum. Ve bir an hayranlık duydum, bu koca bir binaya (kutsal bir camii ya da türbeye) girmeye ve mükemmelliğine şahit olmaya benziyordu, kilden yapılmış havadar bir yer. Sonra ikinci hayranlık geldi. Bu kadar vasat bir şey gerçekten de işe yarayabiliyordu; öylesine kırılgan, o kadar zayıf ve hantal, dünyaya fazlasıyla bağımlıydı ki.

Onu kortrolüme almak nasıl da *kolay* olurdu, o bedeni bir el ya da at arabası gibi canımın istediği yere sürebileceğim sıradan bir araç gibi kullanmak! İçimden belli belirsiz arzular gelip geçti... Bir saniye bile beklemeden beyne nüfuz edip vasat enerjilerini emebilir, mekanizmayı hareket ettirmek için düğmelere basıp vitesleri değiştirebilirdim... Nouda, Faquarl, Naeryan ve diğerlerinin bunu zevkle yaptıklarından kuşkum yoktu. Bu, onların mikrokozmostan aldıkları intikam, minyatür insanlara karşı kazandıkları zaferdi.

Ama bana göre değil.

Aklımı çelmediğini söyleyemem, yine de.

Hiçbir zaman Nathaniel'ın sesinin en büyük hayranlarından olmadım ama arada mesafe varken biraz da olsa dayanılır gibiydi. Ama şimdi sonuna kadar açılmış bir hoparlörün içine bağlanmış gibiydim. Konuştuğunda titreşimler özümde vızıldayarak yankılandı.

"Kitty!" diyc haykırdı, ancak bir fil sürüsünden çıkabilecek o koca ses. "Müthiş bir enerji hissediyorum!"

Kızın sesi hafif boğuk, kulaklarında kırılmış olarak geliyordu. "Anlat! Nasıl hissediyorsun?"

"İçimde dalgalanıyor! Kendimi çok hafif hissediyorum!

Yıldızlara sıçrayabilirim!"[5] Bir büyücüye yakışmayan mutlu halinden utanmış gibi duraksadı. "Kitty," dedi, "farklı görünüyor muyum?"

"Hayır... Daha az kambur duruyorsun, o kadar. Gözlerini açabilir misin?"

İlk kez gözlerini açtı ve dışarı baktım. Tuhaf bir çifte görüntüydü diye anlatayım, bir an her şey belirsiz ve bulanık göründü. Sanırım bu insan görüşüydü: fazla zayıf ve durağan. Sonra özümü ona göre ayarladım ve her şey daha netleşti. Yedi düzlemi birden dolaştığımda Nathaniel'ın yutkunduğunu işittim.

"Buna asla inanamazsın!" diye haykırdı kulağımın içine. "Kitty! Sanki her şey daha renkli, daha fazla boyutu var. Ve çevrende öyle bir *parıltı* var ki!"

Bu, Kitty'nin aurasıydı. Hep vasatın üstünde olmuştu ama Öteki Taraf'ı ziyaretinden sonra öğle güneşinin muhteşemliğine ulaşmıştı. Tıpkı Batlamyus'unkine olduğu gibi. Buna benzer bir insan aurası hiç görmemiştim. Nathaniel'ın vücudundan hayranlık dalgaları geçti, beyni bu duyguyla vızıldadı. "O kadar *güzelsin ki!*" dedi.[6]

"Ah, bu halimle mi?" Nathaniel, bu tuzağa cidden düşmüştü. O sersem ve şaşkın ses tonu onu ele geçiriverdi.

"Yo! Demek istediğim..."

Kendimi gösterme zamanının geldiğini düşündüm. Zavallı budala tek başına pek beceremiyordu. Gırtlağının kontrolünü ele aldım. "Sesini alçaltsan nasıl olur?" dedim. "Ne düşündüğünü duyamıyorum."

---

[5] Onun bakış açısına göre mantıklı bir his. İçine beni çekmişti: Bir ateş ve hava varlığını.

[6] Bazı şeyler değişmiyor. Nefertiti de Akineton'a sürekli böyle yapardı, o hasat raporlarını incelerken yanına sokulur, yeni saçlarını nasıl bulduğunu sorardı. Akineton'sa hiç akıllanmazdı.

O zaman çıtını çıkarmadı. İkisi de sustu. Elini ağzına götürdüğünü hissettim, sanki birinin yanında hıçkırmış gibi.

"Şimdi oldu," dedim. "Benim. Ne oldu, yoksa sesimi çıkarmadan öyle oturacağımı mı sanmıştın? Tekrar düşün evlat. Artık bu bedende iki kişiyiz. Şuna bak."

Söylediğimi kanıtlamak için tek parmağını kaldırıp sistemli olarak burnunu karıştırmaya başladım. Karşı koyarak ciyakladı. "Kes şunu!"

Kolu indirdim. "Beynini kullanarak yapabileceklerim bununla sınırlı değil. Hişt... Burada çok tuhaf, küçük bir dünya var... Sanki çikolatalı muhallebiye batırılmış gibiyim, bir tek o hoş koku eksik. Bazı düşüncelerin, Nathaniel... *Aman aman!* Sakın Kitty duymasın..."

Ağzının kontrolünü zorla ele geçirdi. "Yeter! Kontrolün bende olması lazım! Bunda anlaşmıştık. Uyum içinde hareket etmeliyiz, yoksa sonumuz kötü olur."

Kitty sandalyesinden konuştu. "Haklı Bartimaeus. Zaten yeteri kadar zaman kaybettik. Birlikte çalışmanız gerek."

"İyi," dedim, "ama *beni* dinlemesi lazım. Faquarl ve Nouda hakkında ondan fazla şey biliyorum. Yapacaklarını önceden kestirebilirim. Ayrıca bedenini de istediğim gibi idare edebilirim. Bak şimdi..."

Bacak kaslarını iyice anlamıştım, dizleri kırdım, bacakları uzattım, gerisini özüm halletti. Ayakta durduğumuz yerden masanın üstüne sıçrayıp odanın öteki ucuna yuvarlandık.

"Fena değil, ha?" diye kıs kıs güldüm. "İpek yumuşaklığında." Dizleri tekrar kırdım, bacakları uzattım... Tam aynı anda büyücü de aksi tarafa yürümeye çalıştı. Bedenimiz çırpındı, bacağın teki havalandı, teki 170 derecelik açıyla onun üstüne kalktı. Bacak bacak üstüne atarak hafif rahatsızlık belirtisi uyumlu çığlıklarla halının üstüne serildik.

"Ya," dedi Kitty. "*Çok* yumuşak."

Ayağa kalkma işinin organizasyonunu Nathaniel'a bıraktım.

"Böyle olacağını *biliyordum*," diye bağırdı. "Hiç yararı yok."

"Emir almaktan hoşlanmıyorsun, o kadar," diye ben de ona bağırdım. "Şutları, kölenin atması hoşuna gitmiyor. Büyücü doğan, büyücü..."

"Susun," dedi Kitty. Aurası mı değil mi bilmiyorum ama kızdaki bir şey bugünlerde tartışmaya fırsat vermiyordu. Ses çıkarmadan durup onu dinledik. "Saçmalamaya bir saniye olsun ara verseydiniz," dedi, "birlikteyken Nouda ve diğerlerinin çalıntı bedenleriyle çıkardığından çok daha iyi bir iş çıkardığınızı görürdünüz. Hopkins'in içindeki Faquarl, evinde gibiydi ama alıştırma yapacak *zamanı* olmuştu. Ötekiler neredeyse umutsuz durumdaydı."

"Haklı..." dedi Nathaniel. "Nouda yürüyemiyordu."

Konunun özüne gelmek için bir cin gerekiyordu. "Aramızda iki önemli fark var," dedim. "*Ben* senin aklını ele geçirmedim. *Bunun* biraz faydası olmuştur. Ayrıca gerçek ismini biliyorum. Bu, bana başka varlıkların umut edebileceğinden daha derinlere nüfuz etme kabiliyeti kazandırıyordur eminim. İşte, gördün mü? Bir gün bir işe yarayacağını biliyordum."

Büyücü çenesini kaşıdı. "Belki de..."

Felsefi kuramlarımız sabırsız bir çığlıkla yarıda kesildi. "Neyse ne," dedi Kitty. "Birbirinize planladıklarınızı anlatın da böyle aptalca kıç üstü düşmeler önlensin. Şimdi, Asa'yı ne yapıyoruz?"

Asa'yı *ne* yapıyoruz. Bunca zamandır elimizde tutuyorduk ve Nathaniel'ın kemikleriyle etinin yalıtımına rağmen varlığını sürekli hissetmiştim. İçine hapsedilmiş yüce varlıkların dinmek bilmez kıvranışlarını algılıyor, özgür kalmak için yakardıklarını belli belirsiz işitiyordum. Gladstone'un ahşap üstüne işlediği kilit ve bağlayıcı mühürler, hâlâ ilk yapıldıkları gün kadar güçlüydü. Şanslıydık aslında çünkü hepsi birden serbest kaldığında, içinde hapsedilmiş enerjiler şehirdeki bütün bir bloğu yerle bir edebilirdi.[7]

Kitty taviz vermez gözlerle bizi izliyordu. "Onu çalıştırabilecek misiniz?"

Nathaniel, iki eliyle Asa'yı tuttu. (Burada eklemlerimizi idare etmesine izin verdim. Bu onun anıydı. Süreci başlatmak için *onun* formülüne, onun yönlendirmesine ihtiyacımız vardı. Ben yalnızca fazladan enerji, iradesini destekleyecek güç sağlıyordum.) Bacaklarını hafif açmış, kendini güçlü enerjilere hazırlamış, ayakta duruyordu. Konuşmaya başladı. O konuşurken ben de onun gözlerinden odaya göz gezdirdim. İşte Kitty, sandalyesine oturmuş karşımızda duruyordu. Aurasının Asa'nınkiyle boy ölçüşmesi bile gerekmiyordu. Arkada, ufak bir patlamayla kırılmış bir kapı girişi vardı. Yere birçok inferno çubuğu ve element küresi yığılmıştı. Kapıyı kırmak için bir patlama küpü kullanan Nathaniel getirmişti bunları. Kitty için o kadar endişeliydi ki omzundaki ağrıyı ve bitkinliğini bir süreliğine unutmuştu...

---

[7] Böyle bir eşyayı kullanmak, kola şişesinin kapağını açmaya benzer. Yo. Belki birazcık daha heyecanlıdır: Şişeyi önceden çalkaladığınızı düşünün. Sonra kapağı yavaş yavaş çevirin... İşin püf noktası yalnızca küçücük bir sızıntı olana kadar açmaktır. Sonra da büyücü, bu gücü istediği yere yönlendirebilir. Çok fazla çevirmek ya da bunu çok hızlı yapmak elinizin yapış yapış olmasına neden olabilir. Anlarsınız ya. Tılsımların dikkatsiz kullanımı sonucu yok olan önemli yapılar arasında şunlar sayılabilir: İskenderiye Kütüphanesi ve Faros Feneri, Babil'in Asma Bahçeleri, Büyük Zimbabwe Kalesi ve Kos'un Sualtı Sarayı.

Bir erkeğin aklının nasıl çalıştığını hissetmek ilginç bir şeydi. Karanlıkta uyuyan biri gibi kıpırdanıyor, bu arada başka bir yerde bilinçli düşünceleri sihirli sözcükleri sıralıyordu. Önümden süzülerek yüzler geçti: Kitty'nin, daha yaşlı bir kadının, hiç tanımadığım başkalarının. Ve sonra (Bu tam bir şok oldu.) Batlamyus'un yüzü de, gerçek gibi. Görmeyeli o kadar *uzun* zaman olmuştu ki... İki bin yıl... Ama tabii, bu görüntü bana ait bir *anıdan* başka bir şey değildi.

Konsantre olma zamanı. Enerjimin, Nathaniel'ın ağzından çıkan sözcükler tarafından çekilip Asa'nın etrafında bağlara dönüştüğünü hissettim. Sözcükler bitmek üzereydi. Gladstone'un Asası titreşti. Soluk ışık akımları, asayı boydan boya geçerek ucuna oyulmuş pentagramda toplandı. İçindeki varlıkların hücrelerinde yarattığımız çatlağa baskı yaptıklarını, Gladstone'un kilit mekanizmalarının kendilerini mühürlemeye çalıştıklarını hissettik. İkisine de izin vermedik.

Nathaniel'ın sözcükleri sona erdi. Asa elimizde bir kez nabız gibi attı, odayı her düzlemde muhteşem beyaz bir ışık kapladı. Olduğumuz yerde sendeledik, Nathaniel gözlerimizi kapattı.

Sonra ışığın şiddeti azaldı. Denge kurulmuştu. Her şey kıpırtısızdı. Oda sessizdi. Gladstone'un Asası, duyulur duyulmaz bir sesle elimizde vınlıyordu.

Tek vücut halinde Kitty'nin sandalyesinde oturmuş olanları izlediği yere döndük.

"Artık hazırız," dedik.

33

Nathaniel yalnızca bir an için, Asa harekete geçirilip cinlerin enerjisi gücünü kontrol etmek için içinden geçtiğinde, omzundaki yarayı hatırladı. Omzuna bıçak saplanmış gibi cesaret kırıcı bir acıyla başının döndüğünü hissetti... Sonra o yeni güç, bir kez daha içini sardı ve kırılganlık kayboldu. Kendini her zamankindan daha iyi hissetti.

Bedeninde hâlâ o ilk anın anısı yankılanıyordu, Bartimaeus'un güçlerinin kendisiyle birleştiği anın. Sanki bir elektro şok gibiydi. Sizi yerden çekip almakla, yerçekimi kanunlarına toptan karşı gelmekle tehdit eden bir dalga. Ağırlığından ve yorgunluğundan eser kalmamıştı. Yaşamla yanıyordu. Zihni birden netleşerek (Aniden berraklaşmış, sanki yeni bilenmiş gibiydi.) cinin doğasını sezmiş; devinim, değişim ve dönüşüme duyduğu sonsuz gereksinimi anlamıştı. Zorla sınırlanmanın, dünyevi ve katı şeyler içine hapsedilmenin böyle bir doğa için ne kadar acımasız bir kader olduğunu hissetti. Korkunç bir zaman uçurumu boyunca uzanan görüntüler, anılar ve izlenimler bir an (ilk önce bulanık) pul pul gözlerinin önünde uçuştu. Bunun getirdiği his, yükseklik korkusundan pek de farklı sayılmazdı.

Bütün duyuları alev almıştı. Parmakları, Asa'nın üstündeki her sarmalı ve en ufak girinti çıkıntıyı bile hissediyor, kulakları sessiz vızıltısını duyuyordu. En güzeli de bütün düzlemleri görüp anlayabilmesiydi, yedisini birden. Oda, auralardan gelen onlarca ışıkla yıkanmıştı: Asa'nın, kendisinin ve en muhteşemiyse Kitty'nin. Aurasının ışıltısında kızın yüzü yeniden pürüzsüz ve genç görünüyor, saçları alev gibi parlıyordu. Sonsuza kadar onu seyredebilirdi...

Bu saçmalığa hemen bir son ver. Midemi bulandırıyorsun.

Sefil bir cin, kafasının içinde gevezelik edip durmasaydı.

Bir şey yapmıyordum ki, diye düşündü.

Yaptığın söylenemez. Asa çalışır durumda. Gitmemiz gerek.

Evet. Nathaniel, cinin bacakları için başka planları varsa diye tedbiri elden bırakmadan Kitty'e döndü. "Senin burada kalman lazım."

"Kendimi daha güçlü hissediyorum." Nathaniel'ı dehşete düşürerek sandalyesinde öne kaykıldı, titrek ellerinden destek alarak ayağa kalktı. "Yürüyebiliyorum," dedi.

"Öyle de olsa bizimle gelmiyorsun."

Cinin zihninde kıpırdandığını hissetti, sesi ağzından yankılandı. Daha önce olduğu gibi yine telaşa kapıldı. Ayrıca biraz da gıdıklanmıştı. "Nathaniel haklı," dedi Bartimaeus. "Fazlasıyla zayıf düştün. Eğer hafızası biraz deşilmeye geliyorsa ki bundan şüpheliyim, binada hâlâ tutsaklar olabilir, Nouda hepsini öldürmediyse tabii. Neden onları bulmayı denemiyorsun?"

Kitty başını salladı. "Tamam. Sizin planınız nedir? Nouda'nın yerini bulmak için neden sihirli aynayı kullanmıyorsun?"

Nathaniel kıpırdandı. "Şey..."

"Bozmuş," dedi cin. "İblisi serbest bırakmış. Fikrimi sorarsanız bu büyük bir hata."

"Ben *kendim cevap verebilirim,*" diye homurdandı Nathaniel. Sözünü kesenin kendi gırtlağı olması sinirlerini daha da geriyordu.

Kitty gülümsedi. "İyi etmişsin. Eh, sonra görüşürüz o zaman."

"Tamam... Yalnız kalabileceğine emin misin?"

Cinden gelen güçlü bir sabırsızlık patlaması hissetti. Bacakları sarsıldı, sıçramak için dayanılmaz bir istek duydu, tabii havaya... "Ben iyiyim. Bunu al, işine yarar." Nathaniel başını eğip Semerkant Tılsımı'nı boynundan çıkararak Kitty'e uzattı. "Boynuna tak," dedi. "Seni korur."

"Yalnızca *büyüye* karşı ama," diye ekledi cin. "Fiziksel saldırıya, ayağının takılmasına, kafanı çarpmana ya da ayak parmağını ezmene karşı falan değil. Ama kesin olarak belirlenmiş parametreleri içinde, gayet iyi çalışır."

Kitty duraksadı. "Benim biraz esnekliğim *var,*" diye başladı söze. "Belki de almasam..."

"Nouda'yla baş etmene yetmez," dedi Nathaniel. "Özellikle bu yaşadıklarından sonra. Lütfen..."

Kitty kolyeyi başından geçirdi. "Teşekkür ederim," dedi. "İyi şanslar."

"Sana da." Söylenecek bir şey kalmamıştı. Zaman gelmişti. Nathaniel, çenesini öne çıkartıp kasvetli ve kararlı gözlerle kapıya yürüdü. Ardına bakmadan. Kırılan kapıdan artakalan bir enkaz yığını geçişi kapamıştı, üstünden geçmek için dikkatle bir adım attığı anda cin de ayaklarını sıçramaya zorladı. Ayakları birbirine karıştı, tökezleyip dengesini kaybetti, Asa'yı yere düşürüp moloz yığınının üstünden bir takla atarak geçip kapıdan dışarı çıktı.

Şık bir hareketti, dedi Bartimaeus.

Nathaniel'ın sesi çıkmadı. Gladstone'un Asası'nı kapıp koridorda ağır adımlarla ilerlemeye başladı.

Heykelli Salon'da yaratıcı bir yıkım sahnesi vardı. Merhum başbakanlara ait bütün heykellerin başları gövdelerinden ayrılmış ve görünüşe göre bir bowling oyununda kullanılmıştı. Kırık konsey masası duvarın yanında duruyordu. Çevresindeki yedi sandalyeye komik duruşlarda büyücü cesetleri yerleştirilmişti, ölüm çemberi gibi. Yer yer ve gelişigüzel atılmış her türden büyülü saldırı salonu harap etmişti. Zemin, duvarlar ve tavanın bazı bölümleri yıkılmış, delinmiş, kararıp erimiş ve yerinden kopmuştu. Duman çıkan yerler, halıların eski konumlarını gösteriyordu. Cesetler gelişigüzel üst üste yığılmış, kırık oyuncaklar gibi terk edilmiş ve mahzun yatıyorlardı. Salonun öteki ucundaki taş duvarda açılmış koca delikten içeriye soğuk bir rüzgar esiyordu.

"Pentagramlara bak," dedi Nathaniel birden.

Bakıyorum. Senin gözlerin bende de var, değil mi? Ve haklısın.

"Ne?"

Düşündüğün şey doğru. Onları sistematik olarak yok etmişler. Hayatta kalmış olabilecek büyücülerin işini zorlaştırmak istiyorlar.

Pentagramların hepsi bir şekilde tahrip edilmiş ya da bozulmuştu. Mozaikten yapılmış çemberler kazınıp etrafa saçılmış, özenle çizilmiş hatlar gelişigüzel büyülü patlamalarla paramparça edilmişti. Barbarlar, şehrin kapısına dayandığı ve vatandaşlar, yönetimdeki büyücülere karşı ayaklandığı sırada Roma'daki Forum da tıpkı böyle görünüyordu. *Onlar da* işe pentagramları yok ederek başlamıştı...

Nathaniel kafasını salladı. "Bunun önemi yok," dedi. "Biz işimize bakalım."

Bakıyorum. Anılarımı talan etmenin bir yararı olur muydu?

Nathaniel cevap vermedi. Taş yığınlarının arasında yatan tanıdık yüzler görmüştü. Dudakları sımsıkı aşağı doğru kıvrıldı. "Gidelim," dedi.

Tarihi benzerliklere ne diyorsun? Hoşuna gitmedi, değil mi?

"Hızlanmamız gerek."

Tamam. Hareket etme işini bana bırak.

Bu en olağandışı histi: Kaslarınızı gevşetmek, üstlerindeki tüm iradenizi bilerek teslim etmek, yine de gerildiklerini ve yaylandıklarını, birbirine uyumlu sıçrayış ve zıplamalarla, insanüstü bir coşkuyla dalgalandıklarını hissetmek. Nathaniel Asa'yı sımsıkı kavradı, bunun dışında dizginleri cine bıraktı. Tek bir sıçrayışta salonu boydan boya geçip bir yıkıntının üzerine iniş yaptı. Biraz durdu, sağına soluna baktı, sonra yeniden harekete geçti. Dev bir adım, bir adım daha, eğilerek duvardaki delikten geçip karanlık, harap olmuş, enkazla dolu bir başka salona süzüldü. Salonu incelemeye fırsat bulamadı. İçinde uyanan enerjilerin heyecanıyla altüst olan midesini yatıştırmaya çalışmakla fazlasıyla meşguldü. Havalanıp tekrar yere indi. O salondan başka salona, talaş olmuş bir merdiveni, iri kaya parçası büyüklüğünde yıkıntıları geçti. Taş duvarda ağız gibi açılmış bir kemerden...

Whitehall sokaklarına çıktı.

Yere indiler, dizleri yeniden sıçramaya hazır kırıldı. Nathaniel'ın başı arkaya yattı, gözleri kendi çevresinde döndü, bütün düzlemleri görüyordu

"Oh yo..." diye fısıldadı.

Oh EVET, dedi cin.

Whitehall alevler içindeydi. Alçak bulutlar damların üstünde pembe–turuncu parıldıyor, aralarından geçen kızgın ışıklar yıldızlarla delinmiş karanlık uçurumlara sızıyordu. İmparatorluk işlerinin durmaksızın sürdüğü hükümete ait büyük bakanlık binaları karanlık ve boştu. Sokak lambaları da dahil bütün ışıklar sönmüştü. Kuzeydeki bir binanın (Eğitim Bakanlığı mıydı? Nathaniel tam seçemiyordu.) en üst katında yangın vardı. Sonbahar yaprakları gibi küçük kızıl oklar pencerelerde titreşerek dalgalanıyor, yükselen duman bulutlara karışıyordu. Karşıdaki binalarda başka alevler yükseliyordu. Hepsinde gerçek dışı bir nitelik vardı, Makepeace'in oyunlarından birindeki ilüzyonlar gibi.

Sokak enkaz yığınları, devrik sokak lambaları ve haşlanmış karıncalar gibi minik ve karanlık görünen dağınık insan cesetleri dışında bomboştu. Orada Ulaştırma Bakanlığı'nın camdan ön cephesine bir limuzin dalmış, burada büyük heykellerden biri (*Otoriteye Saygı*) paramparça yere yığılmış, kaidesinin üstünde yekpare taştan ayağı dışında hiçbir şey kalmamıştı. Savaş anıtları da aynı şekilde paramparça olmuş, geçiş granit kırıklarıyla yarı kapanmıştı. Whitehall'un yavaş dönemecinin yukarısında, Trafalgar Meydanı'nın oralarda bir yerden boğuk bir patlama duyuldu.

"Bu taraftan," dedi Nathaniel. Bacakları sıçradı, yükseklerde süzülüp alçak iniş yaptı. En yüksekteyken binaların ikinci katıyla aynı hizaya geliyordu, yere her inişinde yeniden sıçramadan önce yalnızca şöyle bir dokunuyordu. Ayağına büyük gelen botlar her seferinde takırdıyordu.

"Ayağımda yedi düvel botları var biliyorsun," dedi nefes nefese. Rüzgar nefesini kesiyordu.

Tabii biliyorum. İster hoşuna gitsin, ister gitmesin, şu anda ben senim. Daha onlara ihtiyacımız yok. Asa'yı hazırladın mı? İleride bir şey var.

Savaş anıtlarını, terk edilmiş arabaları geçtiler. Caddenin ortasında dikenli tel parçalarının, uyarı levhalarının, bir polis kordonundan geriye kalanların arasında bir kurt cesedi yatıyordu. İleride Trafalgar Meydanı vardı. Nelson Sütunu, gecenin içinde hardal sarısı bir parıltıyla yükseliyordu. Altında ileri geri yankılanan ufak patlamalar vardı. Turist pazarının tezgahları ve büfeleri arasında küçük gölgeler uçuşup dağıldı. Ayaklarının dibinde bir şey sıçradı.

Nathaniel, meydanın kenarında biraz dinlenecekti. Dudağını ısırdı. "Bu şey insanları takip ediyor."

Biraz spor yapıyor. Herhalde kendini hâlâ Kolezyum'da sandı...[1] *Bak! Şu adam bir patlamadan sağ kurtuldu. Bunlardan bazılarının esnekliği var.*

Nathaniel, elini gözlerinin üstüne koydu. "Düşüncelerin farklı yönlere gitmeye başladı. Biraz basit düşün. Baş edemiyorum."

---

[1] Eski Roma'da köle ve savaş esirlerinin eline demir bıçaklar verilir ve tutsak cinlerle dövüşmeleri için büyük arenaya gönderilirlerdi. Roma sosyetesi, bu kovalamaca komedisini ve neşeli ölüm şekillerini seyretmeye *bayılırdı.*

Tamam. Asa hazır mı? İyi o zaman, gidiyor–ru–huuuuz!

Nathaniel, kendini hazırlayamadan bacakları sıçradı. Caddenin karşısına geçip yanan tezgahların arasına daldı. Dumanların arasında birbirine sokulup yere sinmiş bir kadınla çocuğun yanında geçti. Hop, güm... Tam ileride, bir çeşmenin önünde, Clive Jenins'in bir hayvan gibi iki büklüm olmuş bedeni. Gözlerinde yanan soluk yeşil ışıklar, aşağı sarkmış, şişkin ağzı. Ellerinden kıvrım kıvrım yükselen sarı bir buhar.

Nathaniel şok içinde bakakaldı, zorlanarak kendini toparladı. Asa'yı kaldırdı...

Bacakları bir kez daha sıçradı. Kendini havada uçarken buldu. Ardından bir patlama. Yanağına beton parçaları çarptı. Sütunun tam altındaki bir aslan heykelinin başına indi.

"Ne demeye bizi hareket ettirdin ki?" diye bağırdı. "Tam hazırlanacaktım..."

Bir saniye daha oyalansaydık, havaya uçacaktık. Daha hızlı olmamız lazım. Naeryan bir ifrit, boşa zaman harcamaz.[2]

"Şunu yapmayı *keser* misin? Konsantre olmaya çalışıyorum." Nathaniel, Asa'ya odaklandı ve kendini hazırladı...

İyi, çabuk ol. Yaklaşıyor. Semerkant Tılsımı, boynumuzda olsa haline gülebilirdik. Onu neden Kitty'e vermen gerekiyordu ki zaten? Mımm, evet, biliyorum. Kabul edilebilir bir neden. Birbirinin aklını okurken tartışmayı sürdürebilmek ne zor, değil mi? Aha! Patlama geliyor. Sıçrayacağım.

"Sıçra o zaman."

Emin misin? Sakıncası yok ya?

"Yap şunu!"

---

[2] Naeryan'ı ilk olarak Scipio savaşı sırasında Afrika'da görmüştüm. En sevdiği görünüm kıvrak bir dansözdü, baştan çıkaran...

Dumanların arasından korkunç şekilde seken bir şekil belirdi. İçindeki ifrit, bedeni kullanmakta ustalaşmıştı. Yine de insan gibi yürümektense parmak uçlarında hoplamayı tercih ediyordu. Altın rengi bir ışık demeti, aslan heykelini paramparça etti ama Bartimaeus doğru tendonları çekip kasları hareket ettirdi ve Nathaniel kendini tam canavarın başının üstünden perende atıp arkasına inerken buldu.

Şimdi, dedi Bartimaeus.

Nathaniel, tek bir sözcük söyledi. Asa tetiklendi. Başına oyulmuş pentagramın ortasından elmas sertliğinde, el genişliğinde, beyaz bir ışın patladı. Yer sarsıldı, Nathaniel'ın dişleri takırdadı. Işık, Clive Jenkins'in bedenini birkaç metre ıskalayıp Nelson Anıtı'na çarparak bir kraker gibi ikiye böldü. Beyaz ışık kayboldu. Nathaniel yukarı baktı. İfrit yukarı baktı. Sütun hiç ses çıkarmadan sallandı, titreşti ve ağır ağır yükselir gibi göründü... Sonra neredeyse çığlığa benzer bir ıslık sesiyle üzerlerine devrilmeye başladı. Sütun, yere çarpıp meydanı ikiye bölerken Bartimaeus yana doğru sıçradı, yanan bir tezgahın tentesini delip geçerek yaralı omzunun üstünde kaldırımda yuvarlandı.

Nathaniel, hemen ayağa kalktı. Köprücük kemiği acıyla yanıyordu. Zihninde öfkeli bir ses haykırıyordu. *Şunu doğru dürüst yönlendir! Bir daha sefere ben yapacağım!*

"Hayır, yapmayacaksın. Demon, o nerede?"

Çoktan gitmiştir, şüphesiz. İşi berbat etmeyi cidden başardın.

"Şunu dinle..." Birkaç metre ötede bir hareketlilik dikkatini çekmişti. Dört beyaz yüz. Tezgahların ardına sinmiş bir kadınla çocukları. Nathaniel elini uzattı. "Korkmayın," dedi. "Ben büyücüyüm..."

Kadın hafif bir çığlık attı, çocuklar irkilip iyice annelerine sokuldular. Zihninde alaycı bir ses konuştu. *Ah, ne tatlı. Çok güven verici. Hazır elin değmişken neden boğazlarını kesmeyi de teklif etmiyorsun?*

Nathaniel içinden bir küfür savurdu. Dışından gülümsemeye çalıştı. "Ben sizden yanayım," dedi. "Orada kalın, ben..."

Birden yukarı baktı. Başının içindeki ses: *Gördün mü?* Tezgahın yanan tenteleri arasından, devrilen sütunun kırılan parçalarından yükselen toz bulutu içinde, yeşil bir parıltı seçti. Yeniden odaklandı. Kısılmış gözler yüksek düzlemlerde daha iyi seçebiliyordu, karanlığın içindeki sinsi sekme hareketini. Clive Jenkins'in bedeni yaklaştıkça yaklaştı, tezgahtan tezgaha parmak uçlarında sıçrayarak onu gafil avlamayı umuyordu.

Bartimaeus çabucak konuştu: *Bu sefer bir akım yollayacak... Cin olduğum için böyle şeyleri anlayabilirim. Akımlar, geniş bir alanı kapsar. Seni etkisiz hale getireceğini umuyor. Üstümüze bir kalkan koyabilirim ama bu Asa'dan çıkacak ışığın da sekmesine neden olur.*

"Kalkanı bu insanların üstüne koyabilir misin? ... Koy o zaman. *Bizim* ihtiyacımız olmayacak."

Nathaniel, elinin kalkmasına izin verdi. Gerilmiş parmaklarından enerjiler aktı. Birbirine sokulmuş insanların üstünde yükselen mavi küre onları içine mühürledi. Yüzünü, meydana doğru döndü. Toz hâlâ yükseliyor, tezgahların yanan tentelerinden çıkan siyah parçalar havada uçuşuyordu. Seke seke hoplayan demondan eser yoktu.

"Nerede o?"

Nereden bileyim? Başının arkasında gözlerin yok ki? Bir tek senin baktığın yerleri görebiliyorum.

"Tamam, tamam. Sakin ol."

Ben sakinim. Sakin olmayan sensin. Sisteminde salgılanıp duran bütün o garip kimyasallar seni gerginleştiriyor. İnsanların doğru dürüst düşünememesine şaşmamalı. İşte. Yo, yalnızca rüzgarda uçuşan bir bez parçasıymış. Bırr. Beni resmen yerimden sıçrattı.

Nathaniel meydanı taradı. Asa elinde vınlıyordu. Cinin sürekli titreşen sesini, akan anılar selini bir düzene sokmaya çalıştı, zaman zaman içlerinde kaybolduğunu hissediyordu. Demon nereye gizlenmişti? Sütunun yarılmış kaidesinin arkasında mıydı? Sanmıyordu... Orası çok uzaktı... Öyleyse *nerede*?

Bu beni aşar, dedi Bartimaeus. *Belkide kaçmıştır.*

Nathaniel, öne doğru dikkatle birkaç adım attı. Vücudu karıncalanıyor, tehlikenin ne kadar yakın olduğunu hissediyordu. Meydanın öteki ucunda, uzakta bir tırabzan gördü, kaldırımdan aşağı inen bir dizi merdiven. Yeraltına inen bir metro girişiydi... Meydanın altında tünellerden oluşan bir ağ uzanıyordu, trenlerin gelip gittiği, yayaların karşıdan karşıya geçtiği. Ve bu tüneller, meydanın çeşitli yerlerinden yukarı açılıyordu.

Dön! Emri içinden düşündü ve kaslarını gevşetip işin gerisini cine bıraktı. Dönerken sözcüğü söyleyip Asa'yı yönlendirdi. Tepesinden çıkan beyaz bir şimşek havayı delip geçerek arkasından sinsice yaklaşan Clive Jenkins'in bedenini atomlarına ayırdı. Bir dakika önce demon orada, yapışkan elini uzatmış bir akım yaratmaya çalışırken şimdi arkasındaki metro çıkışıyla birlikte yok olmuştu. Erimiş kaldırımın üstünde leş kokulu küller uçuştu.

İyi düşündün evlat, dedi cin. *Naeryan'ın ne kadar sinsi olabileceğini unutmuşum.*

Nathaniel ağır ağır nefes aldı. Küçük grubun kalkanları altında sinmiş olduğu yere gidip elini üzerlerinden geçirdi. Bartimaeus küreyi kaldırdı. Kadın hemen ayağa kalkıp çocukları yanına çekiştirdi. "En güvenli yol Whitehall," dedi. "Sanıyorum demonlar orayı terk etmiş. O yoldan gidin ama korkmayın bayan. Ben..." Sustu, kadın ifadesiz bir yüz, karanlık ve uzak gözlerle sırtını dönmüş, çocuklarını tezgahların arasından çekiştirerek uzaklaşıyordu.

Ne bekliyordun? Cinin sesini duymak onu şaşırtmıştı. *Onu bu belanın içine sen ve senin türünden olanlar soktu zaten. Ne yaparsan yap, teşekkür etmek için ellerine sarılmayacaktır. Yine de endişelenme Nat. Yapayalnız sayılmazsın. Ben, hep yanındayım.* Zihninde teklifsiz kahkahalar fokurdadı.

Nathaniel birkaç saniyeliğine başını eğmiş, meydanın ıssızlığına bakarak olduğu yerde kaldı. Sonra sırtını dikleştirdi, Asa'yı sıkı sıkı kavradı, çizmesinin topuğunu bir kez yere vurdu ve yola koyuldu.

34

Kitty, tutsakların yerini umduğundan çok daha çabuk buldu. En zor kısım başlangıçtı, kendini küçük odadan çıkmaya zorladığı bölüm. İlk ayağa kalktığında vücudundaki her kas, göklere kadar şikayet etti. Sanki müthiş bir soğuğa çıkmış gibi titredi, başı sersemlemiş, beyni sulanmış gibiydi. Yine de devrilmedi.

Yalnızca yeniden öğrenmem gerekiyor, diye düşündü. *Vücuduma neler yapabileceğini hatırlatmalıyım.*

Ve ayağını sürüyerek attığı her adımda kendine güveni gerçekten de artmıştı. Kapının yanına yığılmış gizli silahların yanına kadar gitmeyi başardı. Yüzünü ekşitti, dizlerini kırıp çömelerek bu pozisyonda kaldı, sallanıp küfürler savurarak yığını karıştırmaya başladı. Şok ve inferno çubukları, element küreleri... Direnç yıllarından tanıdık eşyalar. Çantası yoktu ama kemerine bir inferno bir de şok çubuğu sıkıştırdı. İki küreyi, zar zor yırtık pırtık paltosunun ceplerine tıkıştırdı. (Batlamyus'un *Apocrypha*'sını, belli bir saygı göstermeyi ihmal etmeden cebinden çıkarıp yere koymuştu. Kitap, amacını fazlasıyla yerine getirmişti çoktan.) Sihirli eşyaların arasında bir de gümüş disk vardı, pürüzsüz ve jilet keskinliğinde. Anlaşılmaz, hafif bir direnci bastırarak onu da ceplerinden birine attı. Sonra duvardan destek alarak yeniden ayağa kalktı.

Dikkatle ve ağır ağır odadan çıkmak için ilerledi, kapıdan artakalan yığıntının üstünden koridora çıktı, harabeye dönmüş Heykelli Salon'un rüzgarlı boşluğunu geçti. Aklında bir anı vardı: Nathaniel'la birlikte kapatıldıkları odanın yanındaki bir kapının ardından gelen yakarışlar.

Yürürken içindeki garip bir bölünmenin bilincine vardı. Kendini daha önce hiç bu kadar korkunç derecede zayıf, dünyevi güçlere bu kadar pamuk ipliğiyle bağlı hissetmemişti. Yine de tam da aynı sebeple o anda daha önce hiç olmadığı kadar kendinden emindi. Geçmişte daha çok amansız bir kararlılık, gençliği ve yaşamla dolu olmasına karşı coşkudan yoksun bir güvenle doluydu. Şimdiyse öyle değildi. Bu daha sakin bir histi, daha sessiz, fiziksel şeylerden tamamen bağımsız ve tüm hislerine sürekli eşlik eden isyan duygusundan yoksun. Bir çeşit yenilmez bir özgüvenin, ayaklarını sürürken içinden yayıldığını hissediyordu.

Geçirdiği ilk sınav, bu hisse bir fiske bile vuramadı. Koridorun genişlediği noktada, bir dizi merdivenin yakınında, Kitty demonlardan birine rastladı. Herhalde bir bedenin içine en son girenlerden biriydi ve henüz hareket etmekte fazla ustalaşmamıştı. Ev sahibi uzun sarı saçlı, uzun boylu ve sıska bir adamdı, siyah takım elbisesinin oldukça pahalı olduğu anlaşılıyordu. Ama artık giysileri yırtık pırtık, saçları darmadağın, gözleriyse deniz kıyısındaki taşlar kadar donuktu. Bacakları koridorun bir yanından ötekine yalpalıyor, kolları ne yaptığını bilmeden çırpınıyordu. Gırtlağından (Araya bilmediği bir dildeki öfke dolu sözcükler serpiştirilmişti.) vahşi bir kükreme koptu.

Başı döndü, Kitty'i gördü. Gözlerin içinde sarı bir alev parlıyordu. Kitty durup bekledi. Demonun ilgisi kendini, koridordaki cam vitrinleri şıngırdatan ani ve vahşi bir ulumayla belli etti. Saldırmaya karar verdi ama büyülü bir bombardıman ateşini tam olarak *nasıl* yollayacağı konusunda kuşkuları var gibiydi. Önce bacağını kaldırdı, parmak uçlarını Kitty'e doğru uzatarak kendi pabucunu havaya uçurdu. Sonra dirseğini denedi ve benzeri bir başarı elde etti. Son olarak acı veren bir tereddütle elini kaldırıp titrek bir parmağı ileri uzattı, leylak rengi bir şimşek öne atılarak Semerkant Tılsımı'na çarptı ve bir anda kolyenin içine emildi.

Demon, sinir içinde parmağını inceledi. Kitty kemerinden şok çubuğunu çıkardı, sessizce öne ilerleyip demonun bedenini takır takır titreten parlak mavi bir akım yolladı. Kara bir dumanla sarılan demon sarsılarak yerinden sıçradı, kendini geriye attı, tırabzanların üstünden aşıp dört metrelik merdivenlerden yuvarlandı.

Kitty yoluna devam etti.

Dakikalar sonra hatırladığı o kapının önüne gelmişti. Kulağını kapıya dayadığında boğuk iniltiler işitti. Kapıyı açmayı denedi, kilitli olduğunu görünce element kürelerinin ilkiyle havaya uçurdu. Son fırtınalar da dindiğinde içeri girdi.

Oda fazla büyük değildi ve boydan boya uzanmış bedenlerle doluydu. Kitty ilk bakışta en kötü ihtimalden korktu, sonra hepsinin sıkı sıkı bağlanmış ve ağızlarının tıkanmış olduğunu gördü, aynı Makepeace'in iblislerinin saatlerce önce bırakmış olduğu gibi. Çoğu, mümkün olan en az miktarda ip veya sicim kullanılarak bağlanmıştı ama birkaç tanesi çarşaflara ya da kalın siyah ağlara sarılmıştı. İçeride baştan aşağı sucuk gibi sarılmış belki yirmi kişi vardı. Çoğunun, kavanoza tıkılmış solucanlar gibi zavallı, küçük kıpırtılarla hareket ettiğini görmek Kitty'i oldukça rahatlattı.

Bir–iki çift göz üstüne dikildi, gözlerin sahipleri kıvranarak yalvaran iniltiler çıkardı. Bir an kendini toparladı, oraya kadarki yürüyüş çabası dizlerini titretmişti. Sonra mümkün olduğunca net konuşmaya başladı.

"Sizi kurtarmak için buradayım," dedi. "Sabırlı olun. Hepinizi kurtarmaya çalışacağım."

Bu bildiri, büyük bir debelenme ve sızlanma sağanağına neden oldu. Bacaklar yere vuruldu, kafalar deli gibi savrulmaya başladı. Kitty, yanındaki vücutların kıvranmasından neredeyse yere devrilecekti. "Eğer sessiz kalmazsanız," dedi sertçe, "hepinizi burada *bırakırım*." Yüzükoyun yatmış büyücülerin sesi anında kesildi. "*Böyle* daha iyi. Şimdi..."

Beceriksiz parmaklarla gümüş diski çıkarıp kendi parmaklarını doğramamak için dikkatle tutarak yanındaki büyücünün bağlarını kesmeye başladı. İpler kızgın bıçak değmiş tereyağı gibi ayrıldı. Kramp girmiş el ve ayaklar, sahiplerinden çıkan acı dolu çığlıklar eşliğinde dikkatle oynatıldı. Kitty, tören falan yapmadan ağzındaki tıkacı çıkardı. "Ayağa kalkmayı başardığında," dedi, "keskin bir şey bulup diğerlerini çözmeme yardımcı ol." Bir sonraki büyücüye geçti.

Oda on dakika içinde topallayan, gerinen insanlarla dolmuştu. Kimileri oturuyor, kimileri önce tek sonra iki ayak üstünde durarak uyuşmuş eklemlerini açmaya çabalıyordu. Konuşma yoktu. Vücutlar serbest kalmıştı ama zihinler hâlâ şok ve inananamazlık içinde bağlı kalmıştı. Kitty sessizce, ağa sarılmış iri bir adam olan, sondan bir önceki tutsak üstünde çalışıyordu. Cansız görünen adamın başının çevresindeki ağdan kan sızıyordu. İlk kurtardığı büyücü olan kabarık saçlı genç bir kız, son büyücünün bağlarını çözmeye uğraşıyordu. O ise sarıldığı gri, kaba battaniyenin altında oldukça canlıydı, bacakları öfke dolu bir sabırsızlıkla ileri geri savruluyordu.

Kitty gümüş diski yanındakine verdi. "Al."

"Teşekkürler."

Ağ ve battaniye tabakaları, saniyeler içinde kesildi ve içlerindeki iki tutsak ortaya çıktı. Biri (kırmızı ve şişkin yüzünün üzerine dökülen uzun siyah saçlarıyla bir kadın) anında ayağa fırlayıp krampları hissederek sancı içinde ciyakladı. Çok kötü darbe almış suratıyla iri yarı bir adam olan öteki, hiç kıpırdamadan yatmaya devam etti. Gözleri kapalıydı, kesik kesik ve hırıltıyla soluyordu.

Siyah saçlı kadın, duvara yaslanıp bacaklarından birine masaj yaptı. Acı ve öfkeyle haykırdı. "Kim? Bunun sorumlusu *kimdir*? Onları geberteceğim. Yemin ederim geberteceğim."

Kitty, kabarık saçlı kızla konuşmakla meşguldü. "Kötü durumda. Birinin onu hastaneye yetiştirmesi lazım."

"Ben hallederim," dedi kadın. "George. Götürür müsün lütfen?"

"Tamam Bayan Piper."

"Durun." Bu Kitty'di. Bitkin halde ayağa kalkmaya çalıştı, titreyen elini uzattı. "Kalkmama yardım eder misiniz lütfen? Teşekkürler." Yüzünü odaya döndü. "Olanları hepinizin öğrenmesi gerek. Dışarıda durum zor olabilir. Demonlar, bütün Londra'yı sardı."

Şaşkınlık sesleri, küfürler, bir araya toplanmış yüzlerin hepsinde dehşet okunuyordu. Genci yaşlısı, kırılgan ve anlamayan gözlerle ağızları beş karış açık bakakalmıştı. Hiçbirinde büyücülere ait o özgüvenden eser yoktu. O anda hepsi sıradan insanlardı, paniğe kapılmış, lidersiz, çırılçıplak bırakılmış. Kitty elini havaya kaldırdı. "Dinleyin," dedi, "anlatacağım."

"Bir saniye." Siyah saçlı genç kız uzanıp Kitty'i kolundan yakaladı. "İlk önce, *sen* de kimsin? Yüzünü tanımıyorum" –dudağını kıvırdı– "zavallı, pis elbiselerini de. Büyücü olduğunu bile sanmam."

"Doğru," diye tısladı Kitty. "Ben halktan biriyim. Ama eğer öldürülmek istemiyorsan sesini kesip beni dinlesen çok iyi edersin."

Kızın gözleri iyice açıldı. "Ne cüretle...?"

"Evet, kapa gaganı Farrar," dedi erkeklerden biri.

Nefesi tıkanmış gibi görünen genç kız, vahşi gözlerle etrafa bakınsa da Kitty'nin kolunu bıraktı.

Bu tek istisna dışında odadaki herkes, Kitty'nin söyleyeceklerini dinlemeye hevesli hatta ona minnettar görünüyordu. Sessiz kalmalarının nedeni yaşadıkları şok yüzünden miydi, yoksa ağarmış saçları, çizgilerle dolu yorgun yüzüyle bu kızda dolaysız saygı uyandıran bir şey mi görmüşlerdi, bunu söylemek zordu. Ama Kitty, olanları anlatırken tüm dikkatlerini ona vererek dinlediler.

"Peki ya diğerleri?" diye sordu yaşlıca bir adam, ağlamaklı. "O tiyatroda oturan en az yüz kişi vardı. Herhalde hepsini..."

"Emin değilim," dedi Kitty. "Belki demonların unuttuğu ya da gözden çıkardığı tutsaklarla dolu başka odalar vardır. Arayıp bulmak zorundasınız. Ama çoğu öldürüldü."

"Ya Bay Devereaux?" diye fısıldadı bir kadın. "Ya da Jessica Whitwell ya da...?"

Kitty elini kaldırdı. "Üzgünüm ama bilmiyorum. Büyük büyücülerden çoğunun ele geçirilmiş ya da öldürülmüş olması çok büyük bir olasılık gibi görünüyor."

"*Bu* büyücü öldürülmedi." Siyah saçlı genç kız acımasızca konuşmuştu. "Ötekiler bulunana kadar geriye kalan tek konsey üyesi benim. Öyleyse idareyi ele alıyorum. Pentagramlarımıza gidip kölelerimizi çağırmalıyız. Hemen polis kurtlarımla temasa geçeceğim. Hain demonlar yakalanıp yok edilecek."

"İki şey daha," dedi Kitty sessizce. "Hayır üç. İlk önce bu adama yardım edilmeli. Taşıyabilecek kimse var mı?"

"Ben varım." Sivilceli delikanlı bilinçsiz bedenin yanında eğildi. "Bunun için üç kişi gerekecek. Bay Johnson, Bay Vole, bir el atar mısınız, limuzine kadar taşıyalım?" Yardım geldi, adamlar hastayı aralarında taşıyarak dışarı çıktı.

Bir el çırpışı, siyah saçlı kız kapının yanında duruyordu. "Pentagramlara!" diye emretti. "Kaybedecek zaman yok!"

Kimse kıpırdamadı. "Sanırım bu hanımın söyleyecek bir şeyleri daha var," dedi yaşlıca bir adam. "Onu dinlemeliyiz, sizce de öyle değil mi Sayın Farrar? Hiç olmazsa nezaket adına."

Farrar'ın dudakları büzüştü. "Ama o yalnızca bir..."

"Belirtmek istediğim *iki* nokta daha var," dedi Kitty. Artık kendini çok yorgun hissediyordu, başı da dönüyordu, oturması lazımdı. *Yo...* Kendini tut, işi bitir. Baş demon Nouda korkunç biri. Var olan en güçlü silahı kullanmadan ona yaklaşmanız intihar etmek anlamına gelir. Ayrıca bu, şu anda yapılıyor!" Sessiz gruba göz gezdirdi. "Bir büyücü, konseyin başka bir üyesi" (Burada Farrar'a alaycı bir bakış atmadan edemedi.) "onunla karşılaşmaya gitti. Elinde Gladstone'un Asası var."

Bastırılmış hayret çığlıkları, Kitty'i fazla şaşırtmadı. Özellikle Bayan Farrar çileden çıkmışa benziyordu. "Ama Sayın Devereaux bunu yasaklamıştı!" diye haykırdı. "Buna kim cüret...?"

Kitty gülümsedi. "Nath... John Mandrake. Başarması için dua etseniz iyi olur."

"*Mandrake!*" Farrar'ın sesi öfkeden kısılmıştı. "Onda o yetenek ne arar!"

"Söylemek istediğim son şey," dedi Kitty duygusuzca, "durum böyleyken bizim için en önemli şey –*sizin* için demem gerekirdi, *sizler* büyücüsünüz, güç *sizin* elinizde– halkın korunması ve yönlendirilmesidir. Makepeace, sizleri tutsak aldığından beri ne bir liderleri ne de onları demonların yoğun olduğu bölgelerden tahliye edecek birileri var. Büyük can kaybı riski altındayız, çok büyük. Eğer harekete geçmezsek halkın büyük çoğunluğu ölecek."

"Bu daha önce bizi hiç durdurmadı," dedi arkalardan genç bir adam ama genel görüş ona karşıydı.

"Bir kristale ihtiyacımız var," dedi Piper. "Demonların yerini bulmak için."

"Ya da sihirli bir aynaya. Bu binada onları nerede saklıyorlar?"

"Bir tane olmalı. Haydi."

"Pentagramlara gidelim. Bir iblis çağırırım, onu yollarız."

"Daha çok arabaya ihtiyacımız olacak. Araba kullanabilen var mı burada?"

"Ben bilmiyorum. O işi hep şoförüm yapar."

"Ben de..."

Kapıdan gelen keskin ve zoraki bir öksürük. Bayan Farrar'ın yüzü bitkin, saçları karman çorman, ağzı incecik bir yarık gibiydi. Beyaz elleri, kapının her iki yanına sertçe dayanmıştı. Kolları kırılmış, omuzları hafif yukarı kalkmıştı. Duruşu ters yüz olmuş bir yarasayı uzaktan da olsa andırıyordu. Gözleri zehir saçıyordu. "Hepiniz," dedi, "yalnızca küçük bakanlarsınız. Çoğunuz bu kadarı bile değilsiniz, yalnızca sekreterler ve masa başı memurları. Büyücülük bilginiz acınacak derecede sınırlı, karar verme yetinizse görünen o ki daha da beter durumda. Halk, kendi başının çaresine bakar. Bazılarının esnekliği var, kuşkusuz bir–iki patlamayı geri püskürtebilirler. Her neyse zaten çok fazla sayıdalar. Birkaçını kaybetmeyi göze alabiliriz. *Yapamayacağımız* şeyse başkent saldırıya uğramışken burada durup çene çalmak. Ne yani bu işi Mandrake'ye mi bırakalım? Sizce o ne kadar *iyi* bir büyücü? Ben kurtlarıma gidiyorum. İçinde birazcık olsun tutku kalmış birileri varsa beni takip eder."

Kendini kapıdan geriye itip bir kez bile arkasına bakmadan koridorda uzaklaştı. Huzursuz bir sessizlik. Bir duraksamadan sonra genç erkeklerden üçü, başlarını öne eğip çatık kaşlarla kendilerine yol açarak Kitty'i geçip dışarı çıktı. Diğerlerinin çoğu bocalasalar da odada kaldı.

Koyu kumral saçlı genç kadın omuz silkip Kitty'e döndü. "Biz sizi takip ediyoruz bayan... Şey, özür dilerim, adınız nedir?"

Clara Bell? Lizzie Temple? "Kitty Jones," dedi Kitty. Sonra, daha kısık bir sesle: "Biri, bana içecek bir şey getirebilir mi?"

Kitty dinlenip konseyin kendi stoğundan getirilen soğuk maden suyunu yudumlarken küçük büyücüler de işe koyuldu. Bazıları, Whitehall salonlarını dolaşmayı göze alıp beti benzi atmış halde titreyerek üst üste yığılmış cesetler, yerlerinden sökülüp paramparça edilmiş pentagramlar, hayal bile edilemeyecek bir yıkımla dolu hikayelerle geri döndüler. Böyle bir katliamı genelde uzaktaki düşmanlar yaşardı. Bunu ilk elden yaşamak büyücüleri rahatsız etmişti. Diğerleri, binanın ön cephesine doğru süzülüp Whitehall'un dışında olup biteni gözlemişlerdi. Binalar yanıyordu, her yerde cesetler vardı, en huzursuzluk vereniyse insanların yokluğuydu. Normalde gece yarısından sonraki saatlerde bile otobüs ve taksiler bu yoldan geçmeye devam eder, gece vardiyasında çalışan memurlar gelip gider, askerlerle polisler her yerde devriye gezerdi. Makepeace'in hainliği ve Nouda'nın sürpriz ortaya çıkışıyla devlet mekanizmasının boynu vurulmuş ve o an için tamamen durdurulmuştu.

Pentagramların tahrip edilmesi bir yenilgiydi ama demonların vahşi oldukları kadar becerikli olmadıkları çok geçmeden ortaya çıktı ve orada burada gözden kaçıp sağlam kalmış pentagramlar bulundu. Birkaç küçük iblis keşfe gönderildi. Bu arada, Heykelli Salon' a yakın başka bir salonda, daha önce Konsey'e ait olan dev bir kristal küre bulunup Kitty'nin oturduğu odaya getirildi. Büyücüler, suspus olup sıkıntıyla bir araya toplandı. Fazla tartışmadan, oradaki en güçlü büyücü (Balıkçılık Dairesi'nden genç bir bakan) kürenin içinde hapsedilmiş cini çağırdı. Etkileyici ses tonlarıyla görev bildirildi: Hain demonların durumunu göstermek.

Küre buğulanıp karardı... Herkes eğilerek yaklaştı.

Kristalin içinde ışıklar! Kırmızı turuncu. Savrulan alevler.

Odak netleşti. Şiddetli yangınlar, karanlık ağaçların üstünde uzak yakın fenerler. Biraz ileride, tümsek halinde dev bir parıltı...

"Cam Saray," dedi biri. "Burası St. James Parkı."

"Halk burada gösteriler yapıyordu."

"Bakın!" Ön planda, ağaçların arasında bir balık sürüsü gibi dağılarak koşan, yerlerde yuvarlanan yüzlerce insan.

"Neden dışarı çıkmıyorlar?"

"Etrafları sarılmış." Demonlar orada burada görülen büyülü patlamalarla paniğe kapılmış kalabalıkları koyun gibi güderek tekrar kendilerine çekiyorlardı. Kenarlarda doğaüstü anlık devinimler, büyük hoplayış sıçrayışlar, anlık kareler. Kalabalığın her yönünde hareket halinde atlayan, zıplayan şekiller. Görüntüleri insan ama coşkulu sevinçleri insanlık dışı. Birisi bir fenerin altına sıçrayıp net olarak göründü, kendine doğru koşuşturan bir grup insanı fark etmişti. Dizlerini kırdı, zıplamaya hazırlandı...

Beyaz bir ışık demeti, olağanüstü bir patlama. Zıplayan yaratık kayboldu, geride dumanlar saçan bir çukur bıraktı. Düzenli adımlarla yürüyen biri fenerin altından geçip gözden kayboldu, elinde uzun bir asa vardı.

Kitty, maden suyunu dikkatle yere bıraktı. "Hangi demonları çağırabiliyorsanız çağırın," dedi. "Eğer bir işe yarayacaksak gitmemiz gereken yer *burası.*"

35

Birlikte iyi iş çıkardığımızın söylenmesi gerek. İkimizin beklediğinden de daha iyi.

Tamam, belki sistemi uyarlamak *biraz* zaman aldı ve bedenimiz aynı anda iki ayrı şey yaparken utanç verici bir–iki an yaşadık ama durumu anında kurtarıp zarar görmemeyi başardık.[1] Bu uzun yürüyüşe bir kez başladıktan sonra da cidden hızlandık ve içinde bulunduğumuz olağandışı durumun tadını çıkarmaya başladık.

Bizi gaza getiren şey, zavallı ihtiyar Naeryan'a karşı kazandığımız ilk zafer oldu. Bize ne yapmamız gerektiğini, en iyi sonucu almak için nasıl birlikte çalışacağımızı göstermişti. Birbirimizin ne yapacağını tahmin etmekten vazgeçip biraz yetkilendirme yaptık.

Durum şöyleydi: Nathaniel çizmeleri kullanıyordu. Eğer uzun ve düz bir yol gideceksek adımları o atıyordu. Bir kez

---

[1] Eh, en azından ben görmedim, içeride güven içinde kılıflanmıştım. Nathaniel, bir–iki gereksiz yara bere almış olabilir, mesela ben solu gösterirken o sağa gittiği ve Asa'nın direk burnuna geçtiği ya da ekstra havalı bir sıçrayışın ortasında Asa'yı ateşleyip yanlamasına karaçalıların içine daldığımız zaman olduğu gibi. Bir de onu çok öfkelendiren göldeki küçük olayda (Yalnızca birkaç saniyecik sualtında kalmıştık ve kabul edelim ki birazcık sarmaşığın kimseye zararı olmaz.). Ama genel olarak kendi kendimizi yaralamaktan kaçınmayı başarmıştık.

varış yerine ulaştıktan sonra (Genelde bir–iki saniye alıyordu, çizmeler bayağı marifetliydi.) bacakları ben devralıp tescilli markam olan enerjiyle dolduruyor, düşmanın (hatta arada benim bile) kafası iyice karışıncaya kadar bizi bir ceylan gibi öne arkaya, yukarı aşağı, sağa sola sıçratıyordum. Bu arada, kollarının ve Gladstone'un Asası'nın tüm kontrolü Nathaniel'da kalıyor, ne zaman atış menziline gelsek Asa'yı ateşliyor ve niyet ettiği şeyi önceden sezebildiğim için ben de çoğunlukla ateşlemesine yetecek kadar uzun süre hareketsiz kalıyordum. Bunun tek istisnası (adil bir neden, sanırım) bir patlama, akım ya da spiral bölücünün yolundan kaçabilmek için acele ettiğim zamanlardı. Hızınızı korumak istiyorsanız bu tür şeylerden kaçınmak en iyisidir.[2]

Aramızda çok özlü bir iletişim vardı, daha çok tek ya da birkaç heceli düşüncelerle anlaşıyorduk: *Koş, Zıpla, Nerede? Sola, Yukarı, Atla* vs.[3] Ugh gibi şeyler hiç söylemedik ama buna yakın bir durumdu. Biraz erkeksi ve maço işiydi, kendini anlama çabasına ve duygusal analizlere yer bırakmıyordu, buysa hayatta kalabilme çabasına ve Nathaniel'ın zihnini yeni yeni saran hafif uyuşukluğa cuk oturuyordu. İlk başta çok belirgin değildi, Kitty ile beraberken (O zaman kafası daha yumuşak şeylerle doluydu; yarı olgunlaşmış, hevesli, dışa dönük bir durumdaydı.) ama Trafalgar Meydanı'ndaki o andan, kadın korku ve aşağılama dolu bir yüzle ona sırtını döndükten sonra hızla artmış ve zihni içe kapanmıştı. Yumuşak hisleri henüz yeni ve çekimserdi, reddedilmeye gelemiyordu. Şimdiyse mühürlenmişler ve onların yerini o eski bildik özellikler almıştı: Gu-

---

[2] Ya da hayati organlarınızı korumak istiyorsanız, desek daha doğru.

[3] Bu sonuncusu göl kenarında yaptığım bir gözleme dayanıyor. Ne yazık ki Nathaniel bunu bir komut olarak algıladı ve suyun altında biraz zaman harcadık.

rur, mesafe ve çelik sağlamlığında bir kararlılık. Hâlâ görevine bağlıydı ama bu görevi üstü kapalı bir kendinden nefretle yerine getiriyordu. Sağlıklı bir durum değilse de iyi dövüşmesini sağlıyordu.

Ve dövüşmek, şu anda yapmamız gereken tek şeydi.

Meydanda salınan Naeryan, varlıklardan en yavaşıydı. İnsan kokusu ve seslerini takip eden diğerleri, çoktan Churchill Kemeri'ni geçip St. James Parkı'nın karanlık çimenliklerine dalmışlardı. Halkın önemli çoğunluğu burada toplanmamış olsa Nouda'nın ordusu belki de hemen başkente dağılacak, bulunması ve engellenmesi çok daha zor olacaktı. Ama durum öyle değildi, halkın isyanı hükümetin kayıtsızlığından da güç alarak gece boyunca şiddetlenmiş, parka akan insan seli hevesli varlıklar için kaçırılmaz bir av haline gelmişti.

Biz geldiğimizde eğlence çoktan başlamıştı. Varlıklar parkın her yerini sarmış, kaçışan insan sürülerini takip ederek canlarının istediği gibi oynuyorlardı. Bazıları büyüyle saldırıyordu, bazıları hareket etmiş olmak için hareket etmeyi tercih ediyor, eklemlerinin alışık olmadıkları sertliğini deniyor, oradan oraya koşup kaçışan avlarının yolunu kesiyorlardı. Uzaktaki ağaçların çoğu, renk renk alevler içinde yanıyordu. Havada şimşekler, dönerek yükselen dumanlar, keskin çığlıklar ve genel bir kargaşanın sesleri bir aradaydı. Tüm bunların ardında, büyük Cam Saray'dan hareketli çayırlara ışık yayılıyor, yayılan ışık demetleri altında insanlar koşuyor, varlıklar sıçrıyor, bedenler yere seriliyor, av soluk soluğa devam ediyordu.

Parkın girişindeki kemerin altında durup neler olup bittiğini anlamaya çalıştık.

Kaos, diye düşündü Nathaniel. *Tam bir KAOS.*

Gerçek bir savaşla boy ölçüşemez bile, dedim. *Al–Arish'te olanları görmen lazımdı, dört kilometre karelik toprak kırmızıya boyanmıştı.* Zihninde bir görüntü yarattım.

Çok hoş. Teşekkürler. Nouda'yı görüyor musun?

Hayır. Kaç tane demon vardır?

Yeteri kadar.[4] *Gidelim.*

Topuğunu yere vurdu, çizmeler kanatlandı. Kendimizi hırgürün içine attık.

Strateji, varlıkların orada olduğumuzu *hep birlikte* fark etmemelerini gerektiriyordu. İşlerini teker teker bitirebilirdik, hepsine birden karşı koymak birazcık daha zor olabilirdi. Bu yüzden seri halde ateş edip kaçmalı ve sürekli hareket etmeliydik. İlk hedefimiz, çayırlıkların üstünde, daha yakınımızda duran, yaşlıca bir kadının bedenine girmiş bir ifritti. Tiz bir sesle neşe dolu çığlıklar atıyor, kalabalık arasında sekip duran spazmlar gönderiyordu. İki adımda arkasına geçtik. Asa nabız gibi attı. İfrit, bir iç çekişle rüzgarda sürüklenerek anılara karıştı. Dönüp devam ettik ve tombul insan bedenleri giymiş üç güçlü cinin Sultan'ın Kalesi'ni devirmekle meşgul olduğu, panayır tezgahlarının bulunduğu yere kadar ilerledik. Nathaniel, Asa'yı tutup açgözlü tek bir ışık demetiyle üçünü de hakladı. Etrafa bakındık. İlerideki ağaçların yanında sarsak bir melezin, bir çocuğu kıstırmaya çalıştığını gördük. Üç adımda atış menzilimize aldık. Beyaz ışık onu da yok etti. Çocuk, karanlığın içine daldı.

---

[4] Yaklaşık kırk tane vardı. Ama iş savaşa gelince bilge bir savaşçı düşmanlarıyla birer birer hesaplaşır.

İnsanlar için, diye düşündü Nathaniel, *yardıma ihtiyacımız var. Aynı yerde dönüp duruyorlar.*

Bunu yapabilecek... Tamam, gördüm. Gidelim.

Bir adım, bir sıçrayış... Bir orkestra çadırının tepesine indik, orta direğin etrafında dönüp Asa'yı dört kez ateşledik. Üç melez ortadan kayboldu. Diğerlerinin ölümüyle harekete geçen dördüncüsü yana kaçıp geriye sıçradı. Yerimizi görüp bir spazm yolladı. Çadır sarsılarak paramparça oldu ama biz bir parendeyle kurtulup tenteden aşağı kaydık ve çizmelerimiz yere değmeden suçlunun özünü, dönerek küçülen bir kıvılcım girdabına indirgedik.

Hafif bir pişmanlık, istekte bir azalma. Nathaniel, tereddüt etti. *Bu... Bu Helen Malbindi'ydi! Eminim oydu. O...*

O zaten çoktan ölmüştü. Sen onun katilini öldürdün. Acele et! İşte, gölün orada! Şu çocuklar. Hemen, çabuk ol!

En iyisi harekete devam. En iyisi hiç düşünmemek. Dövüşe devam.[5]

On dakika geçti, parkın merkezindeki bir meşe ağacının altında duruyorduk. İki cinden geriye kalanlar, dumanlar halinde yerden yükseliyordu.

Varlıklarda bir şey dikkatini çekti mi? diye düşündüm. *Yani gördüğün kadarıyla.*

Gözleri? Bazen bir parıltı yakalıyorum.

Evet ama auraları da. Nedense biraz daha büyük görünüyor.

Bu ne demek?

Bilmiyorum. Sanki insan bedenleri onları çok iyi tutamıyor. Sence...

---

[5] Çocuk orada yalnız başına olsa, benim itelememe olmasa, meslektaşı bakanların bedenlerine karşı bu kadar hızla saldırabilir miydi? Bütün biçimsizliklerine ve kollarıyla bacaklarının çarpık çurpukluğuna rağmen bundan şüpheliyim. O bir insandı ve insanlar her zaman ama her zaman yüzeydekilere önem verir.

Faquarl'ın çağırdığı varlıklar çok güçlü. Belki beslendikçe daha da güçleniyorlar. Eğer...

Bekle. Gölün orası... Ve vınladık.

Park boyunca oradan oraya gittik, büyük çadırların ve lunaparkların, kameriyelerin ve gezi yollarının arasından en ufak bir yağmacı hareket gördüğümüz her yere atladık. Cinler, bazen bizi fark edip direndi. Çoğu zamansa onları gafil avladık. Asa'nın gücü dayanılmazdı, yedi düvel botları bizi düşmanın göremeyeceği kadar hızlı taşıyordu. Nathaniel soğukkanlı ve azimliydi, geçen her dakika Asa'yı daha büyük ustalıkla kullanıyordu. Bana gelince paylaştığımız adrenalinden midir bilemiyorum, müthiş eğlenmeye başlamıştım. O eski kana susamışlık, eski Mısır'daki savaşlardan (Asurlu utukkuların yürüyerek çöllerden çıktığı ve akbabaların gökyüzünü karарttığı zamanlardan) bildiğim o vahşi savaş coşkusu içimde yavaş yavaş uyanmaya başlamıştı. Bu; hıza ve zekaya duyulan aşktı, ölüme meydan okumak ve onunla başa çıkmak, kamp ateşlerinin etrafında güneş doğuncaya kadar anlatılacak ve adına şarkılar söylenecek yeni maceralara duyulan aşktı. Enerjiye ve güce duyulan aşk.

Dünyadaki yozlaşmışlığın bir parçasıydı. Batlamyus görse hiç hoşlanmazdı.

Ama balçıktan bir piramit olmaktan kat kat daha iyiydi.

Bir şey dikkatimi çekince zihnini dürttüm. Nathaniel, daha iyi görebilmek için arazinin ortasında olduğu yerde durdu. Bir süreliğine durup anlamaya çalıştık. Dururken Asa'yı yatay tutuyorduk, elimiz öylesine yanımıza düşmüştü. Ucundan beyaz dumanlar çıkarırken ışıldayarak çıtırdıyordu. Botlarımızın altındaki toprak kararmış, kömürleşmişti. Her yanımızda cesetler ve ayakkabılar ile paltolar ve pankartlar seriliydi. *Onların ötesinde yanan ağaçlar ve gecenin dipsiz kuyusu vardı.*

Parkın ilerisinde, büyük Cam Saray'ın parlak ışıkları. İçinde, gölgeleri çime vuran şekiller hareket eder gibiydi. Ayrıntıları görebilmek için fazla uzaktık.

Nouda? Faquarl?

Olabilir...

Dikkatli ol. Sol tarafımızdan, uzaktan bir şey geliyordu. Asa'yı kaldırdık. Karanlığın içinden bir adam çıktı, sıradan aurasıyla bir insan. Yalın ayak, gömleğinin yarısı yırtılmış. Kanlı ayaklarla önümüzden geçip gitti. Bize hiç bakmadı.

Rezalet, diye düşündü Nathaniel.

Zavallı çocuğa haksızlık etme! Daha yeni kırk demon tarafından kovalandı.

O değil. Bütün bunlar. *Herşey.*

Ha. Evet. Evet öyle.

Demek sen kırk tane olduğunu düşünüyorsun, toplam?

Öyle bir şey demedim. Bilge bir savaşçı...

Kaç tanesini öldürdük?

Bilmem. Saymadım ama şu anda burada çok fazla değiller.

Park, genel olarak boş görünüyordu. Sanki görünmez bir deri ya da bariyer delinmiş, çılgınca devinim bir anda içinden akıp durulmuştu.

Nathaniel, burnunu çekip koluna sildi. *O zaman Cam Saray'a. Burada işimiz bitti demektir.*

Bir adım, iki... Çimenliklerde ilerleyip bazı süslemeli çitlerin, çiçek tarhlarının, göletlerin ve açık çeşmelerin yanından geçtik. Nathaniel botları yavaşlattı, etrafı inceledik.

İki yüz metre yüksekliğinde ve yüz metre genişliğindeki Cam Saray, parkın ortasında su fışkırtan bir balina gibi yükseliyordu. Neredeyse tamamı demir kirişlerden bir ağın üzerine takılı cam panellerden kuruluydu. Hafifçe süzülerek eğimlenen ana duvarlar üstünde orasından burasından ikincil kubbeler, armalar, minareler ve üçgen damlar çıkıyordu. Dev bir seradan başka bir şey değildi aslında, cidden, ama birkaç çürük domates ve gübreli toprak yerine içinde sıra sıra tam boy palmiye ağaçları, insan yapımı bir akarsu, havadar gezinti yolları, hediye dükkanları ve yemek–içki büfeleri barındırıyor, ayrıca her türden zavallı eğlence olanakları sunuyordu.[6] Kirişlerden sarkan binlerce ampul, alanı gece gündüz aydınlatıyordu. Normalde halkın yaşam törpülemekten hoşlandığı popüler bir mekandı.

Geçmişte saraya yaklaşmaya nadiren cesaret edebilmiştim çünkü demir iskeleti özümü bulandırıyordu. Şimdiyse Nathaniel'ın içinde bir şekilde korumada olduğumdan böyle endişelerim yoktu. Doğu girişine doğru birkaç basamak tırmandık. Burada tropik bitkiler ve palmiye ağaçları yoğun olarak cama dayanmıştı, arkalarını görebilmek zordu.

Binadan boğuk sesler yankılanıyordu. Durmadan ahşap kapılara doğru ilerledik. İttirdik, kapı açıldı. Asa'yı önümüzde tutarak içeri girdik.

Aniden bunaltıcı bir hava. Dışarıdaki gecenin soğuğuna rağmen camdan çatının altında hava sıcaktı. Ayrıca aniden leş gibi

---

[6] Bunların arasında: Çarpışan arabalar, paten sahaları, iblisli karıncalar, Madam Houri'nin mistik fal çadırı, sihirli ayna salonu, Ayı Bumpo'nun doldurulmuş hayvanlar mağarası ve ana "Tek Dünya Sergisi" vardı. Bu sergide imparatorluğun sömürgesi olan tüm ülkelerin "kültürel zenginliklerini" sergileyen bir dizi acınası stand (ağırlıklı olarak bal kabakları, yer elması ve patatesler ve berbat desenlerde boyanmış aşk kaşıkları) vardı. Dışarıdaki tabelalar, sarayın "Dünyanın Onuncu Harikası" olduğunu ilan ediyordu, diğer dokuzundan beşinin inşasında parmağı olan biri olarak bunu biraz iddialı bulduğumu söylemeliyim.

büyü kokusu, kükürtlü patlamaların artakalan dumanları. Sağımızda bir yerden, bir grup ağacın ve Japon tarzı bir suşi barın arkasından ağlayıp sızlanma sesleri.

Halktan kişiler, diye düşündü Nathaniel. *Yaklaşmamız gerek. Kimin eline geçmişler görelim.*

Yürüyüş yolunu deneyelim mi?

Solumuzdaki demirden spiral bir merdiven, keskin dönüşlerle yukarıdaki bir yürüyüş yoluna çıkıyordu. Yüksek bir bakış açısı, bize anında avantaj kazandıracaktı. Hemen gidip ses çıkarmadan merdivenlerden çıktık. Büyük cam duvarın eğrisine sıkıca dayanmış geniş palmiye yapraklarının üstündeydik, sonra demirden bir iplik gibi aksi yöne uzanan dar sinyal köprüsünün üstüne çıktık. Nathaniel iyice çömelip Asa'yı yere yatay olarak tuttu. Yavaş ve dikkatli hareketlerle boşlukta emekledik.

Ağaçların ilerisinden sarayın ortasını, doğrudan göklerde süzülen en yüksek cam kubbelerin altını görmemiz uzun sürmedi. Orada, açık bir alanda, cırtlak renklerde boyanmış bir atlıkarıncayla ve piknik masalarıyla dolu bir alanın arasına kar fırtınasında birbirine sokulmuş penguenler gibi sıkışmış belki yüz kişi vardı. Nouda'nın varlıklarından yedi sekizi etraflarında durmuş, gözcülük ediyordu. Rufus Lime'ınki ve Nathaniel'ın üzüntüsünden anladığım kadarıyla başbakan Rupert Deveraux'nünki kullandıkları bedenler arasındaydı. Hareketlerinin ustalığına bakılırsa ev sahipleri içinde oldukça rahatlardı. Auraları, bedenlerin çok uzağına kadar yayılıyordu. Ama dikkatimizi esas çeken şey, yine de, onlar değildi.

Nouda'ya bak, diye düşündü Nathaniel. *Ne olmuş ona öyle?*

Verilecek cevabım yoktu. Atlıkarıncanın tepesi üstünde, belki yirmi metre kadar yüksekte ve bizim bir o kadar altımızda,

Quentin Makepeace'in bedeni duruyordu. Onu son görüşümüzde Nouda, ev sahibine ait bedenin sınırlamalarıyla baş etmekte oldukça sorun yaşıyordu. Şimdi, geç de olsa, bunun üstesinden gelmiş görünüyordu. Bacakları sıkıca havaya basıyordu, kolları gevşekçe birbirine kavuşturulmuş, çenesi yukarı kalkmıştı. Başarılı bir generalin savaş alanındaki duruşuydu tam.

Ayrıca bir de boynuzları vardı.

Tam olarak söylemek gerekirse üç siyah boynuz, uyumsuz açılarla alnından çıkmıştı. Biri uzun, diğer ikisi yalnızca kısa çıkıntılar gibiydi. Üstelik hepsi bu kadar da değildi. Bir çeşit dikenli omurga gömleğinin sırtını delmiş, sol kolunda grimsi yeşil bir çıkıntı oluşmuştu. Suratı içten gelen baskıyla şişmiş, balmumu gibi eğri büğrü bir şey olmuştu. Gözleri canlı alevlerdi.

Beklenmedik bir durum, diye düşündüm.

Özü, bedenin dışına taşıyor. Nathaniel'ı bu kadar sevimli ve insani kılan şey zaten ortada olanı dile getirmekteki bu sınırsız yeteneğiydi işte.

Boynuzlar, dikenli omurga ve koldaki çıkıntı, bakışlarımız altında sanki irade zoruyla bedene gömülerek kayboldu. Titreyiş, sarsılma: Bir saniye sonra eskisinden daha da büyük geri çıktılar. Açılan ağızdan o koca ses kükredi. "Ah! Bu rahatsızlık! Her yerim yanıyor! Faquarl! Faquarl *nerede*?"

Mutlu değil, diye düşündü Nathaniel. *Gücü fazla geliyor olmalı. Ev sahibinin dokusu parçalanıyor, korunganlığını yitiriyor.*

Buraya geldiğinden beri kurtlar gibi insan yeyip duruyor. Bu özünü şişirmiş olabilir... Altında birbirine sokulup büzüşmüş insanlara baktım. *Hâlâ da doymamış gibi.*

Bu iş burada bitiyor. Nathaniel'ın bütün mutsuzluğu ve hoşnutsuzluğu birleşerek soğuk ve şiddetli bir öfke halini aldı. Zihni bir çakmaktaşı parçasıydı. *Sence onu oradan alabilir miyiz?*

Evet. Dikkatli nişan al. Tek bir şansımız olacak. Onu iyi kullanmamız lazım.

Zaten ortada olanı dile getiren kim şimdi?

Hâlâ diz çökmüş, sinyal köprüsünün süslü demir korkulukları ardından aşağı bakıyorduk. Nathaniel, ayağa kalkmaya hazırlandığında ben de tedir olarak bir kalkan diktim. Atış yapıldığında diğer varlıklar kuşkusuz intikam almak isteyecekti. Olasılıkları gözden geçirdim... Önce çaktırmadan sıçranacaktı ya palmiye ağacına ya da gerisin geri suşi barına. Sonra yere. Sonra...

İleriye dönük bu kadar planlama yeterliydi.

Nathaniel ayağa kalktı. Asa'yı Nouda'ya tuttuk, sözcükleri söyledik...

Muhteşem bir patlama, beklendiği gibi.

Ama Nouda'nın etrafında değil, çepeçevre *bizim* etrafımızda. Kalkanım zar zor ayakta kaldı. Bu durumda bile sinyal köprüsünden yana uçup bir kristal yağmuru içinde sarayın cam duvarından çıkarak döne döne giriş merdivenlerinden yuvarlandık ve ta aşağıdaki süs bahçelerinin karanlığına daldık. Sert iniş yapmıştık, kalkan yalnızca bir parça tampon görevi görebildi. Elimizden kurtulan Asa, tıkırdayarak patika yolun uzaklarına yuvarlandı.

Çifte bilincimiz düşüşün şiddetiyle sarsılarak ayrılmıştı, birkaç saniye için tek bir başın içinde ayrı ayrı titreştik. Birbirimizden bağımsız inleyerek orada öylece yatarken Hopkins'in bedeni, tepede açılan delikten süzülerek dışarı çıktı. Merdivenlere kadar indi, sakin ve düzenli adımlarla yürüyerek yaklaştı.

"Mandrake, değil mi?" dedi Faquarl, sohbet eder gibi bir tavırla. "Pes etmek nedir bilmeyen bir ufaklıksın, bunu söylemem lazım. Eğer biraz aklın olsaydı şu anda buradan yüzlerce kilometre uzakta olurdun. Tanrı aşkına, senin içinde nasıl bir hırs var böyle?"

Bir bilseydi. Toprağın üzerine serilmiş, görüşümüzü odaklamaya çalışıyorduk. Ağır ağır görüşümüz düzeldi, zekalarımız yeniden birleşti.

"Lord Nouda," diye devam etti Faquarl, "şu anda biraz huysuzlanmış durumda ve özen gösterilmesi gerekiyor. Elinizdeki şu oyuncağın sokması, keyfinin yerine gelmesi için pek yararlı olmayacaktır."

"*Sokmak mı?*" diye bağırdı Nathaniel. "Bu onu silip süpürür."

"Cidden böyle mi düşünüyorsun?" Faquarl'ın sesi yorgun ve alaycıydı.

"Nouda, tahmin edebileceğinden çok daha güçlüdür. Enerjiye aç bir varlıktır ve onu sünger gibi emer. Nasıl büyüdüğünü gördün! Senin saldırına da kucak açıp üstelik bir de ondan beslenir. Denemene izin vermeyi *isterdim* ama artık gereksiz müdahalelerden çok sıkıldım. Her neyse Asa'yı kendim kullanmak için birazdan elinden alacağım." Elini halsizce havaya kaldırdı. "Öyleyse, elveda."

Nathaniel, haykırmak için ağzını açtı. Ben daha iyi bir amaç için ağzına el koydum. "Selam Faquarl."

El irkildi, uğursuz enerjiler salıverilmeden içinde kalakaldı. Hopkins'in gözleri ardında, canlı mavi ışıktan ikiz noktalar merak ve kafa karışıklığı içinde yanıp söndü. "Bartimaeus...?"

"Naçizane."

"Nasıl... Nasıl...?" Bu büyük bir olaydı. Faquarl'ın nüfuz edilemez özgüveni benim varlığım karşısında asırlardır ilk kez sarsılıyordu. Söyleyecek söz bulamıyordu. "Nasıl olur? Bu bir numara mı... Ses yansıması... Yanılsama...?"

"Değil. İçeride ben varım."

"Bu *olamaz.*"

"Genghis'in ölümü hakkındaki gerçeği başka kim bilebilir? Cinlerinin burnunun dibinden geçip çadırına soktuğumuz zehirli küçük üzümleri...?"[7]

Faquarl gözlerini kırpıştırdı, duraksadı. "Demek... *Sensin.*"

"Sürpriz yapma sırası bende eski dost. Bu arada, Nouda'yla ikiniz burada evcilik oynarken ordunun yarısının çoktan öldürüldüğünü de belirteyim. Tarafımdan."

Ben konuşurken Nathaniel'ın kıvrandığını hissediyordum. Hiçbir şey yapamadan yerde yatmak hoşuna gitmemişti, doğal bir kendini koruma içgüdüsüyle ayağa kalkmak için debelenmeye başlamıştı. Onu, tek bir düşünceyle durdurdum: *Bekle.*

"Ah, seni *hain...*" Faquarl Hopkins'in bedeninde fazla uzun kalmıştı, aynı bir insanın yapacağı gibi dudaklarını ıslattı. "Bu kayıplar umurumda bile değil, dünya ağzına kadar insanla dolu, içlerini dolduracak bir sürü de varlık var. Ama sen... Geçmişte sana azap çektirenleri korumak için kendi cinsinden olanları öldürmek. Yo, bunun düşüncesi bile özümü bulandırıyor!" Yumrukları sıkılmıştı, gür sesi duygularla yüklüydü. "Seninle defalarca dövüştük Bartimaeus ama hep şans eseri, hep efendilerimizin kaprisleri yüzünden. Ve şimdi, sonunda efendi biz olmuşken ve bunu birlikte kutlamamız gerekirken sen sefilce

---

[7] Detaylara girmeyeceğim. Asya'daki küçük bir işti işte, uzun zaman önce.

ihanet etmeyi sürdürüyorsun! *Sen*, Şakir el Cin'in ta kendisi! Bu davranışını nasıl haklı göstereceksin?"

"*Ben mi* hainim?" Başlangıçta, onu mümkün olduğu kadar çok konuşturup düşüşten sonra gücümüzü toplamayı düşünmüştüm ama artık düşünemeyecek kadar kızmıştım. Sesim, çamlar arasında yankılanan ve kabileleri çadırlarında titreten o eski Wendigo kükremesine dönüşmüştü. "Öteki Taraf'a sonsuza kadar sırt çeviren esas *sensin*. Daha ne kadar hain olabilirsin? Evini terk ediyorsun, öteki varlıkları da oradan vazgeçip bu kemik torbaları içinde işgalciler olmaya teşvik ediyorsun. Peki ne için? Bu zavallı berbat dünyada ne buluyorsun?"

"İntikam," diye fısıldadı Faquarl. "Buradaki efendimiz intikam. Bizi bu dünyada tutan. Bir amaç veren."

" 'Amaç,' *insanca* bir kavram," dedim usulca. "Daha önce bir amaca hiç ihtiyacımız olmamıştı. Şu bedenin artık yalnızca bir kılık değil, değil mi? Artık yalnızca acıya karşı bir kalkan değil. Gitgide daha çok sen oluyor."

Gözlerin ardındaki ateş hiddetle parladı, sonra aniden azalarak donuklaştı. "Belki de öyle Bartimaeus, belki de öyle..." Sesi yumuşak ve özlem doluydu, kırışmış elbisenin önüne pat pat vurdu. "Aramızda kalsın ama bu bedenin içinde hiç beklemediğim bir rahatsızlık hissi duyduğumu itiraf ediyorum. Uzun zamandır katlandığımız o keskin acı gibi bir şey değil, daha çok, yakamı bırakmayan can sıkıcı bir kaşıntı gibi, ne kadar kan dökersem dökeyim doldurulamayacak bir boşluk gibi. *Şimdiye kadar*, hep böyleydi." Hüzünle sırıttı. "Ama denemekten vazgeçmeye niyetim yok."

"O boşluk," dedim, "kaybettiğin şeyle ilgili. Öteki Taraf'a olan bağınla."

Faquarl, gözlerini bana dikti. Bir an sustu. "Bu doğruysa," dedi üstüne bastıra bastıra, "o zaman sen de kaybettin. Sen de en az benim kadar işgalcisin Bartimaeus, o genç büyücünün içinde kümese girmişsin. Bu fikri, iddia ettiğin gibi aşağılık buluyorsan bunu neden yaptın ki?"

"Çünkü *benim* bir çıkış yolum var," dedim. "Bütün köprüleri yakmadım."

Alevli gözler anlamayarak kısıldı. "Nasıl olacak?"

"Beni, içine büyücü çağırdı. Aynı şekilde de kovabilir."

"Ama beyni..."

"Olduğu gibi duruyor. Paylaşıyoruz. Kolay iş değil doğrusu. Olanaklar kısıtlı."

Nathaniel o zaman konuştu: "Doğru. Birlikte çalışıyoruz."

Faquarl, ilk konuştuğumda şaşırmışsa şimdi küçük dilini yutmuştu. Böyle bir olasılığı aklı almıyordu.

"İnsan zekasını koruyor mu?" diye kekeledi. "Öyleyse efendi kim? Hanginiz üstün?"

"Hiçbirimiz," dedim.

Nathaniel onayladı. "Eşitiz."

Faquarl, neredeyse hayranlıkla kafasını salladı. "Müthiş," dedi. "Böyle bir sapkınlık görülmemiştir. Yani hemen hemen. Şu bahsedip durduğun İskenderiyeli bacaksız, Bartimaeus. Bunu onaylardı, değil mi?" Dudakları hafif kıvrıldı. "Söylesene, bu kadar *yakın* bir işbirliğinden lekelenmiş hissetmiyor musun?"

"Pek sayılmaz," dedim. "Seninkinden daha yakın değil, ayrıca sürekli de olmayacak. Ben eve dönüyorum."

"Tatlım. Böyle düşünmene neden olan nedir?" Faquarl, elini hareket ettirdi ama bunu önceden sezmiştim. Uzun süren tartışma bize düşüşten sonra toparlanacak zaman tanımış, enerjimiz yeniden alevlenmişti. Nathaniel'ın parmakları çoktan Faquarl'ı gösteriyordu. Gri–yeşil spazm doğrudan kalkanına çarptı, yaralanmasa da, olduğu yerde döndü ve gönderdiği patlama yere çakıldı. Bu arada ben eklemlerimizi açtım. Etrafa topraklar saçarak yerden havalanıp yolun üzerinde süzülerek tam Asa'nın yanına indik. Nathaniel, hemen kaptı ve engerek hızıyla arkaya döndük.

Elini yarım kaldırmış yolda duran Faquarl fazla uzağımızda değildi. Cam Saray'dan gelen ışığı kesiyor, gölgelerle birleşiyordu. Biz ne kadar hızlı olsak da o hâlâ daha hızlıydı. Bazen Asa'ya doğru eğilmişken daha onu elimize bile alamadan bizi arkadan avlayabilir miydi diye merak ediyorum. Ama belki de attığımız spazm onu sarsmış, hızını düşürmüştü. Söylemesi zor. Bir an göz göze geldik.

"Keşfiniz müthiş," dedi Faquarl. "Ama benim için artık çok geç."

Tombul bedeniyle bir hareket yaptı, ne olduğunu hatırlamıyorum. Ben, hiçbir şey yapmadım ama çocuğun emri hemen verdiğinin farkındaydım. Katıksız beyaz ışıktan bir mızrak, soldu, kayboldu, Faquarl'ı yeryüzünden kazıyıp attı.

Sarayın altındaki yolda tek başımıza kalmıştık.

Acele et, diye düşündü çocuk. *İnsanlar geliyor, yapılacak ufak bir işimiz daha var.*

36

i

Bulduğu büyücülerden çoğunun en düşük mevkilerden olması Kitty'nin şansınaydı çünkü bu, araba kullanmayı bildikleri anlamına geliyordu. Westminster Hall'un altındaki parkta limuzinler vardı, Şoförler Kantini'nden de bir dizi anahtar elde edildi. Dışarıdaki terk edilmiş sokağa homurdanan altı araç geldiğinde Kitty ve diğerleri bulabildikleri silahları almış, birçok iblisin çağırılmasını tamamlamış, kapıda bekliyorlardı. Zaman yitirmeden her arabaya dörder kişi doluştular, peşlerinden süzülen demonlarla birlikte yolda bir konvoy halinde ilerlemeye başladılar.

Fazla uzağa gidemediler. Whitehall'dan biraz uzaklaşınca yolun devrilmiş bir savaş anıtından kopan taşlarla kapandığını gördüler. Geçiş imkansızdı, konvoy zar zor geri dönüp Westminster Meydanı'dan St. James Parkı'na gitmek için sağa döndü.

Whitehall boştu ama parkın güneyindeki sokaklar pek öyle değildi. İleride, çok da uzak olmayan yerlerden patlama sesleri, ışık yansımaları ve kurt ulumaları geliyordu. Daha da yakında yan sokaklardan çıkan yüzlerce insan, sanki bir insan seli kopmuş gibi caddeyi doldurarak limuzinlere doğru akmaya başladı.

Kitty en öndeki arabada, şoförün yanında oturuyordu. İçini aniden korku sardı. "Dışarı çıkın!" diye bağırdı. "Güvende değiliz!"

Şoför tehlikeyi görüp moturu durdurdu ve kapıyı kurcalamaya başladı. Hep birlikte arabalardan çıkıp sığınacak bir yer arandılar. Kalabalık, vahşi gözler, dehşet ve çaresizlik dolu yüzlerle limuzinleri birkaç saniye içinde yuttu. Çoğu yanlarından koşup geçti. Diğerleri, parlak siyah otomobilleri büyücü egemenliğinin çok açık sembolleri olarak gördükleri için çığlıklar atıp tekmeleyerek saldırdı. Bir yerden bir tuğla bulundu. Bir ön cam paramparça oldu, kalabalığın sesi gürledi.

Bayan Piper, kaçarken harcadığı çaba yüzünden titreyen Kitty'e destek oluyordu. "Bu halk..." diye fısıldadı. "Hepsi aklını kaçırmış..."

"Korkmuşlar. Öfkeliler." Kitty, gücünü toparlamaya çalışıyordu. "Yaralarına bakın. Parktan kaçmışlar. Şimdi, hepimiz burada mıyız?" Büyücülerin oluşturduğu düzensiz sıraya bakarken aklına bir fikir geldi. "İblisi olanlar, ceketlerinin altına saklasın!" diye tısladı. "Esnekliği olan birileri görürse sizi parçalarlar! Hazır mıyız? Tamam, haydi, kaybedecek zamanımız yok."

İnsan trafiğine kapılmamak için kenarlardan yürüyerek yolu hiç gecikmeden yayan olarak tamamladılar. Yan sokaklardan ilk birkaçı koşuşturan insanlarla doluydu ve geçişin imkansız olduğu anlaşıldı. Ufak ufak ilerleyerek kavga dövüş seslerine iyice yaklaştılar.

Karanlığın içinde çakan bir ışık. Bir binanın üzerine düşen bir adam silüeti. Her yanından yeşil alevler yükselen. Işık kayboldu. Alt sokakta, küçük bir kurt grubu toplanıyordu. Emirler veren yüksek bir ses duydular, siyah saçlı bir şekil gördüler...

"Bu Farrar," dedi büyücülerden biri. "Birkaç kurt toplamış. Ama şu... Şekil nedir?"

"Demonlardan biri..." Kitty bitkin halde bir duvara dayanmış, dar sokaklardan birine bakıyordu. "Bakın, şu taraf açık. Bizi parka götürür."

"Ama şcy yapmamız...?"

"Hayır. Bu yalnızca yan gösteri. Ayrıca sevgili Bayan Farrar'ın bizim yardımımızı *isteyeceğini* zannetmiyorum, sizce ister mi?"

Dar sokak, dairesel dönemeçler ve kıvrımlarla parkın kenarında uzanan sessiz bir sokağa çıkıyordu. Karşıdan karşıya geçip küçük bir tümsekten geniş karanlığa baktılar. Orada burada birkaç ateş yanıyordu (ağaçlarda, çadırlarda, gölün yanındaki tapınakta) ama görünürde fazla hareket yoktu. Kitty'nin önerisi üstüne araziyi keşfetmeleri için önden birkaç iblis yollandı. İblisler, birkaç saniye içinde geri döndü.

"Burada korkunç bir savaş yaşanmış," dedi ilki, ağlı parmaklarını bükerek. "Arazi yer yer çatlayıp kömürleşmiş. Büyü artıkları havayı sis gibi sarmış. Ama tek bir yer dışında savaş artık sona ermiş."

"Çok sayıda insan ölmüş," dedi ikincisi, pörtlek gözlerini saplarının ucunda kırpıştırarak. "Cesetler dökülen yapraklar gibi yerlerde yatıyor. Bazıları yaralı, yardım gelmesi için bağırıyorlar. Çok azı da amaçsızca ortalarda dolaşıyor. Ama çoğu kaçmış. Tek bir yer dışında kalabalık görünmüyor."

"Aynı şekilde büyük varlıklar da ölmüş," dedi üçüncüsü, tül gibi kanatlarını çırparak. "Etrafa saçılan özleri, çığlıklarının yankıları arasında havada asılı kalmış. Kurtulan birkaçı şehre kaçmış. Ama tek bir yer dışında parkta kalan yok."

"Peki," dedi Kitty, ayağını hafifçe yere vurarak "neresiymiş bu yer?"

İblislerin üçü birden bir şey söylemeden dönüp Cam Saray'ın ışıklarını işaret etti.

Kitty başını salladı. "Şunu baştan söylesenize. Tamam, haydi gidelim."

★

Sessiz ve yoğun geçen on dakika boyunca kararmış çimler üstünde yürüdüler. Kitty, bedeninin keskin karşı koyuşlarına rağmen her adımı zar zor tamamlayarak ağır ağır ilerliyordu. Geri dönüşünü takip eden saatler boyunca gücü sürekli artmıştı. Ama yine de dinlenebilmek için can atıyordu. Dayanma gücünün sınırlarına yaklaştığının farkındaydı.

İblislerin raporu yetersiz olsa da neler olduğu çok açıktı ve kristal kürede gördüklerini doğrular nitelikteydi. Nathaniel'la Bartimaeus buraya gelmişti. Parkı demonlardan temizleyen ve birçok insanın kaçmasını sağlayan onlardı. Belki de –bu umut attığı her adımla içinde büyüyordu– belki de çok geçmeden işi halledeceklerdi. Peşlerinde minnettar bir halk kitlesiyle, zaferle kendisine doğru yürüdüklerini görecekti belki. Asa ellerindeyken kuşkusuz bu yalnızca bir zaman meselesiydi...

Ama *en ufak* bir kuşku varken bile rahat edemezdi. Onları yalnız bırakamazdı. Semerkant Tılsımı, attığı her sarsak adımda boynunda zıplıyordu.

Beş dakika geçti. Kitty'nin göz kapakları ağırlaştı. Sonra

aniden kırpışarak kocaman açıldılar.

"O neydi?"

"Büyülü bir patlama," diye fısıldadı Bayan Piper. "Doğu girişinde."

Yürümeye devam ettiler.

Dört dakika daha geçti, aslından daha büyük ve korkunç görünen sarayın altındaki süs bahçelerine girdiler. Tam girerken yer sarsıldı, binanın önündeki yolda beyaz bir ışık geceyi delip geçti. Grup olduğu yerde durup bekledi. Işık tekrarlanmadı. Gerginlik, elektrik çarpmış gibi, aralarında çatırdadı.

Kitty karanlıkta görebilmek için gözlcrini zorladı. Saraydan gelen ışıltı geceyi daha da karartıyordu. Emin olmak zordu... Ama... Evet... Orada, yolun üstünde duran biri vardı. Kitty bakarken kıpırdandı ve silüeti camın üstüne düştü.

Kitty, sadece bir an duraksadı. Sonra haykırarak öne doğru sendeledi.

ii

Nathaniel, sesi duyunca olduğu yerde kalakaldı. Yüzlerce patlama ve elinde vızıldayan açgözlü Asa'nın titreşimleri yüzünden kulakları çınlarken duyduğu o cılız ses daha beyninde işlem göremeden parktaki tüm demonların yapamadığı şeyi yaparak kalbini küt küt attırmaya başlamıştı.

Çarpışma boyunca bir demon hızıyla ve ustalığıyla hareket etmiş, ölümden pek de bir çaba harcamadan kaçmış ve Asa sayesinde etrafa birçok cinin sahip olduğundan daha yıkıcı enerjiler saçıp durmuştu. Bu, asırlar boyunca birçok büyücünün ve aylak gündüz hayalleri sırasında tabii ki Nathaniel'ın da arzuladığı türden bir deneyimdi. Eksiksiz bir üstünlük hissi, sahip olunan gücün hiçbir tehlike olmaksızın kullanılmasından alınan keyifti. Karanlık gökyüzü altında dans ederek tüm düşmanlarını yenmişti. Ve bütün çevikliğine ve kurnazlığına, kanına pompalanan bütün adrenaline rağmen ta derinde bir yerlerde her nasılsa hâlâ oldukça sakindi. Kendini kayıtsız, olup bitenin dışında ve yalnız hissediyordu. Öldürdüğü demonlara karşı duyduğu nefret ne kadar donuk ve amaca yönelikse yaşamlarını kurtardığı insanlara karşı duyduğu anlayış da tıpkı öyleydi. Trafalgar Meydanı'ndaki kadın, onlardan ne bekleyebileceğini göstermişti. Ona hep korku ve hoşnutsuzlukla yaklaşacaklardı ve bunu yapmakta haklıydılar. O bir büyücüydü. Londra'nın alevler içinde yanması onun ve kendi cinsinden olanların marifetiydi.

İçinde bir gurur ve başının içinde ise konuşan cinin sesi sardı. Evet, bu yıkıma bir son vermeye çalışacaktı. Ama ondan sonra... Yapılanlar başka şeydir, beklentilerse başka. Ne yapacağı hakkında hiçbir fikri yoktu.

Ve sonra Cam Saray'ın önündeki yolda...

Zihninde cinin düşünceleri süzüldü. *Bu Kitty, evet o.*

Biliyorum. Bilmediğimi mi sanıyorsun?

O kadar gevşedin ve ağırlaştın ki. Islak karton gibisin. Korkmaya biraz ara versen iyi olur diye düşündüm.

Bu korku değil.

Sen öyle san. Kalbin çan tokmağı gibi atıyor. Böğk, ayrıca birazcık terledin. Ateşinin çıkmadığına emin misin?

Fazlasıyla. Şimdi, sesini keser misin?

Nathaniel, bahçeden ağır ağır yaklaşan kızı izledi. Aurası yedi düzlemde birden etrafı gün gibi aydınlatıyordu. Hemen arkasından bir grup insan geliyordu.

"Kitty."

"Nathaniel."

Birbirlerine baktılar. Sonra büyücünün ağzı geğirmeye benzer mide bulandırıcı bir sesle açıldı. "Ve ben! Beni unutma!" Nathaniel bir küfür savurup ağzını sımsıkı kapattı.

Kitty sırıttı. "Selam Bartimaeus."

Nathaniel'ın içinde benden tamamen bağımsız bir öfke kabardı. Kitty'e kaşlarını çattı. "Sana bizimle gelmemeni söylemiştim sanırım. Çok zayıf düştün. Bu çok tehlikeli."

"Senin sözünü ne zaman dinledim ki? Durum nedir?"

Nathaniel'ın ağzı kendiliğinden açıldı, konuşan Bartimaeus'du. "Nouda'nın ordusunu hemen hemen yok ettik ama kendisi hâlâ ortalarda. Şurada" (Nathaniel'ın baş parmağı omzunun üstünden arkayı işaret etti.) "yanında yedi varlık ve yüze yakın halktan kişi var. Ve biz de..."

"İşini bitirmek üzereydik," diye cümleyi tamamladı Nathaniel.

"Ciddi bir sorun yaşıyorduk," dedi cin.

Kitty gözlerini kırpıştırdı. "Özür dilerim, hangisi...?"

Nathaniel Asa'yı oynattı, ince enerji şeritleri elinin etrafında çatırdayarak zonkladı. Sevinç dolu bir sabırsızlık dalgası hissetti. Nouda'yı yok edip halkı kurtarabilir, Kitty'e geri dönebilirdi. Bunun dışında hiçbir şeyin önemi yoktu.

Ama cin düşüncelerini kesintiye uğratıyor, Kitty'e hızla bir şeyler anlatıyordu. "Nouda'nın gücü sürekli artıyor. Ötekiler gibi tepki vermiyor. Asa'ya karşı düşündüğümüz kadar dayanıksız olmayabilir."

Nathaniel öfkeyle araya girdi. "Ne demek istiyorsun? Sorun çıkmayacak."

"Faquarl öyle söylemedi."

"Hah, sen de ona inandın."

"Faquarl yalan söylemezdi. Hiç onun tarzı değil."

"Yo, onun tarzı hepimizi öldürmeye çalışmak..." Nathaniel sözünü yarıda kesti. Etrafını sarmış, görünüşte kendi kendisiyle tartışmasını izleyen dinleyicilerini fark etmişti. Tanıdık gelen büyücülerin arasında kendi yardımcısı da vardı.

Boğazını temizledi. "Merhaba Piper."

"Merhaba efendim."

Kitty elini havaya kaldırdı. "Bartimaeus, içeride birçok tutsak, bizimse çok az zamanımız var. Asa'dan başka seçeneğimiz var mı?"

"Yok. Tabii eğer buradaki bütün büyücüler on üçüncü seviyeden değillerse."

"Tamam. O zaman denememiz lazım, ne olacaksa olur. Nathaniel," dedi Kitty, "elinden geleni yapmalısın. Sen demonları halledebilirsen biz de halkı dışarı çıkartırız. Onlar nerede?"

"Çok yakınımızda. Sarayın ortasında." Kitty'nin varlığı geçmişte Nathaniel'ı huzursuz ederdi, şimdiyse tazelenmiş bir amaç hissi ve kendine inançla dolmasına neden oluyordu. O eski otoriter sesiyle çabucak konuştu. "Piper, içeri girdiğinde palmiyelerin arasından sağa giden bir yol göreceksin. Atlıkarınca'nın arkasından açık bir alana çıkıyor. Demonlarla tutsaklar işte orada. O yolun aşağısında gizlenip bekleyin. Ben öteki taraftan saldıracağım. Demonlar peşime düştüğünde tutsakları mümkün olduğu kadar uzağa götürün. İblisi olanlar onlardan yardım alsın. Anlaşıldı mı?"

"Evet efendim."

"Güzel. Kitty, senin dışarıda beklemen lazım."

"Lazım ama beklemeyeceğim. Tılsım bende, unuttun mu?"

Nathaniel tartışmak için zaman harcamadan yüzünü sarayın girişine döndü. "İçerideyken çıt çıkarmıyoruz. Yerlerinizi almak için size bir dakika zaman tanıyacağım."

Kapıyı açtı. Büyücüler, kocaman açılmış gözler ve gergin yüzlerle teker teker yanından geçip yolda gözden kayboldular. Çoğunun yanında, benzeri rahatsızlık ifadeleriyle havada süzülen iblisleri vardı. Kitty en sona kaldı. Basamakta bir an durdu.

"İyi iş başardınız," diye fısıldadı. "Sen ve Bartimaeus. Söylemek istedim."

Nathaniel sırıttı. Sabırsızlık yakasını bırakmıyordu. Asa şarkılar söylüyordu. "Neredeyse bitti," dedi yavaşça. "Haydi. Önce sen."

Kapı, sessizce arkalarından kapandı.

iii

Neredeyse her şeyi bilen bir cinin bile susması gereken zamanlar vardır ve bu onlardan biriydi. Bu durumda benim hiçbir ağırlığım olamazdı.

Sorun, her ikisinin de beni dinleyecek durumda olmayışıydı. İlk başta başarının kokusunu çok yakından alıyorlardı. Nathaniel sanki onunla doğmuş gibi elinde tuttuğu Asa'yla, Kitty göğsünü ısıtan tılsımla. Böyle incik boncuklar özgüveni besler. Üstelik o anda tökezleyeceklerini düşünmek için fazlasıyla iş başarmış durumdaydılar.

Ama esas sorun birbirlerini ne şekilde tetikledikleriydi. Basit olarak söylemek gerekirse varlıkları karşılıklı olarak birbirini kışkırtıyordu. Nathaniel'ın içinde hapsolmuşken kızın onu ne şekilde etkilediğini açık seçik görebiliyordum.[1] Belki Kitty adına fazla konuşamam ama benim engin deneyimim onlarınki gibi güçlü kişiliklerin birbirini çekmeye eğilimli olduğunu göstermiştir. Gururun bunda önemli bir payı vardır, tabii diğer duyguların da. Hiçbiri başarısız olmak istemez, hepsi etkileme çabasını iki katına çıkartır. Bir şeyler olur ama her zaman doğru şeyler, ya da her zaman beklenen şeyler değil.[2] Bunu durdurmak içinse yapabileceğiniz hiçbir şey yoktur.

Yine de o anda Nathaniel'ın planı dışında uygulanabilir başka bir plan olmadığını söylemek gerek. Nouda, devletin (oldukça vasat) geri kalanları tarafından yok edilemeyecek kadar güçlüydü. Bu yüzden Asa *tek* seçenekti. Ama Faquarl'ın rahatsız edici sözleri de zihnimde çınlayıp duruyordu: *Saldırına kucak açıp bir de ondan beslenir*. Ve isterseniz karamsar deyin ama bu bana biraz uğursuzluk habercisi gibi geliyordu.[3]

Ama bu konuda endişelenmek için artık çok geçti. Asa, zamanında şehirleri yerle bir etmişti. Şansımız yaver giderse bize de ayakta duracak biraz yer kalırdı.

---

[1] Evet görebiliyordum. Sanki tek kişilik içsel bir orkestrayı tetiklemiş gibiydi, klaksonlar, çanlar ve kavallar, diz kapaklarının arasına takılmış büyük ziller. Kulakları sağır eden bir gürültüydü.

[2] Nefertiti ve Akhenaton da aynı şeyleri yaşamıştı tabii. Bir an göz süzmeler ve timsahlarla çevrili yerlerde kaçamak buluşmalar yaşanırken bir sonraki an resmi din yıkılıp Mısır başkenti çöllerin yüz kilometre içine taşınırdı. Her şey böyle pamuk ipliği gibi giderdi.

[3] Faquarl, Tchue gibi ne dediği belli olmayan kurnaz bir şeytan değildi, açıksözlülüğüyle hep gurur duymuştu. Aslında kendini övmeye karşı düşkünlüğü vardı. Bütün hikayelerine inansanız, tarihteki bütün dönüm noktalarından onun sorumlu olduğunu, gelmiş geçmiş en büyük büyücülerin sırdaşı ve danışmanı olduğunu zannederdiniz. Bir seferinde Süleyman'a da belirttiğim gibi bu fazlasıyla gülünç bir iddiaydı.

Kitty ve peşindeki ayaktakımı palmiyelerin arasından bir tarafa, Nathaniel ve ben öteki tarafa gittik. Bu kez merdivenlere boş verip zemin katta kaldık. Sağımızdan kükremelerle çığlıklar duyuluyordu. Demek her şey yolundaydı. Nouda bir yere gitmemişti.

Plan nedir? Düşüncem Nathaniel'ın zihninde uçuştu.

Nouda'nın dikkatini çekip saldırmadan önce onu insanlardan uzaklaştırmalıyız. Bunu nasıl yapacağız?

Ben sataşmayı tavsiye ederim. Sataşmak çoğunlukla işe yarar.

Bu işi sana bırakıyorum.

Öteki varlıkları da halletmek gerekecek, diye düşündüm. *Önce mi, sonra mı?*

Önce. Yoksa insanları öldürürler.

Asa'yı sen idare et. Ben hareketi sağlayacağım. Seni uyarıyorum, bunun için bayağı kıvrak olmamız gerekecek.

Sorun değil der gibilerden bir hareket yaptı. *Bir-iki hoplayıp zıplamayla başa çıkabilirim.*

Hazır mıyız, öyleyse?

Ötekiler yerlerini almıştır. Evet, haydi gidelim.

Çok fazla enerji harcattığından şimdiye kadar uçmayı denememiştim ama bu büyük işti, bütün iş burada bitecekti. Üstelik Faquarl, uçmayı iyi beceriyor gibiydi. O yüzden daha fazla nazlanmadan yolun üzerinde havalanıp palmiyelerin yanına uçtum. Berbat bir an boyunca çocuğun Asa'yı düşüreceğini sandım. Daha da berbat bir an boyunca hastalanacağını sandım. Ama o birine sımsıkı tutunup diğerini doğruladı.

Neyin var senin böyle?

Daha önce hiç... Hiç uçmamıştım.

Bu hiçbir şey değil. Bir de halıda spin atmayı denemen lazım. O zaman cidden yeşerirdin.[4] *Tamam, düşman göründü. Asa'yı hazırla...*

Palmiye ağaçlarının üzerinde süzüldük. Altımızda ampuller parlıyordu. Tüm çevremizde büyük cam kubbe, onun dışında da gecenin daha büyük kubbesi uzanıyordu. Ve işte önümüzde, açık alan ve varlıkların gözlediği birbirine sokulmuş esirler aynı bıraktığımız gibi duruyordu. Belki tutsakların sayısı bu sefer biraz daha azdı. Bunu söyleyebilmek zordu. Ama çok az şeyin değişmiş olması şaşırtıcıydı. Bu durumun nedeniyse atlıkarıncanın tepesinde durmuş kıvranmakla meşguldü.

Zavallı Nouda, ev sahibinin içinde feci zamanlar geçiriyordu. Makepeace'in bedeni kaşınmaya gelmiyordu. Neredeyse her yerinden şu ya da bu şekilde bir çıkıntı hevesle çıkmaya devam ediyor, giysilerini parçalara ayırıyordu. Görünürde onlarca renkte boynuz, dikenli omurga, üçgen çıkıntı, hortum, kanat, duyarga ve dokungaçlar vardı. Diğer yumrular derinin altında kalmış, dalga dalga tepeler ve vadiler oluşturmuş, insan görüntüsü neredeyse tamamen kaybolmuştu. Eski bacaklara, çeşitli büyüme safhalarında üç bacak daha eklenmişti. Kolların bir tanesi fazladan bir dirsek daha kazanmış gibiydi, karmaşık bir seğirme halinde oraya buraya sallanıyordu. Yüzü bir kirpi balığınınki gibi kırış kırıştı. Yanaklarından küçük dikenler çıkmıştı. Gözleri, ateş damlaları içinde kaybolmuştu.

Artık bir kulaktan diğerine kadar ulaşan ağızdan acıklı bir kükreme çıktı. "Bu nasıl bir acı! Sanki her yerimden demirle

---

[4] Britanyalı büyücülerin büyülü uçuşlara karşı hiç ilgi göstermedikleri, onun yerine mekanik araçlara (akıllıca davrandıklarını söylemek gerek) güvendikleri tarihteki garip bir gerçektir. Fakat cinleri cansız eşyalarla birleştirmek konusunda diğer kültürler de böyle bir çekimserlik görülmez. İranlılar halıları, belli başlı ikinci sınıf Avrupa ülkeleri havan ve havanelini denemiştir. Maceracı Çinli büyücüler bulutların üstünde uçmayı bile akıl etmişlerdir.

çimdikleniyorum! Faquarl'ı buraya getirin! Onu önüme getirin. Verdiği tavsiye hiç –ah!– işe yaramadı. Ona kınama vermek istiyorum."

Rupert Deveraux'nün bedenindeki varlık aşağıdan ağlamaklı bir sesle konuştu. "Faquarl'ın nerede olduğunu bilmiyoruz Lord Nouda. Sanırım bir yere gitmiş."

"Ama ben beslenirken–ah!– onun yanımda olması konusunda kesin talimat vermiştim! Ah, midemde öyle bir sancı var ki, giderilmesi gereken bir boşluk. Bolib ve Gaspar, bana bir grup insan daha getirin de biraz rahatlayayım."

İşte tam o anda Nathaniel ve ben, yüzümüzü tokatlayan rüzgar ve arkamızda uçuşan paltomuzla birlikte aşağı doğru uçup üçlü bir atışla varlıklardan üçünü vurduk. Bunu o kadar hızlı, o kada ustaca yapmıştık ki yanlarında titreşen insanlar yok olduklarını zar zor fark edebildi.

Diğer varlıklar yukarı baktı. Tavandaki ışıklar gözlerini kamaştırdı. Karşı atışları, cam kubbenin altında yaylar çizerek etrafa yayıldı. Üstlerine çullandık. Asa ateşlendi, bir kez, iki ve melezlerden ikisi daha gözden kayboldu. Bir dönüş, o kadar keskin ki Nathaniel bir an için yere paralel hale geldi. Başımızın üstünden damla halinde bir Bağırsak Deşen geçti. Bir atış daha, bu sefer hedefi vuramadık. Gaspar, Rufus Lime'ın bedenini işgal etmek gibi kıskançlık uyandırmayacak bir kaderi yaşayan varlık, havalandı. Patlamalar atarak bize doğru yaklaştı. Yana yatarak dönüp ağaçların arkasına kaçtık, biz ağaçların üstünden çıkarken tente kızgın alevler içinde yanmaya başlamıştı. Altımızda, aniden paniğe kapılan insanlar her yöne doğru kaçışıyordu. Göz ucuyla Kitty ve büyücülerin ağaçların arasından çıktığını gördük.

Nouda, atlıkarıncanın tepesinde rahatsızlık içinde bir o yana bir bu yana hopluyordu. "Bu kargaşa nedir böyle? Kim bizi rahatsız eden?"

Arsız bir yakınlıktan uçarak yanından geçtik. "Bartimaeus!" diye bağırdım. "Beni hatırladın mı?"

Aniden dönüp kubbeye doğru yükseldik. Rupert Devereaux'nün bedeni yolumuzu kesmek için havalandı, ellerinden mavi bir alev fışkırdı. Nathaniel'ın düşüncesi kendine yer açtı. *Sen BUNA sataşmak mı diyorsun?* Beni hatırladın mı? *Ben daha iyisini yapardım.*

Dikkatim başka yerdeyken daha iyi sataşabilirim. Neredeyse cam tavana kadar yükselmiştik, uzaklarda huzur içinde parıldayan yıldızları gördük. Sonra kendimizi dikey olarak bir taş gibi aşağı bıraktım. Devereaux'nün spazmı tepedeki cam paneli parçalayarak gecenin içinde bir yay çizdi. Nathaniel Asa'yı ateşledi. Devereaux'nün bacaklarını sıyırıp geçen beyaz ışık, onları ateşe verdi. Devereaux, sağa sola yalpalayıp düşerek peşinde dumandan bir izle mistik fal çadırına daldı ve yanardöner bir ışık patlaması içinde gözden kayboldu.

Lime nerede? diye düşündü Nathaniel. *Göremiyorum.*

Bilmiyorum. Sen Nouda'ya bak. Şu anda baş sorunumuz o.

Artık parlak zekamdan etkilenerek mi harekete geçti, yoksa yalnızca katledilmiş ordusundan geri kalanları görmenin hoşnutsuzluğundan mı bilinmez, Nouda birden gayrete gelmişti. Sırtından koca yeşil kanatlar çıktı. Önce bedeninin acayip asimetrisinden kaynaklanan elverişsizlik karşısında zorlanarak yavaş yavaş atlıkarıncanın kenarına kadar sendeledi, ilk uçuşunu yapacak bir yavru kuş gibi tereddüt etti, sonra bir adım attı. Kudretli kanatlar bir kez çırpıldı... Çok geç. Çoktan kanat üstü yere çakılmıştı.

Vur onu, dedim. *HEMEN.*

Becerebildiğim kadar hızlı aşağı düştük, Nathaniel'ın çenesi düşüşün hızıyla kasılmıştı. Biz alçalırken Nathaniel da Asa'nın içindeki varlıkların bağlarını gevşetmiş, kapağı cesaret edebildiği kadar açmıştı. Enerji püskürdü, bir ışık demeti halinde yerde kıvranan bedene saplandı.

Devam et, dedim. *Devam et. Hiçbir şeyi şansa bırakma.*

Biliyorum. Yapıyorum.

Düşüşümüz yavaşladı, yavaşladı. Havada asılı kaldık. Altımızda, süt beyazı bir cehennem kaynıyordu. Nouda ve atlıkarınca en dipte gömülü kalmıştı. Dışarıya ısı yayıyordu, yakınlardaki cam paneller çatladı, hava ateş gibi yanmaya başladı. Şiddetini azaltmak için küçük bir kalkan yaptım. Asa'dan gelen titreşimler arttı, kolumuzdan geçip kafatasımızın içinde çalkalandı.

Ne düşünüyorsun? diye düşündü çocuk. *Yeter mi?*

Yetmesi lazım... Yo, emin olalım. Biraz daha.

Fazla uzun tutamam. Ah!

Gölgenin yükseldiğini gördüm, havadaki hareketlenmeyi hissettim. Yana çekildik. Ama patlama bizi vurdu, kalkanımı parçaladı, dönerek uzaklaşırken bile bizi sol taraftan vurdu. Çocuk haykırdı, ben de onunla birlikte ilk ve son kez bir insanın acısını paylaştım. O histeki bir şey, belki etin tekdüze durağanlığı, orada öylece durup yaralanmayı kabullenişi, özümün panik içinde ürpermesine neden oldu. Çocuğun zihni bilincin sınırlarında dolaştı. Asa'yı tutan parmakları gevşedi, içindeki enerjiler geri çekildi. Ben iyice asıldım, bir kez çevirdim, kubbenin altında beyaz alevden bir kırbaç yollayarak peşimizdeki Rufus Lime'ın bedenini ortadan ikiye ayırdım. Parçalar ayrı ayrı yere düştü. Asa'yı mühürledim. Bir yığın palmiye ve saksı bitkisinin ortasına hantal bir iniş yaptık.

Çocuk bayılmakla meşguldü. Gözlerimiz kapanıyordu. Özümü sistemine yollayıp tüylerini ürperterek açmaya zorladım. *UYAN.*

Kıpırdandı. "Sol tarafım..."

Oraya bakma. Bir şeyimiz yok.

Ya Nouda?

Şey... O da fena durumda değil. Açık alanın orada, etrafa saçılmış piknik masalarıyla çöp kutularının ötesinde, toprak yarılmış ve yer yer kabarmıştı. Bir zamanlar çocukların atlıkarıncaya bindiği yerde, dumanlar saçan bir çukur açılmıştı. O dumanların içindeyse kocaman, şekilsiz bir şey sendeleyip kükreyerek adımı haykırıyordu.

"Bartimaeus! Sana emrediyorum, buraya gel! Saygısızlığın için seni cezalandırmam gerek!"

Artık bir adama falan benzemiyordu.

"Gücümün nasıl arttığını gör Bartimaeus, bütün acıma rağmen! Bak bu zavallı etten giysiyi nasıl da silkinip attım!"

Bartimaeus... Yan tarafım... Hissedemiyorum.

Bir şey yok. Endişelenme.

Benden bir şey saklıyorsun... O düşünce, neydi o?

Hiçbir şey. Ayağa kalkıp buradan gitmemiz gerektiğini düşünüyordum.

"Neredesin Bartimaeus?" diye bağırdı koca ses. "Seni kendime ekleyeceğim. Bundan şeref duymalısın!"

Yan tarafım uyuşmuş... Ayağa...

Sakin ol. Bakalım bizi uçurmayı becerebilecek miyim?

Hayır, bekle. Peki ya... Nouda?

O bir yetişkin, isterse tek başına da uçabilir. Şimdi...

Gidemeyiz Bartimaeus. Ya o...?

O kalıyor. Biz gidiyoruz.

YO.

Uçmak için gücümü toplamaya çalıştım ama çocuk canla başla karşı koyuyordu. Kasları gerildi, iradesi benimkiyle güreşmeye başladı. Hafif havalandık, tekrar otların arasına düştük, sonunda bir duvara dayanmış halde kalakaldık. Bunun bir yararı, artık çukurun kenarında seğirten bir karartı şeklinde görünen Nouda'nın birçok gözünden bizi gizlemesiydi.

Sen bir aptalsın *Nathaniel. Kontrolü bana bırak.*

Faydası olmaz.

Sen ne demek...?

Var mı? Aklını okuyabiliyorum. Tam şu anda...

Ah... Şu konu. Bak, ben doktor değilim. Unut gitsin. Yanılıyor olabilirim.

Ama yanılmıyorsun, değil mi? Bana bir kez olsun doğruyu söyle.

Yapraklar arasında seessiz bir hışırtı. Konuyu değiştirebilmekten memnun, başımızı çevirdim. "Bu neşemizi yerine getirir," dedim hevesle. "Kitty gelmiş."

iv

Saçları tozlu ve karman çormandı. Yüzünün yan tarafı çizilmişti. Ama bunun dışında zarar görmemiş olması Nathaniel'ın içini rahatlamıştı. Rahatlaması kendini bir kez daha öfke şeklinde gösterdi. "*Sen* neden geri geldin?" diye tısladı. "Git buradan."

Çatılan kaşlar. "İnsanları dışarı çıkarttık," diye fısıldadı Kitty. "Pek de kolay bir iş değildi. Bak, içlerinden biri bana ne yaptı." Yüzündeki çiziği gösterdi. "Hoş bir teşekkür jesti. Neyse, sizin nasıl olduğunuzu görmek için geri gelmem gerekiyordu..." Gözleri Nathaniel'ın sol tarafına çevrildi, kocaman açıldı. "Bu nasıl oldu?"

"Bartimaeus'a sorarsan," dedi Nathaniel yavaşça, "endişelenecek bir şey yokmuş."

Kitty yaklaşarak eğildi. "Tanrım. Yürüyebiliyor musun? Seni buradan çıkarmamız lazım."

"Daha değil." İlk acıdan sonra uyuşukluk hızla yayılmıştı. Nathaniel, biraz sersemlemişti ama kıpırdamadan ağaca dayalı kaldığı sürece rahatsızlığı en alt düzeydeydi. Zihni açıktı ya da en azından eğer içindeki cin düşüncelerini karıştırmasa, yaralandığı bilgisini bloke etmeye çalışıp kararlarını etkilemeye çalışmasa öyle olacaktı. Çabucak konuştu. "Kitty, Asa'yla yaptığımız saldırı başarısız oldu. Bu şey çok güçlü. Kontrolü mümkün olan en üst seviyede güçle kullandım ama yeterli olmadı. Nouda bütün enerjiyi emdi."

"İyi o zaman." Kitty dudağını ısırdı. "Seni dışarı çıkarıyoruz. Sonra tekrar düşünürüz."

"Bartimaeus," dedi Nathaniel. "Nouda'yı şimdi bırakırsak neler olur? Dürüst cevap ver."

Cinin yanıtı arkalarından gelen dev bir parçalanma ve yırtılma sesiyle gecikti. "Zamanla," dedi Bartimaeus, Nathaniel'ın ağzından konuşarak, "Tek Dünya Sergisi'nin türlü çeşit zevklerinden sıkılacak. Dikkati Londra'nın geri kalanına kayacak. İnsanlarıyla beslenecek ve böylece boyutları büyüyerek gücü artacak. Bu büyüme iştahını iyice kabartacak ve sonunda ya şehir bomboş kalacak ya da o patlayacaktır. Yeterince dürüst olabildim mi?"

"Kitty," dedi Nathaniel. "Demonu şimdi durdurmam lazım."

"Ama yapamazsın. Daha demin söyledin. Bütün gücünü kullandığında bile Asa başarısız olmuş."

"*Kontrolü mümkün olan* en üst seviyede güç, dedim. Daha fazla güç kullanmanın tek bir yolu var. O da Gladstone'un korumalarını, varlıkları Asa'ya bağlayan büyüleri bozmak. Bütün –hayır, sus, bitirmeme izin ver– *bütün* gücü tek bir atışta serbest kalacak." Gülümsedi. "Bence *bu* Nouda'yı durdurur."

Kız başını iki yana salladı. "İnanmıyorum. Onu daha güçlü kılmayacağını kim söyleyebilir? Şimdi, Bartimaeus lütfen...?"

"Hesaba katılması gereken *bir* unsur daha var," dedi Nathaniel. Biraz zorlanarak Asa'yı kaldırıp tavanı gösterdi. "Bu bina neden yapılmış."

"Camdan."

"*Ve...*"

"Ah." Cinin sesi bir anda araya girmişti. "Biliyorsunuz, bunu söylemek pek hoşuma gitmiyor ama bunda haklı olabilir."

"Demirden," dedi Nathaniel. "Demirden. Ve Nouda, bir varlık olarak demire karşı savunmasız. Eğer Asa kırılır ve bütün bina üstüne çökerse... Ne diyorsun Bartimaeus?"

"İşe yarayabilir. Ama gözden kaçırdığın ufak bir nokta var."

Kitty yüzünü buruşturdu. "Kesinlikle. Asa'yı zarar görmeden nasıl kıracaksın? Peki ya tavan çöktüğünde ne olacak?"

Nathaniel gerindi, boynu uyuşmuş ve kasılmıştı. "O işi bana bırakın. Bize bir şey olmayacak."

Kitty ona baktı. "Peki... Tamam. Ben de sizinle birlikte olacağım."

"Hayır, olmayacaksın. Bartimaeus'un koruyucu kalkanı seni kapsayamaz zaten. *Değil mi* Bartimaeus?"

"Şey... Evet."

"Bize bir şey olmayacak," dedi yeniden. Aklı biraz karıştı, cinin kendisini zorladığını hissetmişti. "Bak," dedi, "ayağımda yedi düvel botları var. Biz sana yetişiriz. Şimdi hemen buradan çık ve durmadan koş."

"Nathaniel..."

"Gitsen iyi olacak Kitty. Nouda, çok geçmeden sarayı terk edecek ve şansını yitirmiş olacaksın."

Kitty ayağını yere vurdu. "Hiç yolu yok. Buna izin vermeyeceğim."

Meydan okuyuşu Nathaniel'ın içini ısıttı. Ona bakarak sırıttı. "Dinle, büyücü olan benim. Sen halktan birisin. Emirleri veren taraf *benim*, unuttun mu?"

Kitty kaşlarını çattı. "Çizmeleri kullanabileceğinden emin misin?"

"Tabii. Sorun değil."

"Öyleyse ikinizle de dışarıda buluşuyoruz? Söz mü?"

"Evet."

"Evet. Şimdi *git*."

Kız istemeyerek yavaşça arkasına, sonra eli boynunda gerisin geri Nathaniel'a döndü. "Tılsım! Seni korur!" Zincirinde döndürerek kolyeyi uzattı. Yeşim taşı hafifçe parıldıyordu.

Nathaniel büyük bir bezginlik hissetti. "Hayır. O benim işime yaramaz."

Kızın göz kenarlarında minik ışıklar parıldadı. "Nedenmiş o?"

"Çünkü," diye araya girdi Bartimaeus'un sesi, "o çok güçlü bir tılsım. Asa'dan çıkan enerjinin çoğunu emerek Nouda'ya kaçma fırsatı verebilir. Yapabileceğin en iyi şey onu alıp takmak ve hemen buradan gitmek." Sesim Nathaniel'ın başının içinde sessizce yankılandı. *Nasıldı?*

Fena değil.

Nathaniel, Kitty'e baktı. Kitty eli önde öylece kalakalmış, Nathaniel'ın yüzünü okumaya çalışıyordu. Nathaniel kızın etraflarında parıldayan, her şeyi en açık ve kusursuz detaylarına kadar gösteren aurasını görüyordu: Ağaç kabuklarını, yaprak damarlarını, taşları ve ayaklarının altındaki çimenleri. Kendini o aurada yıkanmış hissetti. Yorgunluğu uçup gitti.

Ağaçtan ayrılıp Asa'yı yere tıklattı. Asa yeniden canlandı. "Sonra görüşürüz Kitty," dedi.

Kitty, tılsımı boynuna bırakıp gülümsedi. "Görüşürüz. Seninle de Bartimaeus."

"Hoşçakal."

Sonra ağaçların arasında, doğu girişine doğru giderek gözden kayboldu ve Nathaniel arkasına dönüp cinin enerjisinin kendisini desteklediğini hissederek canavarın yalnızlık içinde ayak sürüdüğü, onu bunu parçalayıp yemek için haykırdığı geniş alana baktı.

Ne düşünüyorsun Bartimaeus? diye düşündü. *Yapalım mı şu işi?*

Sanırım yapsak iyi olacak. Zaten yapılacak daha iyi bir şey yok.

Kesinlikle.

V

Arkasından, buyurgan bir emir şeklinde yükselen sesi duyduğunda Kitty, doğu çıkışına ulaşmak üzereydi. Demonun yanıt olarak gelen kükremesi, yoldaki çakıl taşlarını yerinden zıplatıp kubbenin cam panellerini titretti. Sonra kapıyı ittirip gecenin soğuğuna daldı.

Bacakları harcadığı çabayla titriyordu, kolları bir rüyadaki kadar zayıf ve etkisizdi. Merdivenlerden inip süs bahçelerinden geçti, çini döşeli toprak üstünde sendeleyip alçak çitlerin etrafından deli gibi dönerek parkın açık ferahlığına ulaştı.

Cam Saray'dan gelen ışık sırtına vuruyor, önündeki aydınlık çimlerin üstünde uzanan kendi gölgesini görüyordu. Uzaklaştı, uzaklaştı... Işıkların ötesine geçip karanlığa varabilse belki biraz dinlenebilirdi. Kendini zorlayarak devam etti, nefesi daha da daralıp kasları daha da zorlanırken gitgide yavaşladı ve sonunda, bütün hiddeti ve çaresizliğine rağmen elleri dizlerinde durmak zorunda kaldı.

Tam o anda bir sesin, neredeyse kendi kendini yutan, titreşerek bir anda kaybolan baloncuk patlaması gibi bir sesin ayırdına vardı. Üstünde durduğu çimler, karanlığa uzanan bir dalgacık halinde inip kalktı. Kitty, Cam Saray'a dönerek dizleri üstüne çöktü, turuncu parıltının göz kamaştırıcı beyaz bir dalga tarafından yutulduğunu görebilmek için tam zamanında dönmüştü, dalga yükselip dışa taştı, kubbenin sınırlarını geçerek cam panellerin hepsini tek tek parçaladı, cam kırıkları gecenin içine patladı. Beyazlık sarayı gözlerden sakladı, süs bahçelerinin üzerine aktı, aradaki mesafeyi yutarak Kitty'i sardı ve şiddetiyle sırt üstü yere yapıştırdı. Semerkant Tılsımı tüm gücüyle yüzüne çarptı, kolyenin belli belirsiz parıldadığını, öfkeden kudurmuş enerjileri içine çektiğini gördü. Her yerde korku dolu bir koşuşturma vardı. Her yerde çimenler yanıyordu.

Sonra enerjinin şiddeti yine aniden kesildi. Hava nemlenmiş ve durgunlaşmıştı.

Kitty gözlerini açtı, biraz zorlanarak da olsa dirsekleri üzerinde doğruldu.

Her yer zifiri karanlıktı. İleride, belirsiz bir uzaklıkta, turuncu–kırmızı büyük bir yangın vardı. Üzerine bir tel örgü kadar kırılgan, kıvrılıp bükülen metalden karmaşık bir ağın izi düşmüştü. Kitty'nin bakışları altında, kendi içine çöküp yoğunlaşarak karanlık bir kütle şeklini aldı. Duyulur duyulmaz bir iç çekişle alevlere doğru çöktü, alevler onu kucaklamak için kabardı, gökyüzünü yalayıp ağır ağır yatıştı.

Kitty, orada uzanıp olanları izledi. Gecenin içinden yavaş yavaş ve sessizce uçuşarak minik cam kırıkları geldi. Birkaç dakika sonra toprak buz tutmuş gibi parlıyordu.

37

Sabah saat dokuz buçukta, St. James Parkı'ndaki patlamadan tam olarak iki gün beş saat sonra İngiliz Hükümeti Geçici Konseyi acil bir toplantı için buluştu. Çalışma Bakanlığı'nın, Whitehall yangınından fazla hasar almadan çıkan hoş bir salonunu doldurmuşlardı. Pencerelerden soluk bir güneş ışığı sızıyordu. Yeterli miktarda çay, kahve ve bisküvit temin edilmişti. Konseye başkanlık eden Rebecca Piper, toplantıyı canlı bir beceriyle yönetiyordu. Belirli konular hemen tartışıldı: Yaralıların tedavisi ve bakımı için fonlar ayrılması ve iki askeri hastanenin de bu iş için tahsis edilmesi. Sonra şehir merkezinde restorasyon çalışmalarına başlaması için hazineye doğrudan ulaşım hakkı olan bir alt komite kuruldu.

Daha sonraysa güvenlik konularına gelindi. Yardımcı bir bakan raporunu sundu. Hâlâ serbest olduğu bilenen dört melez demon vardı, hepsi de yerleşim bölgelerinden şehir dışındaki kırsal alanlara sürülmüştü. Dolaşımlarını takip eden iblisler, gereken yerlerde halkı tahliye ediyordu. Çok yakında bu tehditi ortadan kaldıracak olan seferberlik güçleri kurulacaktı. Bu tedbir, gece polisinin neredeyse tamamen yok olması ve öldüğü zannedilen liderleri Bayan Farrar'ın ortadan kaybolması nedeniyle gecikmişti. Yardımcı bakan, kısa sürede yeni ve tamamen insanlardan oluşan bir polis kuvvetinin kurulmasını umuyor, işe (ideal olarak halk arasından) adamlar alabilmek için yetki istiyordu.

Bunun üzerine halktan gelen temsilciler, eşit derecede önemli bir konunun çözüme kavuşturulmasını talep etmek için tartışmalara katıldı: Orduların Amerika'dan geri çekilmesi. Sözlerini desteklemek için işgal altındaki Avrupa ülkelerinde isyan çıkma tehlikesini ve Londra'ya yapılacak yeni saldırıların kuvvetle muhtemel olduğunu dile getirdiler. Taleplerinin karşılıksız kalmasının tüm ülkede grev ve ayaklanmalara yol açacağını, bununsa geçici hükümete sert bir darbe vuracağını ima ettiler. Sert ve gergin havanın galeyana getirdiği birkaç büyücü, ellerinden kollarından tutularak zaptedilmek zorunda kalındı. Tokmağını tekrar tekrar masaya vuran Bayan Piper, düzeni ancak bakan vekili Harold Button'ın yardımıyla sağlayabildi. Bay Button, halkın söylemini destekleyerek tarihte sadık ordular tarafından kurtarılmış çökmekte olan imparatorluklardan birçok ayrıntılı örnek verdi.

Hararetli tartışmalardan sonra Bayan Piper, konuyu oylamaya sundu. Orduların Amerika'dan çekilmesi çok az bir oy farkıyla kabul edildi. Bunun üstüne halkın temsilcileri sokakta bekleyen insanlara haberi duyurmak için bir ara istedi. Ara verildi, Geçici Konsey dağıldı ve Bay Button biraz daha çay sipariş etti.

Bütün bu olanları pencerenin yanındaki bir sandalyeden izleyen Kitty kalkıp koridora kaçtı. Farklı görüşlerin ateşli çarpışması başını ağrıtmıştı.

Bayan Piper'ın Konsey'de kendisine de bir koltuk verme teklifini önceki sabah reddetmişti. Bu fikrin (eşit haklara sahip olarak büyücülerle birlikte oturmanın) garipliği bir tarafa, iş için gerekli enerjiye sahip olmadığını da biliyordu. Geçmişte Kurbağa Bar'da tanık olduğu sonsuz görüşmeler bu konuda bir fikir sahibi olmasını sağlamışsa daha şeffaf bir devlet sistemi içinde yer almak isteyecek birisinin en üst düzeyde sabır ve dayanıklılık niteliklerine sahip olması gerekliydi. Kitty'nin stoğunda, şu anda ikisinden de fazla miktarda yoktu. Ama hayatta kalmış ve çoğundan daha geniş bir bakış açısına sahip bir büyücü olarak Bay Button'ın ismini vermekten de geri kalmamıştı. Kurbağa'daki bağlantıları sayesinde varlıklarıyla Geçici Konsey'e daha çok inandırıcılık kazandıracak halk arasında popüler olan birçok kişiyi de tavsiye etmişti. Daha sonra özel bir oda isteyip uykuya dalmıştı.

Öğleden sonra uyanıp yeniden St. James Parkı'na gitti. Geçici barikatları ittirip aralarından geçerek yanık halı gibi kıtır kıtır, sert ve kararmış topraktan geniş bir daire üstünde, mor şeritlerden büyü artıklarının asılı durduğu ölü bölgeye girdi. Ayakları altında çimenler çatırdıyordu. Hava leş gibiydi. Ancak tılsımı elinde sımsıkı tuttuğunda kendini tamamen güvende hissedebiliyordu Kitty.

Alanın ortasında sarayın kalıntıları sonbahar güneşi altında kapkara ve düğüm düğüm yükseliyordu. Üzerinde demirden birkaç çıkıntı vardı. Çoğu dev böğürtlen çalıları gibi karmaşık bir örgüyle birbirine lehimlenmiş, yolu tıkamış, geçit vermiyordu. Üstlerine yapışmış büyülü dumanlar, sanki yere kenetlenmiş gibi kıpırtısız duruyordu. Çıkan keskin koku Kitty'i öksürttü.

Bir süre sessizce orada durdu.

"Sözler tutulmak içindir," dedi sonunda.

Yıkıntılardan yanıt gelmedi. Hareket görülmedi. Kitty de fazla oyalanmadı. Ağır adımlarla yaşayan dünyaya döndü.

Saat birde, konsey öğle yemeği için dağıldığında Bayan Piper, Kitty'i aramaya çıktı. Onu bakanlık kütüphanesinde oturmuş, bir atlasın sayfalarını karşıtırıp arada boşluğa bakarken buldu.

Yüzü, can sıkıntısından asılmış bir halde karşısına çöküverdi. "Bu delegeler kesinlikle *dayanılmaz,*" diye haykırdı. "Dayanılmaz! Amerika taleplerinin kabul edilmesi yetmedi, daha biraz önce şantaja yakın taktiklerle, limanların gözetimi için iblislerin kullanılmasına karşı olduklarını bildirdiler. Ülkenin yararına olduğu açık seçik ortada olduğu halde! Bunun 'orada çalışanların haklarına aykırı olduğunu' söylüyorlar, *ne* demekse." Hafifçe dudaklarını sarkıttı. "Bu katıksız bir zorbalık! Bay Button, az önce kafalarına çörek attı."

Kitty omuz silkti. "Güvenlik önemli bir konu ama insanların güvenini kazanmak da öyle. Casuslar, araştırma küreleri, bütün bunların değişmesi gerekecek. Limanlar konusuna gelince bunu onlarla tartışmanız lazım sanırım."

"Katılman için seni ikna edemeyeceğimizden emin misin?" dedi Bayan Piper. "Bizimle daha uç fraksiyonlar arasında mükemmel bir arabulucu olurdun."

"Üzgünüm," dedi Kitty. "Yorgunum. Fazla gergin olurum. Akşam olmadan beni Kule'ye tıkarsınız."

"Hiç sanmam!" Bayan Piper, birden düşüncelere dalmış göründü. "Aslında, şu delegelerden bazıları... Çok *çekici* bir fikir..." Kafasını salladı. "Ben neler söylüyorum böyle? Peki o halde, Bayan Jones, bakıyorum bir atlas almışsınız. Bu planlarınızı gösteren bir ipucu mu?"

"Bilmiyorum," dedi Kitty usulca. "Belki olabilir, ülkede olaylar biraz yatıştığında, bir süreliğine yurtdışına çıkarım. Brüges'de ziyaret edebileceğim bir dostum var, ondan sonra biraz dolaşıp dünyayı görürüm. Umarım sağlığımı yeniden kazanmama yardımcı olur." Dudaklarını sarkıtıp pencereye doğru baktı. "Belki Mısır'a giderim. Hakkında çok şey duydum. Bilmiyorum. Duruma göre."

"Büyü çalışmalarına burada devam etmek istemez miydin? Bay Button, doğal yeteneğini öve öve bitiremiyor ve hükümet içinde önemli bir açığımız var. Birkaç öğretmen önerebiliriz."

Kitty atlasın kapağını kapattı, yükselen tozdan spiraller ışıkta süzüldü. "Çok naziksiniz ama o kapı artık bana kapalı. Çalışmalarım her zaman için özel bir..." Durakladı. "Aklımda olan özel bir amaca yönelikti. Ve Nathaniel iki gün önce bunu benim için gerçekleştirdi. Bütün dürüstlüğümle söylüyorum, bunun üstüne daha ne yapabileceğimi bilemezdim."

Odayı sessizlik bürüdü. Bayan Piper, aynı anda hem saatine bakıp hem de küçük bir çığlık attı. "Ara bitmek üzere! Gitmeliyim. Bu öğleden sonra bir gelişme kaydedebilecek miyiz Tanrı bilir."

Derin bir iç çekişle ayağa kalktı. "Bayan Jones, henüz bir sabah geçti ama halkın bütün temsilcilerini boğmak üzereyim. Tek bir sabah! Ve daha işe başlamadık bile. Durum bundan daha kötü olamazdı. İşbirliği yapabileceğimizi gerçekten hiç zannetmiyorum."

Kitty gülümseyerek arkasına yaslandı. "Denemeye devam edin," dedi. "Mümkün. Kolay değil ama mümkün. Neler başarabildiğinizi görüp şaşıracaksınız."

38

Ölmek işin kolay kısmıydı. Esas sorunumuz Nouda'nın dikkatini çekebilmekti.

İkimiz birden, tek bedenimizle, en ortadaki kubbenin tam altında durduk. Onu çekmemiz gereken yer burasıydı, merkez nokta, demirin en yoğun olduğu bölge. Ama Nouda çok büyük, çok gürültücü, kafası dikkati kolayca çekilemeyecek kadar fazla karışmış ve terk edilmişti. İkiden fazla hantal bacağı üstünde ileri geri sallanıyor, tezgahları ve çocuk bisikletlerini sarsıyor, ağaçları koca ağzına gelişigüzel tıkıştırıp duruyordu. Bu ciddi işe hayran olunası içten bir inançla devam ederken gözlerinden hiçbiri bizden tarafa bakmıyordu.

Bizim için artık uçmanın modası geçmişti. Hatta zıplamak bile olanak dışıydı. Geriye kalan enerjimin çoğunu çocuğu ayakta tutabilmek için kullanıyordum. Kendi haline bırakılsa yere serilip kalırdı.

Biz de olduğumuz yerde kalıp bağırmayı tercih ettik. En azından *ben* öyle yaptım, Tibet'de çığlara neden olacak türden bir haykırışla.[1] "Nouda! Benim ben, Bartimaeus, Şakir el

Cin, Kudretli N'gorso ve Gümüş Tüylü Yılan! Binlerce savaşta dövüşüp hepsini kazandım! Senden çok daha yüce varlıkları yok ettim! Görkemimle gözleri kamaşan Ramuthra önümden kaçtı. Tchue yeryüzündeki bir çatlağın içine sığındı. Gökleri Delen Yılan Hoepo kendi kuyruğunu ısırıp hiddetimle yüzleşmektense kendi kendini yemeyi yeğledi! İşte şimdi sana meydan okuyorum. Çık karşıma!"

Cevap gelmedi. Nouda, Doldurulmuş Hayvanlar Mağarası'ndaki bazı işleri kemirmekle meşguldü. Çocuk bir düşünce yollamayı denedi. *Bu sataşmaktan sayılır mı? Daha çok dolaysız bir böbürlenmeye benziyor, değil mi?*

Bak, düşmanı tahrik eden ya da dolduruşa getiren her şey sataşma olarak anılır ve... Ah, zaten işe yaramadı, değil mi? Zaman kaybediyoruz. Birkaç adım daha attı mı dışarıya çıkacak.

Bir de ben deneyeyim. Nathaniel boğazını temizledi. ""Lanetli demon! Artık sonun geldi. Küçülten alev seni bekliyor! Senin o iğrenç özünü bu salona... Şey, margarin gibi yayacağım, hem de çok kalın bir kat margarin..." Duraksadı.

Evet... Bu benzetmeyi anlayacağından emin değilim. Ama boş ver sen, devam et.

"Lanetli demon, *beni dinle!*" Acınacak durumumuzun nedeni oğlanın kısık sesinin git gide daha çok kısılmasıydı. Bırakın Nouda'yı, ben bile zor duyuyordum. Ama sözlerini çok etkileyici ilaveyle bitirdi, yani Asa'dan çıkıp Nouda'yı gerisinden vuran bir yıldırımla. Yüce varlık bir kükreyişle yanıt verdi. Kollarıyla bacakları seğirip patlak gözleri araştırarak ayaklandı. Bizi görmesiyle her yanımıza seri şimşekler atması bir

[1] Yani Nepal'den bağırıldığında. İşte bu kadar yüksek bir sesti.

oldu. Nişanlaması berbattı. Bir–iki tanesi birkaç metre uzağımıza isabet etti ama yerimizden kıpırdamadık.

O koca ses: "Bartimaeus! Seni görüyorum..."

Oğlanın yanıt olarak fısıldadıkları duyulamayacak kadar zayıftı. Ama ben aklını okuyup onun yerine konuştum. "Hayır! Ben Nathaniel'ım! Senin efendin! Ben senin ölümünüm!"

Yeni bir beyaz enerji Nouda'nın özüne battı. Doldurulmuş bir ayıyı kenara fırlatıp korkunç bir gazapla döndü. Ağır ağır bize doğru geldi. Bu dünyaya yabancı, ötekinden kopmuş dev bir gölge ışığın önünü kesti.

İşte sataşmak diye buna denir, diye düşündü Nathaniel.

Evet, fena değildi. Tamam, üstümüze çullanana kadar bekle, sonra Asa'yı kıralım.

Ne kadar uzun sürerse o kadar iyi. Kitty...

Çoktan çıkmıştır, endişelenme.

Oğlanın gücü azalıyordu ama kararlılığı yılmazdı. Ara vermeden sözcükleri sakin sakin fısıltıyla mırıldanarak içinde hapsolmuş varlıkların umudu hissedilinceye dek Gladstone'un Asa'sını kilitleyen bağları gevşetti. Özgür kalabilmek için çılgınlar gibi ittirip zorladılar, kalan büyülü bağlara baskı yaptılar. Nathaniel, benim yardımım olmadan onları kontrol altında tutamazdı, anında serbest kalırlardı. Ama Nouda daha istediğim yere kadar gelmemişti. Asa'nın kapağını yerinde tuttum. O anda beklemekten başka yapılacak bir şey yoktu.

Kimilerine göre kahramanca ölmek hayranlık duyulacak bir şeydir.[2] Bu düşünce, bana hiçbir zaman ikna edici gelmemiştir çünkü temelde ne kadar şık, karizmatik, kendine hakim, soğuk-

---

[2] Genel olarak bunu yapmak zorunda olmayanlara göre. Akla ilk politikacılar ve yazarlar geliyor.

kanlı, erkeksi ya da korkusuz olursanız olun, sonuçta ölmüşsünüz demektir. Buysa benim zevkime göre biraz fazla kalıcı bir şeydir. En nazik noktada kaçmayı başarabilen bir cin olarak uzun ve başarılı bir kariyer hayatım olmuştu ve o göklerde süzülen camdan demirden kubbenin altında, Nouda üstümüze doğru gelirken oldukça büyük bir pişmanlıkla bu geri çekilme seçeneğine aslında sahip olmadığımın farkına vardım. Çocuğa bağlanıp kalmıştım, özüm etindeydi. Bu işte beraberdik.

Bu ikircikli sonuna kadar kalma işine daha önce bir de Batlamyus'la bu kadar yaklaşmıştım. Aslında, onun o son müdahelesi olmasa gidiyordum da. Sanırım, eski efendim şu halimi görse büyük olasılıkla çok hoşuna giderdi. Bu tam onun kalemiydi, biliyorsunuz: İnsanlarla cinler el ele, birlik olarak çalışıyorlar vs. Sorun, söylediklerini biraz düz anlamıyla uyguluyor olmamızdı.

Bartimaeus... Duyduğum çok zayıf bir düşünceydi.

Evet?

İyi bir hizmetkar oldun...

İnsan, ne demeye böyle bir şey söyler ki? Yani ölüm burnumuzun dibindeyken ve 5000 yıllık eşsiz bir kariyer tepetaklak gitmek üzereyken? Buna verilecek en uygun yanıt, açıkçası, ayıp bir el hareketinden sonra hayatınızın en yüksek sesli geğirmesidir ama yine de yapamadım. Onun bedeninde olmak bu operasyonu, uğraşamayacağım kadar zor ve karmaşık kılıyordu.[3] O yüzden bezmiş halde ve keşke arka planda acıklı keman nağmeleri olsaydı diye düşünerek ben de oyuna katıldım.

Şey, hımm, sen de pek şekerdin.

---

[3] Eh, kendi kendinize ayıp bir hareket yapmayı deneyin. Pek de işe yaramıyor, değil mi?

Mükemmeldin demiyorum...

Ne?

Alakası bile yok. Kabul edelim, genelde işleri berbat etmeyi hep başardın.

NE? Yüzsüz şey! Böyle bir zamanda ettiği hakaretlere bak! Ölüm burnumuzun dibindeyken. Sorarım size. Dolaylı söz söyleme sanatını devreye soktum. *Eh, madem zilleri dökülüyoruz, benim de bir çift sözüm var ahbap...*

Bu yüzden seni şimdi kovuyorum.

Ha? Yanlış duymamıştım. Biliyordum. Aklını okuyabiliyordum.

Yanlış fikirlere kapılmanı istemem... Düşünceleri kesik kesik, süreksizdi ama ağzı kovma sözcüklerini mırıldanmaya başlamıştı bile. *Yalnızca... Asa'yı en doğru zamanda kırmamız lazım. Onu sen kontrol altında tutuyorsun. Ama bu kadar önemli bir konuda sana güvenemem. İşi yine berbat edersin. En iyisi... En iyisi seni kovmam. Böylece Asa, otomatik olarak tetiklenir. Ben de işin doğru dürüst tamamlandığından emin olurum.* Gider gibi oldu. Artık uyanık kalmakta zorluk çekiyordu, yara aldığı taraftan enerji sürekli akıyordu ama son bir irade gücüyle gerekli sözcükleri söylemeye devam etti.

Nathaniel...

Kitty'e benden selam söyle.

Sonra Nouda üstümüze çullandı. Ağızlar açıldı, duyargalar içimize girdi. Nathaniel, Kovma'yı tamamladı. Ben gittim. Asa kırıldı.

Tipik bir efendi. Başından sonuna kadar bana söz hakkı tanımadı. Çok yazık diyeceğim çünkü o son anda hakkında neler düşündüğümü ona söylemek isterdim. Yine de bütün niyetlerimiz ve amaçlarımız dahil tek ve aynı olduğumuz o kısacık an içinde sanırım bunu zaten anlamıştı.

1970'de Bedford'da doğan Jonathan Stroud kendini bildi bileli yazıyor. York Üniversitesi'nde İngiliz Edebiyatı okuduktan sonra Londra'ya taşınarak buradaki bir yayınevinde editör olarak çalıştı. Bartimaeus Üçlemesi dışında üç romanı daha bulunan Gould, artık tüm zamanını yazmaya ayırıyor.
Eşi ve küçük kızıyla beraber St. Albans'da yaşamaktadır.